Praktijkboek Arbeidsomstandigheden

Handleiding voor werknemers, ondernemingsraden en VGW(M)-commissies

Koen Langenhuysen

# Praktijkboek
# Arbeidsomstandigheden

Handleiding voor werknemers, ondernemingsraden en

VGW(M)-commissies

KLUWER ALPHEN AAN DEN RIJN 2012

**Hogeschool van Amsterdam**

Bibliotheek
James Wattstraat 77-79
1097 DL Amsterdam
020- 5953280
http://www.bib.hva.nl

Zetwerk: Pre Press Media Groep, Zeist
Omslagontwerp: Verheul Communicatie bv, Alphen aan den Rijn
Fotografie: C. Pennarts, Montfoort
ISBN 978 90 13099 61 4 (Paperback)
ISBN 978 90 13101 66 9 (E-bookversie)
NUGI 350

© 2012 Kluwer, Alphen aan den Rijn

# Voorwoord

Dit boek is geschreven om werknemers, ondernemingsraden en andere medezeggenschapsorganen en hun VGW(M)-commissies te helpen bij hun werk om de arbeidsomstandigheden te verbeteren. Maar ook om hen een helpende hand te bieden bij het versterken van het verzuimbeleid en de milieuzorg in hun bedrijven of instellingen. Ik hoop dat niet alleen or-leden er hun voordeel mee kunnen doen, maar ook kaderleden en andere individuele werknemers, zoals in bedrijven waar geen ondernemingsraad of personeelsvertegenwoordiging bestaat. Zie mede daarvoor de paragrafen die daar speciaal aan zijn gewijd.

Het Praktijkboek geeft basisinformatie die ondernemingsraden nodig hebben. En uitwerkingen naar uiteenlopende deelonderwerpen. Het bevat daarnaast ook vele suggesties en voorbeelden uit de arbopraktijk. Om meteen aan de slag te kunnen gaan, is achterin het boek een 'gereedschapskist' opgenomen met een groot aantal checklists. Verder zijn een lijst met trefwoorden en afkortingen en de tekst van de Arbowet opgenomen.

Dit boek wordt elk jaar geactualiseerd. Jaarlijks verschijnt begin februari een geheel aangepaste nieuwe versie. Zie daarvoor: www.kluwershop.nl. U vindt daar ook een mogelijkheid om tegen een gereduceerd tarief een abonnement op dit praktijkboek te nemen.

## Dank

Het *Praktijkboek Arbeidsomstandigheden* is gestart door Ton Kamphof. Hij heeft het boek opgebouwd en er een succes van gemaakt. Ik dank hem bijzonder voor dit baanbrekende werk en voor het vertrouwen dat hij in me heeft gesteld door dit mooie werk aan mij over te dragen.

Ook de verschillende leden van ondernemingsraden en VGW(M)-commissies die me hun succesverhalen hebben meegedeeld, dank ik hartelijk. Die arbosuccessen zijn verspreid over het boek terug te vinden. Verder ben ik dank verschuldigd aan Frans de Kruif voor zijn talrijke en bijzonder bruikbare suggesties bij het hoofdstuk over milieuzorg, en aan Chris Pennarts voor zijn prachtige foto's.

Ik draag het boek op aan alle actieve werknemers, vakbondsleden, en leden van ondernemingsraden en hun VGW(M)-commissies die ik de afgelopen jaren in trainingen en bij lezingen heb ontmoet. Hun verhalen, kennis, vragen, successen en problemen hebben me inspiratie en inzicht gegeven om dit boek te maken tot wat het nu is.

Uw suggesties, kritiek en nieuwe interessante praktijkvoorbeelden, hoor ik bijzonder graag. Dat kan een volgende uitgave verrijken. Ze kunnen worden gemaild naar: info@fijn-werk.nl.

Ik hoop dat het boek u helpt in uw arbowerk en dat u het met plezier zult lezen en raadplegen!

*Koen Langenhuysen*

# Leeswijzer

**Hoe te werken met dit boek**

Hieronder doe ik enige suggesties hoe u dit *Praktijkboek Arbeidsomstandigheden* kunt gebruiken.

*Het boek verkennen*

Als u zich op de hoogte wilt stellen van de globale inhoud van het boek, en wilt weten wanneer u het zou willen raadplegen, volgen hierbij de volgende suggesties:
- Blader de inhoudsopgave door; als iets u opvalt of u interesseert, sla het betreffende hoofdstuk dan open.
- Kijk in het register met trefwoorden achterin het boek; u vindt daarin wellicht onderwerpen die u graag even naslaat.
- Besteed specifieke aandacht aan de "arbogereedschapskist": een verzameling van 28 checklists.
- Lees hoofdstuk 3: "De Arbowet in vogelvlucht" en hoofdstuk 4: "De medezeggenschapsrechten inzake arbeidsomstandigheden en ziekteverzuim".

*Met VGW(M)-werk starten*

Als u als ondernemingsraad met VGW(M)-werk aan de slag gaat, of als u een VGW(M)-commissie op wilt richten, kunt u de volgende aanwijzingen volgen:
- Blader de inhoudsopgave en het boek door, zodat u globaal weet wat u in het boek kunt vinden.
- Lees daarna hoofdstuk 27: "Het oprichten van een VGW(M)-commissie".
- Lees ook hoofdstuk 28: "Het werk van de VGW(M)-commissie verbeteren", waarin u tips vindt over het goed functioneren van de commissie. Zie daarvoor ook de "Checklist functioneren VGW(M)-commissie" (30.28).
- Lees ook de hoofdstukken 3 en 4: "De Arbowet in vogelvlucht" en "De medezeggenschapsrechten inzake arbeidsomstandigheden en ziekteverzuim".

*Een concreet probleem behandelen*

Als een concreet probleem op uw weg komt, bijvoorbeeld nieuwe gevaarlijke stoffen, of risico's van beeldschermwerk, kunt u de volgende stappen doorlopen:

- U leest het hoofdstuk dat het onderwerp beschrijft. Bij de genoemde voorbeelden zijn dat de hoofdstukken 18: "Gevaarlijke stoffen", of hoofdstuk 22: "Kantoor- en beeldschermwerk"
- Verder zoekt u checklist 30 van hoofdstuk 30 op, waar u een stappenplan vindt voor het aanpakken van een concrete arbokwestie; dat kunt u gebruiken als leidraad voor uw eigen aanpak.
- U kunt wellicht ideeën ontlenen aan de paragraaf 29.2 waarin tips staan hoe om te gaan met klachten van collega's die u arboproblemen voorleggen die ze zelf niet opgelost krijgen.
- Ten slotte kunt u ook nog gebruikmaken van ideeën uit hoofdstuk 4, "De medezeggenschapsrechten inzake arbeidsomstandigheden en ziekteverzuim".

*Meepraten over arbobeleid*
Als u zich wilt voorbereiden om op het arbobeleid invloed uit te oefenen, of om stagnerend arbobeleid verbeterd te krijgen, kunt u uw voordeel doen met de volgende suggesties:
- In de checklist "Een arbobeleidskwestie aanpakken" (30.31) kunt u een stappenplan vinden om u te helpen met betreffende arbobeleidskwesties aan de slag te gaan.
- Als u het gehele arbobeleid door wilt lichten, kan de "Checklist arbobeleid" (30.3) u verder helpen.
- Lees in ieder geval hoofdstuk 7: "Arbobeleid".
  Wellicht kunt u ook hier gebruikmaken van ideeën uit hoofdstuk 4: "De medezeggenschapsrechten inzake arbeidsomstandigheden en ziekteverzuim".

*Het VGW(M)-werk uit het slop halen*
Hieronder volgen ten slotte enkele suggesties om dit boek te gebruiken als het VGW(M)-werk in het slop is geraakt. Overigens zijn er in dat geval meer dingen noodzakelijk dan het raadplegen van dit boek, maar het kan behulpzaam zijn. De volgende suggesties kunnen van dienst zijn:
- Ga naar checklist 28 over het functioneren van de VGW(M)-commissie in hoofdstuk 30, en bespreek deze. Trek conclusies ter verbetering van het functioneren van uw or of VGW(M)-commissie.
- Lees hoofdstuk 28: "Het werk van de VGW(M)-commissie verbeteren".

# Inhoud

Voorwoord                                                                 5

Leeswijzer                                                                7

DEEL I INTRODUCTIE                                                       19

I      Het belang van arbowerk van werknemers en ondernemingsraden       21
       1.1      Het belang van arbowerk van werknemers en                21
                ondernemingsraden

DEEL 2 WETGEVING                                                         25

2      Wegwijs in de arbowetgeving                                       27
       2.1      Inleiding                                                27
       2.2      De zoektocht in zes stappen                             27
       2.3      Uitwerking in een voorbeeld: lawaai                     35
       2.4      Recente veranderingen in de arbowetgeving               38
       2.5      Verder lezen                                            38
3      De Arbowet in vogelvlucht                                        39
       3.1      Inleiding                                               39
       3.2      Algemeen                                                39
       3.3      Verplichtingen van de werkgever                         40
       3.4      De werknemers                                           43
       3.5      De Arbeidsinspectie                                     44
       3.6      Speciale wetgeving voor de bouw                         45
       3.7      Verder lezen over de Arbowet                            49
4      De medezeggenschapsrechten inzake arbeidsomstandigheden en       51
       ziekteverzuim
       4.1      Inleiding                                               51
       4.2      Rechten ondernemingsraad of VGW(M)-commissie            51
       4.3      De rechten van de personeelsvertegenwoordiging          57
       4.4      Arbomedezeggenschap in het onderwijs                    59

9

|  | 4.5 | Werknemersrechten als er geen medezeggenschapsorgaan is | 62 |
|  | 4.6 | Verder lezen | 64 |
| 5 |  | De Arbeidsinspectie | 65 |
|  | 5.1 | Inleiding | 65 |
|  | 5.2 | Wettelijke bepalingen | 67 |
|  | 5.3 | Straffen en boetes | 68 |
|  | 5.4 | Werknemersrechten | 70 |
|  | 5.5 | Verder lezen | 72 |
| 6 |  | Schuld en aansprakelijkheid bij bedrijfsongevallen en beroepsziekten | 73 |
|  | 6.1 | Inleiding | 73 |
|  | 6.2 | Aansprakelijkheid en claims | 73 |
|  | 6.3 | Sancties | 74 |
|  | 6.4 | Civielrecht: vergoeding voor materiële en immateriële schade | 75 |
|  | 6.5 | Zorgplicht werkgever | 77 |
|  | 6.6 | Bewijslast werkgever | 77 |
|  | 6.7 | De uitzendkracht en aansprakelijkheid | 77 |
|  | 6.8 | Werknemers van meerdere werkgevers op één werkplek | 78 |
|  | 6.9 | Enkele conclusies over aansprakelijkheid bij een arbeidsongeval | 78 |
|  | 6.10 | Beroepsziekten | 79 |
|  | 6.11 | Tips voor de praktijk | 80 |
|  | 6.12 | Verder lezen | 81 |

DEEL 3 ARBO-, VERZUIM- EN MILIEUBELEID     83

| 7 |  | Arbobeleid | 85 |
|  | 7.1 | Inleiding | 85 |
|  | 7.2 | Beleid: de vijf W's | 85 |
|  | 7.3 | Stap 1: willen | 86 |
|  | 7.4 | Stap 2: weten | 90 |
|  | 7.5 | Stap 3: wegen | 91 |
|  | 7.6 | Stap 4: werken | 92 |
|  | 7.7 | Stap 5: waken | 92 |
|  | 7.8 | Arbobeleid en duurzame inzetbaarheid | 93 |
|  | 7.9 | Verder lezen | 95 |
| 8 |  | Arbobeleid en certificering | 97 |
|  | 8.1 | Inleiding | 97 |
|  | 8.2 | VCA | 98 |

| | | |
|---|---|---:|
| 8.3 | De Nederlandse Praktijkrichtlijn Arbomanagementsystemen (NPR 5001) | 101 |
| 8.4 | OHSAS 18001 | 102 |
| 8.5 | De rol van de or of VGW(M)-commissie | 104 |
| 8.6 | Verder lezen | 106 |
| 9 | De spelers in het arboveld: wie doet wat in de arbozorg? | 107 |
| 9.1 | Inleiding | 107 |
| 9.2 | Wettelijke verplichtingen | 107 |
| 9.3 | Het overzicht van taken en bevoegdheden | 108 |
| 9.4 | Verder lezen | 118 |
| 10 | De risico-inventarisatie en -evaluatie | 119 |
| 10.1 | Inleiding | 119 |
| 10.2 | De verplichtingen | 119 |
| 10.3 | Wie maakt of toetst de RI&E? | 123 |
| 10.4 | De rechten van ondernemingsraad of VGW(M)-commissie | 124 |
| 10.5 | Aanbevelingen voor het opstellen en bijstellen van een RI&E | 124 |
| 10.6 | Verder lezen | 127 |
| 11 | Plan van aanpak | 129 |
| 11.1 | Inleiding | 129 |
| 11.2 | De wettelijke vereisten | 129 |
| 11.3 | Wie maakt het plan van aanpak? | 130 |
| 11.4 | De opzet van het plan van aanpak | 130 |
| 11.5 | Aanbevelingen voor inhoud en opzet | 132 |
| 11.6 | Voortgangsbewaking | 133 |
| 11.7 | Aanbevelingen voor de procedure | 134 |
| 11.8 | De rol van de or/VGW(M)-commissie | 134 |
| 11.9 | Verder lezen | 135 |
| 12 | Ziekteverzuimbeleid | 137 |
| 12.1 | Inleiding | 137 |
| 12.2 | Het algemeen wettelijk kader | 138 |
| 12.3 | Wettelijke bepalingen bij ziekteverzuim en re-integratie | 138 |
| 12.4 | Een gezond ziekteverzuimbeleid | 144 |
| 12.5 | Trends in ziekteverzuimbeleid | 153 |
| 12.6 | Privacy en ziekteverzuim | 157 |
| 12.7 | Re-integratiebedrijven | 161 |
| 12.8 | Rechten ondernemingsraad en VGW(M)-commissie | 162 |
| 12.9 | Verder lezen | 163 |
| 13 | Voorlichting, onderricht en toezicht | 165 |
| 13.1 | Inleiding | 165 |
| 13.2 | De verplichtingen | 166 |
| 13.3 | Rechten van de or/VGW(M)-commissie | 171 |

| | | |
|---|---|---|
| 13.4 | Verder lezen | 172 |
| 14 | Arbodienst en deskundigen | 173 |
| 14.1 | Inleiding | 173 |
| 14.2 | Ontwikkelingen | 173 |
| 14.3 | Wettelijke verplichtingen | 175 |
| 14.4 | Overgang naar een andere arbodienstverlener | 178 |
| 14.5 | Rechten van de or/VGW(M)-commissie en werknemers | 179 |
| 14.6 | Tips voor het effectief omgaan van de or met de arbodienst of de andere arbodeskundige | 180 |
| 14.7 | Verder lezen | 181 |
| 15 | Milieuzorg en duurzaam ondernemen | 183 |
| 15.1 | Inleiding | 183 |
| 15.2 | Milieuvervuiling | 183 |
| 15.3 | Wettelijke vereisten | 186 |
| 15.4 | Milieuzorg in het bedrijf | 189 |
| 15.5 | Maatschappelijk verantwoord ondernemen | 190 |
| 15.6 | Milieucertificering en milieuverslag | 191 |
| 15.7 | De samenhang tussen arbo en milieu | 192 |
| 15.8 | De rechten en rol van de ondernemingsraad of VGW(M)-commissie | 193 |
| 15.9 | Milieuprofiel ondernemingsraad of VGW(M)-commissie | 194 |
| 15.10 | Verdere suggesties om met milieuzorg aan de slag te gaan | 195 |
| 15.11 | Verder lezen | 197 |
| DEEL 4 ARBO CONCREET | | 199 |
| 16 | De inrichting van arbeidsplaatsen | 201 |
| 16.1 | Inleiding | 201 |
| 16.2 | Algemene bepalingen | 201 |
| 16.3 | Vluchtwegen en nooduitgangen | 201 |
| 16.4 | Brandvoorzieningen | 202 |
| 16.5 | Vloeren, wanden en plafonds | 203 |
| 16.6 | Deuren en doorgangen | 203 |
| 16.7 | Verbindingswegen | 203 |
| 16.8 | Gevaar vallende voorwerpen of omvallende constructies | 204 |
| 16.9 | Valgevaar | 204 |
| 16.10 | Afmetingen van arbeidsplaatsen | 204 |
| 16.11 | Pauzeruimten | 204 |
| 16.12 | Kleedruimten | 205 |
| 16.13 | Was- en doucheruimten | 205 |
| 16.14 | Toiletten | 205 |
| 16.15 | Eerstehulpposten | 205 |

|       | 16.16 | Vereisten voor de bouwplaats | 206 |
|       | 16.17 | Verder lezen | 207 |
| 17    | Bedrijfshulpverlening | | 209 |
|       | 17.1 | Inleiding | 209 |
|       | 17.2 | Wettelijke verplichtingen | 209 |
|       | 17.3 | Rechten or/VGW(M)-commissie | 215 |
|       | 17.4 | Stappenplan opzet bedrijfshulpverlening | 215 |
|       | 17.5 | Verder lezen | 217 |
| 18    | Gevaarlijke stoffen | | 219 |
|       | 18.1 | Inleiding | 219 |
|       | 18.2 | De gevaren | 219 |
|       | 18.3 | Wettelijke verplichtingen | 220 |
|       | 18.4 | Grenswaarden van chemische stoffen | 223 |
|       | 18.5 | Stapsgewijze aanpak, te beginnen bij de bron | 227 |
|       | 18.6 | Verdere vereisten en aanbevelingen | 228 |
|       | 18.7 | Rechten van de ondernemingsraad of VGW(M)-commissie | 232 |
|       | 18.8 | Nieuwe vormen van blootstelling aan gevaarlijke stoffen | 233 |
|       | 18.9 | Biologische agentia | 236 |
|       | 18.10 | Verder lezen | 238 |
| 19    | Lawaai | | 241 |
|       | 19.1 | Inleiding | 241 |
|       | 19.2 | Wettelijke verplichtingen | 241 |
|       | 19.3 | Rechten werknemers en ondernemingsraad | 246 |
|       | 19.4 | Verder lezen | 247 |
| 20    | Klimaat | | 249 |
|       | 20.1 | Inleiding | 249 |
|       | 20.2 | Wat wordt onder klimaat verstaan? | 249 |
|       | 20.3 | Wettelijke vereisten en aanbevelingen: algemeen | 250 |
|       | 20.4 | Temperatuur en tocht | 251 |
|       | 20.5 | Werken in warme omstandigheden | 252 |
|       | 20.6 | Luchtverversing en ventilatie | 253 |
|       | 20.7 | Beschermende kleding | 255 |
|       | 20.8 | Rechten en mogelijkheden van de ondernemingsraad | 256 |
|       | 20.9 | Verder lezen | 256 |
| 21    | Lichamelijke belasting | | 257 |
|       | 21.1 | Inleiding | 257 |
|       | 21.2 | Tillen | 258 |
|       | 21.3 | Werkhouding | 262 |
|       | 21.4 | Repeterend werk | 265 |
|       | 21.5 | RSI | 266 |
|       | 21.6 | Duwen en trekken | 268 |
|       | 21.7 | Trillingen | 271 |

21.8 Lichamelijke belasting: Tips voor werknemers, or en VGW 273
(M)-commissie

21.9 Verder lezen 274

22 Kantoor- en beeldschermwerk 275

22.1 Inleiding 275

22.2 Algemene wettelijke verplichtingen voor kantoorwerk 275

22.3 Beeldschermwerk 277

22.4 Algemene verplichtingen betreffende beeldschermwerk 278

22.5 Werkplek en apparatuur 280

22.6 De omgeving van de beeldschermwerkplek 282

22.7 De manier van werken aan het beeldscherm 283

22.8 Het Nieuwe Werken 283

22.9 De or/VGW(M)-commissie aan het werk op kantoor 285

22.10 Verder lezen 286

23 Machineveiligheid 287

23.1 Inleiding 287

23.2 Procedures en arbozorg 292

23.3 De werknemers 293

23.4 Verplichte documenten en voorzieningen 294

23.5 De belangrijkste gevaren 295

23.6 Rechten en taken van ondernemingsraad en/of VGW(M)- 297
commissie

23.7 Verder lezen 297

24 Persoonlijke beschermingsmiddelen 299

24.1 Inleiding 299

24.2 Sluitstuk arbobeleid 300

24.3 Vereisten voor het persoonlijke beschermingsmiddel 301

24.4 Afspraken en beleid 303

24.5 Werknemers: rechten en verplichtingen 305

24.6 Verder lezen 306

25 Werkdruk en werkstress 309

25.1 Inleiding 309

25.2 Wat is werkdruk en werkstress? 309

25.3 De gevolgen van werkdruk 310

25.4 Enkele gegevens 311

25.5 Verplichtingen werkgever 312

25.6 Belangen en weerstanden van de werkgever 313

25.7 Wettelijke rechten ondernemingsraad 314

25.8 De aanpak van werkdruk door de ondernemingsraad 316

25.9 Verder lezen 319

26 Ongewenste omgangsvormen 321

26.1 Inleiding 321

| | | |
|---|---|---|
| 26.2 | Agressie en geweld | 322 |
| 26.3 | Pesten | 325 |
| 26.4 | Seksuele intimidatie | 327 |
| 26.5 | Discriminatie | 328 |
| 26.6 | Wettelijke verplichtingen | 329 |
| 26.7 | Succesvol beleid | 329 |
| 26.8 | De vertrouwenspersoon | 330 |
| 26.9 | Het reglement | 331 |
| 26.10 | De rol en mogelijkheden van de ondernemingsraad | 332 |
| 26.11 | Verder lezen | 333 |

DEEL 5 DE PRAKTIJK VAN HET ARBOWERK 335

| | | |
|---|---|---|
| 27 | Het oprichten van een VGW(M)-commissie | 337 |
| 27.1 | Inleiding | 337 |
| 27.2 | Waarom een VGW(M)-commissie oprichten, de voor- en nadelen | 337 |
| 27.3 | Het instellingsbesluit: de taakstelling en bevoegdheden van de VGW(M)-commissie | 339 |
| 27.4 | De koers van de VGW(M)-commissie | 340 |
| 27.5 | De plaats van de VGW(M)-commissie in het arbo-overleg | 343 |
| 27.6 | De VGW(M)-commissie organiseert zich | 345 |
| 28 | Het werk van de VGW(M)-commissie verbeteren | 347 |
| 28.1 | Inleiding | 347 |
| 28.2 | De commissie breed samenstellen | 347 |
| 28.3 | Weten wat er bij de achterban leeft | 348 |
| 28.4 | Kennis van zaken | 349 |
| 28.5 | De juiste positie in het arbo-overleg | 350 |
| 28.6 | Initiatieven nemen | 351 |
| 28.7 | Output leveren | 352 |
| 28.8 | Planmatig werken | 353 |
| 28.9 | Meer dan vergaderen | 353 |
| 28.10 | Het netwerk hanteren, intern en extern | 354 |
| 28.11 | Werken als team | 355 |
| 28.12 | Het commissiewerk strak organiseren | 356 |
| 28.13 | De juiste tactiek kiezen | 357 |
| 28.14 | Verder lezen | 358 |
| 29 | Breekijzers voor VGW(M)-werk: handvatten en aanknopingspunten | 359 |
| 29.1 | Inleiding | 359 |
| 29.2 | Klachten van collega's | 359 |
| 29.3 | Het ongeval | 360 |
| 29.4 | De nieuwbouw of grote verbouwing | 364 |

29.5    De grote investering                                              367
29.6    Een nieuw budgetjaar: budget voor arbo?!                          368


DEEL 6 DE ARBOGEREEDSCHAPSKIST                                            371


30    De arbogereedschapskist voor de ondernemingsraad of VGW(M)-    373
      commissie
      30.1     Overzicht                                                  373
      30.2     Basischecklist veilig en gezond werk                      374
      30.3     Checklist arbobeleid                                      379
      30.4     Checklist arbotaken                                       381
      30.5     Checklist preventiemedewerker                            381
      30.6     Checklist risico-inventarisatie en -evaluatie            383
      30.7     Checklist plan van aanpak                                385
      30.8     Vragenlijst over mogelijke oorzaken ziekteverzuim        386
      30.9     Checklist ziekteverzuimbeleid                            387
      30.10    Checklist re-integratie/Wet verbetering poortwachter     388
               (WVP)
      30.11    Checklist omgaan met of keuze van re-integratiebedrijf   390
      30.12    Vragen bij de keuze van een arbodienst (of zelfstandig   391
               opererende gecertificeerde bedrijfsarts)
      30.13    Vragen in gesprek met 'de arbodienst' of bedrijfsarts    393
      30.14    Vragenlijst oordeel werk 'arbodienst' of bedrijfsarts    393
      30.15    Checklist voorlichting, onderricht en toezicht           394
      30.16    Checklist beleid agressie en geweld                      396
      30.17    Checklist ongewenste omgangsvormen: discriminatie,       397
               pesten en seksuele intimidatie
      30.18    Checklist gevaarlijke stoffen                            399
      30.19    Checklist bedrijfshulpverlening                          402
      30.20    Vragenlijst werkdruk/werkstress                          403
      30.21    Checklist milieuvervuiling door bedrijf of instelling    404
      30.22    Checklist milieubeleid                                    406
      30.23    Checklist machineveiligheid                              407
      30.24    Checklist veiligheid heftrucks                           409
      30.25    Checklist veilig magazijn                                412
      30.26    Checklist persoonlijke beschermingsmiddelen (PBM's)      415
      30.27    Checklist arbozorg voor uitzendkrachten                  417
      30.28    Checklist functioneren VGW(M)-commissie                  417
      30.29    De VGW(M)-commissie en de achterban                      419
      30.30    De aanpak van een concrete arbokwestie                   420
      30.31    Een arbobeleidskwestie aanpakken                         422

DEEL 7 DIVERSEN | 425

31     Handige adressen en websites | 427
    31.1     Direct nuttig voor arbohulp en arbo-informatie | 427
    31.2     Arbodiensten | 428
    31.3     Vakbonden | 428
    31.4     Diversen | 430
    31.5     Uitgevers | 434
    31.6     De beste arbowebsites voor werknemers en ondernemingsraden | 435
    31.7     Sites van instellingen en verenigingen | 436
32     Literatuur | 439
    32.1     Literatuur | 439
33     Voorbeelddocumenten | 443
    33.1     Voorbeelddocument 1: De arbo-intentieverklaring | 443
    33.2     Voorbeelddocument 2: Indeling arbobeleidsplan | 444
    33.3     Voorbeelddocument 3: De milieubeleidsverklaring | 445
    33.4     Voorbeelddocument 4: Het instellingsbesluit VGW(M)-commissie | 446
34     Bijlagen | 449
    34.1     Bijlage 1: Een methode voor Risico-evaluatie | 449
    34.2     Bijlage 2: Aanbevelingen voor afspraken met de arbodienst | 450
    34.3     Bijlage 3: Arbo-informatiebladen | 453
    34.4     Gebruikte afkortingen | 455

DEEL 8 ARBEIDSOMSTANDIGHEDENWET | 459

35     Arbeidsomstandighedenwet | 461

    Trefwoordenregister | 489

DEEL 1

INTRODUCTIE

# 1 Het belang van arbowerk van werknemers en ondernemingsraden

## 1.1 Het belang van arbowerk van werknemers en ondernemingsraden

Arbeidsomstandigheden oftewel 'arbo' gaat over veiligheid, gezondheid en psychische belasting in het werk. Dus over werk waarin mensen zo min mogelijk risico's lopen op letsel of ongevallen, over werk en werksfeer waar mensen niet ziek van worden, over werk dat je met plezier en naar je eigen capaciteiten kunt doen. Dat 'arbo' een belangrijk thema is voor werknemers en ondernemingsraden, blijkt telkens weer uit onderzoek.

Dit boek gaat over de aandacht die werknemers, kaderleden, ondernemingsraden, personeelsvertegenwoordigingen, medezeggenschapsraden en hun VGW (M)-commissies (commissies voor Veiligheid, Gezondheid, Welzijn en Milieu) aan arbeidsomstandigheden en milieu besteden.

Waarom zouden werknemers en ondernemingsraden aandacht besteden aan arbo en milieu? Allereerst omdat het noodzakelijk is gezien de omstandigheden waarin veel mensen moeten werken. Verder omdat inspanningen op dit terrein heel praktische en zichtbare resultaten kunnen opleveren. Aan de andere kant is dit arbowerk van werknemers ook vaak lastig. Noodzakelijk, concreet en lastig dus. In dit hoofdstuk worden deze factoren nader uitgewerkt.

*Noodzakelijk*
Iedereen die om zich heen kijkt weet dat opkomen voor veiligheid, gezondheid, welzijn en milieu noodzakelijk is. De ongevallen, het letsel, de bijna-ongevallen, de slechte werksfeer, het werkgebonden ziekteverzuim, mensen die arbeidsongeschikt worden vanwege hun werk, de onnodige schade aan het milieu: het zijn allemaal redenen om VGW(M)-werk bloedserieus te nemen. Zeker nu we geacht worden door te werken tot 66 of 67 jaar. Werkgevers geven arbo bepaald niet altijd de hoogste prioriteit, maar ook de individuele werknemer sluit vaak zijn ogen voor de gevaren voor veiligheid en gezondheid: 'het hoort erbij en het zal mij niet overkomen', lijkt de gedachte te zijn. De huidige regering doet alsof Nederland op het gebied van arbeidsomstandigheden er rooskleurig voor staat. Landelijke

cijfers maken echter duidelijk dat er sprake is van een collectief en structureel probleem. Hier volgen enkele van die cijfers:

- Per jaar overlijden in Nederland naar schatting 3000 werknemers door onveilig of ongezond werk.
- De meeste slachtoffers (ongeveer 1350) overlijden als gevolg van het werken met kankerverwekkende stoffen. Ook hart- en vaatziekten (800), mede veroorzaakt door hoge werkdruk, en longaandoeningen (570) eisen hun tol.
- Jaarlijks worden 80 tot 100 dodelijke ongevallen gemeld bij de Arbeidsinspectie.
- Daarnaast zijn er jaarlijks naar schatting 230.000 bedrijfsongevallen met letsel en verzuim. Steeds vaker is het slachtoffer een vrouw. Een derde van de betrokken werknemers is een maand of langer uitgeschakeld.
- Zo'n 40% van de werknemers in Nederland heeft last van werkdruk en loopt het risico op stress.
- In Nederland worden 500.000 mensen in hun werk regelmatig blootgesteld aan schadelijk geluid en 800.000 aan schadelijke trillingen.
- 1,3 miljoen mensen moeten in hun werk regelmatig zwaar tillen en lopen risico's aan hun 'bewegingsapparaat' (rug, schouders enzovoort).
- 28% van de Nederlandse werknemers heeft te maken met ongewenst gedrag door leiding en/of collega's.
- De maatschappelijke kosten van ziekteverzuim, arbeidsongeschiktheid, en medische behandelingen in verband met arbeidsgebonden psychische problemen (werkstress en overspannenheid) bedragen ruim € 4,5 miljard per jaar.

### Concreet en inspirerend

Als werknemers hun arbotaak daadwerkelijk oppakken, kan dat werk inspirerend zijn omdat het vaak concreet is. Zo kan de kadergroep, ondernemingsraad of zijn VGW(M)-commissie:

- ervoor zorgen dat er tilhulpmiddelen komen voor collega's;
- ertoe bijdragen dat de tocht of de droge lucht op kantoor wordt verminderd;
- een voorstel doen om collega's die te maken hebben met agressieve klanten, beter worden opgevangen en begeleid;
- een bijdrage leveren aan meer milieubewustheid op het werk.

Het arbowerk van de medezeggenschap kan ook inspirerend zijn omdat werknemers op *arbogebied meer te vertellen* hebben dan op andere gebieden. De wetgever geeft de ondernemingsraad vergaande bevoegdheden, waardoor daadwerkelijk de mogelijkheid bestaat het beleid te beïnvloeden.

### Lastig

Het arbowerk van werknemers en de ondernemingsraad is ook vaak lastig. Dat wordt veroorzaakt door een aantal factoren. Zoals boven opgemerkt, arbeidsomstandigheden hebben voor sommige werkgevers een *lage prioriteit*. Met de mond kan worden beleden dat arbowerk belangrijk is, maar in de praktijk komen veiligheid, gezondheid en welzijn in het werk voortdurend op de tweede of lagere plaats. Arbo is een *kostenpost*, zeggen veel werkgevers. Dat arbo-investeringen veel aan het bedrijfsresultaat bijdragen (betere sfeer en motivatie onder werknemers, betere klantrelaties, minder ongevallen en kosten, minder ziekteverzuim, betere verhouding tot overheden, positievere uitstraling van de organisatie) wordt dikwijls niet gezien, omdat het indirecte resultaten zijn.

Arbowerk is ook vaak werk van de *lange adem*; het vraagt doorzettingsvermogen. Dat is trouwens het kenmerk van al het medezeggenschapswerk. Regelmatig is dat een bron van frustratie voor leden van ondernemingsraden en VGW(M)-commissies.

Een volgende belemmerende factor is het *gedrag* van mensen, de collega's. Oude gewoonten zijn moeilijk te veranderen. Ook al zijn de instructies voor veilig en gezond werken goed en bekend, mensen gaan nogal eens op oude voet verder en nemen onverantwoorde risico's, vaak met ernstige gevolgen.

Verder is ook de *werkdruk* een oorzaak dat de zorg voor veiligheid en gezondheid in het werk in het gedrang komt. Werknemers gebruiken bijvoorbeeld geen tilhulpmiddelen; er wordt wel even snel handmatig getild. Mensen kruipen even snel onder een machine door omdat dat tijd bespaart. Anderen werken onverantwoord lang door. Of ze verhelpen zelf even een storing aan een draaiende machine en gebruiken geen beschermingsmiddelen. De leidinggevende knijpt een oogje dicht. Voorts vraagt arbowerk ook *papierwerk*. Om het arbobeleid op een hoger niveau te tillen zal de or of kadergroep zich moeten verdiepen in wetgeving en beleidsdocumenten van de eigen organisatie. Dat is niet voor iedereen aantrekkelijk. En ten slotte vraagt arbowerk *tijd*, die er vaak maar beperkt is.

Al die factoren maken het werk voor veiligheid, gezondheid, welzijn en milieu lastig. Tegelijkertijd is het een belangrijke uitdaging om daar constructief mee om te leren gaan.

Maar als u (misschien ongemerkt) één ongeval of beroepsziekte weet te voorkomen, één collega beschermt tegen ongewenst gedrag, of één milieu-incident voorkomt, dan is het VGW(M)-werk al ruimschoots de moeite waard geweest.

Lees ter inspiratie hieronder het eerste voorbeeld van de arbosuccessen, die verspreid over het boek zijn opgenomen.

---

**Arbosucces**

*Meer vaste krachten door de or*

---

In een middelgroot bedrijf dat pluimveeproducten vervaardigt, zijn in de afgelopen jaren steeds meer (Poolse) uitzendkrachten ingeschakeld. De or ziet dat er daardoor grote problemen op de werkvloer ontstaan op het gebied van sfeer, communicatie, veiligheid en kwaliteit. Ook de werkdruk van de vaste krachten neemt toe; zij moeten zich steeds meer inspannen om alles goed draaiende te houden, nu veel van hun collega's steeds wisselende en minder opgeleide uitzendkrachten zijn. Twee jaar geleden heeft de ondernemingsraad een instemmingsaanvraag over de invoering van een tweeploegendienst aangegrepen om een grens te trekken. In de onderhandelingen is toen vastgesteld dat minimaal 50% van het personeel uit vaste krachten moet bestaan. Een groot succes voor de or. "In andere bedrijven in de branche is vaak meer dan 80% van de werknemers uitzendkracht," aldus de or-voorzitter. "Soms is daar alleen de leidinggevende in vaste dienst." De or heeft onlangs nogmaals zo'n bijzonder succes geboekt. Ditmaal kwam er een instemmingsaanvraag van de directie om geen gezamenlijke pauzes meer op te nemen. In plaats daarvan heeft iedereen op andere tijden pauze en wordt dan afgelost. Daardoor komt de productie nooit stil te liggen. "Dat heet *vlinderen*," legt de or-voorzitter uit.

"De or heeft door goed teamwerk en grote steun vanuit de achterban deze instemmingsaanvraag aangegrepen om een aantal belangrijke afspraken te maken. Zo hebben we na veel getouwtrek afgesproken dat er dertig mensen extra worden aangetrokken, waarvan er twintig in vaste dienst zijn! Dat viel niet mee. De directie dreigde zelfs naar de kantonrechter te gaan, maar wij hebben voet bij stuk gehouden. En de directie gaf uiteindelijk toe. Het percentage vaste krachten stijgt hierdoor naar 60%. Daarmee hebben we een buffer opgebouwd voor de toekomst. Ook hebben we nog afspraken gemaakt over beperking van de nachtarbeid. Eerder was al voortdurende taakroulatie afgesproken (steeds na een halfuur volgens een vast schema) en een maximale tijd van 2,5 uur om aaneengesloten te werken. Hierdoor neemt de lichamelijke belasting duidelijk af. We horen tevreden reacties van de achterban, en bovendien is het ziekteverzuim meteen gedaald."

DEEL 2

WETGEVING

# 2  Wegwijs in de arbowetgeving

## 2.1  Inleiding

Waar en hoe zijn de wettelijke bepalingen over arbokwesties te vinden? Dit hoofdstuk wil de lezer daarin wegwijs maken. Het geheel van de arbowetten en -regels is soms net een oerwoud, waarin je snel het spoor bijster raakt. Maar als je de paden leert kennen is na enige oefening de weg wel te vinden. Soms is er uitgebreide en gedetailleerde regelgeving te vinden, zoals bij lawaai. Bij andere arbothema's zal blijken dat er geen concrete wettelijke norm bestaat. Bijvoorbeeld bij stress, tillen of de chauffeursstoel. Soms zijn er weer normen in een cao of arbocatalogus te vinden.

Om bij een concreet arboknelpunt wegwijs te raken in de arbowetgeving zijn de volgende zes stappen van belang:
1. Is de Arbowet van toepassing?
2. Bestaat over het probleem een arbo-informatieblad?
3. Wat zegt de arbowetgeving?
4. Staat er iets in de cao?
5. Is er een arbocatalogus van toepassing?
6. Gelden er interne bedrijfsregels?

Verderop in de tekst worden bovengenoemde termen uitgelegd. Daarna wordt aan de hand van het voorbeeld lawaai de zoektocht concreet ondernomen.

## 2.2  De zoektocht in zes stappen

*Stap 1: Waar en op wie is de Arbowet van toepassing?*
De Arbowet heeft een breed toepassingsgebied. Ze is van toepassing op het werk van alle werknemers, van werknemers met een arbeidsovereenkomst of een publiekrechtelijke aanstelling, de ambtenaren. Ook de ingeleende kracht, de uitzendkracht, moet voor zijn veiligheid, gezondheid en welzijn worden beschermd door de inlenende werkgever. De Arbowet is tevens van toepassing op stagiaires en

thuiswerkers die onder gezag van een werkgever vallen. Ten slotte worden ook 'derden' beschermd die geen werknemer zijn: bezoekers, leerlingen, voorbijgangers, patiënten in een ziekenhuis enzovoort.

Sinds begin 2008 geldt de Arbowet over het algemeen niet meer voor vrijwilligers. Alleen als het gaat om ernstige risico's, zoals valgevaar of het werken met gevaarlijke stoffen, zijn de regels uit de arbowetgeving voor vrijwilligers van kracht. Hetzelfde geldt voor de algemene zorgplicht, en de verplichting tot voorlichting en onderricht. Ook de arboregels die bedoeld zijn om jongeren onder de achttien jaar te beschermen en vrouwen die zwanger zijn of borstvoeding geven, blijven voor vrijwilligers gelden.

De arbowetgeving is van toepassing in alle sectoren: industrie, kantoorwerk, vervoer, overheid, gezondheidszorg, onderwijs, dienstverlening, enzovoort. Enkele sectoren vallen erbuiten: ondergrondse mijnarbeid, het werken op booreilanden. Delen van de arbowetgeving zijn niet van toepassing op bijvoorbeeld het gevangeniswezen en defensie, vanwege de specifieke situaties die daar voorkomen.

*Stap 2: Staat er over het onderwerp informatie in een arbo-informatieblad?*
Als er over het arboprobleem een arbo-informatieblad bestaat, is het raadzaam dat te raadplegen. Een arbo-informatieblad is een boekje op A4-formaat, dat informatie geeft over de wettelijke verplichtingen en andere aanbevelingen. Het AI-blad is geen wet, maar verschijnt wel onder toezicht van het ministerie van Sociale Zaken en Werkgelegenheid. Sommige zijn erg goed leesbaar, andere vrij technisch, maar via de samenvattingen die na elk hoofdstuk zijn opgenomen, is de hoofdlijn goed te volgen. Er zijn er op dit moment meer dan vijftig verschenen. Over beeldschermwerk, laboratoria, beveiliging van machines, rolsteigers, kassawerkplekken, de inrichting van bedrijfsruimten enzovoort. Ze kosten ruim €40 per stuk. Vaak heeft de ondernemingsraad of preventiemedewerker er een aantal in bezit.

Zie voor de lijst arbo-informatiebladen paragraaf 34.3.

*Stap 3: De Arbowet, het Arbobesluit en de Arboregeling*
Als het antwoord niet gevonden kan worden in de AI-bladen, dan is het zaak om op zoek te gaan in de Arbowet, of in de andere onderdelen van de arbowetgeving: het Arbobesluit, of de Arboregeling. De inhoudsopgaven en trefwoordenregisters van uitgaven van de arbowetgeving zijn hierbij een nuttig hulpmiddel.

*Tabel 1. Overzicht arbowetgeving*

| | **Voorbeeld beeldschermwerk** |
|---|---|
| **Arbowet** | Gezondheid beschermen<br>Gevaren in RI&E opnemen |

| | Voorbeeld beeldschermwerk |
|---|---|
| Arbobesluit | Na twee uur pauze of andersoortig werk<br>Indien nodig beeldschermbril, enzovoort |
| Arboregeling | Regels over apparatuur en meubilair<br>Bijvoorbeeld beeldscherm vrij van hinderlijke spiegeling |

Hier volgt een overzicht en een bondige typering van de arbowetgeving:

Arbowet
– De Arbowet is een raamwet.
– Er staan algemene verplichtingen in, zoals het maken van een risico-inventarisatie en -evaluatie, het inschakelen van een arbodienst, bedrijfshulpverlening organiseren.
– Er zijn geen concrete normen of regels in te vinden over bijvoorbeeld lawaai, machineveiligheid, lichamelijke belasting of gevaarlijke stoffen.
– Op grond van de Arbowet zijn het Arbobesluit en de Arboregeling van kracht. Daarin zijn rondom meerdere arbothema's concretere normen opgenomen.
    De tekst van de Arbowet is verderop in dit boek opgenomen.

Arbobesluit
– Het Arbobesluit is een algemene maatregel van bestuur. Het heeft geen status van wet, maar is wel verplichtend. De verplichtingen uit het Arbobesluit zijn van kracht op grond van de Arbowet.
– Er staan bepalingen over concrete arbothema's in. Die zijn dikwijls vrij algemeen geformuleerd, bijvoorbeeld 'werknemers beschermen tegen verdrinkingsgevaar', of 'doelmatige hekwerken en leuningen aanbrengen bij valgevaar'. Er is daar vaak niet aangegeven wat 'doelmatig' is;

Arboregeling
– De Arboregeling is een ministeriële regeling en dus ook verplichtend, maar is weer wat lager in rangorde dan de wet of een algemene maatregel van bestuur.
– Enkele onderwerpen van het Arbobesluit zijn hier nader uitgewerkt, bijvoorbeeld over de inrichting van de beeldschermwerkplek of de methode om asbestdeeltjes in de lucht te meten.

De paragraafindeling van het Arbobesluit en de Arboregeling lopen redelijk parallel. De bepalingen over beeldschermwerk bijvoorbeeld staan in het Arbobesluit in de artikelen 5.7-5.12; en in de Arboregeling in de artikelen 5.1-5.3. Om het Arbobesluit en de Arboregeling in te zien, ga naar wetten.overheid.nl en vul als zoekterm in: Arbeidsomstandighedenbesluit, of Arbeidsomstandighedenregeling.

*Overige normen*

In de arboregelgeving wordt vaak verwezen naar andere normen, bijvoorbeeld naar de zogenaamde NEN-normen. Dat zijn uitgebreid beschreven technische (veiligheids)normen, die zijn opgesteld door fabrikanten. Een enkele keer gebeurt dat in overleg met vakbonden.

Zo beschrijft bijvoorbeeld NEN 1010 de manier waarop met elektriciteit moet worden gewerkt; het geeft veiligheidseisen weer voor het werken aan laagspanningsinstallaties. De NEN-normen zijn vaak moeilijk leesbaar en zijn bovendien erg prijzig. Het is overigens een bijzonder ongewenste situatie dat werkgevers en werknemers moeten betalen om inzicht te krijgen aan normen waar zij zich aan dienen te houden.

Ten slotte is er nog een aantal andere bronnen van regelgeving die ook indirect van belang zijn voor arbeidsomstandigheden. Denk bijvoorbeeld aan het Bouwbesluit, dat van invloed is op de veiligheid tijdens de bouw en op de constructie en inrichting van bedrijfsgebouwen. En de milieuregelgeving is bijvoorbeeld van belang voor de opslag van gevaarlijke stoffen.

---

**De Arbobeleidsregels zijn vervallen, maar niet allemaal**

Tot voor kort golden ook nog de arbobeleidsregels. Dit waren gedetailleerde richtlijnen die door de komst van arboregels op sectorniveau (in een zogenaamde arbocatalogus) overbodig zouden worden. De beleidsregels zijn in 2011 grotendeels afgeschaft. Maar niet allemaal; vijf branchespecifieke beleidsregels worden nog tot 2012 aangehouden om de betreffende sectoren de gelegenheid te bieden ze te verwerken in de eigen arbocatalogus (deze gaan bijvoorbeeld over meting van kooldioxide in bierkelders). Belangrijker nog is dat elf voormalige beleidsregels overgeheveld zijn naar het Arbobesluit. De FNV heeft zich de afgelopen jaren ingezet om de belangrijkste beleidsregels te behouden en heeft hiermee succes geoogst. Het gaat ondermeer om etikettering van gevaarlijke stoffen op de werkplek, jaarlijkse voorlichting bij het werken met kankerverwekkende stoffen en om arboregels bij zwangerschap. Zo is nu bijvoorbeeld vanaf 1 januari 2012 een harde wettelijke eis dat zwangere vrouwen niet mogen werken bij een geluidsniveau boven de 80 decibel en zijn er heldere regels over het maximale gewicht dat ze mogen tillen.

---

*Stap 4: De cao*

Soms staan in een cao ook regels over arbeidsomstandigheden en ziekteverzuim. Raadpleeg bij deze kwesties dus altijd even de cao.

---

**Uit de praktijk**
*Maximumgewichten in de bouw-cao*

In de bouwnijverheid gelden al vele jaren onder meer de volgende cao-bepalingen:

- 'Het is niet toegestaan verpakkingseenheden cement of andere grondstoffen zwaarder dan 25 kilo op het werk te gebruiken.'
- 'Metsel- en lijmblokken met een gewicht van 18 kilo of meer mogen slechts worden verwerkt met behulp van mechanische hulpmiddelen.'

---

**Uit de praktijk**

*Arbo-cao schoonmaak*

In de schoonmaaksector is er door vakbonden en werkgevers naast een cao ook een arbo-cao afgesloten. Daarin staan afspraken over uiteenlopende risico's als werkdruk, gevaarlijke stoffen en fysieke belasting.

Hier volgen twee ter illustratie bepalingen over dat laatste onderwerp:

**Artikel 5**

Werkafwisseling

1. 'De werkgever moet bij het maken van werkprogramma's zo veel mogelijk streven naar werkafwisseling en variatie in taken van de werknemers'.
2. 'Ter bevordering van werkafwisseling en variatie in taken moet de werkgever dit onderwerp opnemen als een verplicht agendapunt op het werkoverleg'.

**Artikel 6**

Stofzuiger

'De werkgever moet aan de werknemer een stofzuiger beschikbaar stellen die voldoet aan de hiervoor vastgestelde ergonomische eisen. Geadviseerd wordt dat de stofzuiger tevens voldoet aan de hiervoor vastgestelde aanbevelingen.'

---

## Stap 5: Is er een Arbocatalogus van toepassing?

De regering heeft in de toelichting bij de wijziging van de Arbowet verwoord dat er arbocatalogi kunnen worden gemaakt om nadere invulling te geven aan doelvoorschriften die in de arbowetgeving zijn opgenomen. Die voorschriften zijn namelijk doorgaans globaal geformuleerd; vaak komen daar onduidelijke termen als 'voldoende' en 'adequaat' in voor. De overheid schrijft voor WAT er moet gebeuren. De sociale partners kunnen gezamenlijk afspreken HOE in hun sector deze verplichtingen uitgevoerd zullen gaan worden. Een arbocatalogus is te zien als een combinatie van sectorale arbo-afspraken en een arbo-oplossingenboek, en wordt doorgaans digitaal aangeboden. Een arbocatalogus die door de Arbeidsinspectie is goedgekeurd, wordt opgenomen in een Arbobeleidsregel. Bij een inspectie zal de Arbeidsinspectie de geldende arbocatalogus als leidraad hanteren.

Eind 2011 is in bijna 150 sectoren een arbocatalogus tot stand gebracht. Inmiddels valt ruim de helft van de Nederlandse beroepsbevolking onder de werking van een arbocatalogus.

Op de website www.arboportaal.nl is te vinden welke sectoren inmiddels over een arbocatalogus beschikken. Daar kan ook per arbocatalogus doorgeklikt worden naar de betreffende site.

Arbocatalogi zijn er in vele soorten en maten. De onderlinge kwaliteitsverschillen zijn enorm. Wat ze met elkaar gemeen hebben is het volgende:

– Een arbocatalogus formuleert concrete maatregelen en middelen om de doelen uit de Arbowet te concretiseren.
– De arbocatalogus wordt per sector gemaakt als een gezamenlijk product van vakbonden en werkgeversorganisaties.
– De meeste arbocatalogi zijn nog niet compleet; ze beschrijven alleen nog maar de eerste twee of drie arbothema's. In de komende jaren zullen ze worden aangevuld met andere belangrijke arbothema's.
– De arbocatalogus moet worden goedgekeurd door de Arbeidsinspectie.
– De Arbeidsinspectie zal de arbocatalogus bij haar inspecties als 'referentiekader' gebruiken. Dit wil zeggen dat de normen en oplossingen in een arbocatalogus door de Arbeidsinspectie worden gezien als 'stand van de techniek' waaraan de werkgever zich dient te houden. Dat geldt niet voor afspraken in arbocatalogi die verder gaan dan duidelijk geformuleerde normen in de bestaande arboregelgeving. Als bijvoorbeeld een in een arbocatalogus wordt afgesproken dat het geluidsniveau in de productie niet boven de 75 db(A) mag uitkomen, zal de Arbeidsinspectie dat niet handhaven, omdat ze daar zelf minder strakke maar wel duidelijke normen voor heeft. Ook geeft de Arbeidsinspectie aan dat zij alleen brancheafspraken kan handhaven die bij overtreding tot gezondheidsschade leiden. Er moet wel een wetsovertreding aan de orde zijn.

Het is voor een sector of branche overigens niet verplicht een arbocatalogus te maken. Maar als een sector geen arbocatalogus maakt, zal de Arbeidsinspectie in die sector strenger controleren en zelf bepalen op welke manier een werkgever aan de arbowetgeving dient te voldoen, bijvoorbeeld door de Arbobeleidsregels hanteren die tot nu toe golden.

Er zijn sectoren die bewust niet voor een arbocatalogus kiezen. De werkgevers in de chemie bijvoorbeeld wijzen een arbocatalogus voor de sector af, omdat zij menen dat de bedrijven onderling te veel verschillen en omdat het niveau van de arbeidsomstandigheden in de sector hoog is. De vakbonden daarentegen zien een arbocatalogus in de chemie als een middel om noodzakelijke arboverbeteringen in de sector te bewerkstelligen.

---

**Een aantal arbocatalogi eruit gelicht:**

*Metaalbewerking en metalektro*

Deze arbocatalogus geeft een praktisch overzicht van de arbo-eisen bij lasrook,

---

oplosmiddelen, schadelijk geluid, en veiligheid voor nieuwkomers. In de loop van 2012 worden daar de thema's machineveiligheid en fysieke belasting aan toegevoegd. De catalogus bevat onder meer praktijkrichtlijnen, verbeterchecks en allerlei praktische verbeteroplossingen. De verbeterchecks stellen werkgevers én werknemers in staat om zonder dure metingen na te gaan of een bedrijf aan de regelgeving op dat gebied voldoet. Ook wordt in de arbocatalogus aangegeven welke maatregelen waar nodig zijn om tot aanvaardbare resultaten te komen.

Deze Arbocatalogus is te vinden op www.5xbeter.nl. Deze website biedt werkgevers en werknemers in de metaalbewerking en metalektro tevens de mogelijkheid gratis deskundig en onafhankelijk arbo-advies te krijgen via een telefonische verbeterlijn. Ook zijn er enkele verbetercoaches aangesteld. Zij komen gratis langs in een bedrijf of bij een cursus voor advies over de onderwerpen die in de arbocatalogus zijn opgenomen.

*Zoetwaren*

In deze arbocatalogus zijn vijf thema's uitgewerkt: machineveiligheid, hitte, fysieke belasting, gevaarlijke stoffen en stof, en geluid. Per onderwerp zijn er brancheafspraken gemaakt die een verplichtend karakter hebben. Bijvoorbeeld dat werknemers — na een overgangstermijn — niet bij temperaturen boven 40° Celsius mogen werken, en bij interne opslag niet boven schouderhoogte mogen tillen. Bij elk thema is ook een uitgebreide set aan oplossingen toegevoegd, waarvan een groot deel ook verplicht is gesteld. Daarnaast zijn er vrijblijvende oplossingen ter inspiratie beschikbaar. Bij het onderwerp fysieke belasting is een digitaal hulpmiddel opgenomen: de 'Werkwijzer' waarmee de fysieke belasting van een werkplek kan worden beoordeeld. Deze methode is ook in andere sectoren bruikbaar. Kijk eens op www.arbocataloguszoetwaren.nl.

*Groothandel in aardappel, groenten en fruit*

Fysieke belasting en intern transport zijn de thema's die als eerste een plek in deze arbocatalogus hebben gekregen. De arbocatalogus geeft uiteenlopende informatie: er worden werknemers geciteerd die hun goede ervaringen uit de doeken doen, bijv. over een palletwisselaar. Ook zijn er oplossingen te vinden voor arborisico's die in de praktijk blijken te werken en er zijn handige checklists en andere hulpmiddelen opgenomen. Tenslotte zijn er uiteenlopende minimumeisen geformuleerd waar alle bedrijven in de branche zich aan dienen te houden. Daarbij gaat het bijvoorbeeld om zaken als: veiligheidsvoorzieningen bij heftrucks, het tegengaan van blootstelling aan uitlaatgassen en het voorkomen van hoog tillen. Zie www.gezondehandel.nl.

*Afbeelding 1. Fysieke belasting is een thema dat in de meeste arbocatalogi wordt uitgewerkt.*

**Tips voor werknemers en or/VGW(M)-commissie**

— Een arbocatalogus kan voor een kadergroep, ondernemingsraad of VGW(M)-commissie een handig hulpmiddel zijn om na te gaan of de werkgever aan de regelgeving en aan de laatste stand van de techniek voldoet. Ook kan de or gevoed worden met allerlei praktische verbetersuggesties. In meerdere arbocatalogi zijn bovendien praktische arbonormen opgenomen die voor de sector zijn afgesproken, of meetmethodes die ook door een or of werknemers kunnen worden ingezet. Een goede arbocatalogus verschaft de or of kaderleden meer kracht en meer inhoudelijke kennis om concrete verbetervoorstellen richting de werkgever te formuleren.

— Is er in uw sector nog geen arbocatalogus opgesteld, vraag dan bij uw vakbond of via uw werkgever naar de voortgang. Probeer ook invloed uit te oefenen door aan de vakbonden door te geven welke onderwerpen volgens u het belangrijkst zijn om in de catalogus op te nemen.

— Wees bijzonder terughoudend als de werkgever voorstelt om een arbocatalogus op bedrijfsniveau op te stellen. Een dergelijke bedrijfscatalogus is niet meer dan een bundeling van de al bestaande arboregelingen van het bedrijf en voegt dus weinig nieuws toe. Het is juist de bedoeling van een arbocatalogus dat er uit alle hoeken van de sector handige en effectieve oplossingen voor arboproblemen worden verzameld. Daar kan iedereen zijn voordeel mee doen. Bovendien is het goed dat alle werknemers in een sector met dezelfde regels en mogelijke oplossingen te maken hebben. Tenslotte heeft de Arbeidsinspectie in de zomer van 2008 aangegeven dat alleen sectorbrede arbocatalogi door hen worden getoetst. Het opstellen van een bedrijfscatalogus is dus eigenlijk verspilde moeite.

- In sommige arbocatalogi krijgen ondernemingsraden en personeelsvertegenwoordigingen extra rechten en ook extra taken toebedeeld. In de Arbocatalogus pluimvee is dit bijvoorbeeld aan de orde bij het onderwerp fysieke belasting. De werkgever dient met een speciaal daarvoor ontwikkeld instrument de fysiek belastende werkzaamheden in het bedrijf te beoordelen. Vervolgens heeft de ondernemingsraad instemmingsrecht over het verbeterplan dat daaruit voortvloeit. Ook is instemmingsrecht vastgelegd bij afspraken die iedere werkgever dient te maken met de ondernemingsraad over de persoonlijke beschermingsmiddelen bij snijwerkzaamheden. Verder is in de arbocatalogus voor de zoetwarenindustrie en industriële bakkerijen onder meer bepaald dat elke werkgever een plan ter bestrijding van (oven)warmte ter instemming voorlegt aan de ondernemingsraad.

- Op www.arbofocus.nl is een tool te vinden voor bedrijven en ondernemingsraden om de implementatie van de arbocatalogus in het eigen bedrijf te bevorderen. Het is een checklist met 28 vragen die het arbobeleid van het eigen bedrijf onder de loep neemt en daarmee het gesprek tussen werknemersvertegenwoordigers en werkgever op gang kan brengen. Dit instrument is mede ontwikkeld door FNV Formaat.

### Stap 6: De regels binnen het bedrijf of de instelling

Vaak hebben bedrijven of instellingen eigen regels gemaakt betreffende arbo-onderwerpen, over het omgaan met gevaarlijke stoffen, de bedrijfshulpverlening, het dragen van persoonlijke beschermingsmiddelen, de lawaairisico's, de arboafspraken met uitzendbureaus et cetera. Ook deze regels zijn verplicht voor werknemers. Als het goed is, heeft de ondernemingsraad ooit met deze interne arbovoorschriften ingestemd. Veel organisaties worstelen overigens met de naleving van de door henzelf opgestelde regels. Daarom kan het goed zijn om de bedrijfsleiding op gepaste momenten naar de interne regels te verwijzen.

## 2.3    Uitwerking in een voorbeeld: lawaai

De zoektocht door de arbowetgeving wordt hieronder geïllustreerd aan de hand van het voorbeeld *lawaai*.

**Voorbeeld lawaai**

*Stap 1: Is de Arbowet van toepassing?*

De Arbowet is van toepassing omdat het gaat om werknemers en een werkgever en het een onderwerp betreft dat van belang is voor de arbeidsomstandigheden. De werkgever moet de werknemers beschermen tegen gehoorschade, ook omwille van de veiligheid en het welzijn, het lawaai elimineren of verminderen. Ook mogelijke uitzendkrachten moeten worden beschermd door de inlenende werkgever.

Overigens is de Wet milieubeheer hier ook van toepassing. Die beschermt omwonenden tegen te veel geluidshinder. Maar hier gaan we verder in op de Arbowet.

**Voorbeeld lawaai**

*Stap 2: Bestaat er een arbo-informatieblad?*

Ja, er bestaat een arbo-informatieblad, waarin de belangrijkste verplichtingen betreffende schadelijk en hinderlijk geluid bij elkaar staan: AI 4: *Lawaai op de arbeidsplaats*. Hierin zijn de meeste wettelijke regels en achtergrondinformatie te vinden.

**Voorbeeld lawaai**

*Stap 3: De arbowetgeving*
*De Arbowet*

In de Arbowet zelf vinden we, zoals kon worden verwacht, een aantal algemene bepalingen. De woorden 'geluid' en 'lawaai' ontbreken overigens in de Arbowet. De volgende bepalingen zijn van toepassing:

— Werknemers moeten worden beschermd tegen schade aan de gezondheid, dus ook tegen geluidsschade en geluidshinder (artikel 3).

— In de risico-inventarisatie en -evaluatie (RI&E) moeten de arborisico's worden opgespoord, opgesomd en gewogen (artikel 5).

— In het plan van aanpak, behorende bij de RI&E, moeten maatregelen staan om het probleem aan te pakken; inclusief een tijdspad (artikel 5).

— Er moet voorlichting en onderricht worden gegeven over arborisico's zoals lawaai, gehoorschade en hoe deze te voorkomen en te verminderen zijn, en over de manier waarop eventuele gehoorbeschermende middelen moeten worden gebruikt (artikel 8).

— De werkgever moet toezicht houden of de instructies worden opgevolgd.

- Via het PAGO (het periodiek arbeidsgezondheidskundig onderzoek) kan de gehoorschade bij werknemers worden onderzocht en kunnen collectieve en persoonlijke adviezen worden gegeven.

*Het Arbobesluit*

Een greep uit de bepalingen van het Arbobesluit (artikel 6.6 en volgende):

- Het geluid moet worden beoordeeld of gemeten.
- De geluidsmetingen worden volgens een schriftelijk plan periodiek herhaald.
- Bij geluidsniveaus boven de 85 dB(A) wordt effectieve gehoorbescherming gedragen.
- Werknemers worden in de gelegenheid gesteld een gehooronderzoek te ondergaan.

*De Arboregeling*

De Arboregeling kent geen bepalingen over geluid.

---

**Voorbeeld lawaai**

*Stap 4: De cao*

Raadpleeg de cao. In het geval van geluid is het niet erg waarschijnlijk dat er in de cao regels en verplichtingen te vinden zijn.

---

**Voorbeeld lawaai**

*Stap 5: Is er een arbocatalogus van toepassing?*

Ga na of er in uw sector een arbocatalogus is afgesloten. In zo'n catalogus hebben werkgeversorganisaties en vakbonden in een bedrijfstak vastgelegd op welke manier men om dient te gaan met de belangrijkste arborisico's. Op www.arboportaal.nl kunt u zien welke arbocatalogi er inmiddels bestaan. In zo'n catalogus is ook beschreven voor welke bedrijven en instelling hij geldt. Niet elke arbocatalogus behandelt het onderwerp geluid. Dat is bijvoorbeeld wel het geval bij de catalogi voor de sectoren orkesten, podiumkunsten, metaal en metaalbewerking en tapijt- en textielindustrie.

---

**Voorbeeld lawaai**

*Stap 6: Zijn er bedrijfsregels?*

Doorgaans zijn in bedrijven waar lawaaiproblemen bestaan regels en procedures geformuleerd. Bijvoorbeeld over het dragen en onderhouden van gehoorbeschermingsmiddelen. In zo'n bedrijf hoort ook een lawaaibestrijdingsplan te bestaan.

## 2.4    Recente veranderingen in de arbowetgeving

Zoals eerder in dit hoofdstuk aangegeven, zijn in 2011 de meeste arbobeleidsregels vervallen. Dat waren richtlijnen die de Arbeidsinspectie hanteerde bij inspecties. Oorspronkelijk was het schrappen van de beleidsregels al per 2010 gepland, maar op dat moment bleek dat er nog te weinig arbocatalogi waren ontwikkeld om de beleidsregels te vervangen. Door toedoen van de FNV is toen besloten de belangrijkste elf beleidsregels over te hevelen naar de Arboregeling en het Arbobesluit, waardoor ze niet alleen zijn behouden, maar bovendien een krachtige wettelijke status hebben gekregen. Zo is in augustus 2011 de voormalige beleidsregel over arbo en zwangerschap in het Arbobesluit opgenomen. Daardoor is een zwangere werkneemster wettelijk beschermd tegen fysieke belasting, lawaai, trillingen en gevaarlijke stoffen. Zo mag zij niet blootgesteld worden aan lood, En binnen twee weken na de melding van haar zwangerschap hoort de werkneemster ook informatie te krijgen van haar werkgever over de risico's op het werk en de benodigde maatregelen tijdens de periode van zwangerschap en borstvoeding.

Ook de beleidsregel rondom etikettering van gevaarlijke stoffen op de werkplek is nu harde regelgeving geworden. In het Arbobesluit is nu opgenomen dat ook op de werkplek op de verpakking van gevaarlijke stoffen de naam, gevaarsymbolen en waarschuwingszinnen moeten zijn aangebracht.

Verder is de regelgeving rond kankerverwekkende stoffen in het Arbobesluit aangescherpt. Daar is nu bepaald dat werknemers die aan kankerverwekkende stoffen of processen kunnen worden blootgesteld *minstens eenmaal per jaar* voorlichting of instructies horen te krijgen over de risico's en de benodigde maatregelen.

## 2.5    Verder lezen

- *Het compleet arboregelgevingboek*, Kerckebosch, Zeist, (de gehele arbowetgeving bij elkaar).
- *Arbeidsomstandighedenwet, Arbeidsomstandighedenbesluit, Arbeidsomstandighedenregeling en Arbeidsomstandighedenbeleidsregels* (serie Tekstuitgaven Arbeidsomstandigheden), Kluwer, Alphen aan den Rijn.
  Vier boeken met de teksten van de Arbowet, het Arbobesluit, de Arboregeling en de Arbeidsomstandighedenbeleidsregels, voorzien van uitgebreide toelichtingen. De boeken worden ieder jaar geactualiseerd.
- *De Arbo-informatiebladen*, uitgegeven door de Sdu, Den Haag. (Zie paragraaf 34.3).

# 3 De Arbowet in vogelvlucht

## 3.1 Inleiding

In dit hoofdstuk staat een samenvatting van de belangrijkste regels en verplichtingen uit de Arbeidsomstandighedenwet, de Arbowet. Onderdelen van deze wet worden in andere hoofdstukken van dit boek uitgebreider behandeld, bijvoorbeeld de risico-inventarisatie en -evaluatie (hoofdstuk 10), de arbodienst (hoofdstuk 14) en de Arbeidsinspectie (hoofdstuk 5), enzovoort. Daarnaast is de tekst van de gehele Arbowet opgenomen.

## 3.2 Algemeen

### 3.2.1 WAT VOOR SOORT WET IS DE ARBOWET?

De Arbowet is een wet met algemene bepalingen, een raamwet. Je vindt er geen gedetailleerde verplichtingen over allerlei concrete arboproblemen, als slechte stoelen, gevaarlijke stoffen, veilige of onveilige steigers, warme temperaturen of de risico's om een muisarm te krijgen. Die zijn wel te vinden in het Arbobesluit en de Arboregeling.

Bij meerdere onderwerpen zal overigens blijken dat er geen concrete normen in de wetgeving zijn opgenomen.

### 3.2.2 VOOR WIE GELDT DE ARBOWET?

De Arbowet is van toepassing op:
- Iedereen die in een gezagsrelatie (werkgever-werknemer) aan het werk is. Dat geldt ook voor uitzendkrachten, maar niet voor vrijwilligers.
- De thuiswerker. Als de werkgever de bevoegdheid heeft om opdrachten te geven, aanwijzingen te geven over hoe het werk te doen, dient hij ook te zorgen voor werk en werkomstandigheden die zo min mogelijk arbo-risico's met zich meebrengen.

- De situatie waarin twee of meer werkgevers op dezelfde locatie werk (laten) verrichten. Die werkgevers moeten samenwerken en onderling afspraken maken (zie artikel 19).
- Werknemers die in dienst van een buitenlands bedrijf hier werkzaamheden verrichten, eventueel op het terrein of in nauwe samenwerking met een Nederlandse opdrachtgever
- Bijna alle sectoren: industrie, overheid, kunsten, zorg en welzijn, bouw, onderwijs, handel, vervoer enzovoort. Enige uitzonderingen zijn ondergrondse mijnarbeid en booreilanden. Ook gelden sommige bepalingen niet voor het gevangeniswezen en defensie.

## 3.3 Verplichtingen van de werkgever

### 3.3.1 UITGANGSPUNTEN VAN DE ARBOWET

In artikel 3 Arbowet zijn de uitgangspunten weergegeven. Hier volgen de belangrijkste punten:
- De werkgever is verplicht te zorgen voor veilig en gezond werk voor zijn werknemers. Hij voert daarop beleid. De werkgever heeft de hoofdverantwoordelijkheid dat arbeid veilig en gezond kan worden verricht. Om dat arbobeleid goed te kunnen voeren, moet hij taken en verantwoordelijkheden toedelen aan mensen in zijn organisatie.
- De werkgever let in zijn arbobeleid op de stand van de wetenschap of de professionele dienstverlening. Als er bijvoorbeeld nieuwe gegevens bekend zijn over OPS (organisch-psychosyndroom), de 'schildersziekte' die de hersens aantast, of als er betere tilhulpmiddelen op de markt komen, moet hij zo veel mogelijk proberen die toe te passen en aan te schaffen.
- Bij bijna alle wettelijke arbonormen geldt dat ze door de werkgever moeten worden nagekomen, tenzij dat *redelijkerwijs* niet van hem kan worden gevergd.
- De werkgever pakt de gevaren zo veel als redelijkerwijs mogelijk *bij de bron* aan.

---

**Voorbeeld**

Aanpak bij de bron bij een lawaaiprobleem:

1. De geluidsbron aanpakken, door minder lawaaierige apparaten te plaatsen of door isolatie aan te brengen in de machine. Dat is aanpak bij de bron. Als dat niet mogelijk is, volgen andere stappen, waarbij men zo hoog mogelijk in de rij moet proberen uit te komen:

2. Technische maatregelen nemen met betrekking tot de 'overdrachtsweg' van het geluid, bijvoorbeeld omkasting, isolerende schermen, wanden of plafonds.

---

> 3. Arbeidsorganisatorische maatregelen nemen. Zo weinig mogelijk mensen op de betreffende werkplek laten werken en hen daar zo kort mogelijk laten werken.
> 4. Persoonlijke beschermingsmiddelen inzetten, zoals oorkappen en otoplastieken, alleen als bovenstaande maatregelen onvoldoende hebben geholpen.

– Het werk moet aan de persoonlijke eigenschappen van de werknemers zijn aangepast (artikel 3 lid 1c), bijvoorbeeld aan de lichaamslengte.

– Het werk mag niet monotoon zijn en tempodwang moet worden voorkomen voor zover redelijkerwijs kan worden gevergd (artikel 3 lid 1d).

– De werkgever voert beleid om psychosociale arbeidsbelasting voor werknemers te voorkomen of te beperken (artikel 3 lid 2). Psychosociale arbeidsbelasting is een psychische belasting die op het werk kan ontstaan vanwege seksuele intimidatie, agressie en geweld, discriminatie, pesten en werkdruk.

## 3.3.2 KERNVERPLICHTINGEN

– Alle gevaren en risico's in het bedrijf worden op schrift gezet: er moet een risico-inventarisatie en -evaluatie (RI&E) worden gemaakt (artikel 5). Onderdeel van de RI&E is een plan van aanpak, met daarin de maatregelen die op grond van de inventarisatie en evaluatie zullen worden genomen, inclusief de daarbij horende termijnen. Over de manier waarop de RI&E wordt uitgevoerd en het plan van aanpak, heeft de ondernemingsraad of personeelsvertegenwoordiging instemmingsrecht. De RI&E is de pijler onder het arbobeleid, omdat vele andere arboregelingen daarop zijn gebaseerd.

– Onderdeel van het arbobeleid is ook dat werknemers periodiek in de gelegenheid worden gesteld een gezondheidskundig onderzoek te ondergaan, een PAGO (artikel 18).

– De werkgever wijst één of meer preventiemedewerkers aan (artikel 13). Het niveau dat deze preventiemedewerker moet hebben (opleiding, ervaring), moet zijn omschreven in de RI&E. Hetzelfde geldt voor het benodigde aantal preventiemedewerkers, de plaats in de organisatie en de tijd die voor de werkzaamheden van de preventiemedewerker(s) moet worden gereserveerd.

– De werkgever laat zich bijstaan door een arbodienst of één of meer deskundigen voor zijn arbo- en verzuimbeleid (artikel 14). Deze deskundigen moeten zijn gecertificeerd en doen hun werk met behoud van zelfstandigheid en onafhankelijkheid ten opzichte van de werkgever.

– Iedere werkgever moet zich in ieder geval voor de volgende werkzaamheden door gecertificeerde deskundigen of een arbodienst laten bijstaan:
  – medewerking aan het houden en opstellen van de risico-inventarisatie en -evaluatie, waaronder het toetsen op actualiteit;
  – bijstand bij ziekteverzuimbegeleiding;

- uitvoering van het periodiek arbeidsgezondheidskundig onderzoek (PAGO);
- uitvoering van de aanstellingskeuring (als die door het bedrijf mag worden gehouden).

---

**Nieuwe ontwikkeling**

**Van PAGO naar PMO**

Het verplichte PAGO-onderzoek komt in Nederland niet goed van de grond. Enkele jaren geleden bleek dat slechts 30% van de Nederlandse bedrijven en instellingen zo'n Periodiek Arbeidsgezondheidskundig onderzoek aanbiedt aan zijn werknemers. Een van de redenen voor deze lage score is dat PAGO-rapporten dikwijls weinig bruikbaar bleken. Daarom is er door een aantal arbo-professionals een nieuwe richtlijn voor het uitvoeren van een PAGO opgesteld: de PMO-richtlijn. PMO staat voor Preventief Medisch Onderzoek. In de richtlijn staan de volgende aspecten centraal:

- de PAGO wordt niet meer 'standaard' uitgevoerd, maar in nauw overleg met de opdrachtgever;
- in dat overleg wordt ook nadrukkelijk de doelstelling van het onderzoek vastgelegd;
- in het onderzoek kan er meer ruimte zijn voor het meten van 'lifestyle'-aspecten, zoals gedrag met betrekking tot eten, bewegen, drank en roken;
- een PAGO-rapport moet leiden tot een praktisch plan van aanpak.

---

### 3.3.3 OVERIGE VERPLICHTINGEN

- De werkgever wijst werknemers aan als bedrijfshulpverleners om hem te helpen de voorzieningen te treffen om direct opkomende gevaren, bijvoorbeeld brand, te voorkomen of eraan te ontsnappen en opgedaan letsel zoveel mogelijk te beperken door eerste hulp (artikel 15). Bedrijfshulpverleners hebben als belangrijkste taken:
  - eerste hulp bij ongevallen;
  - beperken en bestrijden van brand;
  - beperken van de gevolgen van ongevallen;
  - in noodsituaties alarmeren en evacueren van werknemers.
- De werkgever geeft alle werknemers doeltreffende voorlichting over de risico's van het werk en hoe hiermee om te gaan. Hij geeft tevens doeltreffend arbo-onderricht dat aan de taken van werknemers is aangepast. De werkgever houdt toezicht op de naleving van de gegeven instructies en voorschriften (artikel 8).
- Om zware ongevallen bij het werken met gevaarlijke stoffen te voorkomen, moeten sommige werkgevers speciale maatregelen treffen en uitgebreide rapportages maken. Dit geldt vooral voor bedrijven in de (chemische) procesindu-

strie (artikel 6). Welke werkgevers dat zijn, wordt door de Arbeidsinspectie bekendgemaakt (artikel 7).

- De werkgever registreert alle ernstige ongevallen en ongevallen die leiden tot minstens drie werkdagen ziekteverzuim in een eigen register.
- Gevaar voor derden, bijvoorbeeld bezoekers, voorbijgangers, patiënten of leerlingen, moet worden voorkomen (artikel 12).
- De werkgever werkt samen met de werknemers bij de uitvoering van het arbobeleid (artikel 12 lid 1).
- Op grond van de Wet op de ondernemingsraden vraagt hij instemming aan de ondernemingsraad (or) of personeelsvertegenwoordiging (pvt) bij het invoeren of veranderen van regelingen inzake arbeidsomstandigheden of verzuimbeleid. Bij het ontbreken van een or of pvt treedt hij vooraf in overleg met 'belanghebbende werknemers' over de uitvoering van het arbobeleid (zie 'hoofdstuk 4' voor rechten van or en VGW(M)-commissie).
- De werkgever moet het de Arbeidsinspectie mogelijk maken haar werk goed te verrichten, en dient de verplichtingen die door de Arbeidsinspectie worden opgelegd na te komen (artikel 24).

## 3.4    De werknemers

### 3.4.1    DE VERPLICHTINGEN VAN WERKNEMERS

De algemene verplichtingen van werknemers zijn de volgende (artikel 11):
- Zorg dragen voor zijn eigen veiligheid en gezondheid in het werk en die van andere betrokkenen.
- Gereedschappen, machines, apparaten juist gebruiken.
- Persoonlijke beschermingsmiddelen, bijvoorbeeld oorbeschermers, brillen, handschoenen, kleding enzovoort op een juiste manier gebruiken.
- Beveiligingen op machines, apparaten en gereedschappen niet veranderen of weghalen.
- Volgen van arbo-voorlichting en -onderricht dat hun wordt aangeboden.
- Gevaren direct melden aan de werkgever of de leidinggevende in de organisatie.

### 3.4.2    DE RECHTEN VAN WERKNEMERS

- Individuele werknemers hebben het recht op werkonderbreking bij ernstig gevaar (artikel 29).
- Individuele werknemers mogen een klacht indienen bij de Arbeidsinspectie bij overtreding van de Arbowet (artikel 26), ook bij overtreding van de arbeidstijdenwet. De Arbeidsinspectie behandelt de klachten anoniem.

- Werknemers hebben allerlei rechten inzake ziekteverzuimbegeleiding en periodiek arbeidsgezondheidskundig onderzoek: op informatie, op hernieuwd onderzoek, op privacy (zie hoofdstuk 12).
- Ondernemingsraden en personeelsvertegenwoordigingen hebben medezeggenschapsrechten: het recht op informatie, advies en instemming: het recht om de Arbeidsinspectie te vergezellen tijdens een inspectie of de Arbeidsinspectie onder vier ogen te spreken. (Zie voor het volledige overzicht van de arbomedezeggenschapsrechten hoofdstuk 4.)

## 3.5    De Arbeidsinspectie

- De Arbeidsinspectie houdt 'toezicht' op de naleving van de arboverplichtingen (artikel 24).
- De Arbeidsinspectie kan een onderzoek instellen (artikel 24 lid 3).
- Hij stelt een rapport op, naar aanleiding van een onderzoek en stuurt dit aan de werkgever en ook rechtstreeks aan de ondernemingsraad of personeelsvertegenwoordiging (artikel 24 lid 2).
- De ondernemingsraad, personeelsvertegenwoordiging of vakbond (bij ontbreken van or of PVT) kan een verzoek tot onderzoek indienen, waar de Arbeidsinspectie zo spoedig mogelijk gehoor aan moet geven (artikel 24 lid 6).
- De Arbeidsinspectie is verplicht de klacht of aangifte van een werknemer anoniem te behandelen (artikel 26).
- De Arbeidsinspectie kan een eis stellen — dat wil zeggen een verplichting opleggen — aan de werkgever als die zich niet houdt aan verplichtingen van de arbowetgeving (artikel 27).
- De Arbeidsinspectie kan boetes opleggen aan de werkgever bij overtredingen van arboverplichtingen (artikel 33-43). (Zie daarvoor verder hoofdstuk 5.)
- De Arbeidsinspectie kan een proces-verbaal opmaken in geval van een ernstige overtreding.
- De Arbeidsinspectie kan het werk stilleggen bij ernstig gevaar (artikel 28).
- Ook werknemers kunnen een boete krijgen als een arbeidsinspecteur hen op heterdaad betrapt bij het werken zonder de benodigde en verstrekte persoonlijke beschermingsmiddelen of veiligheidsmiddelen.
- De werkgever, maar ook de werknemers kunnen in beroep gaan tegen beslissingen van de Arbeidsinspectie (artikel 31).

## 3.6 Speciale wetgeving voor de bouw

### 3.6.1 INLEIDING

In de wetgeving zijn afzonderlijke vereisten geformuleerd voor het bouwproces; dat is het proces van opdrachtgeving, ontwerp en uitvoering van een bouwwerk. Zowel de opdrachtgever als de ontwerper als degene die het bouwwerk en de bouwwerkzaamheden uitvoert heeft verantwoordelijkheden om de veiligheid en gezondheid van werknemers te waarborgen. Deze verplichtingen zijn opgenomen in het Arbobesluit, artikel 2.23-36. Voor werknemers is het van belang deze verplichtingen te kennen en te controleren, en te stimuleren dat de afspraken daadwerkelijk in de praktijk worden uitgevoerd. Want de praktijk leert: op papier worden de verplichtingen redelijk tot goed nagekomen, maar feitelijk zien we nogal wat lacunes. De voornaamste zijn:

– Een vaak gebrekkige *voorlichting* over gevaren op de bouwplaats.
– Het nogal eens ontbrekende *werkoverleg*.
– Het feit dat de *uitvoerder*, de hoofdverantwoordelijke namens de aannemer op de bouwplaats, vaak niet toekomt aan zijn taak betreffende veiligheid en gezondheid.

### 3.6.2 BOUWPLAATS EN KENNISGEVING

De verplichtingen gelden voor een bouwplaats. Onder een bouwplaats of het tot stand brengen van een bouwwerk wordt het volgende verstaan: als gedurende 30 werkdagen er gemiddeld 20 werknemers arbeid verrichten of als met het bouwwerk meer dan 500 werkdagen zijn gemoeid. De verplichtingen gelden ook voor renovatiewerkzaamheden enzovoort.

De Arbeidsinspectie wordt in kennis gesteld van het voornemen een bouwwerk tot stand te brengen, en die kennisgeving moet op de bouwplaats worden opgehangen.

### 3.6.3 ONTWERPFASE: OPDRACHTGEVER EN COÖRDINATOR

Als op een bouwplaats twee of meer werkgevers gaan samenwerken (of één of meer werkgevers en één of meer zelfstandig werkenden), worden één of meer coördinatoren aangesteld. De taak van deze V&G-coördinator in de ontwerpfase is:

– Een veiligheids- en gezondheidsplan maken.
– Een dossier samenstellen met daarin gegevens over belangrijke veiligheidsaspecten, materialen, bouwkundige aangelegenheden. Dat dossier is bestemd voor de eigenaar of beheerder en voor de uitvoerder van het bouwwerk, de aannemer.

De opdrachtgever moet ervoor zorgen dat de coördinator zijn werk kan doen en dat het V&G-plan deel uitmaakt van het bestek van het bouwwerk.

### 3.6.4 HET VEILIGHEIDS- EN GEZONDHEIDSPLAN IN DE BOUW

Het V&G-plan bestaat uit:
- een beschrijving van het tot stand te brengen bouwwerk;
- een overzicht van de personen en werkgevers die daarbij zijn betrokken;
- de naam van de coördinator voor de ontwerpfase;
- de naam van de coördinator voor de uitvoeringsfase;
- de inventarisatie en evaluatie van de risico's zoals in de artikel 5 Arbowet staat geformuleerd;
- de wijze waarop vorm wordt gegeven aan de samenwerking tussen werkgevers en eventueel zelfstandig werkenden op de bouwplaats;
- de wijze waarop vorm wordt gegeven aan de samenwerking en het overleg tussen werknemers en werkgevers;
- welke voorzieningen zullen worden getroffen voor bijvoorbeeld veiligheid en gezondheid en hoe toezicht daarop wordt gehouden;
- indien gegevens tijdens het ontwerpproces of de uitvoeringsfase worden veranderd, moeten die veranderingen ook worden doorgevoerd in het V&G-plan.

---

**Uit de praktijk**

*Veiligheid in de bouw*

De Bouwsector is al jaren koploper als het gaat om het aantal ernstige en dodelijke bedrijfsongevallen. Mede daarom verzorgt de stichting Arbouw praktische arbo-informatie en toepasbare instrumenten voor werknemers, werkgevers en betrokken arbo-professionals. Ook geeft Arbouw de zogenaamde A-bladen uit met informatie en afspraken over allerlei arbokwesties in de bouw. (zie: www.arbouw.nl)

Bovendien wordt in de bouw gewerkt aan een uitgebreide Arbocatalogus voor de sector. Ook de bouw-cao bevat uiteenlopende arbobepalingen: over het arbospreekuur, verplichte PAGO's, maximale tilgewichten, cabines bij kranen, helmplicht, enz.

---

### 3.6.5 DE UITVOERINGSFASE IN DE BOUW

Ook voor de uitvoeringsfase wordt een V&G-coördinator aangesteld, indien er sprake is van meerdere werkgevers, of werkgever(s) en zelfstandig werkenden. De taken van de coördinator zijn:
- het proces van het bouwen zodanig in te richten en te coördineren, dat veiligheid en gezondheid van medewerkers zijn gewaarborgd;

- samenwerking tussen werkgever(s) en zelfstandig werkende(n) tot stand brengen of coördineren;
- het toezicht coördineren op gebruik van voorzieningen voor veiligheid en gezondheid;
- voorlichting aan werknemers coördineren;
- maatregelen nemen zodat alleen bevoegde personen de bouwplaats kunnen betreden;
- ervoor zorgen dat de juiste gegevens in het V&G-plan zijn vermeld;
- ervoor zorgen dat het boven genoemde dossier wordt gewijzigd, indien nodig;
- zonodig aanwijzingen geven aan werkgevers en zelfstandig werkenden als zij zich niet aan de regels houden.

De opdrachtgever is verplicht ervoor te zorgen dat de verplichtingen tot aanstellen van de coördinator en zijn taken schriftelijk worden overeengekomen met de uitvoerende partij.

De uitvoerende partij (aannemer, bouwer) zorgt ervoor dat de V&G-coördinator wordt aangesteld en dat die zijn taken naar behoren kan vervullen.

### 3.6.6 VERPLICHTINGEN VAN DE WERKGEVER IN DE BOUW

De werkgever heeft de volgende verplichtingen:
- de bouwplaats zodanig inrichten dat de veiligheid en gezondheid voldoende zijn beschermd;
- intern transport veilig mogelijk maken;
- installaties en toestellen op de bouwplaats vóór ingebruikstelling controleren, periodiek controleren en onderhouden;
- afbakening en inrichting van zones voor opslag en tussenopslag van vooral gevaarlijke materialen of stoffen;
- voorzieningen voor de verwijdering van gevaarlijke materialen;
- opslag en verwijdering of afvoer van afval en puin;
- de samenwerking met andere werkgevers en zelfstandig werkenden op de bouwplaats tot stand brengen;
- de werkgever houdt zich ook aan de vereisten voor de inrichting van werkplaatsen en bouwplaatsen, zoals beschreven in het artikel 3.1-31 Arbobesluit, beschreven in hoofdstuk 15;
- de werkgever moet zich ook houden aan de verplichtingen betreffende allerlei 'arbeidsmiddelen', zoals kranen, steigers, machines (hoofdstuk 7 Arbobesluit) en persoonlijke beschermingsmiddelen (hoofdstuk 8.1-3 Arbobesluit): zie voor alle details de tekst van de wet. Zie verder voor persoonlijke beschermingsmiddelen hoofdstuk 24 van deze uitgave.

## 3.6.7 RECHTEN OR OF VGW(M)-COMMISSIE IN DE BOUW

Dit zijn de belangrijkste rechten van de or/VGW(M)-commissie in de bouw op het gebied van arbeidsomstandihgeden:
– het recht om te overleggen over alle onderdelen van de veiligheid en gezondheid in het bouwproces, bijvoorbeeld de taak van de coördinator, het overleg met werknemers, de coördinatie en afstemming met andere werkgevers of zelfstandig werkenden;
– het recht op informatie over alle schriftelijke documenten die verplicht zijn;
– recht op initiatief om voorstellen tot verbetering te doen;
– recht om de Arbeidsinspectie in te schakelen, een klacht in te dienen, een onderzoek te laten doen.

---

**Tips or/VGW(M)-commissie in de bouw**

– Is er een V&G-plan voor elk bouwobject, en is dat voldoende bekend bij de werknemers?
– Worden de V&G-plannen ook goed uitgevoerd?
– Staan alle risico's en maatregelen om die risico's te ondervangen er voldoende in beschreven?
– Zijn er, op bevredigende wijze, afspraken gemaakt over het overleg tussen werkgevers en werknemers?
– Is het instellen van het werkoverleg in voldoende mate geregeld vóór de aanvang van de bouwwerkzaamheden?
– Zijn leden van or/VGW(M)-commissie of bedrijfscontactpersonen aangesteld voor overleg met de V&G-coördinator (vaak de uitvoerder)?
– Zijn afspraken gemaakt over de frequentie van het overleg en wat er in het overleg besproken zou moeten worden?
– Functioneert het werkoverleg tussen werknemers en coördinator of uitvoerder in voldoende mate; wat dient wellicht te worden verbeterd?
– Is bekend wie de V&G-coördinator is, en heeft hij voldoende tijd en bevoegdheden om zijn taak naar behoren uit te voeren?
– Is het functioneren van het V&G-aspect van het bouwproces goed met de werkgever geëvalueerd?
– Zie ter inspiratie: www.arbouw.nl en www.fnvbouw.nl.

---

*Afbeelding 1. Bouwwerkzaamheden op een dak zonder valbeveiliging.*

## 3.7    Verder lezen over de Arbowet

– Tekst Arbowet.
– *Tekstuitgave Arbeidsomstandighedenwet* (www.kluwershop.nl), met uitgebreide toelichting, Kluwer, Alphen aan den Rijn.
– *Tekstuitgave Arbeidsomstandighedenbesluit*, Kluwer, Alphen aan den Rijn met uitgebreide toelichting.

# 4 De medezeggenschapsrechten inzake arbeidsomstandigheden en ziekteverzuim

## 4.1 Inleiding

In dit hoofdstuk komen de medezeggenschapsrechten betreffende arbeidsomstandigheden en ziekteverzuim aan de orde. De eerste paragraaf gaat over de rechten van de ondernemingsraad of zijn VGW(M)-commissie. Alle ondernemingen met 50 of meer werknemers behoren een ondernemingsraad te hebben. De tweede paragraaf zet de rechten van de personeelsvertegenwoordiging op een rijtje, voor organisaties tussen 10 en 50 werknemers. Vervolgens komen de rechten van de medezeggenschapsraad in het onderwijs aan de orde en ten slotte worden de collectieve en individuele rechten van werknemers beschreven in organisaties waar geen medezeggenschapsorgaan is. Als toetje worden dan nog enkele rechten van individuele werknemers opgesomd.

In dit hoofdstuk gaat het dus over *medezeggenschapsrechten* inzake arbo, bijvoorbeeld informatie- en instemmingsrecht, niet over de andere wettelijke verplichtingen met betrekking tot bijvoorbeeld de risico-inventarisatie en -evaluatie, bedrijfshulpverlening of het periodiek arbeidsgezondheidskundig onderzoek. Zonder nadere aanduiding hebben de verwijzingen betrekking op artikelen in de Arbowet.

## 4.2 Rechten ondernemingsraad of VGW(M)-commissie

De rechten van de ondernemingsraad om invloed te hebben op de arbeidsomstandigheden en het verzuimbeleid zijn vooral neergelegd in de Wet op de ondernemingsraden (WOR) en in mindere mate in de Arbeidsomstandighedenwet.

### 4.2.1 FACILITEITEN

- De ondernemingsraad kan gebruikmaken van de voorzieningen die redelijkerwijs nodig zijn om te kunnen functioneren, zoals vergaderruimte, telefoon, interne post (WOR, artikel 17 en 18).
- De or/VGW(M)-commissie kan vergaderen in werktijd (WOR, artikel 17.2).

- De or/VGW(M)-commissie kan tijd nemen voor onderling beraad en overleg met de achterban (WOR, artikel 17.1).
- Er bestaat het recht op scholing en vrije dagen voor die scholing (WOR, artikel 18.2).
- De ondernemer betaalt de kosten voor voorzieningen, vrije dagen en scholing en voor rechtsgedingen in verband met het werk van de or/VGW(M)-commissie (WOR, artikel 22).

### 4.2.2 RECHT OP INFORMATIE EN DESKUNDIGE HULP

- De arbodienst of een andere deskundige verzendt een afschrift van adviezen omtrent de RI&E aan de or (artikel 14, lid 3).
- Het is de taak van de arbodienst en de preventiemedewerker om onder meer de or te adviseren (artikel 13, lid 7b). De or kan dus zelfstandig de preventiemedewerker, de gecertificeerde deskundige of de arbodienst uitnodigen voor de vergadering van de or of de VGW(M)-commissie, en kan ook op andere wijze advies vragen.
- De Arbeidsinspectie zendt een kopie van een inspectierapport of van een ongevalsrapport rechtstreeks aan de or (artikel 24, lid 5).
- Het algemeen informatierecht van de or is natuurlijk ook van toepassing op arbo- en verzuimkwesties: de or ontvangt dus desgevraagd schriftelijk van de werkgever alle informatie die van belang is voor de taak van de or (WOR artikel 31). Denk daarbij aan verzuimgegevens, rapporten door een technisch bureau gemaakt, bijvoorbeeld over geluid, klimaat, verlichting, elektrische installaties enzovoort.

### 4.2.3 OVEREENSTEMMING

Als de werkgever geen contract meer wil sluiten met een arbodienst, maar andere arbodeskundigen wil inschakelen, ofwel de 'maatwerkregeling' wil toepassen voor de deskundige bijstand bij verzuimbegeleiding en verzuimbeleid, moet hij daartoe overeenstemming bereiken met de ondernemingsraad. Als er geen overeenstemming wordt bereikt, mag de maatwerkregeling niet worden toegepast. Het is dus een puur vetorecht.

### 4.2.4 INSTEMMINGSRECHT

*Toelichting*
Het belangrijkste recht van de ondernemingsraad betreffende arbeidsomstandigheden en ziekteverzuimbeleid, is het instemmingsrecht. De onderwerpen waar de ondernemingsraad instemmingsrecht over heeft staan opgesomd in artikel 27, lid 1 van de Wet op de ondernemingsraden. Als de werkgever een maatregel wil

nemen dat over één van die onderwerpen gaat (arbo, werktijden, beloningsyste-men, enzovoorts), moet hij schriftelijk de or vragen om instemming. Dat instem-mingsrecht is te zien als een vetorecht met enige beperkingen. Het instemmings-recht is, zoals de wet dat formuleert, aan de orde bij het vaststellen, wijzigen of intrekken van regelingen uit de lijst van onderwerpen van WOR, artikel 27, lid 1. Het instemmingsrecht geldt niet als het onderwerp inhoudelijk al is geregeld in de cao. De instemmingsaanvraag door de werkgever geschiedt schriftelijk, het gemo-tiveerde antwoord (al of niet instemming) van de or ook. Voordat de or zijn ant-woord geeft moet het onderwerp minstens eenmaal besproken zijn in de overleg-vergadering tussen werkgever en ondernemingsraad.

In het geval de or geen instemming geeft kan de werkgever bemiddeling vra-gen aan de bedrijfscommissie (iedere bedrijfstak heeft een bedrijfscommissie) en vervangende instemming aan de kantonrechter. Als de werkgever zonder instem-ming van de or maatregelen doorvoert waarvan de or zegt dat ze instemmings-plichtig zijn, kan de or binnen een maand na het bekend worden van de maatregel de nietigheid hiervan inroepen. Dat gaat via een brief aan de werkgever waarin de or aangeeft de ingevoerde maatregel als nietig te beschouwen. De werkgever mag die maatregel dan niet doorvoeren en kan alsnog een verzoek tot instemming bij de ondernemingsraad indienen. Blijft de werkgever in gebreke dan kan de or bemiddeling van de bedrijfscommissie en een uitspraak van de kantonrechter aanvragen.

*De werkgever dient instemming te vragen aan de ondernemingsraad bij het vaststellen, veranderen en intrekken van REGELINGEN inzake de arbeidsomstandigheden of het ziekteverzuim (WOR artikel 27, lid 1d).*

*Voorbeelden van 'regelingen' zijn:*
- Veiligheidsprocedures.
- De keuze van een arbodienst.
- Het afsluiten en veranderen van het contract met de arbodienst.
- Beleid en procedures met betrekking tot persoonlijke beschermingsmiddelen.
- De vormgeving van het ziekteverzuimbeleid, bijvoorbeeld hoe de verzuimcon-trole te doen, op welke manier vorm te geven aan het re-integratiebeleid.
- De organisatie en inrichting van de bedrijfshulpverlening.
- De wijze waarop een periodiek arbeidsgezondheidskundig onderzoek (PAGO), wordt uitgevoerd.
- De wijze waarop arbovoorlichting en -onderricht wordt gegeven.
- De manier waarop het RI&E-onderzoek wordt uitgevoerd.
- Het plan van aanpak, onderdeel van de RI&E.

*Andere arboverwante onderwerpen die instemmingsplichtig zijn:*
- Werktijden en vakantie (WOR artikel 27, lid 1b).

- Bedrijfsmaatschappelijk werk (WOR artikel 27, lid 1h).
- Aanname- en ontslagbeleid (WOR, artikel 27, lid 1k).
- Voorzieningen met betrekking tot waarneming of controle op aanwezigheid, gedrag of prestaties van werknemers (WOR artikel 27, lid 1l), bijvoorbeeld camera's, magnetische pasjes.
- Werkoverleg (WOR artikel 27, lid 1).

---

**Tips voor de or**

Het instemmingsrecht is een sterk recht van de or. Zonder instemming kan de werkgever zijn voorgestelde maatregel niet of met veel moeite invoeren. Dat geeft de or een goede onderhandelingspositie. Zorg dan ook als or dat je inhoudelijk goed voorbereid bent, en werk tijdens het overleg met de werkgever naar duidelijke afspraken toe.

---

**Uit de praktijk**

*Instemmingsrecht bij een helmdraagplicht*

Een werkgever voert op het gehele bedrijfsterrein de plicht in om een helm te dragen. Dit op advies van de arbodienst. De ondernemingsraad vindt dat deze draagplicht beter op een andere manier kan worden ingevoerd en is bovendien van mening dat deze regeling instemmingsplichtig is. De werkgever bestrijdt dit. De kantonrechter beslist dat het invoeren van een draagplicht inderdaad instemming van de or behoeft. Het is immers een regeling op het gebied van arbeidsomstandigheden. Het zou anders zijn geweest als de Arbowet of de Arbeidsinspectie zo'n draagplicht gedetailleerd zou hebben voorgeschreven. Maar dat is hier niet het geval. De werkgever kan de draagplicht van helmen dus niet invoeren en zal eerst aan de or een instemmingsaanvraag moeten voorleggen.

---

## 4.2.5  ADVIESRECHT

*Toelichting*

Ook het adviesrecht is te vinden in de Wet op de ondernemingsraden (WOR, artikel 25) en heeft betrekking op economische en organisatorische maatregelen van de werkgever. Bij een voorgenomen besluit, bijvoorbeeld een verhuizing naar een nieuw bedrijfspand, moet hij advies vragen aan de or. Als de ondernemingsraad na overleg met de directie het voorstel afwijst— 'negatief advies' van de or — moet de werkgever een maand wachten met uitvoering. Als de directie afwijkt van het or-advies, kan de or in die maand in beroep gaan bij de ondernemingskamer van het gerechtshof in Amsterdam.

*Adviesrecht*

Enkele onderwerpen waarover de werkgever advies moet vragen aan de ondernemingsraad, hebben betrekking op arbeidsomstandigheden.

- Het doen van belangrijke investeringen (WOR, artikel 25, lid 1h).
- Het invoeren of wijzigen van een belangrijke technologische voorziening (WOR, artikel 25, lid 1k).
- Het nemen van een belangrijke maatregel betreffende het milieu of de milieuzorg (WOR, artikel 25, lid 1l).
- Eigenrisicodrager worden betreffende de arbeidsongeschiktheidsverzekering: WIA (WOR, artikel 25, lid 1n).

## 4.2.6 RECHTEN INZAKE DE ARBEIDSINSPECTIE

- De or kan de Arbeidsinspectie vergezellen bij een inspectiebezoek (artikel 12, lid 3b).
- De or kan met de Arbeidsinspectie een gesprek onder vier ogen voeren (artikel 12, lid 3a).
- De or kan de Arbeidsinspectie verzoeken een onderzoek te verrichten. De Arbeidsinspectie dient daar zo spoedig mogelijk gehoor aan te geven (artikel 24, lid 6).
- De or ontvangt rechtstreeks van de Arbeidsinspectie een rapport van een ongevalsonderzoek of van een inspectie (artikel 24, lid 5).
- De or kan in beroep gaan tegen een beslissing van de Arbeidsinspectie (artikel 30, lid 1). De werkgever heeft overigens hetzelfde recht.
- Ook een individuele werknemer kan een klacht indienen bij de Arbeidsinspectie, die op verzoek anoniem wordt behandeld (artikel 26).

## 4.2.7 ENKELE ANDERE RECHTEN

- In een cao kunnen afspraken zijn gemaakt over arbo- en verzuimbeleid. Soms worden daarin ook taken of rechten aan een ondernemingsraad gegeven.
- De or heeft te allen tijde initiatiefrecht (WOR artikel 23, lid 3 en 4); hij kan zelf voorstellen doen en initiatieven nemen.
- De or heeft het recht een VGW(M)-commissie in te stellen. Het besluit een VGW(M)-commissie in te stellen meldt hij aan de werkgever. De or zet het besluit de commissie in te stellen op papier. In dat instellingsbesluit formuleert de or zelf de taak, samenstelling, bevoegdheden en werkwijze van de commissie (WOR artikel 15, lid 1). Een voorbeeld van zo'n hoofdstuk 32 — voorbeelddocument 4: het instellingsbesluit VGW(M)-commissie is te vinden bij de "Voorbeelddocumenten".

– De or kan deskundigen raadplegen en uitnodigen (WOR artikel 16, lid 1). Als die geld kosten moet de or vooraf de 'bestuurder' daarvan in kennis stellen (WOR artikel 22, lid 2).
– De or heeft het recht in werktijd zijn achterban te raadplegen (WOR artikel 18, lid 1). De or heeft tevens het recht kennis te nemen van de arbeidsomstandigheden (WOR artikel 18, lid 1).
– De or en VGW(M)-commissie hebben het recht op scholing (WOR artikel 18).
– Soms schrijft een arbocatalogus aan werkgevers in de betreffende sector voor om met de ondernemingsraad afspraken te maken over een bepaald arbo-onderwerp. Doorgaans is dan het instemmingsrecht van toepassing.
– Sommige arbocatalogi bieden ondernemingsraden de mogelijkheid om advies te vragen aan en te overleggen met arbocoaches, die geheel thuis zijn in de arboproblematiek van de sector.

---

**Arbosucces**

*Or schakelt een externe arbodeskundige in*

Een or van een woningbouwcorporatie hoort vanuit de achterban steeds meer klachten over het verzuimbeleid van de organisatie. Er is vooral veel ontevredenheid over de controleur van het externe verzuimbureau dat is ingeschakeld: hij is onbeleefd en wantrouwig, komt 's avonds aan huis, en als klap op de vuurpijl probeert hij de bedrijfsarts aan te zetten tot het wijzigen van een eerder uitgebracht advies over een zieke medewerker. De or besluit om met een enquête de onvrede in kaart te brengen en neemt daarvoor een arbodeskundige van FNV Formaat in de arm. Samen stellen zij de vragen op. De enquête geeft een helder beeld; de or krijgt veel ingevulde formulieren terug en 40% van de invullers geeft aan dat ze ontevreden zijn met de verzuimcontroleur. Ook blijkt dat het huidige beleid is verouderd. Het is bijvoorbeeld niet aangepast aan de Wet verbetering poortwachter. Om het beeld compleet te krijgen, voert de arbodeskundige van de or gesprekken met diverse medewerkers, leidinggevenden en P&O. In een rapport worden de bevindingen uit de enquête en interviewronde samengevat. Tijdens een overlegvergadering wordt het rapport door de or aan de directie gepresenteerd. Gezamenlijk besluit men om de samenwerking met de externe verzuimcontroleur te beëindigen. Ook kiest men ervoor om een nieuw verzuimbeleid op te stellen. Na enige tijd verschijnt er een voorstel voor een nieuwe verzuimbeleid van P&O. De or stelt allerlei opmerkingen bij de tekst op, wederom samen met zijn arboadviseur. Door een goede voorbereiding worden nagenoeg al deze punten in de definitieve tekst van het verzuimbeleid opgenomen.

"De or-voorzitter is erg tevreden over de gang van zaken: 'We zijn een or waar de leden inmiddels een behoorlijke ervaring hebben. Daarom durfden we het aan een externe deskundige in te schakelen. Dat was voor ons de eerste keer. De directie keek eerst wat vreemd op, maar iedereen is nu tevreden met de resultaten. We hebben nu een ver-

---

> zuimaanpak die past bij het sociale karakter van ons bedrijf. Laatst in een kantinebij-
> eenkomst kregen we ook waardering voor onze actieve aanpak vanuit de achterban."

## 4.3    De rechten van de personeelsvertegenwoordiging

De personeelsvertegenwoordiging (PVT) is het medezeggenschapsorgaan in de onderneming met 10 tot 50 werknemers. De arbo- en verzuimrechten zijn verge- lijkbaar met die van de ondernemingsraad. In deze paragraaf worden de belang- rijkste rechten samengevat. De meeste rechten staan geformuleerd in de Wet op de ondernemingsraden, artikel 35c. Ook geldt een aantal rechten uit de Arbowet.

Er kan een personeelsvertegenwoordiging worden ingesteld in ondernemin- gen van 10 tot 50 werknemers, waar geen ondernemingsraad bestaat. Hij bestaat uit ten minste drie leden die door de werknemers zijn gekozen. De ondernemer is verplicht een PVT in te stellen als de meerderheid van werknemers daarom vraagt. In een onderneming met minder dan 10 personeelsleden is een PVT niet ver- plicht, maar kan een werkgever vrijwillig een PVT instellen.

### 4.3.1    FACILITEITEN

- De PVT kan gebruik maken van de voorzieningen die redelijkerwijs nodig zijn om te kunnen functioneren, zoals vergaderruimte, telefoon en interne post.
- De PVT kan vergaderen in werktijd.
- De PVT kan tijd nemen voor onderling beraad en overleg met de achterban.
- Er bestaat het recht op scholing en het recht op vrije dagen voor die scholing.
- De ondernemer betaalt de kosten voor voorzieningen, vrije dagen, scholing en voor rechtsgedingen in verband met het werk van de PVT.
- Als de PVT een commissie wil instellen heeft hij toestemming nodig van de ondernemer.
- De PVT kan deskundigen inschakelen. Als die geld kosten en de PVT kan dat niet uit een afgesproken eigen budget betalen, moet hiervoor toestemming worden gevraagd aan de ondernemer.
- De arbodienst heeft mede tot taak de PVT te adviseren.

### 4.3.2    INFORMATIE EN OVERLEG

- De ondernemer verstrekt de personeelsvertegenwoordiging desgevraagd alle informatie die men voor zijn taak nodig heeft. Deze informatie mag ook mon- deling worden gegeven.
- De arbodienst verstrekt de adviezen en rapporten gelijktijdig en afzonderlijk aan de werkgever en de PVT.

– De werkgever overlegt met de personeelsvertegenwoordiging over het arbobeleid.

### 4.3.3  INSTEMMINGSRECHT

– De werkgever vraagt instemming aan de personeelsvertegenwoordiging over alle regelingen betreffende arbo en ziekteverzuim, die hij wil invoeren, wijzigen of intrekken. Bijvoorbeeld over:
  – het contract met de arbodienst;
  – verandering van veiligheidsprocedures;
  – het ziekteverzuimreglement;
  – de opzet van de bedrijfshulpverlening.

Zie verder de opsomming van onderwerpen in de vorige paragraaf.

### 4.3.4  ARBEIDSINSPECTIE

– Leden van de personeelsvertegenwoordiging kunnen de Arbeidsinspectie vergezellen tijdens een inspectie in het bedrijf.
– Er bestaat het recht de arbeidsinspecteur onder vier ogen te spreken.
– De PVT kan een klacht indienen bij de Arbeidsinspectie en een verzoek doen een onderzoek te verrichten.
– De PVT ontvangt rechtstreeks van de Arbeidsinspectie een rapport van een inspectie of een ongevalsonderzoek deze heeft plaatsgevonden.
– De PVT kan in beroep gaan tegen een beslissing van de Arbeidsinspectie.

### 4.3.5  WETTELIJK RECHTEN VAN DE MEDEZEGGENSCHAP PER THEMA

Samenvattend kunnen de overlegrechten van de ondernemingsraad, de VGW(M)-commissie of personeelsvertegenwoordiging per thema als volgt worden weergegeven:

*Tabel 1.  Het wettelijk overlegkader or/PVT, thematisch geordend*

| Thema | Rechten or/VGW(M)-commissie/PVT |
| --- | --- |
| Regelingen inzake arbo en verzuim | – Instemmingsrecht |
| Arbodienst | – Instemmingsrecht bij keuze arbodienst<br>– Instemmingsrecht voorafgaand aan afsluiten van contract<br>– Informatie en advies van arbodienst |
| Arbodienstverlening | – Overeenstemmingsrecht als de werkgever kiest voor een 'maatwerkregeling' |

| Thema | Rechten or/VGW(M)-commissie/PVT |
|---|---|
| Risico-inventarisatie en -evaluatie | – Instemmingsrecht bij de RI&E-methode<br>– Instemmingsrecht bij het plan van aanpak |
| Ziekteverzuimbeleid | – Instemmingsrecht<br>– Privacybescherming voor werknemers |
| Periodiek arbeidsgezondheidskundig onderzoek (PAGO) | – Instemmingsrecht over manier waarop de PAGO wordt georganiseerd<br>– Instemmingsrecht over frequentie<br>– Rapport van arbodienst rechtstreeks naar or |
| Bedrijfshulpverlening (BHV) | – Instemmingsrecht over organisatie BHV en aanwijzing BHV'ers<br>– Informatierechten |
| Arbeidsinspectie | – werknemer en or kunnen een klacht indienen<br>– de or kan vragen om een onderzoek<br>– de or mag de Arbeidsinspectie begeleiden tijdens inspectie<br>– de or kan een gesprek onder vier ogen voeren<br>– de or krijgt een ongevals- en inspectierapport toegezonden |

## 4.4 Arbomedezeggenschap in het onderwijs

### 4.4.1 INLEIDING

Ook in het onderwijs dient arbo- en verzuimbeleid te worden gevoerd. Veiligheidsvoorzieningen treffen, ziekteverzuimbeleid voeren, werkstress voorkomen, de arbodienst inschakelen en daar constructief mee samenwerken, enzovoort. Onderdeel van het arbobeleid is de medezeggenschap over dat beleid. Het medezeggenschapsorgaan in het primair en voortgezet onderwijs (daartoe beperken we ons) is de medezeggenschapsraad (MR), een gekozen vertegenwoordiging van personeel en ouders. In het voortgezet onderwijs zijn er ook leerlingen in vertegenwoordigd. De medezeggenschapsrechten van deze medezeggenschapsraad zijn neergelegd in de Arbowet en de Wet medezeggenschap op scholen (WMS). De Wet op de ondernemingsraden is in deze sectoren van het onderwijs niet van toepassing. Het Arbobesluit bepaalt dat de rechten die de ondernemingsraad op grond van de Arbowet heeft, van toepassing zijn op de medezeggenschapsraad in het onderwijs.

In de Wet medezeggenschap op scholen zijn het instemmings- en het adviesrecht geregeld. Op grond van WMS en Arbowet is sprake van de volgende rechten en bevoegdheden van de medezeggenschapsraad.

59

## 4.4.2 INFORMATIERECHT

– De medezeggenschapsraad heeft recht op informatie van de werkgever, ook over arbeidsomstandigheden.
– De arbodienst verstrekt haar adviezen en rapporten gelijktijdig en afzonderlijk aan de werkgever en de MR.

---

**Uit de praktijk**

*Onveilige praktijklokalen in het onderwijs.*

De Arbeidsinspectie trof in 2009 bij inspecties in het onderwijs een alarmerende situatie aan in de praktijklokalen.

In niet minder dan 90% van de praktijklokalen in het voortgezet onderwijs en het middelbaar beroepsonderwijs werd onveilig gewerkt. Het ging daarbij vooral om lokalen waar leerlingen aan de slag gaan met metaalbewerking, houtbewerking en voertuigentechniek. Regelmatig werden zaag,- boor-, en slijpmachines aangetroffen die niet waren afgeschermd. De inspectie meldde een voorval waarbij een leerling een deel van zijn vingers verloor, doordat zijn hand onder een onbeveiligde boormachine kwam.

Verder bleek dat veel scholen onbekend waren met het explosierisico van houtstof dat vrijkomt bij houtbewerking. Tenslotte werden er in de natuur- en scheikundelokalen nogal wat overtredingen met chemicaliën vastgesteld. Zo ontbraken lekbakken en bleken gevaarlijke stoffen niet goed te zijn opgeslagen.

---

## 4.4.3 INSTEMMINGSRECHT

Een medezeggenschapsraad bestaat uit verschillende geledingen: van personeel en van ouders, al dan niet samen met leerlingen. De personeelsgeleding (PMR) heeft instemmingsbevoegdheden die vergelijkbaar zijn met die van een ondernemingsraad. Zij heeft bijvoorbeeld instemmingsrecht over:
– Het vaststellen en actualiseren van de risico-inventarisatie en -evaluatie.
– Het plan van aanpak.
– Het ziekteverzuimbeleid en veranderingen daarin.
– De keuze van de arbodienst, het contract met de arbodienst en veranderingen daarin.
– De wijze waarop vorm wordt gegeven aan bedrijfshulpverlening.

Specifiek voor de scholen geldt ook instemmingsrecht van de personeelsgeleding over:

- De vaststelling of wijziging van de taakverdeling, respectievelijk de taakbelasting binnen het personeel, de schoolleiding daaronder niet begrepen (WMS artikel 12h).

De medezeggenschapsraad als geheel heeft instemmingsrecht bij vaststelling of wijziging van regels op het gebied van veiligheids-, gezondheids- of welzijnsbeleid, voor zover die niet tot de bevoegdheid van de personeelsgeleding behoren. Verder gaat het instemmingsrecht over meer algemene zaken, waarvan er één ook een link kan hebben met arbo en verzuimbeleid:
- De vaststelling of wijziging van de klachtenregeling.

In een medezeggenschapsreglement kan een afwijkende bevoegdheidsverdeling worden vastgelegd. In verreweg de meeste gevallen wordt echter een model overgenomen dat te vinden is op www.infowms.nl

Bij het weigeren van instemming door de MR geldt een andere procedure dan die voor de or. Als de werkgever zijn voornemen toch wil doorzetten, moet hij dit geschil voorleggen aan de Landelijke Commissie Geschillen WMS. Die doet een bindende uitspraak.

Als het georganiseerd overleg tussen werkgevers- en werknemersorganisaties een onderwerp betreffende arbo- en verzuimbeleid gedetailleerd zou bespreken, vaststellen of wijzigen, vervalt het instemmingsrecht van de MR. Deze WMS-bepaling staat naast de WOR-bepaling dat bij een onderwerp dat gedetailleerd in de cao is opgenomen het instemmingsrecht vervalt.

### 4.4.4 ADVIESRECHT

De Wet medezeggenschap op scholen bepaalt ook dat de gehele MR adviesbevoegd is bij een aantal onderwerpen die veel met arbo te maken kunnen hebben. Aan de medezeggenschapsraad moet onder andere advies worden gevraagd over:
- De vaststelling en wijziging van de bestemming in hoofdlijnen van de financiële middelen (WMS, artikel 11.b).
- Nieuwbouw of belangrijke verbouwingen van de school (WMS, artikel 11.n).
- De vaststelling of wijziging van het beleid met betrekking tot het onderhoud van de school (WMS, artikel 11.o).
- De vaststelling of wijziging van de taakstelling binnen de schoolleiding (WMS, artikel 11.i), wat ook kan inhouden het toedelen van arbotaken en -bevoegdheden.

## 4.4.5    OVERIGE RECHTEN

De gehele MR of alleen de personeelsgeleding kan een themaraad instellen, die te vergelijken is met een vaste commissie van de ondernemingsraad.

De personeelsgeleding van de medezeggenschapsraad (PMR) heeft verder nog de volgende rechten:
– Een klacht indienen bij de Arbeidsinspectie; een individueel personeelslid kan dat ook.
– De Arbeidsinspectie vergezellen tijdens een inspectiebezoek en een gesprek onder vier ogen voeren met de inspecteur.

Tot slot is het goed om te weten dat er enkele arbocatalogi zijn afgesloten binnen het onderwijsveld.

---

**Voorbeeld**

*Arbocatalogus in het onderwijs*
Werkgevers en werknemers in het voortgezet onderwijs hebben hun afspraken over betere en veiligere werkomstandigheden gebundeld in de arbocatalogus-vo. Dit was de eerste arbocatalogus in het onderwijs die is goedgekeurd door de Arbeidsinspectie. Naast heldere informatie voor elk schooltype in het voortgezet onderwijs bevat de catalogus praktische oplossingen en hulpmiddelen. Ook kunnen scholen online-ervaringen uitwisselen over het verbeteren van de werkomstandigheden.
De arbocatalogus-vo is een digitaal kennisplatform waar iedereen in het voortgezet onderwijs gratis gebruik van kan maken. De catalogus bevat een groot aantal praktijkcases en scholen worden uitgedaagd om eigen praktijkvoorbeelden toe te voegen. Verder zijn in de catalogus eigen normen opgenomen voor ventilatie, temperatuur en luchtkwaliteit, zodat leerlingen en docenten kunnen leren en werken in gezonde en frisse lokalen.

---

## 4.5    Werknemersrechten als er geen medezeggenschapsorgaan is

### 4.5.1    INLEIDING

Als er in een bedrijf of instelling geen ondernemingsraad of personeelsvertegenwoordiging is, kunnen werknemers collectief toch iets doen aan de verbetering van de arbeidsomstandigheden. Ze hebben daarvoor ook wettelijke rechten.

Het ontbreken van een ondernemingsraad of personeelsvertegenwoordiging kan de volgende oorzaken hebben:

– Er is een or of PVT verplicht maar de werkgever stelt hem niet in. Hier kunnen geïnteresseerde werknemers proberen om toch een or of PVT in te stellen. Schakel hierbij de hulp van een vakbond in.
– De meerderheid van de werknemers vraagt niet om het instellen van een personeelsvertegenwoordiging (bij een aantal werknemers tussen 10 en 50).
– Er zijn minder dan 10 werknemers.
– De medezeggenschap is anders geregeld, bijvoorbeeld in het onderwijs. Daar is sprake van de medezeggenschapsraad. Zie daarvoor de vorige paragraaf, paragraaf 4.4.

### 4.5.2   DE PERSONEELSVERGADERING

In een organisatie waar doorgaans meer dan 10 en minder dan 50 personen werken, en waar geen personeelsvertegenwoordiging is, dient de werkgever tweemaal per jaar een vergadering met het personeel te houden (WOR, artikel 35b). Ook arbo-onderwerpen kunnen hier aan de orde worden gesteld. Werknemers kunnen daartoe gewoon een voorstel doen.

### 4.5.3   'BELANGHEBBENDE WERKNEMERS'

De Arbowet biedt echter nog een andere weg. Dat zijn de rechten van de zogenaamde *'belanghebbende werknemers'* . In organisaties met minder dan 10 werknemers, waar een personeelsvertegenwoordiging ontbreekt, dient de werkgever met deze 'belanghebbende werknemers' te overleggen. Dat kan het hele personeel zijn, of een groepje werknemers dat zich als zodanig presenteert aan de werkgever, bijvoorbeeld een groep contactpersonen van één of meerdere vakbonden. De wet biedt hier de volgende mogelijkheden.

– De werkgever voert overleg met belanghebbende werknemers over een aantal onderdelen van het arbobeleid. Daarbij gaat het om de risico-inventarisatie en -evaluatie, de interne preventiemedewerker, en de inschakeling van arbodienst en bedrijfshulpverleners (artikel 12, lid 1).
– Het advies van de arbodienst over de RI&E wordt aan de werkgever en ook aan belanghebbende werknemers toegezonden (artikel 14, lid 7).

### 4.5.4   TIPS VOOR WERKNEMERS

– Als er geen ondernemingsraad of personeelsvertegenwoordiging is, kunnen werknemers in bedrijven tussen de 10 en 50 werknemers gebruikmaken van de verplichte halfjaarlijkse personeelsvergadering om arbo- en verzuimonderwerpen aan de orde te stellen.

– Als er geen ondernemingsraad of personeelsvertegenwoordiging is, kan worden besloten tot het vormen van een groepje 'belanghebbende werknemers'. Het is, afhankelijk van de verhoudingen in het bedrijf, raadzaam de vakbond daarbij in te schakelen.

### 4.5.5 RECHTEN VAN DE INDIVIDUELE WERKNEMER

De meeste arborechten van werknemers zijn collectieve rechten, die worden uitgeoefend door een medezeggenschapsorgaan. Op grond van de Arbowet bestaan er echter ook een aantal individuele rechten van werknemers.

Een werknemer heeft het recht:
– Zijn/haar werk te onderbreken bij ernstig gevaar (artikel 29). Dat kan als de werknemer het gevaar zo acuut vindt dat de Arbeidsinspectie niet tijdig ter plaatse kan zijn. Deze werkonderbreking moet onmiddellijk aan de Arbeidsinspectie worden gemeld. De inspecteur is degene die bij een meningsverschil over de rechtmatigheid van de werkonderbreking de beslissing neemt. De werknemer die zijn werk onderbreekt mag daarvoor niet benadeeld worden en behoudt zijn recht op loon.
– Een klacht in te dienen bij de Arbeidsinspectie (artikel 26).
– In beroep te gaan tegen een beschikking van de Arbeidsinspectie (artikel 31).

## 4.6 Verder lezen

– Romijn, Mr. N. e.a., Arbowegwijzer onderwijs, Kluwer, Alphen aan den Rijn.
– Vink, Mr. F.W.H., *Inzicht, een toelichting bij de Wet op de ondernemingsraden*, Sdu, Den Haag.
– Zie voor meer informatie over arbo in het onderwijs het arbomateriaal van het vervangingsfonds: www.vfpf.nl en www.arbo-vo.nl.
– In het primair onderwijs is bijvoorbeeld de 'Arbomeester' ontwikkeld: een praktisch instrument om zelfstandig arbo- en verzuimbeleid op te zetten.

# 5    De Arbeidsinspectie

## 5.1    Inleiding

De Arbeidsinspectie is een overheidsorgaan dat toezicht houdt op de naleving van de arbowetgeving. Zij inspecteert en spoort strafbare feiten op als daar sprake van is. De Arbeidsinspectie is als het ware de arbopolitie. De Arbeidsinspectie houdt overigens ook toezicht op de Arbeidstijdenwet, die ook van belang is voor werknemers en ondernemingsraden.

Per 1 januari 2012 gaat de Arbeidsinspectie op in een nieuwe inspectiedienst met de naam Inspectie SZW. Daarin worden ook de SIOD (Sociale Inlichtingen- en Opsporingsdienst) en IWI (Inspectie Werk en Inkomen) opgenomen. In dit boek houden we de naam Arbeidsinspectie aan.

*Branchebrochures en voorlichtingsfilmpjes*
Om duidelijk te maken wat de Arbeidsinspectie de grootste risico's vindt in een sector en welke regels daarover bestaan, heeft zij voor meerdere sectoren zogenaamde 'arbobranchebrochures' opgesteld. Daarin staat ook aangegeven hoe de Arbeidsinspectie in een bedrijf controleert of men aan deze regels voldoet. Inmiddels zijn er tientallen branchebrochures verschenen. Jaarlijks verschijnen er enkele nieuwe branchebrochures. In 2011 zijn er bijvoorbeeld nieuwe branchebrochures uitgebracht voor de banden- en wielenbranche, fruitteelt, en de autoschadeherstelbranche. De branchebrochures zijn handig voor een or of VGW(M)-commissie om snel de belangrijkste risico's en bijbehorende normen te kunnen inzien. Het zijn ook aardige instrumenten om het arbobeleid van het eigen bedrijf op enkele hoofdpunten snel te kunnen beoordelen. De branchebrochures zijn te downloaden via www.arbeidsinspectie.nl. Ze zijn ook bij te bestellen. Door bezuinigingen bij de Arbeidsinspectie zullen er geen nieuwe branchebrochures meer worden uitgegeven.

Ook in 2011 heeft de Arbeidsinspectie enkele gerichte voorlichtingsfilmpjes ontwikkeld. Die zijn op de site van de Arbeidsinspectie te vinden. Zoals bijvoorbeeld over het veilig werken met een kolomboormachine en metaaldraaibank. Er zijn ook korte voorlichtingsfilms gemaakt over de belangrijkste arbeidsrisico's in risicovolle sectoren. Men is begonnen met de sectoren afvalverwerking, metaal, bouw en wegenbouw. Voor garagebedrijven heeft de Arbeidsinspectie onlangs op www.zelfinspectie.nl de 'Virtuele Garage' gelanceerd. Deze animatie wil met name jonge automonteurs bewust maken van de mogelijke gevaren in hun werkomgeving. In de Virtuele Garage zijn de meest voorkomende arbeidsrisico's in garages te zien en worden enkele praktische suggesties ter verbetering gedaan.

Sinds de wijziging van de Arbowet in 2007, waarbij voor het invullen van het arbobeleid meer verantwoordelijkheden bij de sociale partners zijn gelegd, heeft de Arbeidsinspectie een nieuwe werkwijze. Het motto is: 'Hard waar het moet, zacht waar het kan'. Dat betekent enerzijds dat zij vooral in die sectoren en bedrijven controleert waar de arbeidsrisico's en de risico's op overtredingen het grootst zijn. Daarnaast houdt de inspecteur rekening met de situatie in het bedrijf: gaat het om een bedrijf dat de regels op allerlei manieren aan zijn laars lapt, dan treedt de inspecteur hard op. In een bedrijf dat zich zichtbaar inspant voor goede arbeidsomstandigheden, treedt de inspecteur soepel op. Bij ernstige overtredingen treedt de inspecteur uiteraard altijd op. De inspecteur heeft zo meer ruimte om de manier van handhaving zelf te kiezen.

### 5.1.1 CENTRAAL MELDPUNT

Sinds 2009 heeft de Arbeidsinspectie een centraal meldpunt; één adres voor meldingen, tips en klachten. Voorheen moest men hiervoor bij de verschillende regiokantoren zijn.

*Afbeelding 1.*

**Arbeidsinspectie**
*Ministerie van Sociale Zaken en*
*Werkgelegenheid*

De (adres)gegevens zijn:
- Adres: Postbus 820, 3500 AV Utrecht
- E-mail: arbeidsinspectie@minszw.nl
- Telefoon: 0800-270 00 00

Aangezien de Arbeidsinspectie per 1 januari 2012 opgaat in de nieuwe inspectiedienst Inspectie SZW, gaan de bovenstaande adresgegevens per die datum wijzigen.

## 5.2 Wettelijke bepalingen

### 5.2.1 ALGEMEEN

In (artikel 24 Arbowet en volgende) komt het woord 'Arbeidsinspectie' niet voor, er wordt gesproken over de 'toezichthouder'.

De belangrijkste bepalingen inzake de Arbeidsinspectie zijn in de Arbowet te vinden. Een aantal algemene bepalingen over 'toezichthouders op wetten' zijn opgenomen in de Algemene wet bestuursrecht. Die gelden dus ook voor de toezichthouder op de Arbowet, de Arbeidsinspectie. Hierna volgen zowel de belangrijkste bepalingen uit de Arbowet als uit de Algemene wet bestuursrecht.

### 5.2.2 BEVOEGDHEDEN EN VERPLICHTINGEN

De Arbeidsinspectie heeft de volgende bevoegdheden, verplichtingen en middelen (artikel 24 en volgende):
– Het betreden van iedere plaats, ook een woning, als dat voor de uitoefening van zijn taak van belang is.
– Informatie vragen (die dan ook moet worden gegeven), onderzoekingen doen, monsters nemen, kopieën maken, apparatuur verzegelen, enzovoort.
– Bij een ongeval een onderzoek instellen, waarvan een rapport wordt gemaakt. Dat rapport wordt opgestuurd aan werkgever en ondernemingsraad.
– Zo spoedig mogelijk een onderzoek instellen als de ondernemingsraad of vakbond daarom vraagt.
– Als een klacht is ingediend, houdt de Arbeidsinspectie de naam van de klager geheim.
– De Arbeidsinspectie kan een eis stellen, dat wil zeggen een verplichting opleggen aan de werkgever of de werknemers. De inhoud van die eis wordt door de werkgever gemeld aan betrokken werknemers, ondernemingsraad en arbodienst.
– De Arbeidsinspectie kan in geval van ernstig gevaar bevelen het werk stil te leggen, of verbieden daarmee te beginnen. Zij kan ook bevelen dat werkplaatsen niet mogen worden betreden of moeten worden verlaten vanwege dat ernstige gevaar.
– Een mondeling bevel moet schriftelijk worden bevestigd en de werkgever moet de betrokken werknemers en de ondernemingsraad daarvan zo spoedig mogelijk op de hoogte stellen.

– Een belanghebbende — de werkgever, de ondernemingsraad of een betrokken werknemer — kan in beroep gaan tegen een beschikking, een besluit, van de Arbeidsinspectie. Dat beroep wordt ingesteld bij de Minister van Sociale Zaken en Werkgelegenheid en komt in eerste instantie terecht bij het districtshoofd van de betrokken regionale Arbeidsinspectie.

---

**Uit de praktijk**

Dit zijn volgens de Arbeidsinspectie de top 5 van arborisico's in Nederland:

– gevaarlijke stoffen;

– fysieke overbelasting;

– gevaarlijke machines en transportmiddelen;

– omvallende en vallende voorwerpen/valgevaar;

– psychische overbelasting/werkdruk/agressie en geweld.

---

## 5.3   Straffen en boetes

### 5.3.1   PROCES-VERBAAL

De Arbeidsinspecteur kan als opsporingsambtenaar een proces-verbaal opmaken bij het constateren van strafbare feiten en dat naar de officier van justitie doorgeleiden. Dat gebeurt alleen in een beperkt aantal ernstige gevallen. De rechter kan vervolgens een straf opleggen, meestal een geldboete (zie artikel 32 Arbowet en volgende).

Soms kan ook het werk worden stilgelegd of werknemers worden verboden gevaarlijke werkplekken te betreden. Bij de meeste overtredingen geeft de Arbeidsinspecteur een waarschuwing, eis en/of boete.

---

**Arbeidsinspectie onder de maat?**

Gezien het grote aantal bedrijven en instellingen in Nederland (700.000) en gezien het relatief kleine aantal arbeidsinspecteurs, is de kans op een inspectie erg klein. Gemiddeld krijgt een werkgever eenmaal in de dertig jaar een arbeidsinspecteur over de vloer. Die situatie wordt er niet beter op door de personeelsinkrimpingen die bij de Arbeidsinspectie recentelijk zijn doorgevoerd. Verdere bezuinigingen leiden er toe dat er in 2012 nog slechts 150 arbeidsinspecteurs over zijn. De ondernemingsraad van de Arbeidsinspectie heeft onlangs de noodklok geluid. Volgens de or heeft de Arbeidsinspectie te weinig capaciteit om haar taken op een kwalitatief goed niveau te kunnen uitvoeren. Ook is er door de hoge werkdruk geen tijd voor de benodigde bijscholing van de inspecteurs. In samenwerking met de FNV is een klacht bij de International

---

Labour Organisation ingediend, omdat Nederland te weinig inspecteurs in dienst zou hebben.

Het aantal bezoeken van de Arbeidsinspectie hangt overigens ook sterk af van de aard van het bedrijf; een middelgroot metaalbedrijf zal vaker bezocht worden dan een klein administratiekantoor. Bovendien heeft de Arbeidsinspectie onlangs haar koers verlegd. Ze richt haar inspecties vooral op bedrijven en bedrijfstakken waarvan zij vermoedt dat daar de zorg voor arbeidsomstandigheden te wensen over laat.

## 5.3.2 BESTUURLIJKE BOETE EN DE HOOGTE ERVAN

De Arbeidsinspectie kan zelf boetes opleggen. Het is een verkorte strafprocedure in het kader van een 'lik-op-stukbeleid'. Ook bij het direct opleggen van boetes kan sprake zijn van ernstige en minder ernstige overtredingen van de arbowetgeving. In geval van ernstige overtredingen — bijvoorbeeld onveilige machines of gereedschappen — wordt direct een boete aangezegd en opgelegd. Bij minder ernstige, meer administratieve overtredingen volgt eerst een waarschuwing. Als daaraan geen gevolg wordt gegeven volgt alsnog een boete. Bij de bepaling van de hoogte van de boete wordt rekening gehouden met de grootte van het bedrijf. Bijvoorbeeld bij een bedrijf met 10 à 39 werknemers geldt 30% van het bepaalde boetenormbedrag, tussen de 100 en 249 werknemers wordt de hoogte vastgesteld op 60% en in geval van 500 of meer werknemers geldt het gehele normbedrag. De hoogte daarvan is vastgelegd in een tarieflijst die is vastgesteld door het ministerie van Sociale Zaken en Werkgelegenheid. De tarieflijst voor de hoogte van boetes is te vinden in de beleidsregels, te vinden in de bijlage bij beleidsregel 33. (Deze beleidsregel zal overigens niet vervallen.)

In 2010 heeft de Arbeidsinspectie tijdens haar inspecties in maar liefst 61% van de bedrijven één of meer overtredingen geconstateerd. Ze heeft dat jaar 1578 maal een boete opgelegd aan een werkgever. Het gemiddelde boetebedrag was € 5100.

Vanaf juli 2012 stopt de Arbeidsinspectie met het waarschuwen van een bedrijf bij een overtreding van de regelgeving rond een groot arbeidsrisico. Als het bedrijf op de hoogte kan zijn van dat risico, volgt er meteen een boete. Ook wordt de boete verdubbeld als na een eerdere overtreding een tweede, soortgelijke overtreding wordt geconstateerd.

De manier waarop de hoogte van het boetebedrag bij *ernstige* overtredingen wordt bepaald, is opvallend te noemen. Ten eerste wordt bij deze overtredingen het normbedrag verdubbeld. Vervolgens kunnen één of meer van de volgende factoren weer leiden tot een verlaging van de boete:

- als de werkgever kan aantonen dat hij de risico's van de betreffende werkzaamheden heeft geïnventariseerd en de nodige maatregelen heeft getroffen — zoals deugdelijke arbeidsmiddelen en persoonlijke beschermingsmiddelen ter beschikking stellen — dan wordt de boete met een derde gematigd;
- als de werkgever bovendien aantoont dat hij voldoende instructies heeft gegeven, wordt de boete met nog een derde gematigd;
- als de werkgever bovendien aantoont dat hij adequaat toezicht heeft gehouden, wordt geen boete opgelegd.

Niet alleen aan de werkgever, maar ook aan werknemers kunnen boetes worden opgelegd. De maximumboete voor de werknemer bedraagt € 450. De overtredingen waarop een boete staat kunnen globaal onderverdeeld worden in de volgende categorieën:
- Werkzaamheden of activiteiten verrichten die onveilig zijn, en niet zijn toegestaan.
- Geen persoonlijke beschermingsmiddelen dragen waar dat verplicht is.

In 2010 zijn er door de Arbeidsinspectie 76 boetes aan werknemers opgelegd. Het gemiddeld boetebedrag was € 113.

### 5.3.3   PROCEDURE

De procedure bij het opleggen van boetes is als volgt. De inspecteur zegt aan dat er een boete wordt opgelegd. Door een hogere instantie van de Arbeidsinspectie wordt de boete en het boetebedrag binnen acht weken opgelegd. Degene aan wie de boete is opgelegd — meestal de 'rechtspersoon', dat wil zeggen het bedrijf — moet binnen zes weken betalen. De werkgever kan daartegen in beroep gaan, maar de boete moet wel eerst worden betaald.

## 5.4    Werknemersrechten

Een werknemer, kaderlid, or of VGW(M)-commissie kan een klacht indienen bij de Arbeidsinspectie. Dat is doorgaans een stap die alleen kan worden gezet als duidelijk is geworden dat pogingen zijn mislukt om binnen het bedrijf om tot de aanpak van een arboknelpunt te komen. Bovendien kan de Arbeidsinspectie alleen ingrijpen als er daadwerkelijk een wettelijke arboregel wordt overtreden.

Bij een vermeende overtreding van de arbowetgeving in het bedrijf kan een vakbond of or of de Arbeidsinspectie vragen om een onderzoek uit te voeren. Een onderzoek is een zwaarder middel dan een klacht indienen; het kan alleen als er een groep werknemers bij de vermeende overtreding is betrokken. En als de ondernemingsraad of vakbond een verzoek tot onderzoek indient bij de Arbeidsinspectie, is deze verplicht hieraan gehoor te geven. Een klacht hoeft er niet altijd door de Arbeidsinspectie in behandeling genomen te worden.

De ondernemingsraad of VGW(M)-commissie heeft daarnaast de volgende extra wettelijke rechten (artikelen 12) en 24 Arbowet:

– De Arbeidsinspectie vergezellen bij een inspectie.
– Tijdens die inspectie een gesprek met de arbeidsinspecteur voeren onder vier ogen, zonder de aanwezigheid van een vertegenwoordiger van de werkgever.
– Door de werkgever in kennis gesteld worden van een eis die door de Arbeidsinspectie is opgelegd of van een bevel om het werk stil te leggen.
– In beroep gaan tegen een beschikking van de Arbeidsinspectie.
– Van de Arbeidsinspectie een rapport van een inspectie of ongevalsonderzoek ontvangen.

---

**Tips voor werknemers, de or of VGW(M)-commissie**

– Bij het indienen van een klacht kan men twee wegen bewandelen:
  - De klacht kan in alle openheid worden ingediend. Degene die de klacht indient, bijvoorbeeld de or, heeft al geruime tijd daarvoor aan de werkgever gemeld dat, als de overtreding op een bepaalde datum niet is verholpen, de Arbeidsinspectie ingeschakeld zal worden. Zo geeft de or de werkgever nog een laatste kans om het probleem onderling op te lossen.
  - De klacht kan *anoniem* ingediend worden bij de Arbeidsinspectie. De klager zal zijn naam wel bekend moeten maken bij de Arbeidsinspectie, maar de inspecteur zal bij de inspectie geen melding maken van de klacht of klager en zal ook niet alleen naar de afdeling gaan waar de klacht zich op richt. Het moet wel gezegd dat het voor een werkgever niet moeilijk is om te achterhalen dat een klacht tot de komst van de Arbeidsinspectie heeft geleid. Als er geen inspectie-project loopt in de branche en als er geen ongeval is gemeld in het bedrijf, dan is een klacht nog de enige reden waarom een inspecteur langs kan komen.

– Kijk ook eens of de Arbeidsinspectie recentelijk een inspectie in uw sector heeft uitgevoerd. De projectverslagen zijn te vinden op: www.arbeidsinspectie.nl. Op die site vindt u trouwens ook de geplande projecten en de eerder genoemde arbobranchebrochures en voorlichtingsfilmpjes.

– De Arbeidsinspectie heeft op haar site ook enkele zogenaamde 'basisinspectiemodules' opgenomen. Bij een veertigtal arbothema's is te zien waar de inspecteurs bij een rondgang door een bedrijf op letten. Enkele van die modules, bijvoorbeeld over bedrijfshulpverlening of dieselrookemissie, zijn goed leesbaar. Andere verwijzen vooral door naar andere, interne documenten.

– Zorg dat je de naam kent van de vaste inspecteur van het bedrijf of de instelling en neem indien nodig contact met haar of hem op.

– Wees goed op de hoogte van recente inspectie- en ongevalsrapporten van de Arbeidsinspectie.

---

– Let op of de arbeidsinspecteur bij een inspectie een or-lid verzoekt om hem/haar te begeleiden. Als dat niet gebeurt, neem dan na de inspectie contact op met de inspecteur en maak afspraken om dat een volgende keer te verbeteren.

– Maak bij de rondgang van de arbeidinspecteur — indien nodig — gebruik van de mogelijkheid om de Arbeidsinspectie onder vier ogen te spreken.

## 5.5    Verder lezen

– artikel 24 Arbowet en volgende
– Boere, Mr. A.H.M. e.a., *Handboek Arbowet*, Sdu, Den Haag.
– *Wat doet de Arbeidsinspectie.* Brochure van het Ministerie van SZW.
– *Heeft u een klacht, meld het bij de Arbeidsinspectie.* Brochure van het Ministerie van SZW.
– *Ernstige arbeidsongevallen, wat doet de Arbeidsinspectie.* Brochure van het Ministerie van SZW.

De brochures van het ministerie van SZW zijn te downloaden op: www.arbeidsinspectie.nl.

# 6 Schuld en aansprakelijkheid bij bedrijfsongevallen en beroepsziekten

## 6.1 Inleiding

Wie heeft schuld? Wie is aansprakelijk? Wie moet er boeten? Dit zijn logische vragen na een arbeidsongeval, bij een overtreding van de arbovoorschriften en bij een beroepsziekte. Wie betaalt de schade als die is aangericht? Het is nuttig dat werknemers, de or of VGW(M)-commissie enkele hoofdlijnen kennen van de problematiek van straf en aansprakelijkheid. Al is het maar om collega's die iets overkomt op een goed spoor te kunnen zetten. In deze gevallen is het snel inroepen van juridische hulp belangrijk.

## 6.2 Aansprakelijkheid en claims

Er moet onderscheid gemaakt worden tussen schuld en aansprakelijkheid op grond van het straf- en bestuursrecht en op grond van het civielrecht. Als een wet wordt overtreden, bijvoorbeeld de Arbowet, kan de overtreder worden veroordeeld tot een straf, meestal een boete. Dan spreken we over het bestuurs- of strafrecht. Het betreft een conflict tussen de overheid, die de wetten moet handhaven, en de burger.

Civielrecht betreft een conflict tussen twee 'burgerlijke' partijen, bijvoorbeeld tussen een werknemer en een werkgever. Dit betreft de schade die is aangericht, wie voor die schade aansprakelijk is en wie die schade moet vergoeden. Als een bedrijfsongeval is veroorzaakt door een onveilige machine, wordt een proces-verbaal opgemaakt door de Arbeidsinspectie en wordt de werkgever beboet voor overtreding van de arboregels. Als de werknemer daardoor bijvoorbeeld voor zijn leven arbeidsongeschikt raakt, krijgt hij niet alleen een uitkering en de ziektekosten vergoed door de zorgverzekeraar. Hij kan ook de werkgever aansprakelijk stellen voor de (immateriële) schade: een civielrechtelijke claim. De rechter geeft hierover een bindend oordeel.

## 6.3 Sancties

De bestraffing van overtredingen van de arbowetgeving is enkele jaren geleden ingrijpend gewijzigd. Sindsdien worden verreweg de meeste overtredingen die door de Arbeidsinspectie worden gesignaleerd, met een zogenaamde bestuurlijke boete bestraft. Alleen in de volgende overtredingen komt de rechter er nog aan te pas: in het geval van artikel 6 van de Arbowet, het voorkomen en beperken van zware ongevallen, waar gevaarlijke stoffen bij zijn betrokken, van artikel 10 — voorkomen van gevaar voor derden — en de bepalingen uit het Arbobesluit die het gebruik van kankerverwekkende stoffen en materialen uitdrukkelijk verbieden.

De bestuurlijke boete wordt behandeld in hoofdstuk 5.

- Doorgaans wordt de *rechtspersoon* aangesproken en mogelijk vervolgd, bijvoorbeeld de bv.
- Ook *leidinggevenden* die opdracht hebben gegeven kunnen worden vervolgd. Als zij binnen hun bevoegdheden en bestaande beleidskaders hebben opgetreden wordt de rechtspersoon aangesproken en vervolgd. Anders komt de veroorzaker in beeld. Tenslotte moet ieder zich aan de wet houden.
- Ook op de *werknemer* rusten verplichtingen en hij kan daarom worden vervolgd. De algemene stelregel — zie het Arbobesluit — is dat werknemers de nodige zorgvuldigheid en voorzichtigheid in acht dienen te nemen ten opzichte van zichzelf en anderen. Die anderen zijn niet alleen collega-werknemers, maar ook 'derden', bijvoorbeeld bezoekers. Nader uitgewerkte vereisten (Arbowet, artikel 11):
  a. Machines, toestellen en gevaarlijke stoffen dienen op de juiste wijze te worden gebruikt.
  b. De terbeschikkinggestelde persoonlijke beschermingsmiddelen dienen op de juiste wijze worden gebruikt en opgeruimd.
  c. De beveiliging op machines mag niet worden weggehaald en moet op de juiste wijze worden gebruikt.
  d. De werknemer moet meewerken aan voorlichting en onderricht.
  e. Gevaren dienen terstond aan de werkgever of leidinggevende te worden gemeld.

In 2010 heeft de Arbeidsinspectie 76 maal een boete opgelegd aan een werknemer.

---

**Uit de praktijk**

Werknemers werden door de Arbeidsinspectie betrapt op het gebruik van een (goederen)bouwlift. Volgens hen waren er geen ladders op de bouwplaats en was de vaste trap 'kilometers' verderop. Ze werden veroordeeld tot een boete.

---

## 6.4    Civielrecht: vergoeding voor materiële en immateriële schade

Een werknemer die als gevolg van een beroepsziekte of bedrijfsongeval schade heeft geleden, kan zijn werkgever aansprakelijk stellen. Zo'n civielrechtelijke aansprakelijkheidsstelling gebeurt meestal op grond van artikel 7:658 BW (Burgerlijk Wetboek). Ambtenaren vallen hier niet onder. Schadevergoeding voor ambtenaren wordt geregeld via het ambtenarenrecht. Voor werknemers in WSW-verband kan verwezen worden naar artikel 19 WSW.

In de genoemde artikelen wordt de zorgplicht van de werkgever omschreven. In het Burgerlijk Wetboek staat dat de werkgever bedrijfsruimten, machines en apparaten zodanig moet inrichten en onderhouden en zodanige maatregelen moet nemen en aanwijzingen moet geven als redelijkerwijze nodig is om te voorkomen dat de werknemer schade lijdt. De werkgever is aansprakelijk voor de schade die de werknemer lijdt in de uitoefening van zijn werkzaamheden, tenzij die werkgever kan aantonen dat hij zijn verplichtingen is nagekomen of dat de schade 'in belangrijke mate het gevolg is van opzet of bewuste roekeloosheid van de werknemer'.

Het komt nogal eens voor dat een werkgever enkele werknemers een verklaring laat tekenen, waarin deze aangeven dat zij zelf de verantwoordelijkheid dragen in geval van een bedrijfsongeval of beroepsziekte. Zulke onderlinge afspraken zijn niet rechtsgeldig. De aansprakelijkheid van de werkgever kan *niet* buiten werking worden gesteld.

---

**Een aantal voorbeelden van rechtszaken**

*De verfspuiter en hersenbeschadiging*

Een verfspuiter heeft 15 jaar met organische oplosmiddelen zoals thinner gewerkt. Hij stelt dat hij daardoor OPS (organisch psychosyndroom) heeft opgelopen. De werkgever bestrijdt dit. In de verklaring van de werknemer is te lezen:

'Bij het spuiten droegen we halfgelaatsmaskers met een filter, maar dat waren filters tegen stof. Ze waren niet geschikt voor verfdampen. Tijdens het spuiten van grote stukken was de verfnevel in de loods bijzonder dicht. Soms hielden de spuiters het niet meer uit, dan hadden ze zulke rode ogen dat ze zelfs niet meer naar huis konden rijden. Er is niemand die mij ooit verteld heeft wat de gevaren zijn van spuiten met verf'.

Het gerechtshof in Den Haag volgt in een arrest van juli 2008 de volgende lijn: als vaststaat dat de werknemer tijdens zijn werk is blootgesteld aan gevaarlijke stoffen, dan kan het verband tussen deze blootstelling en de gezondheidsschade worden aangenomen als de werkgever heeft nagelaten om voldoende maatregelen te treffen om de schade te voorkomen. In dit geval is vast komen te staan dat de werkgever onvol-

---

doende maatregelen heeft getroffen. Het gerechtshof beslist dat de werkgever als voorschot een bedrag van € 125.000,- dient te betalen aan de werknemer.

*Hernia na het tillen van een oven*

Een horecamedewerker stelt zijn werkgever aansprakelijk voor zware rugklachten. Die klachten zijn ontstaan na het tillen van een oven van 200 kilo, samen met drie anderen. Die oven moest in de keuken worden geïnstalleerd. Door die zware tilhandeling heeft de medewerker een hernia opgelopen. Hij is in de loop der jaren hiervoor enkele malen geopereerd en is uiteindelijk volledig arbeidsongeschikt verklaard. Deze zaak loopt tot aan de Hoge Raad. Die wijst in april 2007 het verweer van de werkgever af. Zij betoogde dat er geen causaal verband was tussen het letsel en de tilwerkzaamheden en dat ten tijde van het installeren van de oven het tillen van 50 kilo gebruikelijk was, bijvoorbeeld in de bouw. De Hoge raad wijst er op dat, ondanks het ontbreken van een tilnorm een werkgever er van uit hoort te gaan dat bij het tillen van een gewicht dat minstens 50 kilo bedraagt, mechanische hulpmiddelen verstrekt dienen te worden. Zeker aan een ongeoefende werknemer. Ook wordt de werkgever verweten dat zij nog steeds niet het exacte gewicht van de oven heeft doorgegeven. De Hoge Raad beslist dat de werkgever aan de werknemer een voorschot zal betalen, in afwachting van de uitspraak van het gerechtshof over de hoogte van de vergoeding.

Deze rechtszaak is extra van belang omdat de rechter verwees naar een internationale tilnorm, die daarmee in Nederland juridisch voet aan de grond heeft gekregen. (Zie voor deze NIOSH-tilnorm hoofdstuk 21.)

*Burn-out door een enorme werkdruk*

Een werknemer stelt zijn voormalige werkgever aansprakelijk voor de schade die hij heeft geleden door een burn-out. Die burn-out is veroorzaakt door de enorme werkdruk die hij in zijn werk als planner te verduren kreeg. Hij nam voortdurend werk mee naar huis, maakte veel meer uren dan volgens de Arbeidstijdenwet mocht en was dag en nacht beschikbaar voor het bedrijf. De werkgever gaf aan dat de werknemer een dwangmatige neiging tot werken had en dat de leidinggevende hem regelmatig had gemaand om werkzaamheden naar anderen te delegeren. De werkgever betoogt dat de burn-out vooral door de persoonlijkheid van de werknemer is veroorzaakt. In hoger beroep wijst het gerechtshof deze gedachtegang af en ziet een duidelijk verband tussen het werk en het letsel. Ze maant beide partijen om tot een financiële schikking te komen en houdt in afwachting daarvan haar beslissing aan.

## 6.5    Zorgplicht werkgever

De werkgever heeft een zorgplicht. Hij is verantwoordelijk en aansprakelijk, tenzij aan de kant van de werknemer sprake is van opzet of bewuste roekeloosheid. Dat laatste dient strikt te worden opgevat. Het is veel meer dan gewone schuld. Men gaat ervan uit dat er in de gewone gang van zaken tijdens het werk altijd sprake is van enige routine en op grond daarvan fouten kunnen worden gemaakt. Als dat het geval is hoeft de werknemer niet zijn eigen schade of de schade die hij veroorzaakt te dragen. De werkgever moet ermee rekening houden dat de werknemer dergelijke fouten kan maken.

## 6.6    Bewijslast werkgever

Als er een meningsverschil is over de vraag of de werkgever al dan niet aansprakelijk is, ligt de bewijslast bij de werkgever. Niet de werknemer moet bewijzen dat de werkgever fouten heeft gemaakt en zich niet aan de voorschriften heeft gehouden. De werkgever dient aan te tonen dat hij zich aan alle verplichtingen heeft gehouden of dat de werknemer met opzet of bewust roekeloos heeft gehandeld. De werknemer moet aangeven ('stellen') dat de schade die hij heeft opgelopen verband houdt met zijn werk. Als de werkgever aannemelijk wil maken dat hij niet aansprakelijk is moet hij aantonen dat:

- de nodige veiligheidsmiddelen zijn verschaft;
- de nodige voorlichting en onderricht zijn gegeven ter bevordering van veiligheid en gezondheid;
- het nodige toezicht is gehouden;
- het betreffende onderwerp op een juiste manier in de RI&E is omschreven.

Ook kan de werkgever aannemelijk proberen te maken dat er geen verband is tussen het letsel en het werk. Of hij toont aan dat de schade in belangrijke mate het gevolg is van opzet of bewuste roekeloosheid van de werknemer.

## 6.7    De uitzendkracht en aansprakelijkheid

Lang was er een probleem wie moest worden aangesproken bij een bedrijfsongeval dat een uitzendkracht overkomt. De Hoge Raad heeft daarover in 1990 uitsluitsel gegeven.

- In geval van schadeclaims kan de uitzendkracht zowel de werkgever als de uitlener — het uitzendbureau — of hen beiden aanspreken.

– Als de uitlener die schadeclaim moet betalen, kan hij die terugvorderen van de
inlenende werkgever. Bij het al of niet toekennen van die terugvordering, is het
van belang in welke mate de inlener of uitlener feitelijk zeggenschap had over
de werkzaamheden van de werkende uitzendkracht. De contractuele afspraken
tussen uitlener en inlener spelen hierbij een rol.

## 6.8 Werknemers van meerdere werkgevers op één werkplek

In veel gevallen is sprake van werknemers van meerdere bedrijven. Bijvoorbeeld
op bouwobjecten. Daar kan bijvoorbeeld sprake zijn van de onderaanneming en
onder-onderaanneming. De Hoge Raad heeft uitgesproken dat schuld en aansprakelijkheid afhankelijk zijn van de feitelijke situatie en afspraken. Of de werkzaamheden worden verricht in het kader van de onderneming van de hoofdaannemer,
van de onderaannemer of van beide, is mede afhankelijk van de feitelijke omstandigheden, zoals van de manier waarop ze hun samenwerking hebben geregeld en
de afspraken over veiligheid die zijn gemaakt.

### 6.8.1 MATERIAAL VAN ANDEREN

Een schilder leent een trap bij het bedrijf waar hij een klus doet. De sport breekt,
hij loopt schade op. De werkgever van de schilder is aansprakelijk voor het ge-
leende materiaal, zegt de rechter. De Arbowet bepaalt, dat, als er op een werkplek
meerdere werkgevers actief zijn, er door hen doelmatig moet worden samengewerkt. In de toelichting op dit artikel verklaarde de minister dat bij schade door een
bedrijfsongeval, te wijten aan een werktuig van derden (waar hij zijn werkzaamheden verricht) de werknemer op grond van het Burgerlijk Wetboek de eigen
werkgever aan kan blijven spreken.

## 6.9 Enkele conclusies over aansprakelijkheid bij een arbeidsongeval

– Uitgangspunt is dat de werkgever primair verantwoordelijk en aansprakelijk is;
– de werkgever heeft doorgaans de bewijslast;
– de werknemer mag 'gewone' fouten maken;
– de werknemer heeft ook verplichtingen;
– bij schade zijn er kansen voor een aansprakelijkheidsclaim.

## 6.10    Beroepsziekten

Ook voor beroepsziekten geldt de mogelijkheid de — vroegere — werkgever aan te spreken. Bekend zijn de gevallen van longvlieskanker, veroorzaakt door blootstelling aan asbest. In de afgelopen jaren zijn er echter ook rechtszaken door werknemers gewonnen die arbeidsongeschikt zijn geraakt door RSI of burn-out.

Het is vaak niet eenvoudig om met succes een claim in te dienen. De problemen bij aansprakelijkstelling in geval van beroepsziekten zijn kort gezegd de volgende:

- Veel beroepsziekten openbaren zich pas laat, zodat het moeilijk is vast te stellen wie of wat precies de ziekte heeft veroorzaakt.
- Het recht om schadevergoeding op te eisen is soms verjaard, vanwege het overschrijden van de termijnen waarin dat kan gebeuren.
- De aansprakelijkstelling is dikwijls een langdurig en psychologisch zwaar proces, omdat het slachtoffer van alles voor de voeten wordt geworpen, wat zeer pijnlijk kan zijn. Ook duurt het proces soms vele jaren.

---

**Uit de praktijk**

*Aansprakelijkheid bij dienstreizen*

Op weg naar een cliënt valt een thuiszorgmedewerkster door gladheid van haar fiets. Ze houdt aan het verkeersongeval een blijvende arbeidsongeschiktheid over en stelt haar werkgever aansprakelijk voor de schade. De Hoge Raad stelt vast dat de werkgever geen invloed heeft op zaken als gladheid en verkeersveiligheid. Toch wordt de medewerkster in het gelijk gesteld; in het kader van goed werkgeverschap had de werkgever moeten zorgen voor een verzekering voor werknemers die aan het verkeer deelnemen. Nu hij dit heeft nagelaten is hij aansprakelijk voor de schade.

---

### 6.10.1    ONDERSTEUNING BIJ EEN BEROEPSZIEKTE

Er zijn twee belangrijke organisaties voor een werknemer met een ernstige beroepsziekte. Ten eerste het Bureau Beroepsziekten FNV (http://www.bbzfnv.nl/). Deze staat mensen bij die vanwege een beroepsziekte(deels) arbeidsongeschikt zijn geworden en er daardoor in inkomen op achteruit zijn gegaan. Bureau Beroepsziekten komt op voor werknemers die lid zijn van FNV Bouw, FNV Bondgenoten, FNV Kiem, Abvakabo FNV en de Algemene Onderwijsbond. In tien jaar tijd heeft het Bureau meer dan 350 getroffen werknemers aan een schadevergoeding geholpen.

Verder is er een *Instituut Asbestslachtoffers* opgericht met als doel de procedure van de schadeclaim te bespoedigen, de getroffene bij te staan en hem of haar, die dikwijls binnenkort zal sterven, onnodig leed te onthouden. Het bedrag dat na bemiddeling wordt uitgekeerd is ruim € 57.000. Als de vroegere werkgever onvindbaar is of failliet, wordt een bedrag van ruim € 18.000 ter beschikking gesteld. De websites van beide instanties zijn aan het paragraaf 6.12 te vinden.

---

**Uit de praktijk**

Begin 2011 ontving een elektricien een recordbedrag van € 650.000 als schadevergoeding voor zijn beroepsziekte. Bij het repareren van inktjetapparaten werd hij veelvuldig blootgesteld aan een giftige inktvloeistof. Afzuiging was er niet, de man droeg geen masker en gebruikte pas na enige tijd latexhandschoenen. Ook de overige arbeidsomstandigheden waren onvoorstelbaar: in de fabriekshal is het doorgaans 30 tot 35 graden, de werkdruk is hoog: werkweken van 55 uur met uitschieters van 70 uur in het hoogseizoen. Op een gegeven moment wordt de zomervakantie beperkt tot twee weken. Tijdens de werkzaamheden wordt de monteur regelmatig onwel. Na een lange periode van ziekte belandt hij uiteindelijk in de WIA. Hij heeft een ernstige aandoening van de hersens waardoor hij spastisch loopt en een spraakstoornis heeft. FNV Beroepsziekten begeleidde hem al acht jaar in deze rechtszaak.

---

## 6.11 Tips voor de praktijk

- Omdat werkgevers bij een aansprakelijkheidszaak moeten aantonen dat zij de juiste voorzieningen, de juiste voorlichting en het juiste toezicht hebben verzorgd, is dit voor een ondernemingsraad een extra argument om voor deze drie onderdelen van het arbobeleid te pleiten.
- De ondernemingsraad of personeelsvertegenwoordiging kan arbeidsongeschikte collega's er op wijzen dat er een mogelijkheid is om de werkgever civielrechtelijk aansprakelijk te stellen. Met name als er sprake is van inkomstenverlies door een bedrijfsongeval of een beroepsziekte. Veel te vaak wordt dat nog niet gedaan.
- De ongevallenverzekering of aansprakelijkheidsverzekering die werkgevers hebben en waardoor vaak vaste bedragen worden uitgekeerd, is geen belemmering tot een civiele claim op grond van het Burgerlijk Wetboek. Dus ook al heeft de werkgever een ongevallenverzekering en heeft die een bedrag uitgekeerd, dan nog is het mogelijk een civielrechtelijke schadeclaim in te dienen.
- Een aansprakelijkheidsstelling is dermate ingewikkeld dat die direct aan een jurist moet worden overgedragen.
- Er kan een psychologische barrière zijn om de werkgever aansprakelijk te stellen:

- Men heeft al genoeg moeite met het ongeval en wil er niet meer toestanden bij.
- Men is bang voor een zekere eigen schuld en dus voor de uitkering.
- De band met de werkgever is vaak zo sterk dat men hem niet aansprakelijk wil stellen.
- Men zou zich moeten realiseren dat in feite de verzekeringsmaatschappij van de werkgever wordt aangesproken.

## 6.12    Verder lezen

- Arbo-informatieblad 40: *Aansprakelijkheid*, SDU, Den Haag
- Website bureau beroepsziekten FNV: www.bbzfnv.nl.
- Website Instituut Asbestslachtoffers: www.asbestslachtoffers.nl.

## DEEL 3

# ARBO-, VERZUIM- EN MILIEUBELEID

# 7 Arbobeleid

## 7.1 Inleiding

De Arbowet formuleert dat de werkgever arbobeleid dient te voeren. Dat houdt in: planmatig en gestructureerd met arbo bezig zijn. Geen brandjes blussen of pleisters plakken (ofwel reactief bezig zijn), maar arbo aanpakken bij de bron en proactief werken: voorkómen dat mensen gevaar lopen.

Wat precies 'beleid' inhoudt zegt de wet niet uitdrukkelijk. Wel vinden we een aantal beleidsverplichtingen in de wet terug, zoals: de aanpak bij de bron, het toedelen van preventietaken, het maken van een risico-inventarisatie en -evaluatie, het inschakelen van deskundigen (bijvoorbeeld een arbodienst) en het overleggen met de ondernemingsraad.

Het is een belangrijke taak van de ondernemingsraad of VGW(M)-commissie de werkgever te stimuleren dat hij op een beleidsmatige, planmatige manier aandacht schenkt aan de arbeidsomstandigheden. En een volgende stap is dan uiteraard om deze te bewaken.

## 7.2 Beleid: de vijf W's

Het Arbo-informatieblad nummer 1, *Arbo- en verzuimbeleid*, legt uit wat arbobeleid is door middel van het schema van de vier 'W's': weten, wegen, werken en waken. Het is zinvol daar een vijfde 'W' aan toe te voegen, de 'W' van 'willen'. Die is drager van de andere 'W's'. Want waar geen wil is, is geen weg.

Er is sprake van een beleidsmatige aanpak van arbeidsomstandigheden als een bedrijf of instelling de vijf 'W's' in praktijk brengt.

1. Willen: Uit woord en daad blijkt dat arbo belangrijk is. Dat kan worden vastgelegd in een intentieverklaring en een arbobeleidsplan.
2. Weten: Er wordt op deskundige wijze onderzocht en beschreven welke de arborisico's zijn en hoe die kunnen worden opgelost; er wordt ook vastgelegd welke arbokennis en deskundigheid in de organisatie beschikbaar is, of moet worden ingehuurd.

3. Wegen: Uit de waslijst van risico's en manco's in het arbobeleid worden de belangrijkste gekozen. Er moeten prioriteiten worden gesteld die in het plan van aanpak worden vastgelegd. Kiezen is wezenlijk!
4. Werken: Aan de hand van het plan van aanpak worden activiteiten ondernomen om de arbeidsomstandigheden daadwerkelijk te verbeteren.
5. Waken: Er wordt gecontroleerd of de afspraken die zijn gemaakt ook worden nagekomen. Aan het eind van een jaar, maar ook tussentijds worden conclusies getrokken:
   - Hebben we voldoende gedaan en gerealiseerd?
   - Was het 'willen', de ambitie voldoende?
   - Wisten we genoeg; moet wellicht de kennis en de beschikbare deskundigheid worden vergroot?
   - Waren de prioriteiten en de plannen de juiste?
   - Is de juiste werkwijze gekozen?

Op grond van zo'n evaluatie wordt door de werkgever een nieuwe beleidscyclus ingezet, met nieuwe plannen, bijvoorbeeld een duidelijker arbotaakstelling voor de functionarissen, betere communicatie rondom arbo, een duidelijker aansturing; afhankelijk van wat in een organisatie nodig is.

*Tabel 1.*

| Willen | - intentieverklaring<br>- formuleren beleid, het arbobeleidsplan |
| --- | --- |
| Weten | - risico-inventarisatie en -evaluatie<br>- juiste cijfers<br>- kennis en deskundigheid |
| Wegen | - prioriteiten in plan van aanpak |
| Werken | - uitvoering plan van aanpak<br>- controle daarop |
| Waken | - voortgangsbewaking<br>- evaluatie en bijstelling arbobeleid |

De vijf beleidsstappen worden nu nader uitgewerkt:

## 7.3 Stap 1: willen

### 7.3.1 INTENTIEVERKLARING

In een intentieverklaring legt een directie haar visie op arbeidsomstandigheden-beleid vast. Een intentieverklaring is niet wettelijk voorgeschreven, maar kan een goed startpunt of ijkpunt zijn om tot een goed arbobeleid te komen. Stagnatie van arbobeleid en -actie ligt immers meestal aan een grondhouding die arbo onvoldoende aandacht geeft.

Een intentieverklaring is niet meer dan een eerste stap. Het is vervolgens zaak om de voornemens ook daadwerkelijk in praktijk te brengen. Niemand is gebaat bij een papieren tijger.

In een goede intentieverklaring zijn de volgende zaken geformuleerd:
- het belang van een planmatige aanpak van de arbeidsomstandigheden, de gerichtheid op preventie en voortdurende verbeteringen;
- een aantal globale doelstellingen;
- het belang om de werknemers en de or of VGW(M)-commissie in dit arbobeleid een actieve rol te geven.

De or/VGW(M)-commissie kan stimuleren dat er een arboambitie en -intentie op papier wordt gezet of dat de bestaande wordt herzien. Suggestie is om er een discussiestuk van te maken dat in belangrijke overlegorganen van de organisatie wordt besproken en becommentarieerd. Ook kan het verstandig zijn om na enkele jaren de intentieverklaring nog eens met verschillende betrokkenen tegen het licht te houden.

Zie voor een voorbeeldtekst hoofdstuk 33.

---

**Tips or/VGW(M)-commissie**
- Is er een arbo-intentieverklaring, wat is uw oordeel daarover?
- Geef een rapportcijfer (1-10) aan de arbo-ambitie van de organisatie.
- Vraag de bestuurder en de arbocoördinator eveneens een cijfer te geven.
- Als het arbobeleid stagneert, voer een serieus en goed voorbereid gesprek over de arbo-ambitie/intentie van de organisatie en wijs de werkgever op het verschil tussen de mooie woorden in de intentieverklaring en de minder fraaie praktijk.

---

### 7.3.2 FORMULERING VAN BELEID, HET ARBOBELEIDSPLAN

Een Arbobeleidsplan is niet verplicht, maar het is wel een bijzonder handige manier voor een werkgever om het arbobeleid samenhang te geven. In een arbobeleidsplan worden de belangrijkste doelen en middelen van het arbo- en verzuimbeleid geformuleerd. Onderdelen van zo'n beleidsplan worden hieronder weergegeven.

*Analyse huidige situatie*
Onderdeel van het beleidsplan is een analyse van de belangrijkste arbo-risico's, van de stand van de arbozorg binnen de organisatie en van externe ontwikkelingen die een en ander beïnvloeden (concurrentie, wetgeving, aansprakelijkheid). Een be-

langrijk deel van die analyse wordt neergelegd in de RI&E die in stap 2 wordt besproken.

## Doelen
- Er worden doelen geformuleerd op langere en korte termijn.
- Die worden zo concreet en meetbaar mogelijk geformuleerd.
- Ze hebben betrekking op beleidsonderwerpen en op concrete arbothema's.

Bijvoorbeeld:
- Binnen twee jaar wordt het aantal ongevallen gehalveerd.
- Binnen een jaar wordt een arbozorgsysteem ingevoerd.
- Binnen drie jaar hebben al onze vestigingen een goedgekeurde RI&E.

## Middelen
- Er wordt geformuleerd welke middelen worden ingezet. Belangrijke middelen zijn:
  - Voldoende budget of geld voor arbozorg of andere gecertificeerde deskundigen.
  - Het inschakelen van een arbodienst die een VGW-breed pakket aan diensten kan verlenen. De arbodienst wordt dus niet alleen ingeschakeld voor de verzuimbegeleiding. In het beleidsplan worden de taken, de adviesrol en de onderzoeksrol van de arbodienst vastgelegd.
  - Het werken met de beleidscyclus van plan van aanpak, jaarlijkse rapportage, met als grondslag een actuele risico-inventarisatie en -evaluatie en regelmatig verschijnende cijfers van verzuim en ongevallen.
  - Het vastleggen van arbotaken en -verantwoordelijkheden van de verschillende functionarissen in het bedrijf en het beschrijven hoe de aansturing van deze arbotaak zal geschieden.

## Communicatie en overleg
Vervolgens wordt het belang van informatie en communicatie over arbokwesties geformuleerd. Het zijn de smeermiddelen voor de arbozorg. Er wordt benoemd in welke overlegsituaties de arbo- en verzuimzorg aan de orde wordt gesteld: bijvoorbeeld twee keer per jaar in het managementteam en het overleg van leidinggevenden enzovoort. Het belang van het overleg met de or en VGW(M)-commissie wordt beschreven. Het minimumaantal overleggen wordt vastgelegd.

**Voorbeeld**

*In een arbobeleidsplan is het arbo-overleg met de or als volgt beschreven:*

"De VGW(M)-commissie vergadert minimaal zes keer per jaar, al of niet in aanwezigheid van de arbocoördinator of preventiemedewerker. In de overlegvergadering tussen ondernemingsraad en bestuurder wordt de arbozorg minimaal twee keer per jaar inhoudelijk aan de orde gesteld. Eén keer per jaar ligt het accent op de verzuimzorg en de activiteiten van de arbodienst. Grondslag van dat gesprek is het verslag van de werkzaamheden van de arbodienst in het afgelopen jaar en de verzuimcijfers van datzelfde jaar. De tweede keer worden de resultaten van het plan van aanpak voor dat jaar besproken en een mogelijk nieuw plan van aanpak vastgesteld."

## Arboprocedures

De belangrijkste arbobeheersinstrumenten worden benoemd en kort verwoord: de veiligheidsvoorschriften, keurings- en onderhoudsprocedures, de bedrijfshulpverlening, het toezicht op de vloer, het calamiteitenplan, voorlichting en onderricht, eventuele protocollen, arboprocedures bij inkoop en investeringen, persoonlijke beschermingsmiddelen, de manier waarop de RI&E wordt uitgevoerd. Die kunnen nader worden uitgewerkt in bijlagen of afzonderlijke documenten, bijvoorbeeld een 'handboek bedrijfshulpverlening', een 'handboek arbozorg'.

## Up-to-date houden

Er wordt geformuleerd dat het arbobeleid eens in de zoveel jaar of wellicht ieder jaar zal worden besproken en, indien nodig, herzien.

**Tips or/VGW(M)-commissie**
- Is er een geformuleerd arbobeleid, kent de or/VGW(M)-commissie dat beleid, wat vindt men ervan?
- Worden de voornemens in het Arbobeleidsplan concreet gemaakt en in de praktijk ook uitgevoerd? Als er geen arbobeleidsplan is, moet dat er komen en waarom?
- Staan in het huidige beleid op voldoende wijze de boven beschreven elementen verwoord?
- Op welke punten zou het huidige beleidsplan in uw organisatie kunnen worden verbeterd? De or/VGW(M)-commissie kan daartoe initiatief nemen en heeft instemmingsrecht over de afzonderlijke onderwerpen die in het beleidsplan beschreven staan.

## 7.4  Stap 2: weten

De juiste gegevens, een goede analyse en kennis van zaken zijn nodig om het arbogebouw stevig te funderen. Hierboven zijn ze al genoemd als belangrijke beleidsinstrumenten. Hier wordt er wat meer aandacht aan besteed.

### 7.4.1  DE JUISTE GEGEVENS: EEN VOLWAARDIGE RISICO-INVENTARISATIE EN -EVALUATIE

Een Risico-inventarisatie en -evaluatie (RI&E) is voor iedere werkgever een verplicht arbo-onderzoek en is het document bij uitstek om in kaart te brengen hoe de arbeidsomstandigheden er in het bedrijf voor staan. Een goede RI&E heeft de volgende kenmerken:
- Alle arborisico's zijn geïnventariseerd en naar zwaarte gewogen.
- Het stuk is volledig en voldoende diepgaand.
- Het beschrijft concrete maatregelen die getroffen moeten worden om de aangetroffen risico's weg te nemen of te beheersen.
- De RI&E is op deskundige wijze gemaakt en in ieder geval goedgekeurd door de arbodienst of gecertificeerde arbodeskundige.
- Een concreet plan van aanpak, met een tijdspad, is onderdeel van de RI&E.
- De RI&E is actueel.

Zie voor een uitgebreide behandeling van de RI&E en de aanknopingspunten voor het werk van de ondernemingsraad en VGW(M)-commissie hoofdstuk 10.

### 7.4.2  DE JUISTE CIJFERS

Ieder jaar worden de belangrijkste cijfers en gegevens op een rijtje gezet en geanalyseerd. Die komen bijvoorbeeld terecht in de jaarlijkse rapportage: de ongevallen en het letsel dat is opgelopen, de verzuimcijfers, de gevaren die door werknemers zijn gemeld. De cijfers worden geanalyseerd en besproken en zijn de basis voor activiteiten in het volgende jaar.

De or of VGW(M)-commissie maakt zijn eigen analyse van de aangeleverde cijfers en levert zo zijn bijdrage aan het vernieuwen van het arbobeleid.

### 7.4.3  VOLDOENDE KENNIS IN HUIS

Er zijn functionarissen met voldoende arbokennis binnen de organisatie werkzaam. Mocht het bedrijf te klein zijn, dan wordt de kennis ingehuurd van bijvoorbeeld de arbodienst.

In het bedrijf heeft men de beschikking over voldoende arboliteratuur: een goed arbohandboek, de actuele arbowetgeving en de arbo-informatiebladen die voor het bedrijf relevant zijn.

---

**Tips or/VGW(M)-commissie**
- Is de RI&E bekend?
- Is de RI&E volledig en is hij voldoende diepgaand?
- Worden er voldoende arbo- en verzuimgegevens op regelmatige basis in het bedrijf gepubliceerd?
- Is er voldoende arbokennis binnen de organisatie?
- Als er niet voldoende kennis in huis is, wordt die kennis ingehuurd en is die, als het nodig is, beschikbaar?

---

## 7.5 Stap 3: wegen

*Plan van aanpak*

In een plan van aanpak staan de maatregelen die worden genomen in de komende periode. Het is een verplicht onderdeel van de RI&E. De ondernemingsraad heeft instemmingsrecht bij het vaststellen en veranderen van het plan van aanpak. In het plan van aanpak moeten de juiste prioriteiten staan. Bij elke maatregel staat een tijdpad en degene die verantwoordelijk is voor de uitvoering. Een actieve ondernemingsraad of VGW(M)-commissie zorgt ervoor dat hij een eigen mening heeft over de arboprioriteiten en brengt die naar voren, als het plan van aanpak wordt besproken. Het instemmingsrecht van de ondernemingsraad geeft krachtige mogelijkheden om daarbij tot goede afspraken te komen. Zie verder hoofdstuk 10.

---

**Tips or/VGW(M)-commissie**
- Probeer jaarlijks de belangrijkste nieuwe punten in te brengen voor een nieuw arbojaarplan of de actualisering van het plan van aanpak.
- Staan in het plan van aanpak alle knelpunten die in de RI&E zijn beschreven?
- Staan de belangrijkste onderwerpen in het eerste jaar gepland?
- Wordt het plan van aanpak daadwerkelijk uitgevoerd?
- Heeft de ondernemingsraad of VGW(M)-commissie voldoende invloed op het plan van aanpak?
- Is het instemmingsrecht van de or bij het plan van aanpak in de praktijk goed geregeld?

---

## 7.6 Stap 4: werken

Als de plannen gemaakt zijn, moeten ze ook nog worden uitgevoerd. Tilhulpmiddelen aanschaffen, nieuwe beeldschermwerkplekken inrichten, de mensen voorlichten en instrueren over het gebruik van veiligheidsvoorzieningen, toezicht houden op vastgestelde procedures enzovoort. Het bedrijf of de instelling en ook de or/VGW(M)-commissie hebben de taak toezicht te houden op de daadwerkelijke uitvoering van de plannen. Tevens dient te worden bewaakt dat reeds bestaande afspraken en procedures worden nagekomen en dat de VGW(M)-voorzieningen worden gebruikt. Denk aan persoonlijke beschermingsmiddelen, allerlei veiligheidsvoorzieningen.

---

**Tips or/VGW(M)-commissie**

- Worden de geformuleerde plannen daadwerkelijk uitgevoerd? Hoe zorgt de or/ VGW(M)-commissie dat men dat weet?
- Zo niet, wat is daar de oorzaak van en hoe kan de or/VGW(M)-commissie zorgen dat het bedrijf het probleem onder ogen ziet en aanpakt?
- Staat de voortgang van het plan van aanpak op de agenda van de VGW(M)-commissie?
- Wat zijn de procedures voor veilig en gezond werken? Worden ze in de praktijk nagekomen?

---

## 7.7 Stap 5: waken

Ten slotte zijn we bij de vijfde stap aangeland, het 'waken'. De werkgever heeft hierbij de volgende taken:
- Van tijd tot tijd bezien of het arbobeleidsplan, het verzuimbeleid, de risico-inventarisatie en -evaluatie en het contract met de arbodienst vernieuwd moeten worden. Het is aan te raden om vooraf vast te leggen hoe vaak en op welke manier de onderdelen van het arbo- en verzuimbeleid worden geëvalueerd.
- Een beheerssysteem dat bijhoudt of men datgene doet wat is afgesproken. Dit is vergelijkbaar met de voortgangcontrole in de 'productie'; bijvoorbeeld een (digitaal) systeem dat de voortgang van de uitvoering van het plan van aanpak weergeeft. Of een overzicht van het daadwerkelijk verzorgde arbo-onderricht aan verschillende afdelingen binnen het bedrijf. Er zijn inmiddels digitale arbozorgsystemen die alle arbo-acties bundelen en meteen duidelijk maken als er een afgesproken actie niet is uitgevoerd.

Op grond van de evaluaties worden — zo nodig — de intentieverklaring, het geformuleerde arbobeleid, de risico-inventarisatie en -evaluatie, het plan van aanpak, allerlei VGW(M)-maatregelen, -procedures en -voorzieningen bijgesteld.

Uiteraard heeft de ondernemingsraad en zijn commissie ook een wakende rol. Maar dat neemt niet weg dat de werkgever zelf de waakfunctie goed dient te organiseren.

## 7.8 Arbobeleid en duurzame inzetbaarheid

Duurzame inzetbaarheid is het vermogen van werknemers om gezond en productief hun pensioen te halen. Twee recente ontwikkelingen zorgen ervoor dat er hier steeds meer aandacht voor komt. Ten eerste worden we geacht langer te blijven werken. Niet alleen door het opschroeven van de pensioengerechtigde leeftijd naar 66 en 67 jaar. Maar ook doordat vóór het pensioen uittreden in de praktijk steeds moeilijker wordt. Ten tweede zorgen ontgroening en vergrijzing van de Nederlandse bevolking ervoor dat arbeid steeds schaarser wordt op de arbeidsmarkt. Vanaf 2015 daalt de omvang van de beroepsbevolking in Nederland. De gevolgen zullen voor alle sectoren en alle delen van het land voelbaar worden, al zal dat onderling sterk verschillen. Werkgevers worden dus gedwongen om het mogelijk te maken dat werknemers tot hun pensioen aan het werk blijven en zullen ook aantrekkelijk moeten zijn voor het geringe aantal nieuwe toetreders tot de arbeidsmarkt.

Nu is er in het verleden al veel aandacht geweest voor zaken als 'ouderenbeleid', 'leeftijdsbewust personeelsbeleid' en 'leeftijdsfasebewust personeelsbeleid'. Is duurzame inzetbaarheid nu alleen een nieuwe naam voor verder dezelfde inhoud? Voor een deel wel: het gaat doorgaans om het verbeteren van het arbo- en personeelsbeleid in het bedrijf. Maar wat geheel anders is, is de urgentie. Een bedrijf dat in de komende jaren te weinig aandacht besteedt aan duurzame inzetbaarheid, of dat niet weet om te zetten in concrete acties, kan op den duur problemen krijgen die het voortbestaan van het bedrijf bedreigen.

Op zich biedt dit kansen voor werknemers en hun vertegenwoordigers. Een bedrijf kan zich geen slechte arbeidsomstandigheden of een onaangenaam personeelsbeleid meer permitteren. Dat zou immers ongewenste uitstroom van personeel bevorderen en instroom van nieuw personeel belemmeren.

Een bedrijf dat duurzame inzetbaarheid hoog in het vaandel heeft staan, besteedt zorg aan de volgende punten:
– Personeelsplanning: een bedrijf zal in kaart moeten brengen hoe de leeftijdsopbouw van het huidige personeelsbestand is, welke uitstroom te verwachten is en hoe de arbeidsmarkt zich zal ontwikkelen.

- Preventie en optimale verzuimbegeleiding/re-integratie: om aantrekkelijk te blijven op de arbeidsmarkt, zijn goede arbeidsomstandigheden van belang. Ook om het huidige personeelsbestand te binden en te behoeden voor uitval, is preventie en een goede verzuimbegeleiding van belang. Bedrijven waar fysiek zware beroepen voorkomen, zullen bovendien moeten nadenken hoe ze werknemers die last hebben van slijtage in andere werkzaamheden kunnen onder brengen, in of buiten het bedrijf. Zo begeleidt een logistiek bedrijf waar de chauffeurs vaak zwaar tilwerk moeten doen hen na verloop van tijd om in een andere organisatie schoolvervoer te gaan verzorgen.

- Gestructureerde gesprekken: met de werknemers zal regelmatig een individueel gesprek gehouden moeten worden om bij hen na te gaan hoe zij zich over bijvoorbeeld vijf jaar in hun huidige functie zien en welke andere toekomstplannen zij hebben. Daarbij komt ook de vraag aan de orde welke begeleidende rol daarbij is weggelegd voor het bedrijf. Zulke gesprekken zullen goed voorbereid dienen te worden en moeten leiden tot praktische afspraken, die uiteraard ook worden nagekomen. Deze vragen kunnen aan de orde komen in zogenaamde jaar-, loopbaan-, pop-, functionerings-, of vitaliteitsgesprekken.

- Mobiliteit bevorderen: steeds blijkt dat niet alleen leeftijd, maar vooral het aantal jaren dat een werknemer dezelfde functie vervult, bepalend is voor de eventuele slijtage. Het ligt dan ook voor de hand om te zorgen dat werknemers na verloop van tijd wisselen van functie. Dat gaat niet vanzelf, maar vraagt een actieve begeleiding van het bedrijf. Waar het om gaat, is opleiding, taakroulatie en interne stages. Ook zal het bedrijf de aanwezige kwaliteiten van de werknemers goed in kaart dienen te brengen en een beeld moeten vormen van de benodigde kwaliteiten in andere functies (competentiemanagement).

- Overige onderdelen van een goed personeelsbeleid: om personeel te boeien en te binden, is het zaak om hen een aantrekkelijke werkomgeving aan te bieden, waar ruimte is voor Het Nieuwe Werken, waar werkplezier en zelfstandigheid wordt bevorderd, waar aandacht is voor een gezonde leefstijl, waar men gezonde roosters aanbiedt en waar maatwerk is in arbeidsvoorwaarden.

Tot slot: meerdere bedrijven gebruiken als instrument om te bepalen hoe het werkvermogen van hun medewerkers is het volgende onderzoeksinstrument: de Work Ability Index. Deze van oorsprong Finse vragenlijst brengt bij de individuele werknemers in kaart hoe zij hun werkvermogen nu en in de komende jaren inschatten. De werkgever en de ondernemingsraad krijgen de resultaten per afdeling te zien. In Nederland wordt de Work Ability Index uitgezet door de stichting Blik op Werk (www.blikopwerk.nl). Deze onderzoeksmethode roept uiteenlopende reacties op. Er zijn enthousiaste pleitbezorgers die het een praktisch en bruikbaar instrument vinden. Critici wijzen erop dat het instrument geen zicht geeft op de oorzaken van verminderd werkvermogen en dat de vragenlijst eigenlijk alleen maar draait om één vraag: waar de invuller aan moet geven of hij/zij de huidige functie over vijf jaar nog denkt te kunnen vervullen. In een organisatie waar men openhartig met de leidinggevende kan praten, lijkt een regelmatig gesprek een handiger middel dan zo'n vragenlijst.

## 7.9    Verder lezen

– Zie paragraaf 30.6
– Arbo-informatieblad 1, *Arbo- en verzuimbeleid.*

# 8 Arbobeleid en certificering

## 8.1 Inleiding

Een behoorlijk aantal bedrijven heeft het arbobeleid gecertificeerd. Certificering wil zeggen dat er standaardprocedures en -documenten betreffende arbozorg zijn vastgelegd, bedoeld om de kwaliteit van het arbobeleid zeker te stellen. Als een bedrijf of instelling dat heeft gedaan, krijgen ze een certificaat van een zogenaamde certificerende instantie. Certificering van het arbobeleid is vrij nieuw, maar de certificering van de kwaliteit van een bedrijf bestaat al veel langer: volgens de ISO-9000-reeks. Door zich te certificeren via deze ISO-methode leggen bedrijven en instellingen de kwaliteit van vooral hun procedures en werkprocessen vast, zodat de buitenwereld die met dit bedrijf in zee wil gaan, een zekere garantie heeft dat men met een kwalitatief goed bedrijf in zee gaat. Op milieugebied bestaat er de milieunorm ISO 14001, die door zo'n 1600 Nederlandse bedrijven is ingevoerd. Er bestaat geen ISO-norm voor arbobeleid. In arboland is wel de VCA-certificatie al langer bekend. Het is een manier om de arbozorg te certificeren van vooral aannemers en installatiebedrijven, maar tevens van steeds meer branches. VCA is een afkorting van VeiligheidsChecklist Aannemers. Het systeem is ontstaan mede op initiatief van de (petro)chemische industrie, die vanwege de grote risico's van hun bedrijfsvoering, wilden borgen dat de bedrijven die bij hen allerlei werkzaamheden verrichten, de veiligheid van hun manier van werken verzekerd zouden hebben. Maar VCA is inmiddels ook in vele andere sectoren ingeburgerd.

Ook andere arbozorgsystemen zoals de Nederlandse Praktijkrichtlijn Arbomanagementsysteem (NPR 5001) en het OHSAS 18001-systeem doen steeds meer opgeld, zij het voorlopig nog in een beperkt aantal bedrijven. Het invoeren van deze systemen heeft invloed op het werk en de positie van werknemers. Voor een ondernemingsraad of VGW(M)-commissie is het belangrijk betrokken te zijn bij de invoering en toepassing van zo'n (gecertificeerd) arbozorgsysteem. Het instemmings- en adviesrecht, dat meestal van toepassing is, kan daarbij een steun in de rug zijn.

In dit hoofdstuk geef ik een korte typering van de bekendste systemen en beschrijf ik op welke manier de or/VGW(M)-commissie daarop invloed kan hebben. Aan de orde komen:

- VCA, de VeiligheidsChecklist Aannemers, voor bedrijven in de bouw en installatiebranche, maar ook voor vele andere bedrijven met risicovolle werkzaamheden;
- NPR 5001, Nederlandse Praktijkrichtlijn Arbomanagementsysteem (gemaakt door het Nederlands Normalisatie Instituut), een manier om het arbobeleid systematisch vast te leggen;
- OHSAS 18001, een certificatiemethode die voortkomt uit verschillende Europese norm- en certificatiesystemen.

## 8.2 VCA

*Afbeelding 1.*

V GM
C HECKLIST
A ANNEMERS

De VCA-certificering van arbobeleid is vooral van toepassing op aannemersbedrijven en installatiebedrijven, maar wordt ook steeds meer toegepast in andere sectoren, zoals het uitzendwezen en de schoonmaakbranche. VCA houdt in dat een aantal veiligheidsrisico's worden geborgd. Gezondheidsrisico's en gezondheidsbeleid hebben wel enige (maar veel minder) aandacht; welzijn of psychosociale arbeidsbelasting komen in het verhaal niet voor. VCA-certificatie betekent dus niet dat een bedrijf daarmee voldoet aan de vereisten van de arbowetgeving. VCA is geen wettelijke regeling. Bedrijven vragen doorgaans een VCA-certificaat aan, omdat hun opdrachtgevers dat als eis stellen. Inmiddels zijn ruim 10.000 bedrijven in Nederland VCA gecertificeerd.

Bij het feitelijk functioneren van VCA worden steeds meer kritische vragen gesteld. Soms blijft het een papieren tijger en zijn de inspanningen er alleen maar op gericht om het certificaat veilig te stellen. Voor een ondernemingsraad is dat uiteraard een punt om alert op te zijn.

**Uit de praktijk**
*Een werknemer van een aannemersbedrijf vertelt:*

"Het VCA schrijft voor dat het bedrijf regelmatig toolboxmeetings moet organiseren. In deze meetings moet er voorlichting aan de werknemers worden gegeven over allerlei arbozaken, maar bij ons is het een aanfluiting. Meestal wordt er alleen een papier met wat algemene informatie rondgedeeld. Die belanden dan snel in de prullenbak. De uitvoerder weet ook niet wat hij er mee aan moet. Soms gebeurt het zelfs dat er alleen een handtekeningenlijst rondgaat. Dan kan het bedrijf laten zien dat er weer een toolboxmeting is gegeven. Wat een poppenkast!"

Er zijn aan de andere kant ook voorbeelden van bedrijven die serieus met VCA omgaan en waar het een goede aanzet is om tot een beter arbobeleid te komen.

### 8.2.1   HET VCA-SYSTEEM

Het VCA-systeem bestaat uit de volgende onderdelen:

– Een bedrijf dat het VCA-certificaat wil krijgen moet voldoen aan de verplichtingen die in een vastgestelde checklist zijn beschreven.
– Inhoudelijk bestaat het uit het vastleggen van werkprocessen, documenten, actieplannen en de uitvoering daarvan betreffende arbeidsomstandigheden, bijvoorbeeld de procedures om vast te stellen of gehoorbescherming (of elk ander onderwerp) nodig is, hoe ze worden aangeschaft en vervangen, et cetera.
– Eén van de VCA-voorwaarden is, dat het uitvoerende en leidinggevend personeel VCA-trainingen volgt. Deze trainingen bieden een algemene basis. De kwaliteit blijkt in de praktijk sterk afhankelijk van de docent. Een nadeel is dat de inhoud van VCA-training niet afgestemd wordt op de praktijk van het eigen bedrijf. Zo kan het zijn dat er in een bedrijf nooit gehesen wordt. Dat onderwerp zal dan toch behandeld worden en deel uitmaken van de examenstof.
– Als de arboprocedures, de arbotaakstellingen en documenten, et cetera goed zijn beoordeeld, wordt het certificaat afgegeven.
– Er zijn twee niveaus van certificering, de VCA* (één ster), bedoeld voor bedrijven die niet als hoofdaannemer optreden en minder dan 35 medewerkers hebben (inclusief inleenkrachten). VCA** (twee sterren) geldt voor bedrijven met meer dan 35 werknemers en voor kleinere bedrijven die als hoofdaannemer opereren. VCA** komt tot stand met behulp van een uitgebreidere lijst.
– Het certificaat wordt voor drie jaar afgegeven.
– Ieder jaar vinden audits plaats door externe auditors. Audits zijn controles om te bepalen of het arbo/veiligheidssysteem echt werkt. Vaak steekproefsgewijs. Aan het eind van drie jaar vindt een grotere 'evaluatie' plaats.
– Er is een *eigenaar* van het systeem, de Stichting Samenwerken voor Veiligheid en haar Centraal College van deskundigen, die zorgt dat de VCA up-to-date blijft, die klachten ontvangt en behandelt, etc.

- De laatste jaren komen er regelmatig geluiden dat er gefraudeerd wordt met VCA-certificaten. Oost-Europese uitzendkrachten blijken te beschikken over een op naam gesteld VCA-certificaat, terwijl ze nooit een VCA-opleiding hebben gevolgd. En laatst bleek dat een VCA-opleider de antwoorden op de examenvragen aan de cursisten had doorgegeven.
- Eind 2008 is een vernieuwde versie van VCA verschenen. Drie wijzigingen vallen het meest op: naast VCA* en VCA** is er een derde variant bijgekomen: VCA Petrochemie. Verder is een gedragsverbeteringsprogramma toegevoegd en een zogenaamde 'Laatste Minuut Risico-Analyse'. Dat wil zeggen dat een werknemer zich voor de aanvang van een nieuwe klus steeds afvraagt wat de risico's zijn, waardoor die risico's worden veroorzaakt en wat daartegen te doen valt. Het gaat eigenlijk om een permanente alertheid. Het is een taak voor een bedrijf om dat samen met zijn werknemers voor elkaar te krijgen.

Een greep uit de vragen en gestelde vereisten vanuit de VCA-checklist:

- Is er een veiligheids- en gezondheidsfunctionaris aangesteld voor bedrijf en project?
- Bestaat er een actieplan met betrekking tot veiligheid, gezondheid en milieu?
- Vindt minimaal eenmaal per jaar toetsing plaats van het actieplan?
- Hebben alle operationele medewerkers een veiligheidsopleiding gevolgd?
- Beschikken de medewerkers over een veiligheidspaspoort?
- Is er VGM-overleg tussen directie en werknemersvertegenwoordiging?
- Worden VGM-bijeenkomsten (bijvoorbeeld toolbox-meetings) gehouden met het operationeel personeel (inclusief derden)?

---

**Tips voor de or/VGW(M)-commissie**

- Bespreek de VCA-checklist, en bepaal de belangrijkste onderdelen voor de werknemers.
- Vraag bij collega's na of belangrijke onderdelen zoals opleidingen en toolbox-meetings op een goede manier worden gehouden.
- Heeft de veiligheidsfunctionaris op het bouwobject voldoende armslag en kennis om zijn taak uit te voeren?
- Lees en bespreek het laatste auditrapport onder elkaar en met de directie.
- Voorkom dat VCA wordt gebruikt om de verantwoordelijkheid en aansprakelijkheid naar de werknemers af te schuiven.
- In geval van wijziging of invoering van allerlei arboprocedures en -regels heeft de or/VGW(M)-commissie instemmingsrecht.
- Bedenk dat VCA-certificering van een bedrijf niet meer dan het beginpunt is van het arbobeleid. Het vervolg is veel belangrijker: het op een goede manier uitvoeren van

---

het vastgestelde arbobeleid. Helaas verslapt in meerdere bedrijven de aandacht voor arbo zodra het certificaat is behaald. Dan blijft het een papieren tijger.

## 8.3 De Nederlandse Praktijkrichtlijn Arbomanagementsystemen (NPR 5001)

De NPR is een richtlijn om arbobeleid systematisch op te zetten. Hij is gemaakt door het Nederlands Normalisatie Instituut, is goed afgestemd op de Nederlandse wetgeving, maar is niet certificeerbaar. Er zijn al wel honderden binnen het Nederlands bedrijfsleven uitgezet.

De richtlijn gaat uit van een aantal grondgedachten:

– Zorg op maat: het arbomanagementsysteem is nergens helemaal hetzelfde, omdat ieder bedrijf of instelling verschillend is.
– Samenhang: het arbobeleid moet samenhangen met het 'primaire proces' van productie of dienstverlening en met de te ontwerpen organisatorische structuur van de arbozorg, het managementsysteem.
– Samenwerking: werkgever en werknemers moeten samenwerken betreffende de arbozorg en het arbobeleid; dat is bepalend voor de effectiviteit van het systeem.
– Dynamiek: het systeem moet worden onderhouden en voortdurend verbeterd.
– Regelkringen: er wordt gewerkt met zogenaamde regelkringen. Dat is een samenhangende volgorde van activiteiten: plan van aanpak, uitvoering, toetsing, evaluatie en nieuw plan van aanpak.

Hierna worden de belangrijkste elementen beschreven die de richtlijn toevoegt aan de wettelijke verplichtingen betreffende het arbobeleid. De ondernemingsraad of VGW(M)-commissie kan die gebruiken als voorstel voor verbetering voor het arbobeleid in de eigen organisatie.

1. Onderdeel van het systeem is een directiebeoordeling van het arbobeleid. Bij het opzetten van het arbobeleid of arbomanagementsysteem beoordeelt de directie uitdrukkelijk de kwaliteit van het systeem, en zet dat op schrift. Dat wordt regelmatig herhaald.
2. Het houden van arboaudits, op periodieke basis, is onderdeel van het systeem. Die audits kunnen door interne of externe auditors worden uitgevoerd. Door middel van de audits wordt gecontroleerd of er procedures zijn, of ze bekend zijn en worden nageleefd, of de arbomaatregelen daadwerkelijk tot verbetering leiden.

3. De praktijkrichtlijn legt sterker dan de Arbowet de nadruk op periodieke RI&E's. De huidige wetgeving kan de indruk wekken dat het accent ligt op de eerste risico-inventarisatie en -evaluatie. De RI&E moet regelmatig geheel up-to-date worden gebracht.

4. Ten slotte wordt benadrukt dat er een systeem moet zijn voor informatiebeheer. De documenten en procedures moeten regelmatig worden gecontroleerd op actualiteit en bruikbaarheid en, zonodig, worden aangepast. Neem bijvoorbeeld de taakstelling leidinggevenden inzake verzuimbegeleiding of de schriftelijke formulering van de organisatie en opleidingen voor de bedrijfshulpverlening.

## 8.4    OHSAS 18001

*Afbeelding 2.*

**OHSAS 18001
CERTIFIED**

OHSAS is een afkorting van Occupational Health and Safety Assessment Series, een norm voor de manier waarop arbobeleid kan worden ontworpen, uitgevoerd en up-to-date gehouden. De norm is oorspronkelijk Brits, en is uiteindelijk in internationaal overleg vastgesteld. De norm kan worden getoetst, en kan een certificaat opleveren. Geen enkele arborichtlijn of -norm is tot nu toe officieel erkend, dus ook deze niet. De OHSAS-norm wordt op eigen initiatief door bedrijven ingevoerd, als manier om veiligheid en gezondheid in het bedrijf te managen. Inmiddels zijn zo'n tweehonderd bedrijven in Nederland OHSAS-gecertificeerd. Een voordeel van dit systeem is dat het erg lijkt op de ISO-kwaliteitssytemen. Een bedrijf dat op het gebied van kwaliteitsbeleid al ISO-gecertificeerd is, kan relatief eenvoudig de OHSAS-norm invoeren.

Het OHSAS-systeem bestaat uit de volgende onderdelen:
– Beleid formuleren; onderdelen daarvan zijn onder andere:
  – het beleid afstemmen op de aanwezige risico's;
  – een inzet op voortdurende verbetering;

- de basis is minimaal de bestaande wetgeving;
- communicatie met de medewerkers;
- vastlegging in documenten, uitvoering en controle daarvan.
- Planning maken; de volgende elementen zijn belangrijk:
  - de risico-inventarisatie en -evaluatie;
  - vaststellen van de wettelijke verplichtingen, een vastgelegde methode om dat bij te houden;
  - beschrijving van productieprocessen;
  - meetbare doelen formuleren, over de vaststelling daarvan overleggen met de daarvoor juiste niveaus van leidinggevenden, communiceren aan medewerkers;
  - vastleggen van verantwoordelijkheden en bevoegdheden om de doelstellingen te bereiken;
  - tijdsplanning maken voor de doelstellingen.
- Uitvoering ter hand nemen; onderdelen zijn:
  - structuur en verantwoordelijkheden vastleggen: hoofdverantwoordelijkheid van topmanagement; middelen, zoals financiën en geld beschrijven; sleutelverantwoordelijkheden vastleggen;
  - training, bewustzijn en noodzakelijke kennis en vaardigheden voor verschillende functies regelen en vastleggen;
  - overleg en communicatie vastleggen;
  - documentatie: van werkprocedures, handboeken, registers et cetera;
  - een systeem van controle van de documenten en gegevens, bijvoorbeeld van ongevallen of aanwezigheid van gevaarlijke stoffen;
  - een systeem van controle op een juiste uitvoering;
  - voorbereiding op en hantering van calamiteiten en noodsituaties.
- Controleren en corrigeren:
  - controleren en verbeteren van de arbomaatregelen, door middel van vastgelegde procedures, inspectieschema's, onderhoudschema's e.d.;
  - procedures inzake wat te doen bij ongevallen, incidenten, afwijkingen;
  - documenten en overzichten voor het management;
  - audits: procedures voor interne controles van de vastgelegde procedures en verbeteracties.
- Beoordeling door management:
  - het beleid en het systeem worden uitdrukkelijk beoordeeld door het management; die beoordeling wordt in notulen vastgelegd;
  - wijziging van beleid en doelstellingen;
  - specificering van corrigerende maatregelen door de leiding;
  - specificering van verbeteracties, met tijdschema en verantwoordelijkheden.

Voordelen van OHSAS 18001 zijn de uitgebreidheid, en het feit dat het certificeerbaar is. Bovendien sluit het goed aan bij ISO-systemen voor kwaliteit en milieu.

Als het systeem goed wordt ingevoerd en nageleefd, produceert het niet alleen een enorme hoeveelheid documenten en procedures, maar zorgt het voor voortdurende verbetering van de arbeidsomstandigheden en de uitdrukkelijke betrokkenheid van alle niveaus van management. Bovendien geeft de Arbeidsinspectie aan dat bedrijven met een OHSAS 18001-certifiicaat niet op een inspectie hoeven te rekenen.

Nadelen van OHSAS zitten in de bewerkelijkheid van het systeem. Verder zijn er meerdere ontbrekende elementen. OHSAS legt een sterk accent op veiligheidsbeleid. Het ziekteverzuimbeleid bijvoorbeeld en de inschakeling van een arbodienst of bedrijfsarts zijn niet uitdrukkelijk opgenomen. Ook vinden we geen noties over 'welzijn' of psychosociale arbeidsbelasting, bijvoorbeeld het tegengaan de risico's van werkstress. Het verplichte overleg en de advies- en instemmingrechten van de ondernemingsraad of VGW(M)-commissie worden niet genoemd. Daar kan de or/VGW(M)-commissie speciaal aandacht aan besteden als het bedrijf van plan is om OHSAS-18001 in te gaan voeren.

---

**Uit de praktijk**

*Een arboadviseur van een middelgroot productiebedrijf aan het woord:*

"OHSAS is een mooi systeem, maar bij ons levert het enorm veel werk en papier op. Al twee jaar lang hebben we er een dag per week een extern adviseur voor in de arm genomen. Omdat wij erg veel uiteenlopende arborisico's in huis hebben, moeten ook bijzonder veel processen worden beschreven. Bovendien levert elke audit weer een hele lijst met (administratieve) verbeterpunten op die binnen een vrij korte termijn weer aangepast moeten worden. Ik was liever met een minder zwaar arbozorgsysteem begonnen."

Een directeur van een bouwbedrijf is daarentegen enthousiast over OHSAS. Zijn bedrijf ruilde enkele jaren geleden zijn VCA-certificaat in voor OHSAS 18000. "VCA is toch puur een checklist. Medewerkers zagen het nut niet in van en aantal onderwerpen binnen VCA, die voor de bouw niet van belang waren. Met OHSAS slagen we erin om op onze eigen manier het onderwerp veiligheid in te vullen en te borgen. Zo is in elke bouwvergadering veiligheid een agendapunt, zonder een onzinnige papierwinkel."

---

## 8.5 De rol van de or of VGW(M)-commissie

De werknemersvertegenwoordiging dient betrokken te zijn bij invoering en uitvoering van een arbomanagement- of een veiligheidcertificatiesysteem, of het nu VCA, NPR 5001 of OHSAS 18001 heet. De invoering ervan is van invloed op het werk en de arbeidsomstandigheden van werknemers en het succes van de invoering ervan hangt in grote mate af van het draagvlak onder werknemers. Ik schets hier enkele mogelijkheden.

- De werknemers kunnen vooral letten op goede argumentatie voor het invoeren van het systeem en juiste en concrete voorlichting over de wijze waarop het werkt.
- De or/VGW(M)-commissie kan pleiten voor een zorgvuldige en stapsgewijze invoering van het systeem, zodat het draagvlak zo groot mogelijk is.
- De or/VGW(M)-commissie kan er op letten dat uitvoerende werknemers bij het opstellen en vastleggen van de procedures betrokken worden.
- De or/VGW(M)-commissie kan ervoor zorgen dat werknemers daadwerkelijk in de gelegenheid worden gesteld om nieuw procedures en werkwijzen toe te gaan passen. Werkdruk veroorzaakt dikwijls dat procedures worden overgeslagen.
- De or/VGW(M)-commissie waakt over de mogelijke consequenties van overtreding van de regels van het systeem: over sancties en mogelijke aansprakelijkheid van individuele werknemers en zorgvuldige procedures op dat gebied.
- Het invoeren van een dergelijk systeem is *instemmingsplichtig*.

---

**Tips or/VGW(M)-commissie**

- Stel één of twee mensen aan uit de or/VGW(M)-commissie, wellicht aangevuld door iemand anders uit het bedrijf, die als voorbereidingscommissie of portefeuillehouders gaan functioneren.
- Als er een systeem wordt ingevoerd, probeer er dan voor te zorgen dat vooraf de resultaten van het invoeren van het betreffende systeem worden vastgelegd; dat resultaat bestaat niet uit het behalen van het certificaat, maar uit het meetbaar verbeteren van de arbeidsomstandigheden. Spreek dit af met uw werkgever.
- Zorg dat zo'n systeem geen papieren tijger wordt. Ga na of de werkgever in de praktijk ook uitvoert wat op papier is vastgelegd. En confronteer de werkgever daarmee als dat niet het geval is.
- Leg bij het invoeren van een systeem vast hoe de uitvoerende werknemers bij het vaststellen van de procedures worden betrokken. Dit kan geen vrijblijvende raadpleging zijn. Spreek af dat alle wensen van de betrokken werknemers op papier worden vastgelegd en dat aan de werknemers en aan de or wordt gerapporteerd welke wensen wel en welke wensen niet in het systeem worden opgenomen.
- Als er al een systeem is ingevoerd: vraag aan collega-werknemers hoe het systeem functioneert (VCA, NPR, OHSAS of andere), bijvoorbeeld de opleidingen die verplicht zijn gesteld, de (toolbox-)meetings, de taakuitvoering door leidinggevenden, en of daar concrete verbeteringen op de werkplek uit voortkomen.
- Nodig de vertegenwoordiger van de certificerende instantie uit voor een toelichting en om vragen en kritiekpunten te beantwoorden.

- Vraag informatie over de laatste audit, wat er is beoordeeld en waar het is gebeurd (de audit is meestal een steekproef) en de rapportage erover. Vraag na welke consequenties er uit de audits (kunnen) worden getrokken voor werk, werkmethodes en werknemers.
- Bepaal uw eigen wensen voor verbetering of juiste invoering van het systeem en bespreek die in het overleg.

## 8.6    Verder lezen

- Voor informatie over VCA: www.vca.nl.
- Informatie over NPR5001 is te vinden op: www.nen.nl.
- Informatie over OHSAS 18001 is te vinden op: www.sscm.nl.

# 9 De spelers in het arboveld: wie doet wat in de arbozorg?

## 9.1    Inleiding

Het is van belang dat in een bedrijf of instelling helder en bekend is wie welke taken en verantwoordelijkheden in de arbozorg heeft. Vaak is daar misverstand over. Als er een extra aanschaf of reparatie moet worden gedaan, wie beslist daarover? Wat zijn de arbotaken van de leidinggevenden en hebben zij daar voldoende middelen en bevoegdheden voor? Heeft het Hoofd Technische Dienst beslissende, uitvoerende of adviserende taken? Wat doet P&O precies aan arbo en verzuim?

Naast de spelers binnen het bedrijf zijn er ook de externe instanties die op het arboterrein actief zijn: de arbodienst, de Arbeidsinspectie en mogelijk de vakbond.

Als over de arbotaken en -bevoegdheden verwarring heerst doet de or/VGW(M)-commissie er goed aan hierover helderheid te vragen. De kernvragen zijn:
- Wie heeft welke taken, verantwoordelijkheden en bevoegdheden in de arbozorg?
- Is hen dat bekend, hebben ze voldoende opleiding en middelen gekregen om die taak goed uit te voeren?
- Staan die taken, verantwoordelijkheden en bevoegdheden in het arbobeleidsplan en in de functieomschrijvingen?
- Worden ze in die taak voldoende aangestuurd, begeleid en eventueel 'afgerekend'?

## 9.2    Wettelijke verplichtingen

- De werkgever dient arbobeleid te voeren. Dat betekent onder meer dat de verantwoordelijkheden en bevoegdheden voor dat arbobeleid worden vastgelegd (artikel 4 lid 1 Arbowet).
- Met de ondernemingsraad of zijn VGW(M)-commissie dient overlegd te worden over arbobeleid en de regelingen betreffende arbo en verzuim. Als een regeling over taken, verantwoordelijkheden en bevoegdheden betreffende

arbo en verzuim wordt ingevoerd, gewijzigd of ingetrokken, heeft de ondernemingsraad daarover instemmingsrecht.

## 9.3    Het overzicht van taken en bevoegdheden

### 9.3.1    TOELICHTING

Bij de verheldering en vaststelling van de verschillende arbotaken en -bevoegd-
heden kan het volgende overzicht behulpzaam zijn. De feitelijke toedeling van
taken en bevoegdheden is uiteraard afhankelijk van de grootte en structuur van
het bedrijf en van de vraag welke taakverdeling het meest passend wordt gevonden
voor een zo goed mogelijke arbozorg. De ondernemingsraad of VGW(M)-commis-
sie kan hierover voorstellen doen.

### 9.3.2    DE DIRECTIE, WERKGEVER, BESTUURDER

De werkgever is de hoofdverantwoordelijke voor het arbobeleid. Hij kan allerlei
taken en verantwoordelijkheden aan bijvoorbeeld een arbocoördinator delegeren,
maar hij blijft de uiteindelijk verantwoordelijke. Hij bekrachtigt en stimuleert de
arbozorg. Puntsgewijs kan dat neerkomen op de volgende taken, verantwoordelijkheden en bevoegdheden.

*De werkgever*
– is hoofdverantwoordelijk voor het arbo- en verzuimbeleid, hij kan de uitvoering
  daarvan delegeren;
– ontwikkelt het arbobeleid, voert daarover overleg met de ondernemingsraad/
  VGW(M)-commissie, stelt het vast en evalueert het van tijd tot tijd;
– deelt taken en verantwoordelijkheden toe aan stafleden en hogere leidinggevenden;
– zorgt ervoor dat de arbotaken en -verantwoordelijkheden op schrift staan en
  bijvoorbeeld in de functieomschrijvingen zijn opgenomen;
– zorgt voor deskundigheid en budget voor de arbozorg;
– stuurt leidinggevenden en staf op hoofdlijnen aan in hun arbo-activiteiten. Dat
  wil zeggen: hij bespreekt hun taken en verantwoordelijkheden, stimuleert en
  bewaakt de voortgang op hoofdlijnen en bespreekt de resultaten;
– overlegt met de or en vraagt instemming aan de ondernemingsraad inzake
  arbobeleid, regelingen over arbo en verzuim, calamiteiten en zich plotseling
  aandienende belangrijke arbokwesties;
– stelt ieder jaar een arbojaarplan vast, of past het plan van aanpak aan;
– laat door zijn of haar eigen gedrag en houding zien dat arbo belangrijk is.

### 9.3.3 DE HOGERE LEIDINGGEVENDE

Deze leidinggevende draagt de verantwoordelijkheid voor de arbozorg in zijn afdeling, divisie, regio of vestiging. Hij stimuleert en controleert de lagere leidinggevenden en werkt samen met de arbodeskundigen. Daarbij kunnen de volgende taken en verantwoordelijkheden aan de orde zijn.

*De hogere leidinggevende*
- stuurt de lagere leidinggevenden aan in het uitoefenen van hun arboverantwoordelijkheden en geeft hen daarvoor de middelen: opleiding, begeleiding en speelruimte;
- heeft of neemt kennis van de arbodocumenten die voor zijn bevoegdheden en afdeling of vestiging relevant zijn: onderdelen van de RI&E en het plan van aanpak, de veiligheidsprocedures en -voorschiften;
- levert een bijdrage aan het arbobeleid;
- levert een bijdrage aan de totstandkoming van het plan van aanpak dat jaarlijks wordt vernieuwd;
- draagt zorg voor de uitvoering van het plan van aanpak in zijn afdeling of vestiging;
- zorgt voor voldoende arbobudget en een juist gebruik daarvan (de goede prioriteiten, een arbobudget dat niet voor andere doeleinden wordt gebruikt);
- vraagt advies aan arbodeskundigen;
- zorgt voor arbo-opleiding en -instructie;
- zorgt voor toezicht op procedures, op veilig en gezond gedrag op zijn afdeling, voor de juiste voorzieningen en middelen;
- zorgt dat ongevallen worden geregistreerd, onderzocht en besproken;
- zorgt voor arbo-inspecties in zijn afdeling;
- faciliteert een adequate BHV-organisatie in zijn afdeling en maakt regelmatige ontruimingsoefeningen op zijn afdeling mogelijk;
- laat door zijn gedrag en houding zien dat arbo belangrijk is.

### 9.3.4 DE DIRECT LEIDINGGEVENDE

De 'lagere' leidinggevende (teamleider, directe chef) heeft vanuit zijn of haar functie de zorg voor veilig en gezond werken door de uitvoerende medewerkers. Hij communiceert, houdt toezicht, stimuleert en rapporteert naar 'boven'.

In afzonderlijke taken, verantwoordelijkheden en bevoegdheden kan dat op de volgende manier worden onderverdeeld.

*De direct leidinggevende*
- kent zijn arbotaken en de arbodocumenten die voor zijn afdeling of ploeg belangrijk zijn. Zoals het toepasselijke deel van het de RI&E en het plan van

aanpak, veiligheidsprocedures en -voorschriften en de instructies voor gezond werken;
- draagt er zorg voor dat plots opkomende arboknelpunten adequaat worden opgelost;
- werkt mee aan uitvoering van het plan van aanpak;
- draagt bij aan arbovoorlichting en -onderricht;
- draagt ertoe bij dat de werknemers daadwerkelijk de VGW(M)-voorschriften kunnen nakomen. Hij zorgt ervoor dat veiligheid, gezondheid en welzijn niet ondergeschikt zijn aan productie en snel werken;
- houdt toezicht op gezond en veilig gedrag van medewerkers;
- zorgt voor het bespreekbaar maken van werkdruk en werkplezier op de afdeling;
- stimuleert medewerkers om met verbetervoorstellen te komen en gevaren te melden;
- draagt er zorg voor dat arbo in het werkoverleg op een goede manier wordt besproken;
- geeft gevaren en verbetervoorstellen door aan zijn leidinggevende;
- stopt bij ernstig gevaar de werkzaamheden;
- in geval van ongevallen draagt hij bij aan onderzoek naar de oorzaak en een goede registratie ervan;
- houdt er toezicht op dat persoonlijke beschermingsmiddelen worden gebruikt, onderhouden, opgeborgen en vervangen;
- draagt bij aan de totstandkoming van het plan van aanpak of arbojaarplan voor een volgend jaar;
- straalt door zijn eigen houding en gedrag uit dat arbo belangrijk is.

---

**Uit de praktijk**

*Arbotaken voor werknemers*

In de praktijk worden allerlei arbotaken toebedeeld aan uiteenlopende werknemers. Zo zijn in diverse zorginstellingen enkele werknemers aangewezen als 'ergocoach'. Ergocoaches ondersteunen hun directe collega's bij kwesties rondom lichamelijke belasting. Naast hun gewone werk besteden zij een deel van hun werktijd aan deze arbotaak. Ze geven voorlichting en spreken hun collega's aan die bijvoorbeeld op een ongezonde manier tillen. Zo'n tweemaal per jaar volgen zij een korte training. Inmiddels zijn er in Nederland ongeveer zesduizend ergocoaches actief.

Maar ook in andere sectoren worden werknemers getraind en ingeschakeld voor deeltijd-arbotaken. Zo zijn in een papierfabriek enkele jaren terug meer dan dertig 'veiligheidsmannen' opgeleid (waaronder overigens ook enkele vrouwen). Als gekozen afgevaardigde van een ploeg ondersteunen zij hun leidinggevenden op het gebied van veiligheid en gezondheid. Ze spreken collega's aan die onveilig of ongezond werken, helpen mee met ongevalsonderzoeken, melden gevaarlijke situaties en werken mee aan de RI&E.

En in een havenbedrijf zijn 'observanten' actief: getrainde werknemers die steeds tien minuten durende, aangekondigde observaties doen van het werk van een collega. Daarna worden de veiligheidsaspecten gezamenlijk doorgesproken.

Maar er zijn meer praktijkvoorbeelden: 'Arbo-ambassadeurs' op de werkvloer in een chemisch concern, 'Beeldschermadviseurs' bij een gemeente, en 'Veiligheidscoaches' in een psychiatrische instelling.

Andere bedrijven gebruiken geen aparte namen, maar geven enkele uitvoerende werknemers een concrete arbotaak, zoals arborondes lopen of regelmatig machine-inspecties uitvoeren.

Hoe deze arbocollega's ook heten, ze hebben met elkaar gemeen dat ze twee vliegen in één klap slaan: Er komt meer arbodeskundigheid en -aandacht op de werkvloer, en bovendien worden leidinggevenden op een directe manier ondersteund bij arbozaken. Door enkele werknemers duidelijk omlijnde arbotaken te geven, kan de aandacht voor arbeidsomstandigheden op de werkvloer een stevige impuls krijgen. Dat kan alleen tot een succes uitgroeien als er duidelijke voorwaarden zijn geschapen en als deze werknemers zorgvuldig worden begeleid. De praktijk laat zien dat anders het hele verhaal na een enthousiaste start weer snel instort.

## 9.3.5    DE WERKNEMER

De uitvoerend medewerker draagt zijn of haar eigen verantwoordelijkheden. Hij is daarvoor wel afhankelijk van een al of niet aanwezige arbocultuur op zijn afdeling, maar kan daar ook zijn eigen bijdrage aan leveren. Puntsgewijs kan het er als volgt uitzien.

*De medewerker*
– heeft kennis van zijn arbotaken en -verantwoordelijkheden;
– doet zijn werk op een zorgvuldige, veilige en gezonde manier;
– houdt zich aan de VGW(M)-voorschriften;
– meldt gevaren direct aan zijn leidinggevende;
– komt met ideeën over VGW(M)-verbeteringen in het werkoverleg;
– spreekt zijn or/VGW(M)-commissie aan over arboknelpunten die moeten worden verbeterd;
– weet dat hij het werk kan en moet onderbreken bij ernstig gevaar;
– laat in zijn gedrag en houding zien dat veiligheid, gezondheid en welzijn belangrijk zijn.

---

**Uit de praktijk**

*Kwetsbare positie van uitzendkrachten*

Het gaat niet goed met de arbeidsomstandigheden van uitzendkrachten in Nederland. Uit cijfers van de Arbeidsinspectie blijkt dat in 2007 meer dan 15% van de ernstige en dodelijke ongevallen een uitzendkracht betrof. Daarmee hebben zij 2,5 keer zoveel kans op een ernstig of fataal bedrijfsongeval dan vaste medewerkers.

Een ondernemingsraad die zich inzet voor de flexibele krachten kan voor hen een belangrijke bondgenoot zijn. De or kan zich dan op drie punten richten:

– het arbodocument, dat de inlenende werkgever voor aanvang van het werk aan het uitzendbureau dient te verstrekken. Dit document geeft de uitzendkracht inzicht in de arbeidsomstandigheden op zijn nieuwe werkplek;

– het inwerken en de arbovoorlichting en -onderricht van de uitzendkracht;

– de persoonlijke beschermingsmiddelen voor de uitzendkracht.

Deze drie zaken zijn uitgewerkt in een nieuwe handreiking van de Stichting van de Arbeid over arbo voor uitzendkrachten. Zie: Handreiking Uitzendwerk op www.stvda.nl. Bekijk ook paragraaf 30.27.

---

## 9.3.6 DE ARBOCOÖRDINATOR OF PREVENTIEMEDEWERKER

De werkgever is sinds 2005 verplicht één of meer preventiemedewerkers aan te stellen. Dat staat in artikel 13 Arbeidsomstandighedenwet.

Een preventiemedewerker helpt de werkgever bij de dagelijkse veiligheid, gezondheid en arbeidsomstandigheden binnen het bedrijf of de instelling. De minimale taken zijn, volgens de wet:

– het meewerken aan het opstellen van de risico-inventarisatie;

– het (meewerken aan het) uitvoeren van maatregelen zoals die in het Plan van Aanpak staan;

– overleg voeren met en advies geven aan de ondernemingsraad of personeelsvertegenwoordiging.

Als voorbeelden voor de taken heeft de wetgever genoemd:

– voorlichting over allerlei arbokwesties, zoals bijvoorbeeld het onderhoud van apparaten;

– bewaken van het juiste gebruik van beschermingsmiddelen;

– instructie geven over het gebruik van gevaarlijke stoffen.

In de risico-inventarisatie en -evaluatie moet zijn aangegeven hoe het bedrijf het best zijn preventietaken kan organiseren. Het gaat dan om het benodigd aantal preventiemedewerkers, hun beschikbare tijd, hun organisatie, deskundigheid, ervaring en uitrusting. Per organisatie zal deze beschrijving verschillen. De interne preventie van een bedrijf is afhankelijk van de aldaar aanwezige risico's en moet daarop aansluiten.

Verder is in de wet vastgelegd dat de preventiemedewerker beschermd is tegen benadeling en ontslag, op dezelfde manier als een lid van de or, PVT en VGW(M)-commissie dat ook is. Hij moet deze taak immers in onafhankelijkheid en zelfstandigheid kunnen verrichten.

Tot slot: de ondernemingsraad heeft instemmingsrecht over het aanstellen van de preventiemedewerker(s). Daarbij gaat het ondermeer om taken en, bevoegdheden, vereiste ervaring en capaciteiten, beschikbare faciliteiten en de plek in de organisatie. Het instemmingsrecht betreft niet de vraag welke personen aangewezen worden als preventiemedewerkers.

In de meeste organisaties is er maar één persoon als preventiemedewerker aangewezen. Doorgaans is zonder veel discussie besloten om de al aanwezige arbocoördinator een nieuwe naam op te plakken.

Deze functionaris heeft een centrale coördinerende en stimulerende rol. Hij kan, afhankelijk van de afspraken meer of minder bevoegdheden hebben. Zo kan hij de bevoegdheid hebben om nieuwe apparatuur of hulpmiddelen aan te schaffen, of hij kan alleen een adviesrol hebben.

Preventiemedewerkers kunnen in de staf worden aangewezen, bijvoorbeeld bij P&O, maar ook uitvoerende medewerkers kunnen deze taak toebedeeld krijgen. Er kunnen één of meerdere preventiemedewerkers zijn aangesteld. We bespreken hieronder het meest voorkomende geval, namelijk dat de arbocoördinator tevens preventiemedewerker is.

*De arbocoördinator/preventiemedewerker*
- adviseert de directie en leidinggevenden inzake arbokwesties;
- heeft aandacht voor de preventie van arboproblemen en voert daartoe concrete activiteiten uit;
- coördineert de arbozorg, het tot stand komen of uitvoering geven aan de RI&E, de totstandkoming en actualisering van het 'plan van aanpak', stimuleert en bewaakt het ziekteverzuimbeleid, bewaakt en coördineert de dienstverlening van de arbodienst;
- doet gevraagd en ongevraagd voorstellen aan directie en leidinggevenden;
- zorgt voor goede communicatie en informatie betreffende arbo- en verzuimkwesties of coördineert dat;

– draagt zorg voor het up-to-date houden van de arbokennis in de organisatie, bijvoorbeeld in het geval van nieuwe regels en verplichtingen, nieuwe manieren om arbo te managen enzovoort;

– draagt zorg voor het up-to-date houden van de arbodocumenten in de organisatie, bijvoorbeeld een 'handboek bedrijfshulpverlening', de RI&E, de procedure voor het gebruik van persoonlijke beschermingsmiddelen, een 'handboek werken met gevaarlijke stoffen' enzovoort;

– verzorgt of coördineert de registratie van en het onderzoek naar bedrijfsongevallen;

– houdt regelmatig contact met de arbodienst en is aanspreekpunt voor de Arbeidsinspectie;

– heeft regelmatig contact met VGW(M)-commissie en voert daarmee overleg.

---

**Uit de praktijk**

*De preventiemedewerker onderzocht*

Half 2010 is door FNV Formaat en Kluwer een grootscheeps onderzoek gedaan naar het functioneren van de preventiemedewerker. Aanleiding was het vijfjarig bestaan van deze functie.

De resultaten laten een erg gemengd beeld zien. Aan de ene kant blijkt dat preventiemedewerkers in de afgelopen vijf jaar zeker successen geboekt hebben:

— meer aandacht voor preventie;

— verbetering van de kwaliteit van de RI&E en het plan van aanpak;

— meer structuur in het arbobeleid;

— beter contact met de medezeggenschap en medewerkers over arbozaken.

Aan de andere kant blijkt dat meer dan de helft van de Nederlandse bedrijven geen preventiemedewerker heeft. In sectoren als de horeca en zakelijke dienstverlening is deze functie zelfs in 70% van de bedrijven afwezig. Verder blijkt een functieomschrijving regelmatig te ontbreken of te vaag te zijn opgesteld. Ook geven preventiemedewerkers aan te weinig tijd te hebben voor hun taken en worden hun preventietaken niet of nauwelijks meegenomen in hun functioneringsgesprekken.

Het meest opvallende en zorgwekkende resultaat van het onderzoek is dat slechts 25% van de preventiemedewerkers structureel overleg heeft met directie of management. En bij 75% van de bedrijven wordt vrijwel niet gebruikgemaakt van de kennis van de preventiemedewerkers bij plannen rond ver- en nieuwbouw, herinrichting van werkprocessen of de inkoop van arbeidsmiddelen.

Kortom: de preventiemedewerker bestaat pas kort, en kan zeker een verrijking zijn binnen een organisatie, maar er dient nog heel wat verbeterd te worden aan zijn/haar positie. Dat beeld wordt bevestigd door een FNV-onderzoek uit 2010, waaruit blijkt dat 70% van de werknemers de preventiemedewerker in het eigen bedrijf niet eens kent.

In 2011 is er een aanvullend onderzoek uitgevoerd met de volgende resultaten: De RI&E is het thema waar de preventiemedewerkers de meeste invloed op uit oefenen, gevolgd door veiligheid op de werkvloer, veilig gedrag en de aanpak van fysieke belasting. Thema's waar preventiemedewerkers nauwelijks succes boeken, liggen op beleidsniveau, zoals gezondheidsmanagement, duurzame inzetbaarheid en verzuimbeleid. Dat geldt ook voor thema's op het vlak van de werkbeleving, zoals de aanpak van stress, pesten en intimidatie. Wat verder opvalt, is dat de preventiemedewerker in het algemeen weinig invloed heeft op veranderingen in de organisatie. Dat geldt vooral voor reorganisaties en veranderingen van werktijden. Ook bij nieuwbouw, de overstap naar Het Nieuwe Werken en verandering van werkprocessen is er slechts een beperkte invloed. Zie voor meer informatie www.fnvformaat.nl.

## 9.3.7  DE ONDERNEMINGSRAAD OF VGW(M)-COMMISSIE

- stimuleert en bewaakt dat het arbo- en verzuimbeleid/gezondheidsbeleid wordt gemaakt en daadwerkelijk wordt uitgevoerd op de verschillende niveaus van de organisatie;
- bewaakt dat het arbo- en verzuimbeleid van tijd tot tijd wordt geëvalueerd en vernieuwd;
- overlegt met de directie of bestuurder en werkt daarbij toe naar afspraken ter verbetering van het arbo- en verzuimbeleid;
- kent en gebruikt zijn rechten en mogelijkheden betreffende het arbobeleid;
- bewaakt dat de toebedeling van arbotaken en -verantwoordelijkheden helder is en dat er voldoende middelen zijn om die taken uit te kunnen voeren;
- denkt mee over een zo praktisch mogelijke uitvoering van het arbobeleid op afdelingen;
- levert een bijdrage aan de totstandkoming van het plan van aanpak of het arbojaarplan en toets de uitvoering daarvan;
- kaart concrete arbokwesties aan als ze niet op andere wijze in het bedrijf worden opgepakt en opgelost;
- heeft regelmatig contact met de achterban en geeft op grond daarvan signalen af binnen de organisatie;
- heeft regelmatig contact met de arbocoördinator en/of de interne preventiemedewerker en de arbodienst;
- laat zien door zijn bijdrage, tijdbesteding en eigen gedrag dat arbo een belangrijke zaak is.

Zie verder hoofdstuk 16 en hoofdstuk 27, hoofdstuk 28 en hoofdstuk 29 over de praktijk van het arbowerk.

## 9.3.8  DE ARBODIENST/EIGEN BEDRIJFSARTS

- adviseert de werkgever over het arbo- en verzuimbeleid en de concrete aanpak daarvan;
- staat de arbocoördinator, preventiemedewerker en leidinggevenden bij in hun arbotaken;
- voert zijn wettelijke kerntaken uit:
  - meewerken aan en goedkeuren van de RI&E;
  - zieken begeleiden en de werkgever daarin bijstaan;
  - arbeidsgezondheidskundig onderzoek verrichten (PAGO);
  - de aanstellingskeuring verrichten (voor zover die wettelijk is toegestaan);
- voert regelmatig overleg met de ondernemingsraad/VGW(M)-commissie;
- schrijft bij organisaties met meer dan honderd medewerkers jaarlijks een jaarverslag met de bevindingen van de arbodienst of bedrijfsarts.

Zie verder hoofdstuk 14.

## 9.3.9  DE ARBEIDSINSPECTIE

- houdt toezicht op de naleving van de arbowetgeving;
- houdt inspecties, deelt waarschuwingen uit, stelt eisen, legt het werk stil, stelt ongevalsrapportages samen, legt boetes op, maakt proces-verbaal op;
- behandelt klachten van werknemers en doet onderzoek op verzoek van de ondernemingsraad of vakbond;
- geeft branchebrochures uit met informatie over de belangrijkste arborisico's in een sector.

Zie verder hoofdstuk 5.

## 9.3.10  DE VAKBOND

- stelt met werkgeversorganisaties in de bedrijfstak een arbocatalogus op;
- maakt afspraken in de cao over arbo- en ziekteverzuimbeleid;
- geeft advies aan leden en ondernemingsraden;
- verstrekt informatie over arbo en verzuimthema's via brochures en de website;
- onderneemt projecten, bijvoorbeeld over werkdruk of RSI;
- houdt campagnes over bijvoorbeeld over de veilige haven, of over de gezondheidseffecten van werken in de nacht;
- verzorgt arbotrainingen voor leden.
- kan via de politiek de arbowetgeving verbeteren.
- kan de Arbeidsinspectie opdragen een onderzoek uit te voeren naar een arboprobleem of in een sector.

**Uit de praktijk**

FNV Bondgenoten is een bond die bijzonder actief is op het gebied van arbeidsomstandigheden. Dat blijkt bijvoorbeeld uit de uitgebreide aandacht voor arbozaken op de
website: www.arbobondgenoten.nl en uit het instellen van een speciale arbotelefoon te
bereiken via: 030-2738738 of arbotelefoon@bg.fnv.nl. Op de site zijn naast praktische
informatie, checklists en achtergrondinformatie ook digitale hulpmiddelen opgenomen. Bijvoorbeeld om zelf de tilbelasting en hittebelasting op de werkplek te beoordelen en om werkdruk in het bedrijf te meten. De bond is verder betrokken bij zo'n
zeventig arbocatalogi. De laatste jaren heeft de bond zijn koers verlegt bij het streven
naar betere arbeidsomstandigheden. De nieuwe lijn is dat betrokken medewerkers
worden ondersteund om zelf een arboprobleem tot een oplossing te brengen. Deze
'activerende aanpak' heeft bijvoorbeeld tot succes geleid bij het busvervoer. Daar zijn
door kaderleden uit diverse bedrijven de knelpunten van buscabines voor de chauffeurs op een rij gezet. Dat liep uiteen van slechte stoelen tot spiegelende voorruiten.
Dat heeft geleid tot een boekje met eisen waaraan een goede bus moet voldoen. Dat
boekje wordt inmiddels wordt inmiddels door fabrikanten van bussen gebruikt als uitgangspunt bij de bouw van nieuwe bussen. Met een oude, Amerikaanse bus is het
boekje ook gebracht naar leden en ondernemingsraden bij Nederlandse vervoersbedrijven, compleet met een checklist en hulpmiddelen om bij de bussen na te gaan of ze
aan de bondseisen voldoen. In de cao's zijn er namelijk ook afspraken gemaakt dat de
vervoersbedrijven hun bussen moeten aanpassen.

Ook bij een groot woonwarenhuis hebben de kaderleden voor de volgende aanpak
gekozen:
— Er zijn vakbondscontactpersonen bij de meeste vestigingen aangesteld.
— Kaderleden hebben winkels bezocht en aan de werknemers gevraagd naar de
   grootste knelpunten op het gebied van veilig en gezond werken, én naar mogelijke
   oplossingen.
— Samen met een arbodeskundige van FNV Bondgenoten zijn deze knelpunten en
   oplossingen beoordeeld. En er zijn nog enkele oplossingen toegevoegd.
— Geschikte oplossingen zijn op een aparte website te zien.
— In de bedrijfs-cao zijn afspraken gemaakt over de aanpak van arboknelpunten en
   over arbo-overleg.
— De vakbondsbestuurder ondersteunt de actieve kaderleden.

Deze aanpak heeft — naast forse ledengroei — ook tot een aantal herkenbare verbeteringen geleid ter vermindering van de fysieke belasting in de winkels.

## 9.4 Verder lezen

– Zie paragraaf 30.4 en paragraaf 30.5.

# 10 De risico-inventarisatie en -evaluatie

## 10.1    Inleiding

Iedere werkgever is verplicht een risico-inventarisatie en -evaluatie (RI&E) te maken van de risico's voor veiligheid, gezondheid en welzijn. De Europese arbowetgeving legt dat verplichtend op. De RI&E is de basis voor het arbobeleid: pas als je de gevaren en de ernst ervan kent, kun je een verbeterplan maken. Dat verbeterplan — het plan van aanpak — moet opgenomen zijn in de RI&E. De RI&E is een essentieel document voor de ondernemingsraad of VGW(M)-commissie om te stimuleren dat de arbeidsomstandigheden worden verbeterd.

De manier waarop de RI&E wordt gemaakt, hoe de medewerkers erbij worden betrokken, hoe ermee wordt gewerkt, is bepalend of de RI&E gaat leven in de organisatie, of dat het een document is dat een slapend bestaan leidt. De werkgever moet instemming vragen aan de or of VGW(M)-commissie over de manier waarop hij de RI&E wil maken. Een tweede afzonderlijke instemmingsaanvraag is vereist over het plan van aanpak. Zo liggen er rondom de RI&E veel kansen voor de or of VGW(M)-commissie.

Een risico-inventarisatie en -evaluatie bestaat uit drie delen:
1.  De inventarisatie van alle gevaren en risico's.
2.  De vaststelling van de aard en de ernst van de risico's: de evaluatie.
3.  Een plan van aanpak op grond van bovenstaande twee onderdelen.

## 10.2    De verplichtingen

### 10.2.1    DE INVENTARISATIE

Alle risico's op het gebied van veiligheid, gezondheid en psychosociale arbeidsbelasting moeten in kaart worden gebracht. Het betreft de risico's die zijn verbonden met:

- De werkplek en de functie: gevaarlijke machines, apparaten en gereedschappen, gevaarlijke stoffen, werkhouding, geluid en trillingen, werkdruk en -stress enzovoort.
- Het arbobeleid zoals dat gevoerd wordt. Denk aan bedrijfshulpverlening, arbovoorlichting, beleid rondom de interne preventiemedewerker.
- De werktijden zoals die in de praktijk worden gevolgd.
- Het gedrag van de medewerkers (leiding, staf en uitvoerenden).
- Het toezicht door leidinggevenden op veilige en gezonde werkwijzen en procedures, en op het gebruik van persoonlijke beschermingsmiddelen.
- De toekomstige ontwikkelingen in het bedrijf.

## 10.2.2 INHOUDELIJKE EISEN

- De RI&E moet rekening houden met de *stand van de wetenschap* of de *professionele inzichten* op het terrein van de arbeidsomstandigheden.
- De RI&E moet worden *gewijzigd* als ervaringen daartoe aanleiding geven, als werkwijzen of werkomstandigheden veranderen (artikel 5 lid 3 Arbowet). Bijvoorbeeld bij de aanschaf van nieuwe machines of apparatuur, nieuwbouw of belangrijke verbouwingen.
- Het *plan van aanpak* — onderdeel van de RI&E — moet worden gewijzigd, als blijkt dat andere of nieuwe maatregelen moeten worden genomen.
- De RI&E moet *op schrift* worden gesteld (artikel 5 lid 1 Arbowet).
- De RI&E mag *in eerste aanleg globaal* zijn.

Bij het constateren van een aantal risico's die in het Arbobesluit worden genoemd, geldt een verplichting om een nadere inventarisatie uit te voeren. Die dient *gedetailleerd* en diepgaand te zijn.

Zo'n nadere inventarisatie is vereist bij:

- geluid (artikel 6 lid 7);
- trillingen (artikel 6 lid 11.b;
- fysieke belasting (artikel 5 lid 3);
- beeldschermwerk (artikel 5 lid 9);
- persoonlijke beschermingsmiddelen (artikel 8 lid 2);
- gevaarlijke stoffen in het algemeen (artikel 4 lid 2);
- kankerverwekkende stoffen (artikel 4 lid 13 en 14);
- vinylchloridemonomeer (artikel 4 lid 26);
- asbest (artikel 4 lid 43 en 50);
- lood (artikel 4 lid 64 en 67);
- biologische gevaarlijke stoffen (artikel 4 lid 85 en 97);
- zwangere werknemers (artikel 1 lid 41);
- jeugdige werknemers (artikel 1 lid 36);
- thuiswerk met gevaarlijke stoffen (artikel 4 lid 111).

- In de risico-inventarisatie is het vereiste niveau (kennis, ervaring) van een preventiemedewerker omschreven. Ook het benodigde aantal preventiemedewerkers, hun taken en de vereiste tijdsbesteding wordt aangegeven. Dat is afhankelijk van de risico's in het bedrijf.
- In de risico-inventarisatie is beoordeeld hoe een werknemer toegang heeft met een arbodeskundige, bijvoorbeeld een preventiemedewerker, een extern deskundige of een functionaris van de arbodienst.
- De RI&E dient aandacht te besteden aan *bijzondere categorieën' van werknemers* die mogelijk extra kwetsbaar zijn, zoals jeugdigen, ouderen, minder validen en etnische minderheden, maar ook aan ingeleend personeel, alleen-werkenden en thuiswerkers (artikel 5 lid 1 Arbowet).
- Een gecertificeerde deskundige, bijvoorbeeld van de arbodienst maakt de RI&E óf toetst het rapport op kwaliteit, volledigheid en betrouwbaarheid. Toetsing is aan de orde als de organisatie zelf de RI&E heeft uitgevoerd.

## 10.2.3 EVALUATIE

Risico's *evalueren* betekent het wegen van de aard en de ernst van de risico's. Het woord 'evalueren' betekent hier dus heel iets anders dan in het normale spraakgebruik. Waar het hier om gaat is dat na de risico-inventarisatie de gevonden arboknelpunten worden gerangschikt op grond van de zwaarte van het risico. Dikwijls worden er punten gegeven om de ernst van de risico's te bepalen. Deze evaluatie is een hulpmiddel om de juiste prioriteiten te stellen.

In paragraaf 34.1 is een voorbeeld van een veelgebruikte evaluatiemethode te vinden.

---

**De RI&E kreeg je niet, maar nu weer wel!**

Werkgevers zijn vanaf 2011 weer verplicht het RI&E-rapport van hun bedrijf ter beschikking te stellen aan werknemers. Bij de wetswijziging van 2007 was die verplichting vervallen. Dat leverde soms lastige situaties op, zoals bij een zieke installateur die met de gegevens uit de RI&E wilde nagaan of zijn ziekte was veroorzaakt door de stoffen waarmee hij in zijn werk in aanraking kwam. Zijn werkgever gaf hem wel inzage in de RI&E, maar de werknemer kon geen gegevens voorleggen aan zijn specialist. Uit onderzoek blijkt dat 70% van de werknemers zelfs niet eens wordt voorgelicht over de resultaten van de RI&E.

Na herhaaldelijk aandringen door de FNV is weer wettelijk vastgelegd dat een werknemer de RI&E mag inzien (artikel 5 lid 6 Arbowet). De Arbeidsinspectie kan hierop toezien. In de memorie van toelichting bij de wetswijziging is aangegeven dat een werknemer ook een kopie van de RI&E mag meenemen.

---

## 10.2.4 PLAN VAN AANPAK

Een plan van aanpak maakt deel uit van de RI&E (artikel 5 lid 2 Arbowet). Het bevat een opsomming van maatregelen, gebaseerd op de inventarisatie en evaluatie. Zoals de rest van de RI&E staat ook het plan van aanpak op schrift. Het bevat tijdstermijnen waarbinnen de maatregelen moeten worden genomen. Het beschrijft een aanpak van de problemen bij de bron. De werkgever vraagt instemming aan de ondernemingsraad of VGW(M)-commissie over het plan van aanpak.

## 10.2.5 VOORTGANGSBEWAKING

Tot 2007 was de werkgever verplicht ieder jaar een schriftelijke rapportage te maken over het plan van aanpak (artikel 5 lid 2 Arbowet). Over die schriftelijke rapportage moest hij vooraf overleg plegen met de or of VGW(M)-commissie. In dat overleg werd ook gesproken over de vraag of de RI&E nog actueel was, dus ook over de vraag of het gemaakte plan van aanpak moest worden aangepast. De genoemde verplichting is begin 2007 geschrapt, als administratieve verlichting voor de werkgever. Echter, de werkgever moet wel beleid maken inzake de arbeidsomstandigheden en daarover actief overleggen en informatie uitwisselen met de or. Bij beleid hoort natuurlijk regelmatige rapportage. Het is nu aan de or of VGW (M)-commissie om met de werkgever een afspraak te maken over regelmatige rapportage over de voortgang van het plan van aanpak.

## 10.2.6 INSTEMMINGSRECHT ONDERNEMINGSRAAD

De werkgever vraagt instemming aan de ondernemingsraad als de RI&E wordt gemaakt of veranderd. Het instemmingrecht heeft betrekking op de manier waarop de RI&E wordt gemaakt. Het gaat hier dus om instemmingsrecht vóórdat de RI&E wordt uitgevoerd. De or heeft op het eind van het traject nogmaals instemmingsrecht; over het plan van aanpak.

## 10.2.7 DE TAAK VAN DE ARBODIENST, OF ARBODESKUNDIGE

De werkgever moet een arbodienst of andere gecertificeerde deskundige inschakelen bij het maken of toetsen van de RI&E. Die moet 'meewerken' aan het maken van de RI&E, zo zegt de wet (artikel 14 lid 3a). Als de RI&E niet door een gecertificeerde deskundige is uitgevoerd, moet dat rapport wel door zo'n persoon getoetst worden. Daarbij toetst hij de RI&E op volledigheid en betrouwbaarheid en op de verwerking van actuele inzichten (de stand van de wetenschap en professionele dienstverlening). Hij zal daarbij ook een rondgang door het bedrijf maken. Verder geeft de deskundige (al of niet van de arbodienst) een advies over de prioriteit en volgorde van aanpak van de beschreven risico's. Op grond van de geconstateerde risico's wordt door de arbodeskundige ook een PAGO-advies geformuleerd. Daarin staat beschreven welke onderzoeken nuttig zijn voor de verschillende functies in het bedrijf.

### 10.2.8 VERDERE VEREISTEN EN SANCTIES

Als bij de werkgever ingeleende krachten werken, verstrekt hij aan de uitlenende organisatie dat onderdeel van de RI&E dat betrekking heeft op het werk van de uit te zenden werknemer. De uitlenende organisatie moet dat document doorgeven aan de betreffende werknemer (artikel 5 lid 5 Arbowet).

Als de werkgever zich niet houdt aan de verplichtingen inzake de RI&E kan de Arbeidsinspectie hem een bestuurlijke *boete* opleggen. Die boete bedraagt hier 1.800 euro.

## 10.3 Wie maakt of toetst de RI&E?

De RI&E moet op een deskundige manier worden gemaakt of getoetst, zodat de kwaliteit is gewaarborgd. Een bedrijf mag er voor kiezen om de RI&E zelf op te stellen, zonder inschakeling van een gecertificeerde arbodeskundige. In dat geval moet het RI&E-rapport wel worden getoetst. Een gecertificeerde arbodienst of deskundige kijkt of het rapport volledig is, en juist is opgesteld. En of de actuele normen en richtlijnen zijn meegenomen. Deze toets hoort gebaseerd te zijn op een rondgang in het bedrijf.

Moest voorheen een bedrijf een arbodienst inschakelen voor het maken of toetsen van de risico-inventarisatie, sinds 2005 kunnen daarvoor ook andere deskundigen worden ingezet. Die moeten zijn gecertificeerd om dit werk te doen, bijvoorbeeld een gecertificeerde veiligheidskundige of arbeidshygiënist. Als het bedrijf een deskundige bij de RI&E wil inschakelen, moet men eerst kijken of zo'n deskundige intern aanwezig is. Als het bedrijf een interne deskundige in dienst heeft die hiervoor gecertificeerd is, hoeft de RI&E niet meer getoetst te worden door een externe deskundige.

*RI&E-toets bij kleine bedrijven*
Voor kleine bedrijven, met 25 medewerkers of minder, is het niet meer verplicht om bij de toetsing van de RI&E de externe arbodeskundige een bezoek aan het bedrijf te laten brengen voor een rondgang. De RI&E wordt dan alleen op papier getoetst. Dat kan alleen als het bedrijf gebruik heeft gemaakt van een erkend RI&E-instrument dat voor de branche is ontwikkeld en door de sociale partners is goedgekeurd. Als in de cao wordt verwezen naar deze branche RI&E, dan is voor bedrijven met minder dan 25 werknemers een toetsing zelfs niet meer verplicht.

Sinds 2010 vervalt voor alle bedrijven met minder dan 25 werknemers de toetsingsplicht in zijn geheel, tenminste als er gebruik is gemaakt van een in de branche erkend RI&E-instrument.

Bedrijven met zo weinig personeel in dienst dat men samen minder dan 40 uur per week werkt, hoeven de RI&E al jaren niet te laten toetsen.

## 10.4    De rechten van ondernemingsraad of VGW(M)-commissie

- De werkgever vraagt instemming aan de ondernemingsraad/VGW(M)-commissie als hij een RI&E wil maken of bijstellen. Aan de orde zijn dan de wijze waarop de RI&E zal worden gemaakt en door wie dat zal gebeuren.
- Als de or/VGW(M)-commissie van mening is dat de RI&E onjuist, onvolledig of slecht bruikbaar is, kan hij advies vragen aan de arbodienst of een interne of externe deskundige. De or kan ook de Arbeidsinspectie inschakelen. Ook het instemmingsrecht bij het uiteindelijke plan van aanpak kan de or gebruiken om onjuistheden in de RI&E aan de kaak te stellen en te laten wijzigen.

## 10.5    Aanbevelingen voor het opstellen en bijstellen van een RI&E

*Wie maakt de RI&E?*
Het verdient doorgaans de aanbeveling dat de RI&E door het bedrijf en de arbodienst of externe gecertificeerde deskundigen samen wordt opgesteld. Als het bedrijf het alleen doet, bestaat het gevaar van ondeskundigheid en bedrijfsblindheid. Als de RI&E voornamelijk door de externen wordt geproduceerd, wordt het bedrijf er te weinig bij betrokken en bestaat de kans dat de RI&E niet gaat leven. Let wel op dat de externe deskundige die bij het opstellen of toetsen van de RI&E wordt betrokken een achtergrond heeft die past bij de problematiek van het bedrijf. Zijn er veel problemen op het gebied van psychosociale arbeidsbelasting, dan ligt inschakeling van een Arbeids- en Organisatiedeskundige voor de hand. Een arbeidshygiënist is de aangewezen persoon bij veel gezondheidsproblemen en uiteraard is de veiligheidskundige de juiste keuze als veiligheidskwesties centraal staan.

---

**Uit de praktijk**

*RI&E door werknemers*

Bij een bedrijf uit de voedingssector loopt een verbeterprogramma dat als doel heeft om allerlei processen soepeler te laten verlopen. Inbreng van werknemers staat hierbij centraal.

Omdat er diverse klachten komen over arbo-aspecten van een bepaalde verwerkingsinstallatie wordt besloten om een ploeg die aan die installatie werkt, zélf de knelpunten

---

daarvan in kaart te laten brengen. Dat gebeurt volgens de stappen van het bedrijfs-verbeterprogramma. De ploeg krijgt vijf ochtenden van vier uur de tijd om de knel-punten in kaart te brengen en met concrete verbetervoorstellen te komen. Zo maken zij zelf een RI&E van de installatie die ze zo goed kennen. Het bedrijf heeft ook een begeleider ter beschikking gesteld om hen daarbij te helpen. Na afloop ligt er een lijst met maar liefst 49 knelpunten met de bijbehorende oplossingen, zoals bijvoorbeeld een nieuwe trap met leuning in plaats van een gevaarlijk opstapje. Drie maanden later heeft het bedrijf, wederom met behulp van de werknemers zelf, 47 van die knelpunten opgelost. Bedrijf en werknemers zijn bijzonder tevreden.

## Op welke manier wordt de RI&E gemaakt?

Het verdient aanbeveling bij het maken van de RI&E om de volgende onderdelen te combineren:
- schriftelijke vragenlijsten voor de medewerkers;
- werkplekinspecties en, indien nodig, metingen;
- interviews met een goede selectie van interne deskundigen, leidinggevenden en uitvoerende medewerkers.

De ondernemingsraad kan de juiste combinatie van deze onderdelen bepleiten en zou kunnen bedingen om inspraak te hebben in de selectie van uitvoerende mede-werkers, met wie interviews worden gehouden.

Er bestaan verschillende hulpmiddelen om een RI&E te maken. Aan te raden is om een RI&E-instrument te gebruiken dat toegesneden is op de sector en waar-mee goede ervaringen bestaan. De laatste jaren zijn er veel van deze zogenaamde 'Branche-RI&E's' ontwikkeld. Bijvoorbeeld in de sectoren koek en snoep, agra-risch, bouw en horeca. Het gaat daarbij om digitale instrumenten. Het voordeel van zo'n branche-RI&E is dat de vragen, behandelde onderwerpen en voorbeeld-oplossingen zijn toegesneden op de sector. Een risico is dat een directielid of arbocoördinator met zo'n digitale RI&E met enkele muisklikken in een mum van tijd een RI&E-rapport kan samenstellen. Het laat zich raden dat de kwaliteit van een rapport dat zo vervaardigd is danig te wensen overlaat.

De digitale RI&E's zijn te vinden op www.rie.nl en op de websites van de verschillende sectoren.

## Rol ondernemingsraad

De ondernemingsraad doet er verstandig aan om te zorgen dat het RI&E-onder-zoek leidt tot een compleet en bruikbaar rapport. Op het moment dat door de werkgever instemming aan de ondernemingsraad wordt gevraagd, kan de or dui-delijke afspraken maken over de informatievoorziening aan, en de betrokkenheid van de or/VGW(M)-commissie. Maar ook over de opbouw van het RI&E-rapport,

de manier waarop medewerkers bij het RI&E-onderzoek worden betrokken, de onderwerpen die extra aandacht behoeven, het tijdspad, en de frequentie van de RI&E. Deze zaken worden hieronder verder uitgewerkt.

*Opbouw van het RI&E-rapport*
Een goed RI&E-rapport kent de volgende onderdelen:
– een samenvatting met daarin de beschrijving van de manier waarop het stuk is gemaakt, met de belangrijkste conclusies en aanbevelingen;
– een gedeelte met de beoordeling van algemene en beleidsthema's betreffende de organisatie van de arbozorg: is het arbobeleid goed schriftelijk vastgelegd, zijn de taken en verantwoordelijkheden betreffende arbo voldoende beschreven en bekend bij de diverse functionarissen, is de bedrijfshulpverlening op orde, enzovoort;
– een gedeelte dat per afdeling is opgebouwd, en bestaat uit de beschrijving van de verschillende concrete risico's in per afdeling of vestiging. Dat is een betere indeling dan een thematische opbouw die ook wel eens wordt toegepast: Daarin komen in een hoofdstuk, bijvoorbeeld over gevaarlijke stoffen, alle afdelingen voorbij. Op deze laatste manier heeft niemand een goed overzicht over de risico's in zijn eigen afdeling. De afdelingsgewijze opbouw van de RI&E verdient de voorkeur, omdat die het wel mogelijk maakt dat een afdeling direct weet wat haar te doen staat en kan men er mee aan de slag kan gaan.

*Frequentie van de RI&E*
In de arbowetgeving is niet vastgesteld hoe vaak een RI&E herhaald of geactualiseerd moet worden. De meeste organisaties doen dit om de vier of vijf jaar. Het is aan te raden om in een beleidsdocument vast te leggen welke frequentie bij de organisatie wordt gekozen.

In de wet is wel aangegeven dat een (deel) RI&E nodig is bij tussentijdse wijzigingen van werkzaamheden. Te denken valt aan ver- en nieuwbouw, uitbreiding, invoering van nieuwe technieken, andere werkzaamheden.

*Tijdspad*
In het algemeen is aan te bevelen dat de RI&E voor een bedrijf of instelling wordt gemaakt in een overzienbare tijd. Het is wijs om er als ondernemingsraad/VGW (M)-commissie op aan te dringen dat er vooraf een duidelijk tijdspad wordt afgesproken voor de totstandkoming van het RI&E-rapport en het plan van aanpak.

*Plan van aanpak: de vereisten*
Onderdeel van de RI&E is een plan van aanpak. De daarin beschreven maatregelen dienen de arboproblemen zoveel mogelijk bij de bron aan te pakken. Wettelijk is bepaald dat bij de maatregelen er een tijdstermijn wordt beschreven voor het nemen van de maatregelen. Dat zou moeten inhouden dat er een begin- en eind-

tijd van de verbetermaatregel moet worden geformuleerd. Men kan ervoor kiezen op grond van het plan van aanpak — dat meerdere jaren bestrijkt, jaarlijks een arbojaarplan te maken. Er kan ook voor worden gekozen jaarlijks het plan van aanpak bij te stellen. Zie verder hoofdstuk 11.

---

**Tips or/VGW(M)-commissie**

– De or/VGW(M)-commissie moet vooraf instemming geven aan de manier waarop de RI&E wordt gemaakt of bijgesteld.

– Maak daarbij duidelijke afspraken over hoe de uitvoerende medewerkers uitgebreid worden betrokken bij het maken van de RI&E. Spreek af dat zij knelpunten en benodigde maatregelen kunnen inbrengen.

– Zorg dat alle afdelingen en functiesoorten in de RI&E aan bod komen.

– Maak vooraf afspraken dat de RI&E goed leesbaar is en duidelijk is uitgesplitst naar de verschillende afdelingen van het bedrijf.

– Als de RI&E verschijnt, kijk dan eerst steekproefsgewijs of de belangrijkste risico's er goed in staan en of er concrete en afdoende maatregelen bij zijn opgenomen.

– Kijk ook in het RI&E-rapport of het arbobeleid is beoordeeld.

– Zie ook of in het RI&E-rapport een PAGO-advies is opgenomen, een overzicht van de nadere inventarisaties die nog moeten worden uitgevoerd en een beschrijving van de manier waarop het bedrijf het vraagstuk van de interne preventiemedewerker dient aan te pakken.

– Kom na het verschijnen van het RI&E-rapport met een eigen wensenlijst voor het plan van aanpak dat opgesteld moet gaan worden.

– Zorg dat je als or of VGW(M)-commissie de RI&E goed kent en gebruikt.

– Ben er als or of VGW(M)-commissie attent op dat de RI&E wordt aangepast als dat nodig is. Probeer dan te leren van eventuele fouten die bij de vorige RI&E zijn gemaakt.

---

## 10.6 Verder lezen

– Zie paragraaf 30.6.
– Arbo-informatieblad 1, *Arbo- en verzuimbeleid*.
– Tekstuitgave *Arbeidsomstandighedenwet*, Kluwer, Alphen aan den Rijn.

   Deze uitgave, met de tekst van de Arbeidsomstandighedenwet en een uitgebreide toelichting, wordt jaarlijks geactualiseerd.

# 11 Plan van aanpak

## 11.1 Inleiding

Het plan van aanpak is onderdeel van de risico-inventarisatie en -evaluatie. In kort bestek zijn de verplichtingen en de kansen die het biedt al beschreven in hoofdstuk 10. Hier wordt er nog eens extra aandacht aan besteed omdat het plan van aanpak het belangrijkste document is waar de ondernemingsraad of VGW(M)-commissie zich mee zouden moeten bezighouden. Waarom? Omdat het een activiteitenprogramma is, omdat het toekomstgericht is, omdat in het plan van aanpak de voorgenomen verbeteringen staan geformuleerd. Als de ondernemingsraad of VGW(M)-commissie ergens nauw betrokken bij zou moeten zijn, is dat bij het tot stand komen, de uitvoering en de mogelijk jaarlijkse herziening van het plan van aanpak. In dit hoofdstuk worden met betrekking tot het plan van aanpak beschreven:
- de wettelijke vereisten;
- aanbevelingen voor de inhoud en opzet van het plan;
- rapportage over het plan van aanpak;
- aanbevelingen voor de procedure;
- de rol van de ondernemingsraad of VGW(M)-commissie in het traject.

## 11.2 De wettelijke vereisten

De werkgever maakt als onderdeel van de risico-inventarisatie een plan van aanpak, om de geconstateerde risico's te verhelpen, zo staat in artikel 5, lid 2 van de Arbowet. In het plan zijn tijdstermijnen per maatregel genomen. De arbodienst toetst de kwaliteit en adviseert over de prioriteiten en volgorde van de maatregelen die in het plan van aanpak staan geformuleerd. De or of VGW(M)-commissie heeft instemmingsrecht over het plan van aanpak en de bijstelling daarvan.

## 11.3    Wie maakt het plan van aanpak?

Vaak zien we de constructie dat een arbodeskundige, bijvoorbeeld van een arbo-dienst, de RI&E maakt, en dat aan het bedrijf wordt gevraagd het plan van aanpak te maken. Dit plan van aanpak moet dan uiteraard worden beoordeeld door deze gecertificeerde arbodeskundige, omdat het plan van aanpak deel uitmaakt van de risico-inventarisatie en -evaluatie, en die moet in zijn geheel worden getoetst.

Dat geldt uiteraard ook als de hele RI&E door het bedrijf zelf is gemaakt.

In het bedrijf is het vaak de arbocoördinator/interne preventiemedewerker die het plan van aanpak samenstelt. Deze doet er verstandig aan om dat in nauw overleg met directie, leidinggevenden en ondernemingsraad of VGW(M)-commis-sie te doen. Zo ontstaat er een hogere kwaliteit en een beter draagvlak onder het plan.

## 11.4    De opzet van het plan van aanpak

Een vaak terugkerend verschijnsel is dat na een RI&E het bedrijf een plan van aanpak laat verschijnen, waarin alle aangetroffen arboknelpunten binnen één jaar worden opgelost. Op papier tenminste, want de praktijk blijkt meestal stukken weerbarstiger en na een jaar blijkt maar een klein gedeelte opgelost. Soms verdwij-nen de resterende punten dan zelfs uit het oog.

Het is verstandiger om een meer doordachte aanpak te kiezen. Een RI&E bevat doorgaans tientallen arboknelpunten. Daarom is het veel reëler om van het plan van aanpak een meerjaren plan te maken. Dat kan op meerdere manieren. Hierna volgen enkele varianten.

*Variant 1: Een globaal plan van aanpak*
In een globaal plan van aanpak wordt precies aan de wet voldaan: de werkgever geeft alleen aan op welke termijn de in de RI&E aangetroffen knelpunten zullen worden opgelost. De knelpunten worden verdeeld over de komende drie of vier jaar, en het plan is klaar. De ervaring leert dat dergelijke globale plannen het grote risico met zich meedragen dat de uitvoering ervan minimaal blijft. In zo'n plan is namelijk niet per maatregel aangegeven wie er verantwoordelijk voor is, welk budget ervoor beschikbaar is en wat de precieze tijdsplanning is. Vrijblijvendheid is troef.

Deze variant, alleen een globaal plan van aanpak, is een erg magere oplossing.

*Variant 2: Een gedetailleerd plan van aanpak*

In deze variant maakt het bedrijf een plan van aanpak dat erg ver wordt uitgewerkt. Er wordt niet alleen een verdeling gemaakt van de aangetroffen knelpunten over de komende jaren, er wordt bovendien voor alle maatregelen vermeld wie verantwoordelijk is voor de uitvoering en wat de concrete einddatum is. Zo mogelijk wordt per maatregel ook het budget vermeld dat voor de uitvoering ervan is vrijgemaakt. Daarmee ontstaat een plan waarin alle maatregelen voor de komende jaren in één keer gedetailleerd worden uitgewerkt.

Dat oogt indrukwekkend, maar er kleeft een groot bezwaar aan: het is haast ondoenlijk om zo'n plan te maken en tot uitvoering te brengen als het drie of vier jaar beslaat. Ga nu maar eens bepalen dat in oktober van het jaar 2015 het hoofd van de Technische Dienst een bedrag van € 6000,- mag besteden aan extra verlichting in het magazijn. Het is niet reëel om zo gedetailleerd zo ver vooruit te plannen. Een realistische planning voor één jaar maken is voor veel organisaties al een hele klus. Een gedetailleerd meerjarenplan is dan helemaal een brug te ver. De praktijk is dat dergelijke plannen al na korte tijd vastlopen. Toch bieden arbodiensten na een RI&E de werkgever meestal een stramien aan voor een plan van aanpak dat tot deze tweede variant leidt.

Een gedetailleerd plan van aanpak lijkt alleen werkbaar in een bedrijf dat binnen één of twee jaar alle aangetroffen arboknelpunten wil oplossen. Wordt de planperiode groter, dan is deze variant erg star en moeilijk haalbaar.

*Variant 3: Het plan van aanpak wordt doorlopend aangepast*

Veel bedrijven hebben alle acties die uit een plan van aanpak voortvloeien in een digitaal bestand opgenomen. En telkens als er een nieuw arboknelpunt opduikt, wordt er een nieuwe activiteit in het bestand opgenomen. Bijvoorbeeld na een rondgang, na een werkplekonderzoek, of na een bezoek van de Arbeidsinspectie. Het voordeel van deze werkwijze is dat alle arboactiviteiten voortdurend in het plan van aanpak worden opgenomen. Het grote nadeel van deze methode is de ondoorzichtigheid. Zo wordt het voor een or of VGW(M)-commissie erg moeilijk om grip te krijgen op de arboplanning. Soms heeft de medezeggenschap niet eens toegang tot het digitale bestand. Maar ook als de toegang wel is geregeld, zijn er extra afspraken nodig, want het inplannen van nieuwe activiteiten zal betekenen dat andere arboplannen zullen opschuiven. Dan is het wel zo fijn als de ondernemingsraad of VGW(M)-commissie bij belangrijke aanpassingen om haar mening wordt gevraagd.

*Variant 4: Een globaal plan van aanpak, gecombineerd met jaarlijks een gedetailleerd arbojaarplan*

In deze variant maakt het bedrijf na de RI&E een globaal plan van aanpak dat niet meer behelst dan een verdeling van de aangetroffen arboknelpunten over de komende drie, vier of vijf jaar. Bovendien maakt men daarnaast vóór aanvang van elk kalenderjaar een gedetailleerd arbojaarplan, dat — zoals de naam al aangeeft — slechts één jaar vooruit blikt. Daarin staat bij alle geplande arbomaatregelen van dat jaar vermeld wie verantwoordelijk is, welk budget beschikbaar is en wat de exacte tijdsplanning is. (Zie tabel 1 voor een voorbeeld van zo'n concreet arbojaarplan). Het arbojaarplan is helaas vele jaren geleden als verplichting uit de wet verdwenen, maar biedt nog steeds de beste mogelijkheid om goed te plannen.

In de arbojaarplannen kunnen ook nieuwe, actuele onderwerpen worden opgenomen die nog niet in de RI&E of het plan van aanpak werden genoemd. Ook punten die in het vorig jaarplan waren opgenomen, maar niet tot uitvoering zijn gebracht, kunnen in een nieuw arbojaarplan een plek krijgen. Deze variant biedt dus de mogelijkheid om flexibel om te gaan met de actualiteit. Bovendien zorgt deze werkwijze er voor dat bedrijfsleiding en or zich jaarlijks over de actualiteit moeten buigen. Het globale plan van aanpak zorgt op de achtergrond dat de aanpak van alle RI&E-knelpunten is gepland. Om deze redenen is deze variant sterk aan te bevelen.

*Variant 5: Geen plan van aanpak maar elk jaar een arbojaarplan*

Een aantal bedrijven en instellingen is niet gewend om met meerjarenplannen en jaarplannen te werken. Variant 4 is voor hen dan een grote stap. Als compromis besluiten zij om het meerjarenplan (plan van aanpak) achterwege te laten en uitsluitend jaarlijks een gedetailleerd arbojaarplan op te stellen.

Deze methode heeft als nadeel dat de planmatigheid onder druk komt te staan. Door steeds maar één jaar vooruit te kijken, kiest men vaak voor de makkelijkste weg en worden grote, ingrijpende en dure maatregelen niet gepland. Die worden ieder jaar weer vooruit geschoven. Bij variant 4 kan dat minder eenvoudig, omdat daar alle maatregelen worden gepland. Ondanks dit bezwaar kan methode 5 een goed werkbaar alternatief zijn.

## 11.5  Aanbevelingen voor inhoud en opzet

De volgende aanbevelingen gelden voor de inhoud en opzet van het plan van aanpak:

- Het is aan te bevelen dat het plan van aanpak een overzichtelijk stuk is en niet een verzameling van allerlei verbetermaatregelen die in steekwoorden door het gehele RI&E zijn verspreid.
- In het plan van aanpak dienen de juiste prioriteiten te worden gesteld. De belangrijkste gevaren dienen met voorrang en met kracht te worden aangepakt.
- Bij het opstellen van het plan van aanpak wordt de arbocatalogus geraadpleegd om passende maatregelen te vinden.
- De maatregelen dienen zoveel mogelijk het probleem bij de bron aan te pakken.
- Het plan is afdelingsgewijs opgebouwd en niet per onderwerp geordend. Op deze wijze heeft iedere afdeling snel overzicht over de maatregelen die dienen te worden genomen.
- Het plan is leesbaar en dient technische taal en afkortingen zoveel mogelijk te beperken.
- De voortgang van het plan wordt enkele malen per jaar door ondernemingsraad of VGW(M)-commissie besproken met de arbocoördinator, maar liever ook nog met de directie. Dan blijft de directie betrokken bij de uitvoering van het arbobeleid en kan zij waar nodig sneller ingrijpen.

*Tabel 1. Voorbeeld van een Arbojaarplan. Niet verplicht, wel erg handig*

| Maatregel | Verantwoorde- lijke | Uitvoerder | Gereed | Budget | Status |
|---|---|---|---|---|---|
| 1. Cursus veilig lassen | Hoofd construc- tie afdeling | Nederlands las- instituut | juni 2012 | € 6.000,– | |
| 2. Aanschaf ver- stelbare tafels | Hoofd kantoor | Inkoop | maart 2012 | € 9.500,– | Gereed |
| 3. Extra verlich- ting in magazijn | Hoofd magazijn | TD | september 2012 | € 4.000,– | |
| 4. Ontruimings- oefening Hoofd- gebouw | Hoofd interne dienst | BHV | februari 2012 | – | Gereed |
| 5. Werkdrukon- derzoek produc- tie | Hoofd PZ | Arbodienst | november 2012 | € 10.500,– | |
| 6. Enzovoorts | | | | | |

## 11.6  Voortgangsbewaking

Tot 2007 gold er de wettelijke verplichting jaarlijks schriftelijk te rapporteren over de uitvoering van het plan van aanpak (voorheen artikel 5, lid 2). Deze verplichting is geschrapt maar, zoals in voorgaand hoofdstuk al is aangegeven, de werkgever moet wel beleid voeren inzake de arbeidsomstandigheden. Verder moet hij regelmatig en actief over dit beleid overleggen en informatie uitwisselen. Bij beleid hoort vanzelfsprekend regelmatige rapportage. Het is aan de or of VGW(M)-commissie de wijze van rapporteren af te spreken. Het kan schriftelijk, maar eventueel ook mondeling. Deze rapportage legt dan verantwoording af over de uitvoering van de geplande maatregelen: wat is er uitgevoerd, wat niet, welke obstakels en positieve factoren hebben een rol gespeeld en vooral: wat worden daarvan de conclusies voor een volgende periode. Voorts kan in de rapportage worden vermeld welke nieuwe problemen zich voordoen.

## 11.7 Aanbevelingen voor de procedure

Voor de gehele procedure van plan van aanpak, rapportage en bijstelling van RI&E en plan van aanpak kunnen de volgende aanbevelingen van dienst zijn:

- Zoals ook geldt voor de gehele RI&E dienen de uitvoerende medewerkers en de leidinggevenden van afdelingen ook betrokken te worden bij het maken van het plan van aanpak. Het plan van aanpak mag niet het speeltje worden van de arbocoördinator, de veiligheidskundige of de arbodienst.
- Een ondernemingsraad of VGW(M)-commissie kan het meest effectief invloed uitoefenen op het plan van aanpak door vóór de totstandkoming van het plan al aan te geven wat men de voornaamste arboverbeteringen voor het eerstkomende jaar vindt.
- Het concept plan van aanpak dient aan de ondernemingsraad of VGW(M)-commissie ter instemming te worden voorgelegd.
- Over die instemmingsaanvraag wordt overleg gevoerd, waarin de or/VGW(M)-commissie probeert tot duidelijke afspraken te komen. Ter voorbereiding van dat overleg heeft de medezeggenschap zich voorbereid, door de achterban te raadplegen en onderling tot een wensenlijst te komen.
- De werkgever spreekt met de ondernemingsraad of VGW(M)-commissie over bovenstaande een jaarplanning met data af.
- De gehele cyclus van totstandkoming van RI&E, plan van aanpak, voortgangsbewaking, rapportage, bijstelling van plan van aanpak en RI&E en de betrokkenheid daarbij van 'de medezeggenschap' en de werknemers wordt opgenomen in een arbobeleidsdocument en eens per drie of vier jaar geëvalueerd.

## 11.8 De rol van de or/VGW(M)-commissie

Zoals al gezegd, kan de or/VGW(M)-commissie een belangrijke rol spelen bij de totstandkoming van een goed plan van aanpak, bij het uitvoeren van het plan en de rapportage erover. De wet helpt daarin een handje mee. Er bestaan een aantal mogelijkheden:

- Het plan van aanpak dient ter instemming aan de or/VGW(M)-commissie te worden voorgelegd.

- Het is verstandig dat voorafgaand daaraan de or/VGW(M)-commissie zijn wensen met betrekking tot de procedure van totstandkoming, de inhoud en opzet kenbaar maakt. Zie daarvoor de tips die hierboven zijn genoemd.
- De or houdt ook zelf, door contact met de achterban en door rondgangen door het bedrijf, de voortgang bij.
- De or/VGW(M)-commissie kan het voorstel doen om delen van het plan van aanpak in de werkoverleggen te bespreken.
- Bij stagnatie van de plannen denkt de or/VGW(M)-commissie constructief mee over het verhelpen daarvan.
- Bij weigering en weerstand om de maatregelen uit te voeren oefent de or/VGW (M)-commissie op effectieve wijze druk uit.
- De or doet tijdig voorstellen over de manier en frequentie waarop hij op de hoogte wordt gehouden van de voortgang van de uitvoering van het plan van aanpak.
- De or/VGW(M)-commissie voert overleg over de conceptrapportage.
- Aan de or/VGW(M)-commissie wordt instemming gevraagd over een mogelijke verandering van de RI&E of een verandering van het plan van aanpak.

## 11.9    Verder lezen

- Zie paragraaf 30.7.

# 12 Ziekteverzuimbeleid

## 12.1 Inleiding

Het Nederlands verzuimpercentage is ongeveer 4%. Dat betekent dat van alle werkdagen die de hele Nederlandse beroepsbevolking in een jaar tot zijn beschikking heeft, er 4% wordt verzuimd wegens arbeidsongeschiktheid. Ongeveer 22% van al die verzuimdagen is veroorzaakt door het werk. De werkgever dient zorg te dragen voor de gezondheid van de werknemers, zo zegt de Arbowet. Dat betekent dat hij dient te voorkomen dat werknemers ziek worden in verband met hun werk, dat ze gezond en gemotiveerd blijven om hun werk te doen. Verder houdt het in dat arbeidsongeschikte werknemers goed moeten worden begeleid. Voor werknemers is goed ziekteverzuimbeleid van hun werkgever van groot belang. De ondernemingsraad heeft veel mogelijkheden en rechten om zijn bijdrage aan het verzuimbeleid te leveren.

In dit hoofdstuk worden deze aspecten verder uitgewerkt. Het is aan te bevelen om niet het hele hoofdstuk van voor tot achter te lezen, maar met name de paragrafen die voor u van belang zijn.

Ziekteverzuim en verzuimbeleid zijn van groot belang voor werknemers en werkgever. De ondernemingsraad kan er een belangrijke rol in spelen. Daarom wordt in dit hoofdstuk uitgebreid aandacht aan dit thema besteed. De volgende onderwerpen komen aan de orde:
– inleiding;
– het wettelijke kader;
– wettelijke bepalingen betreffende ziekteverzuim en re-integratie;
– een gezond ziekteverzuimbeleid;
– trends in ziekteverzuimbeleid;
– privacy en ziekteverzuim;
– re-integratiebedrijven;
– rechten ondernemingsraad en VGW(M)-commissie;
– verder lezen.

## 12.2 Het algemeen wettelijk kader

'Ik zit in de Ziektewet,' zeggen veel werknemers die zich ziek hebben gemeld. Die uitspraak is echter al jaren achterhaald. De Ziektewet is namelijk alleen nog een financieel vangnet bij zwangerschap en voor bepaalde flexibele krachten. Voor alle overige werknemers is de Ziektewet allang niet meer van toepassing. Het is de werkgever die bij arbeidsongeschiktheid het salaris doorbetaalt. Doorgaans is dit 100% in het eerste ziektejaar en 70% in het tweede. De achterliggende bedoeling is dat ziekteverzuim de werkgever direct voelbaar geld kost en dat hij zich inspant om ziekteverzuim te voorkomen.

In de afgelopen jaren is er veel veranderd in de wettelijke regelingen rondom ziekteverzuim en arbeidsongeschiktheid:

- Om de begeleiding van langdurig zieken meer structuur te geven, is in 2002 de Wet verbetering poortwachter van kracht geworden. Deze wet heeft als doel te voorkomen dat arbeidsongeschikte werknemers de poort richting WAO/WIA door moeten gaan. Er zijn gedetailleerde voorschriften vastgelegd die een werkgever moet volgen bij de begeleiding en eventuele herplaatsing van een langdurig zieke werknemer.
- In 2006 is de WAO vervangen door de WIA, de Wet werk en inkomen naar arbeidsvermogen. Uitgangspunt van deze wet is dat (gedeeltelijk) arbeidsongeschikte werknemers meer financiële prikkels krijgen om aan het werk te gaan. Zo krijgen werknemers die door hun arbeidsongeschiktheid (op papier) minder dan 35% loonverlies lijden, geen uitkering meer. Zij blijven ook na twee jaar arbeidsongeschiktheid in dienst van hun werkgever. Voor werknemers die tussen de 35 en 80% loonverlies lijden, is er een tijdelijke uitkering die sterk afhankelijk is van eventuele eigen inkomsten. Alleen zij die duurzaam meer dan 80% loonverlies lijden, krijgen een blijvende uitkering.
- Tot slot een minder ingrijpende maatregel: in 2007 is de passage uit de Arbowet geschrapt, waarin staat dat de werkgever ziekteverzuimbeleid moet voeren. Dit stond, volgens de regering, al voldoende verwoord in de verplichting om zorg te dragen voor de gezondheid van de werknemer en in de Wet verbetering poortwachter.

## 12.3 Wettelijke bepalingen bij ziekteverzuim en re-integratie

In deze paragraaf komen de wettelijke verplichtingen van werkgevers en werknemers aan de orde. Dit gebeurt aan de hand van vier stappen: de regels over het voorkomen van verzuim, de ziekmelding, de periode van verzuim en de dreigende arbeidsongeschiktheid na twee jaar ziekte.

## 12.3.1   REGELS OVER HET VOORKOMEN VAN ZIEKTEVERZUIM

De werkgever is gehouden aan de volgende bepalingen:

– De werkgever draagt zorg voor de gezondheid van werknemers in verband met het werk, zo goed als dat redelijkerwijs mogelijk is; in dat verband dient de werkgever beleid te voeren (Arbowet, artikel 3).
– De werkgever geeft — schriftelijk — taken en verantwoordelijkheden aan bedrijfsfunctionarissen in verband met dit beleid.
– Een arbodienst of bedrijfsarts wordt ingeschakeld om taken in verband met het ziekteverzuim uit te voeren (begeleiding van zieken, uitvoering van het PAGO).
– Aan werknemers wordt een PAGO aangeboden: het periodiek arbeidsgezondheidskundig onderzoek, dat systematisch gezondheidsklachten en -risico's in verband met de arbeid inventariseert en op grond daarvan adviezen geeft.
– De werkgever treft voorzieningen waardoor 'arbeidsgehandicapten' kunnen blijven of weer gaan werken; de Wet REA (Re-integratie arbeidsgehandicapten) geeft daarvoor mogelijkheden.
– De arbodienst of andere deskundigen moeten beroepsziekten melden aan het Nederlands Centrum voor Beroepsziekten. Beroepsziekten zijn die ziekten en aandoeningen die voornamelijk in verband met de arbeid zijn ontstaan (Arboregeling 1.11.1).

## 12.3.2   REGELS BIJ ZIEKMELDING

– De werkgever geeft in de eerste week de ziekmelding van een werknemer door aan de arbodienst.
– De werkgever betaalt in het eerste en tweede ziektejaar 70% van zijn of haar loon, en ten minste het minimumloon. Meestal bepaalt de cao dat de aanvullende 30% ook wordt doorbetaald. In het tweede ziektejaar zal het loon via de cao in de meeste gevallen niet worden aangevuld tot 100%.
– Als de cao dat mogelijk maakt, kan een werkgever bij de ziekmelding een of twee 'wachtdagen' hanteren: hij wacht met het doorbetalen van het loon, en de zieke werknemer ontvangt geen loon op de eerste of eerste twee ziektedagen. De werkgever kan ook één of meerdere vakantiedagen inhouden. Tot het minimum wettelijk vereiste aantal van twintig vakantiedagen per jaar voor een fulltime werkende is bereikt (zie daarvoor ook paragraaf 12.4).
– De werknemer is niet verplicht de aard van zijn ziekte te melden aan de werkgever of de chef. De chef mag dat officieel ook niet aan hem vragen.
– De werkgever kan vragen om een onderzoek of de werknemer 'arbeidsongeschikt' is. De bedrijfsarts heeft de medische bevoegdheid daarover een uitspraak te doen. Die uitspraak is overigens voor de werkgever niet bindend. De bedrijfsarts is niet meer dan een adviseur.

- Als er onenigheid ontstaat over de vraag of een werknemer arbeidsongeschikt is, kan dat verstrekkende gevolgen hebben. Zo kan de werkgever loon inhouden over de dagen dat een werknemer in zijn ogen onterecht verzuimt. Om de onenigheid op te lossen kunnen werkgever of werknemer een *'second opinion'* (deskundigenoordeel) vragen aan het UWV, het Uitvoeringsinstituut Werknemers Verzekeringen. Het oordeel van het UWV is niet bindend, maar als er ooit een rechtszaak komt, zal de rechter de UWV-uitspraak zwaar laten meewegen.
- Bij het geven van de *second opinion* neemt de deskundige van het UWV alle verklaringen van huisarts en specialist in zijn overweging mee.
- In principe betaalt de aanvrager de kosten van de *second opinion*. De kosten bedragen momenteel € 50. De or kan ervoor pleiten dat de werkgever deze kosten altijd voor zijn rekening neemt.
- Als er een conflict is over het al dan niet ziek zijn van een werknemer, ligt de bewijslast bij de werkgever. De jurisprudentie heeft uitgewezen dat de werkgever moet bewijzen dat de werknemer niet ziek is.
- Een meningsverschil over al of niet ziek zijn, kan geen reden zijn voor ontslag op staande voet, zo heeft jurisprudentie uitgewezen. Als de werknemer niet meewerkt aan zijn/haar re-integratie, kan de werkgever wel ontslag aanvragen.
- De gedragregels bij de ziektemelding moeten 'redelijk' zijn, bijvoorbeeld enkele uren per dag thuis zijn zodat bezoek of controle mogelijk is. 'Huisarrest', de hele dag thuis blijven tot er controle is geweest, is niet redelijk te noemen.
- Over de invoering, verandering of intrekking van regels rondom de ziektemelding, vraagt de werkgever instemming aan de ondernemingsraad (artikel 27 lid 1d WOR).

## 12.3.3   REGELS TIJDENS DE ZIEKTEPERIODE

- De werkgever zorgt voor begeleiding van de arbeidsongeschikte werknemer. Vaak schakelt hij de bedrijfsarts of arbodienst daarvoor in, die de werkgever moet bijstaan in die begeleiding.
- De werkgever mag de werknemer die ongeschikt is om zijn eigen werk te doen, ander, passend werk opdragen.
- Wat 'passend' is, is onderworpen aan de eis van redelijkheid en doelmatigheid. Redelijk houdt bijvoorbeeld in dat rekening wordt gehouden met reisafstand, met loon en werksfeer. Het andere werk moet bijvoorbeeld bijdragen aan het herstel van de zieke en mag niet de bedoeling hebben de zieke werknemer op enigerlei wijze te 'straffen'.
- De werkgever houdt zich aan de Wet verbetering poortwachter. Zie daarvoor uitgebreider onder de volgende paragraaf over re-integratie.
- Als de werkgever zijn verplichtingen niet nakomt, kan hij een financiële sanctie van het UWV opgelegd krijgen.

- Als de bedrijfsarts c.q. de werkgever aan de zieke te kennen geeft dat hij hersteld is en weer aan het werk kan, en de zieke werknemer is het daar niet mee eens, kan de werknemer een *second opinion* (deskundigenoordeel) aanvragen aan het UWV.
- Als de werknemer ongeschikt blijft voor zijn eigen werk, heeft de werkgever een reeks subsidiemogelijkheden ter beschikking om de werknemer ander werk te geven, hem of haar om te scholen of extra te begeleiden, de werkplek aan te passen. Het betreft de mogelijkheden die de Wet re-integratie arbeidsgehandicapten (REA) biedt.
- Als de werkgever regelingen inzake verzuimbegeleiding, verplichtingen voor werknemers enzovoort verandert, invoert of intrekt, dient hij instemming te vragen aan de ondernemingsraad of VGW(M)-commissie (artikel 27 lid 1d WOR). Voor de goede orde: het instemmingsrecht vervalt, als het onderwerp gedetailleerd in de cao is geregeld of als andere wetgeving regels dwingend oplegt.

## 12.3.4  RE-INTEGRATIE VOLGENS WET VERBETERING POORTWACHTER

Re-integratie wil zoveel zeggen als de inspanning die geleverd wordt om een langdurig zieke werknemer weer werk te geven dat bij hem past. Re-integratie beperken we hier tot de werknemers die in hun eerste of tweede ziektejaar zijn. Sinds 1 april 2002 is de Wet verbetering poortwachter van kracht. Die is destijds ingevoerd omdat langdurig zieken binnen bedrijven en instellingen te vaak buiten beeld bleven, omdat met serieuze re-integratie pas laat in het eerste ziektejaar werd begonnen, als er al mee begonnen werd, en tenslotte omdat destijds het aantal WAO'ers weer steeg.

De Wet verbetering poortwachter heeft als doel dat zowel werkgevers als werknemers de re-integratie van langdurig zieken serieuzer gaan aanpakken. Verscherpte financiële sancties zijn daarvan een onlosmakelijk onderdeel.

In tijdsvolgorde zijn in geval van een ziekmelding de volgende stappen verplicht te nemen:

- **Week 1: ziekmelding**
    De werknemer meldt zich ziek en in de eerste week stelt de werkgever de arbodienst hiervan op de hoogte.
- **Week 6: analyse en advies van arbodienst**
    De arbodienst schrijft na maximaal zes weken een probleemanalyse. Daarin worden de medische beperkingen en mogelijkheden van de zieke werknemer beschreven. De probleemanalyse bevat ook een advies over mogelijke werkhervatting. Als er sprake is van een arbeidsconflict wordt dat expliciet vermeld.

– **Week 8: plan van aanpak door werkgever**

De werkgever stelt een plan van aanpak op betreffende re-integratie in eigen of ander werk. Het plan is schriftelijk en dient tot stand te komen in overeenstemming met de werknemer. Het bevat in ieder geval de volgende elementen:

– het doel dat met de re-integratie beoogd wordt: terugkeer in de eigen functie, terugkeer in een andere functie in de organisatie of terugkeer in een functie buiten het eigen bedrijf;

– afspraken over wie wat doet en de termijnen waarbinnen dat moet gebeuren;

– afspraken over een regelmatige evaluatie van het plan van aanpak, waarin vragen worden beantwoord als: worden de doelen die we gesteld hebben gehaald, vordert het medisch herstel, zijn bijstellingen nodig, enzovoort;

– aanwijzing van een 'casemanager', een functionaris die de activiteiten begeleidt en het contact verzorgt tussen werknemer, werkgever (vaak de leidinggevende) en arbodienst;

– in geval van onenigheid over het plan van aanpak, kan een second opinion worden gevraagd aan het UWV (UitvoeringsInstituut Werknemersverzekeringen).

– **Week 9 tot 89: begeleiding, dossiervorming, passend werk**

In deze periode wordt de werknemer begeleid volgens het plan van aanpak; de werknemer wordt daarbij geacht ook zelf met ideeën te komen en initiatieven te nemen.

De werkgever legt een dossier aan. In dat dossier zijn opgenomen: de probleemanalyse en het advies van de arbodienst, het plan van aanpak voor re-integratie, verslagen van gesprekken, en eventuele bijstellingen van het plan van aanpak. De zieke werknemer wordt geadviseerd ook zelf een dossier of logboek bij te houden, over de voortgang van de begeleiding en re-integratie, over afspraken en voorstellen van werkgever, arbodienst en hem- of haarzelf. Het is aan te bevelen dat de zieke werknemer, als hij dat wil, een vertrouwenspersoon of adviseur kan meenemen naar een begeleidingsgesprek. De or/VGW(M)-commissie kan met de werkgever afspreken dat dit mogelijk is.

De werkgever dient aan de zieke of deels zieke werknemer passend werk aan te bieden, dat het herstel en de definitieve werkhervatting bevordert. Het is lastig exact aan te geven wat passend werk is. De wet geeft daarover geen scherp en gedetailleerd uitsluitsel. De werkgever moet alles doen wat in redelijkheid van hem kan worden gevraagd om aangepast werk aan te bieden en de werknemer dient dat dan ook te aanvaarden. Onder 'redelijk' wordt dan verstaan (zo zegt de minister) dat de werkgever moet letten op het arbeidsverleden, de opleiding, de gezondheidstoestand, reisafstand, loon en datgene waartoe de werknemer in staat is. Maar hoe langer een werknemer ziek is, hoe ruimer het begrip 'passend' wordt.

Als herplaatsing in het eigen bedrijf niet mogelijk blijkt, is de werkgever ook verplicht bij een ander bedrijf te zoeken naar passend werk voor de zieke werknemer, als dat in het eigen bedrijf niet aanwezig mocht zijn. Hij kan daarvoor een re-integratiebedrijf inschakelen.

### Werkgever of werknemer weigerachtig?

Als de werknemer weigert mee te werken aan herstel en werkhervatting kan de werkgever hem loon onthouden en zelfs voor hem/haar ontslag aanvragen. Indien de werkgever ontslag wil aanvragen moet eerst een oordeel worden gevraagd aan het UWV.

Als de werkgever (of arbodienst) naar het idee van de werknemer zich onvoldoende inspant, geen passend werk aanbiedt, of als er andere meningsverschillen ontstaan inzake re-integratie, kan ook de werknemer een second opinion aanvragen bij het UWV. De zieke werknemer kan ook zelf een 'voorziening' aanvragen bij het UWV voor bijvoorbeeld aanpassing van de werkplek of hij kan een voorstel doen voor passend werk en daarbij het UWV inschakelen.

– **Week 50: evaluatie**
Voorafgaand aan het eind van het eerste ziektejaar maken werkgever en werknemer samen een evaluatie van dat jaar. Hier wordt bijvoorbeeld afgewogen of het plan van aanpak moet worden bijgesteld. Deze schriftelijke evaluatie wordt onderdeel van het later samen te stellen re-integratieverslag.
– **Week 89: re-integratieverslag**
Uiterlijk in de 89ste week van ziekte dient de werkgever een re-integratieverslag te schrijven. In dat verslag legt de werkgever vast wat er in de afgelopen ziektemaanden is gebeurd en welke de mogelijkheden en onmogelijkheden van werknemer en werkgever zijn betreffende werkhervatting. In ieder geval worden in het re-integratieverslag opgenomen:
  – oordeel en advies arbodienst (6e week);
  – plan van aanpak (8ste week) en mogelijke bijstellingen;
  – de meest recente 'evaluatie' van het plan van aanpak;
  – een actueel oordeel over de kwaliteit van de arbeidsrelatie (goede of slechte werkverhoudingen) door werkgever en arbodienst;
  – een actueel oordeel van de arbodienst over mogelijkheden en beperkingen tot het verrichten van arbeid;
  – een actueel oordeel van werkgever en arbodienst over de aanwezigheid van passende arbeid;
  – het oordeel van de werknemer over bovenstaande punten.
– **Week 91: aanvraag arbeidsongeschiktheidsuitkering; mogelijke sancties**
De werknemer vraagt een arbeidsongeschiktheidsuitkering aan bij het UWV. Daarbij dient als bijlage het re-integratieverslag te worden bijgevoegd.

Vervolgens beoordeelt het UWV of werkgever en werknemer zich voldoende hebben ingespannen om werkhervatting mogelijk te maken.

Als dat naar het oordeel van het UWV onvoldoende is, kan het UWV sancties toepassen. De werkgever kan worden verplicht langer loon door te betalen (tot maximaal een geheel jaar), de werknemer kan een deel of de gehele uitkering worden onthouden. Tegen zo'n beslissing kunnen zowel werkgever als werknemer in beroep gaan. Eerst bij het UWV zelf en in hoger beroep bij de rechtbank. Het is aan te bevelen in zo'n geval hulp te vragen van een advocaat of de vakbond.

### 12.3.5 NA TWEE JAAR: ARBEIDSONGESCHIKTHEID EN WIA

– De werknemer wordt gekeurd en ontvangt een hele of gedeeltelijke arbeidsongeschiktheidsuitkering op grond van de Wet inkomen naar arbeidsvermogen (WIA) op grond van de cao, wordt de rest soms aangevuld door de werkgever voor de periode waarin de werknemer een arbeidsovereenkomst heeft met de werkgever.
– Werknemers die op papier door hun aandoening een loonverlies leiden van 35% of minder, ontvangen geen uitkering en blijven in dienst van hun werkgever.
– Als de werkgever eigenrisicodrager in verband met de WIA wil worden, moet hij daarover advies vragen aan de ondernemingsraad.
– Als de werkgever regelingen rond re-integratie invoert, verandert of intrekt, dient hij instemming te vragen aan de ondernemingsraad of VGW(M)-commissie.
– Raadpleeg verder de bijgaande checklisten:
  – paragraaf 30.11
  – paragraaf 30.12
  – paragraaf 30.14

## 12.4 Een gezond ziekteverzuimbeleid

De werkgever dient zorg te dragen voor de gezondheid van de werknemers en daarop beleid te maken. Dat wil zeggen dat hij planmatig, doordacht en sociaal met de verzuim- en gezondheidsproblematiek dient om te gaan. De or/VGW(M)-commissie kan hierin een grote stem hebben. Wettelijk bestaat er het instemmingsrecht over ongeveer alle regelingen die met verzuim te maken hebben.

Hierna volgen enkele suggesties voor een gezonde invulling van het ziekteverzuimbeleid.

*Een gezond ziekteverzuimbeleid in hoofdlijnen:*
Een sociaal en effectief ziekteverzuimbeleid is gebaseerd op een gezonde visie op
ziekteverzuim en wordt uitgewerkt in een driesporenaanpak:
- preventie;
- een geregelde en sociale ziekteverzuimbegeleiding;
- een beleidsmatige aanpak van ziekteverzuim.

1. Visie en grondhouding

De basis van een verzuimbeleid is de manier waarop naar ziekte en arbeidsongeschiktheid wordt gekeken. Gezond verzuimbeleid is gebouwd op het besef
dat ziekte niet alleen iets is dat een individu overkomt, of vooral iets zegt over
de mentaliteit van de verzuimer. Een ziekmelding wordt mede opgevat als een
mogelijk signaal van knelpunten en misschien ook van ongenoegen in het
werk. Preventie staat hoog in het vaandel. Verder is er is sprake van een grondhouding die de zieke niet wantrouwt maar die de nadruk legt op een professionele begeleiding. In een gezond verzuimbeleid worden geen financiële prikkels ingebouwd; als er enkele werknemers zich niet aan de afgesproken regels
houden, worden geen algemene maatregelen getroffen, maar worden deze
personen individueel aangesproken.

2. Het eerste spoor: Preventie

Er wordt preventief beleid gevoerd, dat begint met het kennen van de oorzaken van verzuim, want wie de oorzaak kent kan de kwaal bestrijden. Om de
oorzaken goed in beeld te krijgen zijn ziekteverzuimcijfers, de RI&E en contacten met de bedrijfsarts van belang. Vervolgens is het zaak om de werkgebonden oorzaken van ziekte zoveel mogelijk aan te pakken.

3. Het tweede spoor: Geregelde en sociale ziekteverzuimbegeleiding opzetten

Er is een heldere ziektemeldingsprocedure. De taken van leidinggevenden
en bedrijfsarts zijn goed omschreven. Het overleg in een sociaalmedisch team
is op een juiste manier opgezet. Er zijn voorzieningen getroffen om langdurig
zieken op gepaste wijze te laten terugkeren en hun mogelijk aangepast werk te
bieden.

4. Het derde spoor: Beleidsmatige aanpak van ziekteverzuim

Het belang van een planmatige en zorgvuldige aanpak van het verzuim
wordt erkend. Er is een goed overlegd ziekteverzuimbeleid, dat helderheid
schept, kaders biedt en taken toebedeelt. Er wordt nauw op toegezien dat de
afgesproken taken ook in alle afdelingen goed worden uitgevoerd.

*Uitwerking verzuimbeleid*
De hiervoor genoemde vier elementen worden hierna nader uitgewerkt, zonder
daarbij volledig te kunnen zijn.

## 12.4.1   VISIE EN GRONDHOUDING

De hoogste leiding heeft een visie op ziekteverzuim die behelst dat verzuim wordt gezien als een signaal van wat er speelt in de organisatie. Er is aandacht voor bedrijfsgebonden oorzaken van het verzuim. Als grondhouding worden verzuimers vertrouwd en heeft verzuimcontrole niet de overhand in het beleid. Dat betekent dat arbeidsvoorwaardelijke prikkels — inhouden van vakantiedagen, hanteren van wachtdagen, verstrekken van bonussen — niet worden gehanteerd. Als wezenlijk voor de aanpak van verzuim wordt erkend: een goede communicatie binnen het bedrijf of de instelling en het stimuleren van de binding van mensen met hun werk wordt als wezenlijk gezien voor de aanpak van verzuim. Tevens wordt het belang van een planmatige en zorgvuldige aanpak van het verzuim onderkend. Het overleg met de ondernemingsraad of VGW(M)-commissie over verzuimbeleid wordt serieus genomen en de instemmingsrechten worden op een goede manier vormgegeven. Bovenstaande elementen kunnen in een intentieverklaring verzuimbeleid worden geformuleerd.

---

**Uit de praktijk**

*Sancties en bonussen:*

Een veelvoorkomend twistpunt tussen directie en or is de vraag of het ziekteverzuim zal dalen als er financiële prikkels worden ingezet. Zo kan een werkgever bijvoorbeeld proberen drempels op te werpen tegen ziekmelding door een sanctie: werknemers die zich ziek melden verliezen dan eenmalig een deel van hun loon, of ze raken een vakantiedag kwijt. Een omgekeerde variant is de bonus: werknemers die zich een (half) jaar niet ziek hebben gemeld, ontvangen een bedrag of een hogere winstuitkering.

Bezwaren tegen sancties en bonussen:

1. Er zit een onrechtvaardigheid in: werknemers die al de pech hebben arbeidsongeschikt te raken, worden ook nog gestraft of lopen een voordeel mis.
2. Men pakt zo de problemen niet bij de bron aan; de vraag wat de oorzaak is van het ziekteverzuim komt zo namelijk niet aan de orde.
3. Het korte verzuim — wat men met bonussen of sancties probeert tegen te gaan — is doorgaans slechts verantwoordelijk voor een klein deel van het ziekteverzuim.
4. Sancties en bonussen roepen ongewenste tegenreacties op: werknemers komen ziek op het werk en vormen een veiligheids- of gezondheidsrisico voor hun collega's, of werknemers die na een ziekmelding een sanctie hebben gekregen, gaan dit 'compenseren' door de hersteldmelding uit te stellen.

Bonussen en sancties bij ziekte worden wegens deze bezwaren door de meeste ondernemingsraden afgewezen. Beter is het te pleiten voor een gerichte aanpak van de oorzaken van ziekte en voor individuele begeleiding van werknemers die zich vaak ziek melden.

## 12.4.2 HET EERSTE SPOOR: PREVENTIE

Een goede preventieve aanpak houdt in dat men de werkgebonden oorzaken van ziekteverzuim wil opsporen om ze vervolgens zo veel mogelijk aan te pakken. Het kent de volgende elementen:
- De werkgebonden gezondheidsrisico's zijn juist en volledig omschreven in de risico-inventarisatie en -evaluatie. Ook de risico's van werkdruk en psychosociale arbeidsbelasting zijn daarin opgenomen. De aangetroffen knelpunten worden planmatig aangepakt.
- Regelmatig verschijnen de ziekteverzuimcijfers, die op een doordachte manier zijn opgesteld:
- De verzuimcijfers worden overzichtelijk gepresenteerd en zijn uitgesplitst naar de verschillende afdelingen in het bedrijf. (tenzij deze afdelingen te klein zijn). Zo kan goed bezien worden waar het verzuim hoog is en waar een gerichte aanpak nodig is.
  - Er wordt een uitsplitsing gemaakt naar kort, -middenlang en lang verzuim
  - Er zijn eenvoudige vergelijkingen opgenomen met het verzuim in vorige periodes en andere afdelingen
  - Er is een korte toelichting opgenomen waarin de opvallendste zaken worden benoemd.
  - Alle ziek- en hersteldmeldingen zijn er in verwerkt.
- Afdelingen die opvallen door een hoog verzuim krijgen extra aandacht. In gesprekken met leidinggevende en medewerkers wordt achterhaald welke verbeteringen mogelijk zijn. Bij die verbeteringen kan het gaan om meer preventie, maar ook om een betere begeleiding van langdurig zieken.
- De werkgever maakt aan de werknemers kenbaar dat ze toegang hebben tot de bedrijfsarts, bijvoorbeeld op een preventief spreekuur.
- Er wordt van tijd tot tijd (bijvoorbeeld eens in de vier jaar) een periodiek arbeidsgezondheidskundig onderzoek aangeboden (PAGO) aan alle werknemers. Bij groepen werknemers met een hoog risico, geschiedt dit vaker. Een PAGO zou uit de volgende onderdelen moeten bestaan:
  - een vragenlijst die aan alle medewerkers wordt voorgelegd;
  - een medisch onderzoek;
  - een persoonlijk advies;
  - een geanonimiseerde rapportage met bevindingen en aanbevelingen.

- De bedrijfsarts levert regelmatig (minimaal eenmaal per jaar) een overzicht van de werkgebonden oorzaken van ziekte en schetst een beeld van wat hij opmaakt uit de speekuren. (uiteraard met oog voor de privacy).
- Er is een ongevalsregister waarin alle (bijna-)ongevallen worden vastgelegd. Elk ongeval wordt onderzocht en leidt tot aanbevelingen ter preventie.
- Op afdelingsniveau, bijvoorbeeld in het werkoverleg, worden de arbo- en verzuimrisico's in kaart gebracht en na analyse en deskundig advies aangepakt.
- Ieder jaar wordt het plan van aanpak of het arbojaarplan vernieuwd op grond van de voortgang in het afgelopen jaar en van de nieuw aangetroffen knelpunten.
- Er is een systeem waarin de afdelingen met laag verzuim (en goede werksfeer) wordt vergeleken met soortgelijke afdelingen met een hoger verzuim. Waarin zitten de verschillen en hoe kan het succes van de één bijdragen tot verbetering van de ander?
- In de functioneringsgesprekken van direct leidinggevenden met hun leidinggevende wordt de manier waarop zij met verzuimpreventie en de verzuimbegeleiding omgaan besproken. 'Aanpak ziekteverzuim' is één van de onderwerpen van het functioneringsgesprek en één van de criteria van beoordeling.
- Bevordering van gezonden leefgewoontes, ook buiten het werk, kan ook een van de onderdelen van een preventiebeleid zijn. Zie daarvoor paragraaf 12.5.

### 12.4.3 HET TWEEDE SPOOR: GEREGELDE EN SOCIALE ZIEKTEVERZUIMBEGELEIDING

Als een werknemer door ziekte of ongeval tijdelijk arbeidsongeschikt is geraakt is het in ieders belang om hem op een juiste manier weer spoedig aan het werk te krijgen. Bij deze verzuimbegeleiding zijn de volgende aspecten van belang:

*Ziekteverzuimreglement*
- Er is een duidelijk ziekteverzuimreglement ('Wat te doen bij ziekte') waarin staat beschreven wat de werknemer moet doen als hij of zij ziek wordt. Daarin zijn de taken en verplichtingen van alle betrokkenen vastgelegd, ook in verband met de toepassing van de Wet verbetering poortwachter.
- Er staat in het reglement een duidelijke regeling over de wijze van ziektemelding: bij wie, vóór welk tijdstip enzovoort.
- De werknemers hebben hierover duidelijke schriftelijke informatie en hebben tevens de gedragsregels bij ziekte op schrift ontvangen.
- De leidinggevende is op de hoogte van de wijze waarop met de ziektemelding moet worden omgegaan: de houding waarmee de zieke te benaderen, wat te vragen, wat te noteren, wat aan wie te communiceren, wat en hoe een en ander administratief af te handelen.

– De leidinggevenden zijn voldoende getraind om het ziekteverzuimbeleid goed uit te voeren op hun afdeling.
– De leidinggevende handelt bij een ziekmelding als volgt:
  – hij/zij toont belangstelling;
  – hij/zij vraagt hoe lang de ziekte wellicht zal duren in verband met de ziektevervanging en de werkplanning;
  – hij/zij brengt samen met de werknemer in kaart welke werkzaamheden nog wel door de werknemer gedaan kunnen worden. Waar mogelijk gaat men samen op zoek naar acceptabele creatieve mogelijkheden;
  – hij/zij maakt mogelijke afspraken, bijvoorbeeld dat hij over twee dagen terug zal bellen.
– De leidinggevende vraagt niet naar de aard van ziekte. De Wet bescherming persoonsgegevens staat dit niet toe.
– In het verzuimreglement zijn redelijke tijden genoemd waarbinnen de zieke medewerker thuis dient te blijven. Het kan niet zo zijn dat de zieke medewerker verplicht is om tot de eerste controle 24 uur per dag thuis te blijven.
– De leidinggevende registreert zijn gegevens, bergt die zorgvuldig op en onthoudt zich van aantekeningen over de ziekte, de aard van de ziekte en het al of niet terecht zijn van de melding.
– In het ziekteverzuimbeleid is een klachtenregeling opgenomen. Daarin staat omschreven waar de medewerker terecht kan in geval van klachten over het omgaan met zijn of haar verzuim, welke de procedures zijn om met die klacht om te gaan, etc.
– Er wordt op een sociale en afdoende wijze verzuimcontrole uitgeoefend. Bij een sterk vermoeden van onterecht verzuim, kan de leidinggevende een spoedcontrole aanvragen.
– Bezoek aan huis is gereglementeerd:
  – De leidinggevende stimuleert — vooral informeel — dat de zieke wordt bezocht door de collega's.
  – De leidinggevende gaat op een in een reglement vastgestelde tijd, bijvoorbeeld na twee weken op bezoek, tenzij er sprake is van bijzondere gevallen.
  – De leidinggevende vraagt de zieke eerst of hij bezoek van hem op prijs stelt.
  – Strikt wettelijk gesproken hoeft de zieke niemand van het bedrijf en ook de bedrijfsarts niet in zijn huis binnen te laten. Hij moet wel controle op het al of niet ziek zijn mogelijk maken.
– Met de langdurig zieke wordt contact onderhouden: af en toe een bloemetje, af en toe bezoek, de vraag om eens langs te komen op het werk.
– De contacten en acties richting zieke worden alle schriftelijk vastgelegd.
– Indien er sanctiebeleid bestaat (overtreding van verzuimregels die bij ieder bekend zijn en waarvoor de or instemming heeft gegeven), is dat aan ieder bekend en wordt ervoor zorg gedragen dat het rechtvaardig wordt toegepast.

De or heeft er instemming aan gegeven en wordt jaarlijks ingelicht over de toegepaste sancties en de achtergronden daarvan.

### Begeleiding en re-integratie van langdurig zieken

- In het contract met de arbodienst/bedrijfsarts is ondermeer vastgelegd dat de arbodienst/bedrijfsarts na uiterlijk 6 ziekteweken een schriftelijke probleemanalyse maakt met een advies over herstel en werkhervatting. De arbodienst/bedrijfsarts levert hierin goed werk.
- Er is een handzaam reglement opgesteld met stappen die alle betrokkenen in geval van langdurige ziekte dienen te zetten. De werkgever heeft daarin ondermeer vastgelegd wie in overleg met de zieke medewerker het plan van aanpak opstelt. Ook is daarin opgenomen dat de langdurig zieke minimaal eens per 6 weken overleg heeft met het bedrijf/de instelling en met de arbodienst/bedrijfsarts. De onderlinge taakverdeling tussen leidinggevende, P&O, casemanager en arbodienst/bedrijfsarts is helder.
- Langdurig zieke collega's worden zorgvuldig en respectvol begeleid. Bij herplaatsing is steeds het volgende traject doorlopen:
  1. herplaatsing in de huidige functie;
  2. als dat onmogelijk is: in een andere functie in het eigen bedrijf;
  3. als ook dat niet lukt: extern.
- De werkgever heeft een juiste en een goed uitgewerkte keuze gemaakt rondom het vraagstuk van de 'casemanager' (zie paragraaf 12.3.4). De taken van de casemanager zijn duidelijk en de casemanager functioneert naar behoren.
- In het verzuimreglement is duidelijk gemaakt dat een zieke medewerker akkoord moet gaan met de aanwijzing van de casemanager.
- In de ziekteverzuimregels is duidelijk opgenomen hoe en wanneer een zieke medewerker een 'second opinion', ofwel een deskundigenoordeel kan aanvragen, bij verschil van mening tussen werknemer en bedrijf over herplaatsing.
- In de ziekteverzuimregels van de organisatie is opgenomen dat een zieke werknemer zich in een gesprek over re-integratie kan laten bijstaan door een adviseur/vertrouwenspersoon.
- Centraal wordt voor elke langdurig zieke een dossier aangelegd met alle correspondentie en stappen die in het kader van re-integratie worden gezet. Dit zoals de Wet verbetering poortwachter dat voorschrijft.
- Elke medewerker kan te allen tijde zijn eigen verzuimdossier inzien.
- In het privacyreglement van de organisatie is geregeld hoe om te gaan met dossiervorming en -beheer van langdurig zieke werknemers. Daarin is ondermeer de bewaartermijn, de toegankelijkheid en het inzagerecht vastgelegd. De or heeft hiermee ingestemd.
- Zo mogelijk zijn er in de cao of in een eigen bedrijfsregeling uitgangspunten opgesteld over de vraag hoe het bedrijf omgaat met salaris en pensioen (en eventueel reiskosten) na een blijvende herplaatsing in een lagere functie.

*Verzuimgesprekken*

- Elke medewerk(st)er die meer dan een vastgesteld aantal maal per jaar verzuimt (bijv. drie maal), wordt door de directe chef opgeroepen voor een gesprek. Dit is een standaardprocedure die door alle leidinggevenden wordt toegepast.
- In dat gesprek legt de leidinggevende de nadruk op het achterhalen van mogelijke oorzaken van ziekte die met het werk verband houden. Zo mogelijk wordt naar oplossingen gezocht.
- Alle leidinggevenden hebben voor deze verzuimgesprekken een uitgebreide training gevolgd. Daarin zijn ook meerdere praktijksituaties geoefend.

*Sociaal Medisch Team*

- Er is een Sociaal Medisch Team (SMT) gevormd, ook wel Sociaal Medisch Overleg (SMO) genoemd, minimaal bestaande uit een P&O-functionaris, een (hogere) leidinggevende en de bedrijfsarts. Zo nodig zijn er in een bedrijf meerdere SMT's tot stand gebracht.
- Dit SMT bespreekt niet alleen individuele ziektegevallen, maar neemt ook minimaal eenmaal per jaar afdelingen onder de loep, initieert activiteiten, dringt aan op beleid, en geeft adviezen aan directie en ondernemingsraad.
- De leden van het SMT zijn gebonden aan geheimhouding. De bedrijfsarts houdt zich aan zijn medisch geheim.

## 12.4.4 HET DERDE SPOOR: BELEIDSMATIGE AANPAK VAN ZIEKTEVERZUIM

- Er is een schriftelijk verzuim- of gezondheidsbeleid, waarin de visie van het bedrijf wordt verwoord, waarin doelen en middelen worden omschreven, waarin de taken van staf en leiding in de verzuimzorg zijn bepaald en de rol en functie van de bedrijfsarts/arbodienst is vastgelegd.
- Er wordt actief gecontroleerd of iedereen zich aan de gemaakte afspraken houdt. Er is in het bedrijf ook een 'aanjager' die erop toeziet dat op alle afdelingen het verzuimbeleid wordt uitgevoerd zoals is afgesproken. Daarbij kunnen softwarepakketten nuttig zijn die het eenvoudig maken om de stappen te volgen die leidinggevenden al dan niet zetten. Waar nodig wordt vervolgens ingegrepen op afdelingen waar men zaken laat liggen.
- Om het belang van verzuimbeleid te onderstrepen is Ziekteverzuimaanpak één van de punten waarop leidinggevenden volgens het beoordelingssysteem worden beoordeeld.
- De afdeling P&O/Personeelszaken neemt regelmatig initiatieven om leidinggevenden te ondersteunen in hun aanpak van ziekteverzuim, zowel collectief als individueel.

- Er is afgesproken dat in vaste overlegsituaties, bijvoorbeeld het management-team en in werkoverleggen, het verzuim en het verzuimbeleid van tijd tot tijd wordt besproken.
- 'Ziekteverzuim en arbeidsomstandigheden' is op elk werkoverleg één van de vaste agenda-onderwerpen.
- Bij de beleidsontwikkeling rondom ziekteverzuim wordt de ondernemingsraad of diens VGW(M)-commissie nauw betrokken. Uiteraard wordt de or bij elke wijziging officieel om instemming gevraagd.
- Regelmatig wordt het verzuimbeleid geëvalueerd.

---

**Tips voor de or/VGW(M)-commissie ten aanzien van het ziekteverzuimbeleid**

- De or vraagt de arbodienst wat zijn opvattingen zijn over het ziekteverzuimbeleid van het bedrijf en wat de taken zijn die aan de arbodienst zijn gegeven. Tevens wordt aan de arbodienst gevraagd wat er in het ziekteverzuimbeleid van het bedrijf kan worden verbeterd.
- De or vraagt aan de achterban wat men van het verzuimbeleid vindt en wat verbeterd kan worden.
- De or loopt bovenstaande lijst van aanbevelingen na en maakt een keuze uit de punten die hij het belangrijkst vindt.
- De or bespreekt hoe de gekozen punten verbeterd moeten worden.

---

**De kosten van ziekteverzuim**

Om een werkgever aan te sporen om meer werk te maken van preventie, ofwel de aanpak van ziekmakende factoren in een bedrijf, kan het goed zijn om eens uit te rekenen wat de kosten van ziekteverzuim ongeveer zijn.

Het uitrekenen van de globale kosten van ziekteverzuim gaat volgens een aantal stappen.

Ik geef er een voorbeeldberekening bij van een denkbeeldig bedrijf: Hotel Zeezicht, dat een ziekteverzuimpercentage heeft van 5% en, omgerekend naar fulltimers, 200 mensen in dienst heeft. Dat rekenvoorbeeld is *cursief* gedrukt

*Stap 1*: Wat is het ziekteverzuimpercentage (zonder zwangerschap)? (*in het voorbeeld is dat 5%*)

*Stap 2*: Hoeveel werknemers zijn er dienst als je het omrekent naar fulltime aanstellingen? (*in het voorbeeld is dat 200*)

*Stap 3*: Vermenigvuldig de uitkomsten van vraag 1 en 2 met elkaar, (*in het voorbeeld is dat: 5% × 200 = 10*)

Het getal dat je nu hebt berekend is het gemiddelde aantal zieke werknemers per dag (*in het voorbeeld zijn er dus elke dag gemiddeld 10 mensen ziek*)

*Stap 4*: Maak voor het eigen bedrijf een schatting van de gemiddelde loonkosten per jaar voor 1 werknemer (fulltime). Bedenk daarbij dat de werkgever bovenop het brutojaarloon dat een werknemer ontvangt, ook nog een aanzienlijk bedrag aan sociale premies en belasting betaalt. Gemiddeld komt dat bedrag tussen de € 35.000 en € 40.000 uit (*in het voorbeeld gaan we uit van € 35.000*)

*Stap 5*: Vermenigvuldig de uitkomsten van stap 3 en stap 4 met elkaar. Dat is het bedrag dat de werkgever in een jaar aan salarisdoorbetaling bij ziekte kwijt is, zonder dat hij er iets voor terugkrijgt. (*in het voorbeeld is dat 10 × € 35.000 = € 350.000*)

*Stap 6*: Vermenigvuldig het bedrag van stap 5 met 1,5. (Naast salariskosten zijn er namelijk ook nog de indirecte kosten: leidinggevende en arbodienst komen bij ziekteverzuim in actie, er is productieverlies en/of andere collega's moeten overwerken) (*in het voorbeeld is dat 1,5 × € 350.000 = € 525.000*)

In Nederland wordt gemiddeld 22% van het ziekteverzuim direct veroorzaakt door het werk. Bij perfecte arbeidsomstandigheden zou dus 22% van bovenstaande kosten bespaard kunnen worden In bedrijven waar het slecht gesteld is met de arbeidsomstandigheden kan dat percentage nog hoger liggen. Het rekenvoorbeeld van Hotel Zeezicht laat zien dat een vermindering van het ziekteverzuim van 5% naar 4% daar al jaarlijks een besparing van ruim € 100.000 zou opleveren.

Een uitgebreidere methode om de kosten van ziekteverzuim te berekenen is te vinden op: www.verzuimkosten.nl

## 12.5 Trends in ziekteverzuimbeleid

In de afgelopen jaren zijn enkele vernieuwingen waarneembaar geworden met betrekking tot de manier waarop het ziekteverzuim binnen een organisatie wordt aangepakt. De vernieuwingen bevatten enkele goede elementen, maar dragen ook risico's in zich. Eerst nemen we gezondheidsbeleid onder de loep, en vervolgens komen twee nieuw manieren van aanpak aan de orde die onder de noemer 'Verzuim is een keuze' vallen.

## 12.5.1   GEZONDHEIDSBELEID

De laatste jaren komt de term 'gezondheidsbeleid' oftewel 'gezondheidsmanagement' steeds meer naar voren. Het is niet veel anders dan integraal ziekteverzuimbeleid, zoals dat in dit hoofdstuk is beschreven. Er worden echter enkele nieuwe accenten gezet. Bij 'gezondheidsmanagement' is de invalshoek positief. Dat wil zeggen dat niet 'verzuim' of 'ziekte' of 'bestrijden' voorop staan, maar dat gezondheid, vitaliteit en inzetbaarheid van medewerkers de sleutelwoorden zijn. Soms is het oude wijn in nieuwe zakken. Dan wordt er alleen een nieuwe term geïntroduceerd, zonder dat er daadwerkelijk iets verandert. Soms ook blijft gezondheidsmanagement beperkt tot aandacht voor alleen lifestyle: bewegen, roken, alcohol, en voeding.

Aan de andere kant bestaan er voorbeelden van gezondheidsmanagement met een brede, nieuwe aanpak die daadwerkelijk verbeteringen met zich meebrengen. Dan is er aandacht voor verbeteringen op diverse terreinen:
- preventie, bijvoorbeeld om afdelingen en medewerkers meer bij de aanpak van arboknelpunten te betrekken;
- stijl van leidinggeven, bijvoorbeeld meer coaching door de leidinggevenden en meer ruimte voor teams;
- andere manier van ziekteverzuimbeleid waarbij bijvoorbeeld meer gekeken wordt naar wat de zieke medewerker nog wel kan en welke voorzieningen de leidinggevende daarvoor dient te organiseren;
- het Periodiek Arbeidsgezondheidskundig Onderzoek wordt uitgevoerd volgens de nieuwe PMO-richtlijn, (Preventief Medisch Onderzoek), waardoor er ondermeer meer aandacht komt voor lifestyle, zoals bewegen, roken, alcohol, voeding (de Leidraad PMO is te vinden op www.nvab.artsennet.nl);
- soms ook een verbetering van het personeelsbeleid, zoals zelf roosteren van werktijden, leeftijdsbewust personeelsbeleid e.d.
- Bovenstaande zaken kunnen worden gekoppeld aan enkele van de volgende activiteiten op het gebied van lifestyle:
  - voorlichting over gezonde en ongezonde leefgewoontes;
  - het stimuleren van sport en beweging door werknemers;
  - het stimuleren van fietsgebruik voor woon-werkverkeer;
  - aanpassing van het assortiment in de kantine;
  - het invoeren van een prijsbeleid in de kantine dat gezonde producten goedkoper maakt en ongezonde producten duurder;
  - het aanbieden van trainingen om te stoppen met roken, of te minderen met andere ongezonde leefgewoontes;
  - het verminderen van alcoholgebruik tijdens bedrijfsbijeenkomsten.

Voor een ondernemingsraad is het bij de aankondiging van een nieuw gezondheidsbeleid van belang om goed te bezien wat er nu werkelijk verandert. Aandacht voor gezondheid in de brede zin, daar is op zich niets mis mee, als het maar voldoet aan de volgende voorwaarden:

- Gezondheidsbeleid mag ondermeer gericht zijn op het stimuleren van gezonde leefgewoontes, maar nooit op het voorschrijven daarvan. Lifestyle blijft een privézaak van werknemers, zolang zij hun functie naar behoren blijven uitvoeren. Pas bij aantoonbaar disfunctioneren van een werknemer, bijvoorbeeld door overmatig alcoholgebruik, kan de werknemer op een zorgvuldige manier op zijn lifestyle worden aangesproken.
- Gezondheidsbeleid komt niet in de plaats van een preventieve aanpak van werkgebonden oorzaken van ziekte. Het is er een aanvulling op. Er zal dan ook in de het gezondheidsbeleid een herkenbare aanpak van ziekmakende factoren in de eigen organisatie opgenomen dienen te zijn.
- Als bij een PAGO/PMO ook lifestylevragen zijn opgenomen in de vragenlijsten, is vooraf duidelijk gemaakt wat er precies met de resultaten gebeurt en hoe ze bekend zullen worden gemaakt. In ieder geval wordt zorgvuldig met de privacy omgegaan. De uitkomsten van de vragenlijsten mogen binnen het bedrijf nooit te herleiden zijn tot personen. Ook met gegevens op afdelings- of filiaalniveau dient men zeer terughoudend om te gaan. Het is bijvoorbeeld ongepast om naar buiten te brengen dat een bepaalde afdeling hoger scoort op alcoholgebruik.
- Het management zal heldere doelstellingen moeten formuleren die men met het gezondheidsmanagement wil bereiken. Die doelen zullen alleen gehaald kunnen worden als de nieuwe aanpak in alle facetten van de bedrijfsvoering opgenomen zal worden.
- Ten slotte is een regelmatige evaluatie op zijn plaats.

Gezondheidsbeleid kan tot gezonde organisaties leiden als het een brede, doordachte aanpak kent. Anders zijn er vele valkuilen en is de kans op mislukking groot. De ondernemingsraad heeft, vaak met instemmingsrecht in de hand, een goede mogelijkheid de aanpak in een gezonde richting te sturen.

## 12.5.2 'VERZUIM IS EEN KEUZE'

Een tweede ontwikkeling binnen het ziekteverzuimbeleid is de aanpak waarbij de slogan *'Ziekte overkomt je, verzuim is een keuze'* centraal wordt gesteld. Adviesbureaus als Falke en Verbaan en Dexis Arbeid timmeren hiermee aan de weg. Zij richten zich sterk op de individuele keuze van een werknemer om zich bij een ziekte al dan niet arbeidsongeschikt te melden. Zij leggen de nadruk op de vraag welke arbeidsprestaties een zieke werknemer nog wél kan verrichten. Daar ligt ook de link met de derde trend die met een duur woord als 'demedicalisering' wordt aangeduid. Letterlijk vertaald betekent dat 'ontdoktering'. Het wil zeggen dat bedrijven de bedrijfsarts doelbewust op afstand houden. Zij willen niet meer dat het de arbodienst is, die bepaalt of een zieke werknemer wordt opgeroepen voor een spreekuur bij de bedrijfsarts. Ze willen ook niet langer dat een dergelijke oproep automatisch volgt na een vastgesteld aantal ziektedagen.

In bedrijven die kiezen voor demedicalisering, worden kwesties rondom werkhervatting en verzuim in overleg tussen leidinggevende en zieke werknemer zo veel mogelijk gezamenlijk opgelost, zonder tussenkomst van een arts. Zij bepalen zelf welke werkzaamheden de werknemer nog wel kan verrichten en hoe dat wordt geregeld. Zo kan een werknemer met beenletsel bijvoorbeeld door een taxi worden opgehaald, om op het bedrijf zittend werk te verrichten. Of hij/zij doet die werkzaamheden thuis. Pas als een werknemer en/of leidinggevende behoefte heeft aan medische expertise wordt een bedrijfsarts ingeschakeld, maar dan wel altijd met een gerichte vraag, waarop een concreet antwoord wordt verlangd.

De meest vergaande vorm van demedicalisering is het aanvragen van verzuimverlof, wat al in meerdere bedrijven wordt toegepast. Een zieke werknemer kan daar niet langer volstaan met een ziekmelding, maar moet zijn leidinggevende toestemming vragen om verzuimverlof op te nemen. Het is aan de leidinggevende om te beoordelen of de werknemer zo ziek is, dat hij inderdaad geen werkzaamheden meer kan verrichten.

### 12.5.3    RISICO'S VAN NIEUWE AANPAK VAN ZIEKTEVERZUIM

Demedicalisering en de aanpak volgens 'Ziekte overkomt je, verzuim is een keuze' kunnen onder de juiste voorwaarden tot succes leiden, maar ze houden ook risico's in. Door een al te grote nadruk op de individuele keuzes kan de aandacht voor preventie van verzuim verminderen. In dat geval schiet deze aanpak zijn doel geheel voorbij.

Een ander risico heeft betrekking op de leidinggevende, die er een ingewikkelde taak bij krijgt. Niet iedere leidinggevende is zo communicatief vaardig, dat zij/hij bij een ziekmelding op de juiste manier een diepgaand gesprek kan aangaan. De praktijk laat zien dat sommige leidinggevenden daarbij zelfs op de stoel van de dokter gaan zitten. Zij stellen medische vragen en denken zelf telefonische diagnoses te kunnen stellen en uitspraken te kunnen doen over inzetbaarheid van de zieke werknemers. Een zeer ongewenste situatie.

Een ondernemingsraad die te maken krijgt met een voorstel tot een dergelijke nieuwe aanpak van ziekteverzuim doet er goed aan om zorgvuldig voorwaarden te stellen:

- Leidinggevenden zullen een uitgebreide training moeten krijgen om hun rol goed te kunnen vervullen. De or zal vooraf de doelstellingen en het programma ter inzage krijgen en or-leden kunnen aan de training deelnemen.
- Ook het personeel moet worden voorgelicht. In het verzuimprotocol zullen naast de plichten van werknemers ook de rechten moeten worden opgenomen. (zoals het recht om de aard van de ziekte niet te vermelden, om een adviseur naar gesprekken mee te brengen e.d.).
- Het preventieve arbo/spreekuur blijft bestaan en wordt alom bekend gemaakt.
- Het bedrijf blijft de tijdspaden aanhouden die de Wet verbetering poortwachter voorschrijft bij langdurige ziekte.
- Er dient een goede regeling te zijn voor calamiteitenverlof die ook wordt bekendgemaakt en benut.
- Er is gestructureerde aandacht voor preventie van werkgebonden oorzaken van ziekte.
- Het privacyreglement moet worden aangepast aan de nieuwe wijze van ziekmelding.
- Na een jaar zal er een uitgebreide evaluatie plaatsvinden, op een vooraf tussen or en werkgever overeengekomen manier.

## 12.6 Privacy en ziekteverzuim

In Nederland hebben mensen recht op bescherming van de persoonlijke levenssfeer en de lichamelijke integriteit. Dit recht is niet voor niets opgenomen in de grondwet. Niemand hoeft een ander in zijn huis toe te laten, tenzij daar speciale machtiging voor is gegeven. Niemand is verplicht medisch onderzoek te ondergaan. Ook voor orgaandonatie na het overlijden moet uitdrukkelijk toestemming worden gegeven. Zo zijn er vele voorbeelden te geven.

In de Wet bescherming persoonsgegevens is een aantal principes opgenomen dat voor de registratie van verzuim, het onderwerp van dit hoofdstuk, van belang is. Een paar elementen van de genoemde wet worden hierna aan de orde gesteld.

Verder zal een aantal situaties worden beschreven waarin de privacy in verband met verzuim aan de orde is:
- de sollicitatieprocedure;
- de controle bij de ziektemelding;
- de manier waarop de leidinggevende omgaat met verzuimers en verzuimgegevens;
- de gedragsregels bij ziekte;
- het omgaan met medische gegevens door de bedrijfsarts.

## 12.6.1 DE WET BESCHERMING PERSOONSGEGEVENS

De wet heeft betrekking op het verwerken en beschermen van persoonsgegevens. Eén van de hoofdlijnen is dat persoonlijke gegevens pas mogen worden geregistreerd als het een welomschreven doel dient. Dikwijls worden er allerlei gegevens opgenomen, terwijl het doel daarvan volstrekt onduidelijk is. In het verzuimregistratiesysteem, is de categorie 'leeftijd of functie' relevant, maar 'etnische afkomst' irrelevant, dus niet toegestaan.

Een aantal jaren geleden zijn veel bedrijven ertoe overgegaan een privacyreglement te maken, vaak op verzoek van de ondernemingsraad of de vakbond.

De werknemer heeft recht op inzage van zijn persoonlijk dossier, hij heeft ook recht op wijziging van zijn dossier, als daarvoor gronden zijn.

---

**Tips or/VGW(M)-commissie**

– De or/VGW(M)-commissie vraagt aan P&O of er een privacyreglement in het bedrijf aanwezig is, leest het stuk en discussieert met elkaar wat men ervan vindt. Indien nodig worden verbeteringen voorgesteld of overtredingen aan de orde gesteld.

– De or vraagt of er een privacyreglement kan worden gemaakt.

– De or ontwerpt zelf een privacyreglement en stelt de werkgever voor dat in te voeren.

---

## 12.6.2 PRIVACY EN DE SOLLICITATIEPROCEDURE

Het bovenomschreven principe kunnen we direct toepassen op de sollicitatieprocedure. Doel van de sollicitatieprocedure is om de geschiktheid voor een functie te bepalen. Het zeer uitgebreid vragen naar medische gegevens voor de functie van bijvoorbeeld administratief medewerker past niet bij dat doel. Daarom is dat nu ook verboden, ten gevolge van de Wet medische keuringen:

– In het sollicitatiegesprek mag niet worden gevraagd naar medische gegevens en naar het patroon van ziekteverzuim.

– Er mag alleen een aanstellingskeuring worden gedaan als de functie dat noodzakelijk maakt. De or/VGW(M)-commissie kan vragen welke functies in aanmerking komen voor een medische keuring als onderdeel van de sollicitatieprocedure en waarom dat het geval is.

– Als er een aanstellingskeuring wordt gehouden, geschiedt dat aan het eind van de sollicitatieprocedure, bij de enig overgebleven kandidaat.

– De uitslag geschiedt door de medicus in bewoordingen als: 'medisch gezien (on)geschikt voor de functie'. De gegevens uit het onderzoek mogen noch mondeling, noch schriftelijk worden gecommuniceerd.

---

**Tips or/VGW(M)-commissie**

– De or vraagt welke functies in aanmerking komen voor een aanstellingskeuring en welke niet.

– De or doet het voorstel om een reglement voor sollicitaties te maken, waarin is opgenomen hoe wordt omgegaan met aanstellingskeuringen. Hiervoor kan gebruik worden gemaakt van het reglement Sollicitatie van de vereniging voor personeelbeleid.

---

## 12.6.3 PRIVACY EN DE CONTROLE BIJ ZIEKMELDING

De werkgever heeft het recht te kunnen controleren of iemand al dan niet ziek is als hij zich ziek meldt. Die controle geschiedt volgens een op schrift gestelde methode waaraan de or/VGW(M)-commissie instemming heeft gegeven. Medische vragen mogen alleen worden gesteld door een arts.

Aan te bevelen is een eerstedagcontrole, bijvoorbeeld door een lekenrapporteur, achterwege te laten. Uit onderzoek blijkt dat verreweg de meeste mensen ziek zijn als ze zich ziek melden. De eerstedagcontrole is een dure en onnodige maatregel en een motie van wantrouwen tegen degenen die zich ziek melden. Bij gegronde twijfel kan een systeem van spoedcontroles werken. Ook dat dient te worden gereglementeerd, om willekeur tegen te gaan.

---

**Tip or/VGW(M)-commissie**

– De or/VGW(M)-commissie bespreekt onderling of in de wijze van verzuimcontrole en spoedcontroles de privacy al dan niet wordt geschonden.

---

## 12.6.4 PRIVACY EN HET OMGAAN MET VERZUIMERS DOOR DE LEIDINGGEVENDE

De leidinggevende heeft vaak de taak de ziektemelding aan te nemen of in ieder geval op de eerste dag met de zieke werknemer te bellen. Het is aan te bevelen om datgene wat aan de orde komt in het eerste en latere gesprekken globaal te reglementeren. In ieder geval worden geen vragen gesteld over de aard van de ziekte. Dit kan gekunsteld overkomen, maar het is denkbaar dat de zieke de aard van zijn

ziekte niet graag vertelt omdat hij geen goede verhouding heeft met de leidinggevende of omdat hij een ziekte heeft die hij überhaupt liever niet aan iemand van
zijn werk vertelt. De zieke is natuurlijk vrij om spontaan zelf te vertellen wat er aan
de hand is.

De leidinggevende laat ook na gegevens over de aard van de ziekte op schrift te
zetten of door te geven. De gegevens die hij wel op papier zet, bergt hij onmiddellijk op in een afgesloten kast of lade.

### 12.6.5 PRIVACY EN DE GEDRAGSREGELS VOOR WERKNEMERS

Hierboven is beschreven dat gedragsregels bij verzuim redelijk moeten zijn: de
regels voor bereikbaarheid mogen bijvoorbeeld geen 'huisarrest' betekenen. In dit
verband is het belangrijk te vermelden dat de verzuimende werknemer in principe
kan weigeren iemand in zijn huis toe te laten.

De werknemer moet gehoor geven aan het verzoek om bij een arts op spreekuur te
komen. Tenzij de werknemer niet mobiel is of in het geval er voldoende schriftelijke gegevens zijn over de arbeidsongeschiktheid en de te verwachten duur daarvan.

Een werknemer is vrij om een andere arts te vragen, als hij problemen heeft met
de huidige arts. Dat is het gevolg van de bescherming van de 'persoonlijke levens-
sfeer/integriteit' van een ieder. Dit is ook opgenomen in de richtlijn Certificering
arbodiensten.

De werknemer heeft het recht om bepaald onderzoek te weigeren. Hij heeft bijvoorbeeld het recht om niet te weten welke ziekte hij heeft.

### 12.6.6 PRIVACY EN MEDISCHE GEGEVENS

Medische gegevens worden slechts geregistreerd door een arts in een medisch
dossier waar alleen hij of zij toegang tot heeft. Er bevinden zich dus geen medische
gegevens in het personeelsdossier of in andere registraties in het bedrijf. Er wordt
over medische gegevens niet gecommuniceerd in het bedrijf. Klachtenonderzoek
— bijvoorbeeld dat van de FNV — wijst uit dat vanuit het Sociaal Medisch Team
(SMT) verzuimgegevens van mensen nogal eens op de afdelingen in het bedrijf
terecht komen. Zowel de bedrijfsarts als andere deelnemers aan zo'n SMT zijn
hier hun boekje te buiten gegaan. De bedrijfsarts heeft de plicht tot medische
geheimhouding. Hij mag geen medische informatie over een zieke werknemer
aan het bedrijf doorgeven. Wel mag de arts doorgeven welke beperkingen een
werknemer in het werk heeft en tot welke activiteiten hij wel in staat is. Indien de

arts wel over de ziekte en achtergronden van de werknemer spreekt, gelden er enkele voorwaarden:
- de betrokkene heeft voor die bespreking uitdrukkelijke toestemming gegeven;
- de andere deelnemers aan het SMT zijn gebonden aan geheimhouding.

Zie hoofdstuk 14 over het omgaan met persoonsgegevens bij wijziging van arbodienst.

---

**Tips or/VGW(M)-commissie**
- Zorg ervoor dat de werknemers geïnformeerd zijn over hun recht op privacybescherming.
- Vraag aan de achterban of er problemen zijn met de privacy; of er verhalen over zieken en ziektes in het bedrijf rondgaan die daar niet thuis horen.
- Vraag aan de achterban of ze weten wat in hun verzuimdossier op de afdeling P&O zit.
- Informeer bij het hoofd P&O hoe er in het Sociaal Medisch Team (SMT) wordt omgegaan met het medisch geheim van de bedrijfsarts.
- Bespreek met de bedrijfsarts hoe hij met zijn medische geheimplicht in het SMT omgaat.
- Lees het ziekteverzuimbeleid en het verzuimprotocol na op regelingen rond privacybescherming en stel, indien nodig, verbeteringen voor.
- Maak bij de overgang naar een andere arbodienstverlener afspraken over zorgvuldige overdracht van dossiers.

---

## 12.7    Re-integratiebedrijven

Als een werkgever geen passende arbeid voor een arbeidsongeschikte werknemer kan vinden binnen de eigen organisatie, dient er ook buiten de eigen onderneming gezocht te worden. Een re-integratiebedrijf kan daarbij behulpzaam zijn. Re-integratiebedrijven zijn organisaties die gespecialiseerd zijn in het re-integreren van (deels) zieke werknemers of mensen die in de WAO, WIA of WGA zitten. De overheid heeft er bewust voor gekozen de re-integratie te privatiseren. Er zijn re-integratiebedrijven in vele soorten en maten: grote landelijke of meer regionaal georiënteerde organisaties, bedrijven die uit de zorg voortkomen of het onderwijs, die zich specialiseren op bijvoorbeeld de bouw of de industrie, bedrijven die gespecialiseerd zijn in nek- en rugklachten of whiplash, bedrijven die zich specialiseren in scholing, bedrijven die vooral bemiddeling doen, of bedrijven die zeggen een totaal pakket te leveren. Om — willekeurig — enkele namen te noemen: De Gezonde Zaak, Agens, Salto Re-integratie, Winnock, Keerpunt en velen meer. Er zijn goede en slechte ervaringen, ook met zeer grote en gerenommeerde re-integratiebedrijven. Bij de keuze en evaluatie van een re-integratiebedrijf is dus oplettendheid geboden. Een erg belangrijk punt is de vraag wie de regie voert over de re-integratie. Kiest het re-integratiebedrijf voor een (standaard) route en heeft de werknemer maar te volgen, of komt er in overleg met betrokkenen een traject tot stand?

Re-integratiebedrijven zijn verenigd in de brancheorganisatie van arbodiensten en re-integratiebedrijven Boaborea (www.boaborea.nl). Deze noemen zich nu 'dienstverleners voor werk, loopbaan en vitaliteit'.

Een werkgever kan een re-integratiebedrijf inschakelen voor een enkele werknemer, maar grote bedrijven hebben vaak een doorlopend contract met een re-integratiebedrijf voor meerdere trajecten. In dit laatste geval dient hij deze keuze ter instemming voor te leggen aan de or/VGW(M)-commissie.

---

**Tips or/VGW(M)-commissie**

- Ga na of er sprake is van (op schrift gesteld) re-integratiebeleid in uw organisatie.
- Bespreek en noteer onderling als or/VGWM wat de sterke en zwakke punten zijn van de manier waarop het bedrijf of de instelling met de Wet verbetering Poortwachter omgaat.
- Bespreek met de werkgever hoe de Wet verbetering poortwachter in het bedrijf wordt toegepast.
- Vraag aan langdurig zieken naar hun ervaring met de verplichtingen van de Wet verbetering poortwachter en hun re-integratie.
- Zie paragraaf 30.11.

---

## 12.8  Rechten ondernemingsraad en VGW(M)-commissie

De or/VGW(M)-commissie heeft veel rechten betreffende het verzuimbeleid. Ik verwijs hiervoor naar hoofdstuk 4, waarin alle medezeggenschapsrechten inzake arbeidsomstandigheden en verzuim bij elkaar staan. Veel belangrijker dan het *hebben* van rechten is om er *gebruik* van te maken. Nog beter is het om als or of VGW(M)-commissie voor elkaar te krijgen wat men voor elkaar wil krijgen afgezien van welke rechten ook.

Een aantal medezeggenschapsrechten vat ik hierna nog even samen.

*Informatierechten*
De or/VGW(M)-commissie heeft recht op:

- Het verkrijgen, desgevraagd, van alle verslagen en documenten betreffende het verzuim: verzuimoverzichten, instructies aan leidinggevenden, het contract met de arbodienst, het privacyreglement, desnoods de verslagen van het Sociaal Medisch Team, als dat nodig is voor de taak van de or/VGW(M)-commissie en de privacy niet wordt geschonden.
- Alle adviezen en rapporten van de arbodienst aan de werkgever die niet persoonsgebonden zijn; deze verkrijgt de or of VGW(M)-commissie zonder erom te hoeven vragen.

*Instemmingsrecht*

Het invoeren, wijzigen, of intrekken van regelingen over het verzuimbeleid moeten ter instemming worden voorgelegd aan de ondernemingsraad of VGW(M)-commissie. Enkele voorbeelden:

- een nieuwe regeling ziekteverzuim in het bedrijf;
- een veranderd sanctiebeleid bij overtredingen van verzuimregels;
- een plotseling opduikende regeling betreffende spoedcontroles;
- nieuwe opleidingen voor leidinggevenden over omgaan met verzuim;
- het geven van een bonus aan niet-verzuimers;
- het invoeren of afschaffen van een Sociaal Medisch Team;
- het invoeren of afschaffen van eerstedagscontrole van zieken;
- het veranderen van het contract met de arbodienst.

## 12.9    Verder lezen

- Zie paragraaf 30.9, paragraaf 30.10 en paragraaf 30.11.
- *Wie schrijft die blijft,* een logboek voor een zieke werknemer. Bevat ook allerlei praktische tips en informatie. Zie www.fnv.nl.
- *Leidraad PAGO,* SKB, Amsterdam.
- *Leidraad PMO* (preventief medisch onderzoek: www.nvab-online.nl).
- *Jaarboek Arbo & Verzuim,* Kluwer, Alphen aan den Rijn.
- *Regelingen rond re-integratie.* Brochure (gratis) van Ministerie van Sociale Zaken en Werkgelegenheid (via www.rijksoverheid.nl).
- www.uwv.nl, de website van de Uitvoeringsinstantie Werknemersverzekeringen.
- www.boaborea.nl, de website van de re-integratiebedrijven.
- www.nisb.nl/bravokompas : een informatieve site over gezondheidsbeleid met speciale aandacht voor BRAVO: Bewegen, Roken, Alcohol, Voeding en Ontspanning

# 13 Voorlichting, onderricht en toezicht

## 13.1 Inleiding

De werkgever dient over de risico's die werknemers in hun werk lopen voorlichting en onderricht te geven. Aan nieuwe werknemers, maar zeker ook aan het meer ervaren personeel. Voorts moet er *toezicht* worden gehouden op de gegeven instructies. *Voorlichting* heeft vooral betrekking op het geven van informatie, bijvoorbeeld over het risico dat je van slecht tillen schade aan rug en schouders kunt oplopen. En over de maatregelen die daar in het bedrijf voor zijn getroffen. *Onderricht* betekent dat ook wordt geoefend wat bijvoorbeeld goed en slecht tillen is. Goede voorlichting en onderricht zijn dus van wezenlijk belang voor de veiligheid en de gezondheid van iedereen die werkt. En toezicht is van belang om na te gaan of werknemers zich in de praktijk houden aan instructies. Dikwijls is het gebrek aan toezicht een zwakke plek in de arbozorg van een bedrijf.

Uit rechterlijke uitspraken naar aanleiding van ongevallen blijkt dat de rechter groot belang hecht aan zowel goede voorlichting en onderricht als aan toezicht. Als één van beide ontbreekt of tekortschiet, wordt een werkgever eerder aansprakelijk gesteld voor bedrijfsongevallen en beroepsziekten en bovendien voor een hoger bedrag.

De ondernemingsraad heeft instemmingsrecht over het invoeren en veranderen van de aanpak van arbovoorlichting, -onderricht en -toezicht. De or doet er goed aan alert te zijn op voorlichting en onderricht van het vaste personeel, maar ook van uitzendkrachten of vakantiewerkers.

In de praktijk blijkt dat veel bedrijven wel eens arbovoorlichting verzorgen, maar dat er geen planning achter zit. Daardoor komt het voor dat een voorlichting over goed tillen, of omgang met gevaarlijke stoffen vele jaren geleden eens is verzorgd, en daarna nooit meer. Een ondernemingsraad doet er in zo'n geval verstandig aan om met de werkgever afspraken te maken over een arbovoorlichtingsplan, waarin per functie de risico's zijn benoemd. Per risico is daar aangegeven hoe vaak en door wie daarover voorlichting en onderricht zal worden verzorgd. Daar kan bijvoorbeeld een training van een halve dag in staan over 'veilig hijsen', die om de drie jaar wordt herhaald. Maar het kan ook een jaarlijkse opfrisser zijn van een kwartier over 'gezond werken aan het beeldscherm'. Herhaling is nodig om gedragsverandering te bewerkstelligen en te borgen. Uiteraard is dan een zorgvuldige afwisseling nodig van de manier waarop de arbovoorlichting en -onderricht wordt aangeboden.

*Afbeelding 1. Werknemers dienen herhaaldelijk te worden voorgelicht en geïnstrueerd over de risico's in hun werk.*

## 13.2    De verplichtingen

Volgens de Arbowet (artikel 8) moet aan de werknemers *doeltreffende* voorlichting en onderricht worden gegeven over het werk en de gevaren die daaraan zijn verbonden. Uit de RI&E blijkt welke risico's bestaan bij de verschillende functies in de organisatie. Over de aangetroffen risico's en over de beschermingsmaatregelen moet gerichte voorlichting en onderricht worden gegeven.

Speciale aandacht dient daarbij gegeven te worden aan de noodzaak en het gebruik van persoonlijke beschermingsmiddelen en machinebeveiligingen. Jeugdige werknemers, onder de 18 jaar, verdienen ook extra aandacht bij de voorlichting en het toezicht te krijgen.

Een werkgever die personeel inleent, moet ervoor zorgen dat ook arbovoorlichting en -onderricht voor ingeleende krachten plaatsvindt, tenzij anders met het uitzendbureau is overeengekomen.

De Arbowet maakt een onderscheid tussen voorlichting en onderricht. Bij voorlichting gaat het over overdracht van informatie. Dat kan met een praatje, een folder of een film. Er is pas sprake van onderricht als werknemers praktische arbotraining krijgen aangeboden. Doorgaans heeft arbo-onderricht meer effect dan arbovoorlichting.

## 13.2.1 VOORLICHTING

Werknemers, de nieuwkomers maar ook ervaren krachten, moeten regelmatig worden voorgelicht over:
- de gevaren die aan hun werk zijn verbonden (kans op rugletsel, bekneld raken, vallen, werkstress enzovoort);
- de maatregelen die de gevaren moeten voorkomen of beperken (bijvoorbeeld tilhulpmiddelen en hoe ze te gebruiken);
- persoonlijke beschermingsmiddelen (zoals oordoppen, brillen, kleding enzovoort); waarom en hoe ze moeten worden gebruikt;
- veiligheidsvoorzieningen aan machines en apparaten: waarom ze er zijn en hoe ze moeten worden gebruikt;
- algemene arbo-informatie: wat te doen bij brand, waar moet je gevaarlijke situaties melden, wat te doen bij ziekte, wat zijn de huisregels rondom roken, intern transport, orde en netheid etc.;
- de manier waarop de 'deskundige hulp' is georganiseerd: bijv. de arbodienst, of een eigen bedrijfsarts.

---

**Uit de praktijk**

*Nieuwe vormen van arbovoorlichting*

Op www.arboportaal.nl zijn allerlei korte en praktische arbovoorlichtingsfilmpjes te zien en te downloaden. Bijvoorbeeld over rugbelasting bij ver reiken, herrie op kantoor of over verfspuiten. Een tweede nieuwigheid is dat enkele arbocatalogi kant en klaar arbovoorlichtingsmateriaal aanbieden. Zo is er op www.5xbeter.nl voorlichtingsmateriaal te vinden over lawaai, oplosmiddelen en lasrook. Deze informatie is te downloaden en kan meteen worden ingezet. Ook wordt er in enkele organisaties gewerkt met Arbogames, al dan niet digitaal. Zo heeft de Abvakabo FNV bijvoorbeeld een werkdrukspel ontwikkeld, dat werkdruk bespreekbaar maakt binnen een team. En op www.arbomasters.nl is een arbogame te vinden die diverse actuele arbothema's in de installatiebranche op een aantrekkelijke manier presenteert.

---

## 13.2.2 ONDERRICHT

Onderricht is meer dan voorlichten. Hier gaat het met name om het oefenen en trainen van veilig en gezond werken. De kenmerken van goed onderricht zijn:
– Het is aan de taken aangepast. Dat betekent geen algemeen onderricht, maar aangepast aan de verschillende functies en taken.
– Het is 'doeltreffend'; doeltreffend betekent volgens het ministerie van SZW:
    – rekening houden met ervaring, kennis, capaciteiten en behoeften van werknemers;
    – begrijpelijk voor werknemers;
    – praktisch en zo mogelijk aanschouwelijk: laten zien hoe het moet;

Een boekje uitdelen over veilig werken aan machines is dus niet voldoende, niet 'doeltreffend'.

Dat betekent dat onderricht inhoudt:
– laten zien welke werkplekken en -handelingen gevaren met zich meebrengen;
– demonstreren wat gevaarlijk en veilig werken is, goed en slecht tillen, veilig en onveilig lassen, goed en slecht zitten op een beeldschermwerkplek, enzovoort;
– werknemers hiermee laten oefenen;
– het onderricht na gezette tijden herhalen.

---

**Uit de praktijk**

*Werknemers die de Nederlandse taal niet beheersen*

In talloze sectoren zijn de laatste jaren Oost-Europese werknemers aan het werk. Doorgaans spreken zijn geen Nederlands. En zij zijn niet de enigen. Werknemers die de Nederlandse taal niet goed beheersen brengen extra arborisico's met zich mee. Als zij niet goed op de hoogte zijn van de arborisico's in het bedrijf kunnen zij zichzelf of hun collega's schade berokkenen. De Arbowet schrijft voor dat de werkgever arbovoorlichting en onderricht moet aanbieden, indien nodig in een vreemde taal. Taalproblemen mogen immers niet leiden tot ongevallen. Meerdere bedrijven bieden hun arbo-informatie al in vier talen aan: Nederlands, Duits, Engels en Pools. Ze bieden ook cursussen Nederlandse taal aan.

Een andere methode is dat er binnen een groep buitenlandse werknemers een contactpersoon wordt gezocht met enige talenkennis. Hij spreekt dan met zijn landgenoten de (arbo)instructies in hun eigen taal door.

---

### 13.2.3   SPECIALE VERPLICHTINGEN

In het Arbobesluit staan speciale verplichtingen opgenomen over voorlichting en onderricht. Die zijn verbonden aan specifiek genoemde arborisico's. Die speciale verplichtingen gelden voor de volgende arboproblemen:
- schadelijk geluid (artikel 4.77, artikel 4.79, artikel 6 lid 11 Arbobesluit);
- mechanische trillingen (artikel 6.11.d Arbobesluit);
- handmatig hanteren van lasten: tillen, duwen, trekken enzovoort (artikel 5.5 Arbobesluit);
- gevaarlijke stoffen als lood, loodwit, asbest (artikel 4.10d, artikel 4.45b, artikel 4.57 Arbobesluit);
- kankerverwekkende stoffen (artikel 4.19a Arbobesluit);
- biologische agentia, dat wil zeggen: levende micro-organismen (artikel 4.102 Arbobesluit).

Het betekent dat als bovenstaande arborisico's in een organisatie voorkomen, de werkgever hier in ieder geval arbovoorlichting over dient te geven. In het Arbobesluit staat vermeld welke elementen daarbij minimaal aan bod horen te komen. Zo is bijvoorbeeld onlangs in het Arbobesluit opgenomen dat werknemers die werken met kankerverwekkende stoffen of processen minstens eenmaal per jaar voorlichting of instructie moeten krijgen over de risico's en de veiligheidsvoorzieningen.

---

**Uit de praktijk**

*Boete door gebrek aan voorlichting*

Een monteur staat op een uitschuifbare draagbare ladder. Op vier meter hoogte probeert hij een houten balk onder een zware ventilator te duwen. Door zijn krachtuitoefening schuift de ladder onderuit en valt de monteur op een betonnen vloer. Hij verbrijzelt zijn rechterarm op verschillende plaatsen en zal deze nooit meer goed kunnen gebruiken. De ladder voldeed aan alle veiligheidseisen, maar het slachtoffer en zijn collega hadden hem verkeerd gebruikt. Zij hadden bijvoorbeeld geen maatregelen getroffen tegen het wegglijden van de ladder. Zeker op de gladde vloer was dat onverantwoord. Uiteindelijk bleek dat zij geen specifieke voorlichting en onderricht hadden gekregen over het gebruik en de juiste opstelling van de ladder. Het installatiebedrijf kreeg een boete van € 9000.

---

### 13.2.4   TOEZICHT

Een werkgever dient te organiseren dat er toezicht plaats vindt op de wijze waarop de werknemers omgaan met de veiligheidsvoorschriften. Doorgaans wordt deze toezichthoudende taak neergelegd bij de direct leidinggevenden. Het blijkt bij rechtszaken na een bedrijfsongeval of een beroepsziekte dat rechters zwaar tillen aan de vraag hoe het toezicht is het bedrijf was georganiseerd. De werkgever kan zich niet permitteren om de verantwoordelijkheid voor veilig en gezond werken geheel aan de werknemers zelf over te laten. Als werknemers hun gehoorbescherming niet dragen of beveiligingen verwijderen, hoort de leidinggevende in te grijpen. Veel organisaties werken met een sanctiebeleid waar bij dergelijke overtredingen een steeds zwaardere straf wordt opgelegd, naarmate een werknemer zich er vaker aan schuldig maakt.

Vaak bloeden deze systemen dood omdat ze niet doordacht zijn opgezet, of omdat leidinggevenden geen tijd, lef of vaardigheid hebben om een werknemer aan te spreken die in de fout gaat. Een enkel bedrijf probeert onder zijn verantwoordelijkheid uit te komen door werknemers een verklaring te laten ondertekenen, waarin zij aangeven dat ze op de hoogte zijn van de veiligheidsvoorschriften en zelf verantwoordelijk zijn voor eventuele gezondheidsschade als ze deze voorschriften niet nakomen. Zo'n verklaring is niet rechtsgeldig. De werkgever blijft altijd eindverantwoordelijk.

Het blijkt bij rechtszaken over een bedrijfsongeval of beroepsziekten, dat rechters veel belang hechten aan de kwaliteit van de arbovoorlichting en het toezicht.

---

**Uit de praktijk**

*Boete door te weinig toezicht*

Een schoonmaakster in dienst van een overheidsinstelling haalt een defecte schrobmachine uit een werkkast en krijgt enkele omvallende dozen over zich heen. Ze draait haar hoofd weg en komt met haar linkeroog tegen de hendel van de schrobmachine. Zij houdt daaraan blijvend letsel over. De Arbeidsinspectie legt de instelling een boete op van € 6750 wegens het niet op orde houden van de kast. De werkgever gaat in beroep bij de rechtbank. De rechter vermindert deze boete met een derde omdat de werkgever de risico's voldoende heeft geïnventariseerd en afdoende maatregelen heeft getroffen. Er waren namelijk procedures voor het opstapelen van dozen opgesteld en bekendgemaakt.

Begin 2010 weet de werkgever in hoger beroep met succes aan te tonen dat hij voldoende instructies en trainingen heeft gegeven. De Raad van State bepaalt dat de boete nogmaals met een derde verminderd dient te worden. De boete wordt niet helemaal kwijtgescholden omdat naar mening van de Raad van State het bedrijf te weinig toezicht heeft georganiseerd. In het bedrijf worden de kasten eens per zes weken gecontroleerd. Dat wordt door de Raad als onvoldoende bestempeld. De uiteindelijke boete voor de werkgever wordt vastgesteld op € 2250.

---

## 13.3 Rechten van de or/VGW(M)-commissie

De volgende rechten kunnen door de ondernemingsraad of VGW(M)-commissie worden gebruikt:

- De or of VGW(M)-commissie heeft instemmingsrecht bij het invoeren en veranderen van regelingen inzake voorlichting, onderricht en toezicht.
- Als de or of VGW(M)-commissie goede voorlichting, onderricht en toezicht mist, kan hij kijken of er aanbevelingen in de RI&E staan en voorstellen doen om dit op te nemen in het plan van aanpak.
- Het informatierecht kan worden gebruikt om alle schriftelijke materiaal over voorlichting, onderricht en toezicht onder ogen te krijgen.
- Met behulp van het initiatiefrecht kan de or/VGW(M)-commissie zelf met initiatieven komen.
- Als de werkgever onvoldoende voorlichting, onderricht en toezicht toepast kan de or/VGW(M)-commissie de Arbeidsinspectie inschakelen (klacht indienen, onderzoek laten doen).

---

**Tips or/VGW(M)-commissie**

- Ga na bij welke functies welke arbovoorlichting en -onderricht is gegeven, de afgelopen jaren. Ga na of er herhaling is afgesproken.
- Vorm een beeld van de kwaliteit van de verzorgde arbovoorlichting en onderricht.
- Stimuleer de totstandkoming van een arbovoorlichtingsplan, waarin per functie de arborisico's en de benodigde voorlichting wordt vermeld. Zorg dat er bij elke voorlichting ook wordt aangegeven hoe vaak het herhaald wordt en wie het uitvoert.
- Ga na wat er aan voorlichting en onderricht is gedaan bij pas in dienst getreden mensen.
- Kijk in de risico-inventarisatie en -evaluatie of er opmerkingen zijn gemaakt over de kwaliteit van arbovoorlichting en -onderricht.
- Vraag na welke de veiligheids- en gezondheidsinstructie was bij de machines en gereedschappen die recent in gebruik zijn genomen.
- Ga na welke *schriftelijke* arbo-informatie en -instructie er aanwezig is op de verschillende afdelingen. Is dat begrijpelijke en toegankelijke informatie?
- Ga na welke informatie en instructie inleen- en uitzendkrachten krijgen.
- Ga na of er anderstalige arbovoorlichting nodig is voor (tijdelijke) collega's die de Nederlandse taal niet beheersen.
- Laat een doordachte procedure voor voorlichting en onderricht opnemen in het arbobeleidsplan.
- Ga na of degenen die toezicht moeten houden — vaak de direct leidinggevenden — voor die taak voldoende opleiding hebben gehad, of ze daadwerkelijk toezicht uitoefenen, en of ze daarin voldoende worden aangestuurd.

- Let op dat arbovoorlichting en onderricht niet als lapmiddel worden ingezet: ze mogen natuurlijk nooit de aanpak van de arboproblemen aan de bron vervangen.
- Stimuleer dat het bedrijf of de instelling het beleid betreffende voorlichting, onderricht en toezicht regelmatig evalueert.

## 13.4 Verder lezen

- Zie paragraaf 30.15
- Arbo-informatieblad 1: *Arbo- en verzuimbeleid*, Sdu, Den Haag.
- *Arbonormenboek*, Kluwer, Alphen aan den Rijn.

**Uit de praktijk**

*Toezicht in de Arbocatalogus papier en karton*

In de Arbocatalogus voor de papier- en kartonindustrie is een bijzondere vorm van toezicht opgenomen. Een aantal arbo-experts is daar namelijk door de sector aangewezen om inspecties ('safety-checks') in bedrijven te doen. Deze experts treden dan op alsof ze arbeidsinspecteurs zijn. Zij letten daarbij met name op de afspraken die in de Arbocatalogus zijn vastgelegd, zoals rond lawaaibestrijding en machineveiligheid. De resultaten van zo'n inspectie worden, compleet met praktische adviezen, met het bedrijf doorgesproken. Ook de sociale partners op sectorniveau ontvangen de inspectieresultaten, maar zonder naam van het betreffende bedrijf. Daarmee krijgen zij inzicht in de exacte stand van zaken in de bedrijven. Het bijzondere is dat de inspectieresultaten ook naar de Arbeidsinspectie worden verzonden, zelfs met naam van het bedrijf erbij.

Zo neemt de sector zelf het initiatief ter hand om op te treden tegen schending van de, arbovoorschriften, die mede door haarzelf zijn opgesteld. Het achterliggende idee is dat de sector een van de veiligste industrietakken van Nederland wil worden.

# 14 Arbodienst en deskundigen

## 14.1 Inleiding

Alle werkgevers moeten zich laten bijstaan door een gecertificeerde deskundige bij het voeren van arbo- en verzuimbeleid. Dat kan op twee manieren: door een arbodienst in te schakelen of door deskundigen te contracteren die niet aan een arbodienst zijn verbonden. Voor (zieke) werknemers kan het van groot belang zijn dat de werkgever een goed contract sluit met geschikte arbodeskundigen. De or/VGW (M)-commissie heeft een belangrijke rol bij de keuze van de deskundigen en het opstellen en veranderen van het contract tussen bedrijf en deze deskundigen. Zowel de or of VGW(M)-commissie als de arbodienst, c.q. deskundigen kunnen baat hebben bij een regelmatig contact met elkaar.

## 14.2 Ontwikkelingen

Toen in 1994 de aansluiting bij een arbodienst voor alle bedrijven verplicht werd, verrezen de arbodiensten als paddenstoelen uit de grond. Na een turbulente beginperiode met veel fusies bleven vooral een aantal grote arbodiensten over, zoals ArboUnie, 365/Arboned, Maetis, met vele landelijke vestigingen. Daarnaast is er een groot aantal kleinere arbodiensten.

Sinds 2005 is een werkgever niet meer verplicht om zich aan te sluiten bij een arbodienst. In een zogenaamde 'maatwerkregeling' kan de werkgever ook afspraken maken met een bedrijfsarts en andere arbodeskundigen buiten de arbodienst om.

Arbodiensten roepen helaas niet altijd veel enthousiasme op. Niet bij werkgevers en niet bij ondernemingsraden. Gelukkig zijn er medewerkers van arbodiensten die erg goed werk afleveren, maar over de organisaties als geheel overheerst de kritiek:
– Werknemers of de ondernemingsraad twijfelen aan de onafhankelijkheid van de bedrijfsarts. Ze ervaren of vrezen dat de bedrijfsarts met het oog op een nieuw contract vooral de werkgever te vriend wil houden.

- Bedrijfsartsen zijn dikwijls teveel gericht op de medische aspecten. De bedrijfs-gebonden oorzaken van ziekte of arbeidsongeschiktheid komen daardoor te weinig in beeld.
- De interne organisatie van de arbodienst is niet op orde. Daardoor duurt het soms maanden voordat rapportages verschijnen, kunnen landelijk opererende bedrijven geen gebundeld overzicht krijgen van gegevens over ziekteverzuim of PAGO-onderzoeken, en duurt de vervanging bij ziekte van een bedrijfsarts soms erg lang.
- De adviezen van de arbodienst zijn niet toegespitst op de praktijk van het bedrijf en zijn daarmee niet goed bruikbaar.
- De arbodienst zoekt te weinig contact met de ondernemingsraad. (tijdens trai-ningen voor arbodiensten hoor ik van hen overigens hetzelfde verwijt richting de or).
- Sommige werkgevers vinden dat de bedrijfsarts te 'soft' is en de zieke werk-nemers te lang thuis laat.
- Werknemers klagen er soms over dat bedrijfsarts hun privacy schendt en te veel persoonlijke informatie doorgeeft aan de bedrijfsleiding.

De laatste jaren proberen bedrijven en instellingen de kwaliteit van de arbodienst-verlening op een hoger peil te krijgen door het opnemen in het contract van de zogeheten SLA's (Service Level Agreements). In het Nederlands vertaald zijn dat Prestatieniveau-afspraken. Daarin leggen werkgever en arbodienst vast wat het gewenste prestatieniveau is. Bijvoorbeeld '100% van de verzuimrapportages wor-den binnen 6 werkdagen na afloop van de maand geleverd'. Het is verstandig om over dat onderwerp een SLA af te spreken waarbij de arbodienst in het voorgaande jaar steken heeft laten vallen. Soms legt het contract ook boetes op aan de arbo-dienst als deze een SLA niet haalt.

Het is niet aan te raden om met een arbodienst een SLA af te spreken over de hoogte van het ziekteverzuimpercentage. Dat percentage is immers maar gedeel-telijk door de arbodienst te beïnvloeden. Bovendien kan een dergelijk SLA de druk op de bedrijfsarts vergroten om zieke werknemers (te) snel hersteld te verklaren. Zie toe als or dat de juiste SLA's worden afgesproken.

Enkele opmerkelijke wetenswaardigheden:
- Arbodiensten en re-integratiebedrijven zijn nu verenigd in één brancheorgani-satie. Ze noemen zich dienstverleners voor 'werk, loopbaan en vitaliteit' (zie www.boaborea.nl).
- Hoewel arbodiensten een integraal pakket aan arbo- en verzuimzorg aanbieden houden de meeste werkgevers zich bij de minimum wettelijke verplichtingen en ligt het accent van de dienstverlening van arbodiensten op de verzuimzorg. 'Verzuimdienst' is een naam die de lading dan beter dekt.

**Uit de praktijk**

*Kritiek op de bedrijfsarts*

Een FNV-onderzoek van 2011 geeft een ontluisterend beeld van de manier waarop de bedrijfsarts door werknemers wordt ervaren. Uit een internetpeiling onder zevenhonderd werknemers blijkt dat maar liefst driekwart van de werknemers de bedrijfsarts vooral ziet als een verlengstuk van de werkgever. De helft van de respondenten geeft verder aan de bedrijfsarts vooral als 'verzuimcontroleur' te beschouwen, die geen onafhankelijke positie inneemt. Een volgend zorgelijk resultaat is dat een derde van de werknemers eerst toestemming moet vragen aan de leidinggevende om de bedrijfsarts te mogen consulteren. Hoopgevend is nog dat 78% van de werknemers zegt te weten wie de bedrijfsarts is. Daar staat tegenover dat een bijna even groot percentage (76%) zegt deze arts nog nooit op de werkvloer te hebben gezien.

Een tweede onderzoek naar de positie van de bedrijfsarts, ook uit 2011, is uitgevoerd in opdracht van het ministerie van Sociale Zaken en Werkgelegenheid. Daaruit komt een deel van de verklaring van het gedrag van de bedrijfsarts naar voren: een op de vijf bedrijfsartsen wordt zodanig door de werkgever onder druk gezet dat ze niet meer onafhankelijk kunnen werken. Werkgevers proberen druk uit te oefenen op bedrijfsartsen om zieke werknemers sneller weer arbeidsgeschikt te verklaren. Verder zegt 42% van de bijna zeshonderd ondervraagde bedrijfsartsen soms door werkgevers benaderd te worden voor vertrouwelijke medische gegevens. Bij 22% van hen gebeurt dat vaak tot zeer vaak.

Tot slot blijkt dat zo'n 300.000 werknemers, vooral in het midden- en kleinbedrijf, geen toegang heeft tot een bedrijfsarts, omdat hun werkgever geen contract heeft met een arbodienst of een zelfstandige bedrijfsarts.

## 14.3  Wettelijke verplichtingen

De werkgever laat zich ondersteunen door deskundigen, bijvoorbeeld een arbodienst in minimaal de volgende *taken* (artikel 14 Arbowet):

– Het maken van de risico-inventarisatie en -evaluatie; de arbodienst dient in ieder geval de RI&E te toetsen, en te adviseren daaromtrent. Zie verder hoofdstuk 10 .

– De begeleiding van zieke werknemers.

– De arbodienst voert het periodiek arbeidsgezondheidskundig onderzoek uit.

– Er is contactmogelijkheid, bijvoorbeeld een spreekuur, van deskundigen met werknemers.

– De arbodienst voert de aanstellingskeuringen uit, als die worden gehouden.

– Samenwerken met en advies geven aan de ondernemingsraad.

Arbodiensten hebben meer verplichtingen waar ze zich aan moeten houden dan een maatschap van bedrijfsartsen die haar diensten in het kader van de maatwerkregeling aanbiedt. Een arbodienst moet als organisatie gecertificeerd zijn. De kwaliteit van zijn dienstverlening wordt in een handboek vastgelegd en wordt door een externe instantie getoetst.

## Certificering

Arbodiensten worden gecertificeerd door private certificeringsinstellingen, aangewezen door het ministerie van Sociale Zaken en Werkgelegenheid, die onder toezicht staan van de Raad voor de Accreditatie. Arbodiensten worden regelmatig gecontroleerd door middel van inspecties of audits op de kwaliteit van hun dienstverlening.

## Kwaliteit

De arbodienst moet van elke onderstaande discipline minimaal één gecertificeerde deskundige in dienst hebben:
- een bedrijfsarts, die houdt zich met name bezig met ziekteverzuimbegeleiding;
- een veiligheidskundige, de deskundige op het gebied van veiligheid;
- een arbeidshygiënist, de deskundige op het gebied van gezondheid;
- een arbeids- en organisatiekundige, de deskundige op het gebied van psychosociale arbeidsbelasting.

## Andere vereisten

Enkele andere vereisten voor de arbodienst:
- De arbodienst moet goed behuisd zijn en de geschikte apparatuur gebruiken.
- De arbodienst dient een intern kwaliteitshandboek te hebben.
- De arbodienst heeft een klachtenregeling en moet die bekend maken.
- De arbodienst doet zijn werk met behoud van zijn zelfstandigheid en onafhankelijkheid ten opzichte van de werkgever (artikel 14 lid 2 Arbowet ).

## Arbodienst of andere deskundigen

In 2005 is de gewijzigde arbowetgeving van kracht geworden, waardoor een werkgever meer vrijheid heeft bij het kiezen van de juiste vorm van arbodienstverlening.

Er bestaan drie mogelijkheden:
1. Mogelijkheid één is dat het bedrijf een overeenkomst sluit met een arbodienst. Dat heet de 'vangnetregeling'.
2. Grotere organisaties kunnen ervoor kiezen om zelf een interne arbodienst op te richten.
3. Mogelijkheid drie is wat de regering noemt de maatwerkregeling. Die houdt in dat het bedrijf zich ook mag laten bijstaan door andere deskundigen dan een arbodienst. Andere partijen in de markt krijgen zo ook een kans.

De maatwerkregeling geldt onder een aantal voorwaarden:

1. De maatwerkregeling mag alleen worden toegepast als daarover overeenstemming wordt bereikt met de ondernemingsraad of de PVT. Ook in de cao kunnen daarover afspraken zijn gemaakt. Die gaan voor. Maar als de cao bepalingen bevat over een maatwerkregeling, staat de or nog niet helemaal buitenspel. Als de cao-bepaling nog ruimte laat, bijvoorbeeld over de keuze van de bedrijfsarts en de invulling van het contract, heeft de ondernemingsraad daarover nog instemmingsrecht. In de regel zal de cao daarover geen dwingende afspraken bevatten.

2. Er moet in ieder geval een dienstverleningsovereenkomst worden afgesloten met een bedrijfsarts, die gecertificeerd moet zijn.

3. De risico-inventarisatie en -evaluatie moeten ter toetsing worden voorgelegd aan een van de externe kerndeskundigen, als die RI&E niet wordt gemaakt door een interne gecertificeerde deskundige. Tip:laat de RI&E niet toetsen door de bedrijfsarts maar door een of twee van de andere gecertificeerde deskundigen; veiligheidskundige, arbeidshygiënist, of arbeids- en organisatiedeskundige.

4. Een maatwerkregeling mag voor hoogstens 5 jaar worden afgesloten. Na afloop van die periode heeft de or opnieuw overeenstemmingsrecht bij het bepalen van een nieuwe maatwerkregeling.

De ondernemingsraad of VGWM-commissie kan op de volgende zaken letten:
– Als de werkgever over wil gaan tot de maatwerkconstructie, spreek dan tijdig met hem af dat hij een verzoek tot overeenstemming bij de or/VGW(M)-commissie neerlegt.
– Breng in kaart wat de goede zaken zijn in de huidige regeling en probeer die te handhaven (bijvoorbeeld: de nieuwe dienstverlener heeft locaties dichtbij het bedrijf).
– Zet op een rij wat de minpunten zijn van de huidige constructie en probeer die met nieuwe afspraken te verbeteren.
– Probeer af te spreken dat de ondernemingsraad of VGW(M)-commissie vertegenwoordigd is in de 'sollicitatiecommissie' waar enkele nieuwe organisaties of nieuwe bedrijfsartsen zich presenteren.
– Ga na of de nieuwe organisatie waarmee het bedrijf een contract sluit in voldoende mate bekend is met de problemen uit het bedrijf of de sector.
– Vraag je af of de nieuwe 'partner' in staat is de taken te verrichten waar het bedrijf om vraagt, bijvoorbeeld de verwerking van ziekteverzuimcijfers in de juiste en zinvolle indeling, het maken van een PAGO-rapportage, enzovoort.
– Is er voldoende stabiliteit in die organisatie, zodat de bedrijfsarts door kundige collega's wordt vervangen als hij/zij ziek is of verlof heeft?

- Blijkt er een geschikte houding en opstelling betreffende ziekteverzuimbeleid: een goede balans tussen begeleiden en controleren en een combinatie van zakelijke en mensvriendelijke benadering?
- Heeft men kennis van en ervaring met de mogelijk aanwezige bedrijfsspecifieke aandoeningen en ziektes, bijvoorbeeld rugproblemen, RSI, huidaandoeningen, burn-out, lawaaidoofheid, enzovoort?
- Hoe gaat men om met het verplichte melden van beroepsziekten aan het Nederlands centrum voor beroepsziekten?
- Heeft men ervaring met re-integratietrajecten, welke ervaringen zijn dat?
- Hoe handelt men klachtenprocedures af?
- Is er een open houding met betrekking tot de medezeggenschap, ziet men de meerwaarde in regelmatig contact met or en VGWM?
- Gaat men de niet-persoongebonden rapportages in afschrift ook aan de medezeggenschap toezenden?

In het algemeen zijn het de vragen en voorwaarden die ook gesteld kunnen worden bij de keuze van een nieuwe arbodienst.

Omdat men in een maatwerkregeling niet hoeft te voldoen aan de certificeringsregels die gelden voor arbodiensten, is het raadzaam om bij de zoektocht naar een nieuwe partner extra aandacht te besteden aan zaken als kwaliteitshandboek, klachtenregeling, huisvesting, privacybewaking e.d.

## 14.4   Overgang naar een andere arbodienstverlener

Als een organisatie overstapt naar een andere arbodienstverlener, speelt de ondernemingsraad daarbij een grote rol. De or zal mee moeten denken over de vraag welke nieuwe arbodienstverlener geschikt is en welk contract er mee wordt afgesloten. Voor beide vraagstukken geldt het instemmingsrecht van de or. Doorgaans is het aan te bevelen om af te spreken dat een of twee or-leden zitting nemen in een sollicitatiecommissie waar enkele arbodiensten zich presenteren. Het is dan zaak dat de or, al dan niet samen met de bestuurder, een lijst opstelt van de belangrijkste criteria waaraan de nieuwe arbodienst moet voldoen. Zo'n lijst kan het best worden opgesteld aan de hand van een beoordeling van het werk van de huidige arbodienst. (zie paragraaf 30.14). Het is ook verstandig om een eigen wensenlijst te formuleren voor het contract.

Bij de overgang naar een nieuwe arbodienstverlener komt ook de vraag naar voren wat er gebeurt met de dossiers die bij de 'oude' arbodienst aanwezig zijn. Voor de verdere begeleiding van de zieke werknemer kan het handig zijn dat de nieuwe arbodienst over deze dossiers beschikt, maar het vraagstuk van de privacy komt ook om de hoek kijken. Moeten werknemers individueel instemmen met de overdracht van de dossiers?

Het College Bescherming Persoonsgegevens, een door de overheid ingesteld adviesorgaan op het gebied van privacy, heeft in juni 2007 hierover een uitspraak gedaan. Daarin wordt een onderscheid gemaakt tussen informatie waarop wel en niet een medisch beroepsgeheim rust.

De oude arbodienstverlener mag op verzoek van de werkgever alle informatie waarop het medisch beroepsgeheim *niet* rust aan de opvolgende arbodienstverlener overdragen zonder toestemming van de betrokken werknemer. Dit geldt zowel voor de dossiers van werknemers die ten tijde van overdracht (gedeeltelijk) arbeidsongeschikt zijn, als voor overige dossiers. Een voorwaarde hierbij is dat de or heeft ingestemd met de overgang. De gegevens die *wel* vallen onder het medisch beroepsgeheim mogen alleen worden overgedragen als die gegevens noodzakelijk zijn voor de verzuimbegeleiding. Dat is het geval als de betrokken werknemer bij de wisseling van arbodienst ziek is of binnen vier weken na een hersteldmelding opnieuw uitvalt. Bovendien moet de werknemer van te voren op de hoogte zijn gebracht van het overdragen van zijn gegevens en moet hij in staat zijn gesteld hiertegen bezwaar aan te tekenen.

---

**Tip voor de or**

Uiteraard geldt dat de ondernemingraad instemmingsrecht heeft over een voorgenomen overgang naar een andere arbodienst. Met dat instemmingsrecht kan de or eventueel verdergaande afspraken maken over de privacybewaking bij overgang van dossiers.

---

## 14.5   Rechten van de or/VGW(M)-commissie en werknemers

De ondernemingsraad of VGW (M)-commissie heeft de volgende rechten:
- overeenstemmingsrecht als de werkgever weggaat bij een arbodienst en een maatwerkregeling wil starten buiten een arbodienst om;
- instemmingsrecht bij de keuze van een nieuwe arbodienst;
- instemmingsrecht over het contract met de arbodienst of andere deskundige(n) en veranderingen daarin. Onder 'contract' moet ook worden verstaan de mogelijke bijlagen waarin activiteiten en procedures zijn vastgelegd;
- de arbodienst dient er zich van te vergewissen dat de or is gehoord en geen bezwaar heeft als men een contract aangaat met een werkgever;
- instemmingsrecht bij alle onderdelen van het ziekteverzuimbeleid (invoeren, veranderen en intrekken) waar de arbodienst bij betrokken kan zijn;

- de arbodienst stuurt de ondernemingsraad een exemplaar van de adviezen en rapporten van de arbodienst aan het bedrijf;
- de ondernemingsraad heeft recht op advies en bijstand van de arbodienst;
- de ondernemingsraad heeft het recht een klacht in te dienen bij de Arbeidsinspectie als hij van mening is dat de arbodienst zijn wettelijke taak niet goed uitoefent;
- werknemers hebben het recht een klacht in te dienen over het functioneren van de arbodienst bij:
  - de eigen or;
  - de arbodienst zelf;
  - de vakbond;
  - de certificerende instelling;
  - het medisch tuchtcollege;
  - de geschillencommissie van de Boaborea, de Brancheorganisatie van arbodiensten en re-integratiebedrijven.

Zie verder voor de rechten van individuele werknemers bij ziekteverzuim hoofdstuk 12.

## 14.6 Tips voor het effectief omgaan van de or met de arbodienst of de andere arbodeskundige

### 14.6.1 VOORAFGAANDE AAN HET EERSTE GESPREK TUSSEN OR/VGW (M)-COMMISSIE EN ARBODIENST/DESKUNDIGEN

- Lees het contract tussen bedrijf en arbodienst, c.q. de deskundige, inclusief de afspraken over activiteiten of projecten.
- Ga na wat de ervaring van langdurig zieken is met de begeleiding door de bedrijfsarts.
- Bespreek of de or het contact met de arbodienst zal onderhouden of dat de VGW(M)-commissie dat zal doen.
- Stel vast hoe vaak de or of VGW(M)-commissie contact met de arbodienst wil hebben en om welke redenen.
- Zet op een rij wat het voordeel voor de arbodienst kan zijn van regelmatig contact met de or/VGW(M)-commissie.

### 14.6.2 GESPREKKEN EN CONTACT OP REGELMATIGE BASIS

- Spreek regelmatig contact af met de arbodienst (niet alleen de bedrijfsarts), c.q. de deskundige in de or of de VGW(M)-commissie, bijvoorbeeld eens per half jaar. Bespreek na enige keren het nut van deze ontmoetingen.
- Spreek af wie deze gesprekken voorbereidt.

– Bespreek eens per jaar in de overlegvergadering het werk van de arbodienst c.q. deskundigen van het afgelopen jaar. Doe dat vóór het vernieuwen van het contract.
– Verzoek aan de werkgever om de arbodienst of de arbodeskundigen te vragen jaarlijks een verslag van hun werkzaamheden te maken, inclusief conclusies en aanbevelingen.

### 14.6.3  MOGELIJKE VRAGEN VAN DE OR/VGW(M)-COMMISSIE IN HET OVERLEG MET DE ARBODIENST OF DE ARBODESKUNDIGEN

– Als er meer functionarissen van een arbodienst werkzaam zijn voor het bedrijf: op welke manier opereren die functionarissen als team, op welke manier maken ze gebruik van ieders ervaringen en inzichten? Wie is de contactpersoon?
– Bent u wel eens op de werkvloer geweest, wat waren uw indrukken?
– Wat zijn, naar uw mening, de sterke en te verbeteren punten in de arbo- en verzuimzorg in onze organisatie?
– Wat zijn de belangrijkste werkgebonden oorzaken van ziekteverzuim?
– Waaraan zou u als arbodienst de komende periode in onze organisatie vooral aandacht willen besteden?
– Wat verwacht u van het contact met de or/VGW(M)-commissie?

Zie voor meer vragen aan de arbodienst hoofdstuk 30: 'De arbogereedschapskist' achterin dit boek.

## 14.7  Verder lezen

– Zie paragraaf 30.12, paragraaf 30.13 en paragraaf 30.14.
– Aanbevelingen voor afspraken met de arbodienst, hoofdstuk 34.
– Protocol samenwerking medezeggenschap-arbodienst op www.arbobondgenoten.nl.
– www.boaborea.nl (brancheorganisatie arbodiensten en re-integratiebedrijven).
– hoofdstuk 12.

# 15 Milieuzorg en duurzaam ondernemen

## 15.1 Inleiding

De zorg voor het milieu is sinds een aantal decennia niet meer weg te denken. Door de bevolkingsgroei, de stijging van de welvaart en de industrialisatie van de samenleving, is de druk op onze natuurlijke leefomgeving steeds meer toegenomen. Energie, grondstoffen maar ook ruimte worden steeds schaarser, diersoorten sterven uit, het klimaat lijkt te veranderen, en allerlei chemische stoffen hopen zich op in het milieu. Daarbij werd de milieuagenda eerst gedomineerd door de 'zure regen' en de aantasting van de ozonlaag. Door diverse maatregelen zijn die milieuproblemen beteugeld. De laatste jaren gaat de aandacht vooral uit naar de mogelijke opwarming van het klimaat door de uitstoot van broeikasgassen, de toenemende schaarste van energie en grondstoffen en de ophoping van kunststofafval in het milieu. Bedrijven zijn steeds meer aandacht gaan besteden aan milieuzorg, maar ook aan duurzaamheid en maatschappelijk verantwoord ondernemen.

Soms onder druk van de overheid, soms om zelf uiting te geven aan hun maatschappelijke verantwoordelijkheid en soms uit eigenbelang. Bijvoorbeeld omdat milieuproblemen het imago van het bedrijf beschadigen of omdat men kosten wil besparen door afvalpreventie en energiebesparing.

Ook ondernemingsraden hebben in de Wet op de ondernemingsraden een officiële taak in de milieuzorg van hun bedrijven toebedeeld gekregen. Veel VGW-commissies hebben een milieutaak toegevoegd aan hun werkzaamheden en heten daarom VGW*M*-commissie.

## 15.2 Milieuvervuiling

Hier volgt een greep uit de belangrijkste milieuproblemen.

- Het *klimaat* in de wereld verandert: door het gebruik van fossiele brandstoffen (olie, gas, kolen) in de industrie, het vervoer en verwarming wordt veel $CO_2$ uitgestoten. De wereldwijde toename van $CO_2$ in de atmosfeer leidt tot opwar-

ming van klimaat, de zeespiegel gaat langzaam stijgen en extreme weersver-
schijnselen (droogte, orkanen, heftige regenval) nemen toe.

- De *schaarste* aan energie en grondstoffen stijgt. Dat kan leiden tot tekorten en
  tot stijging van prijzen. Ondanks dat er de afgelopen jaren veel gedaan wordt
  aan energiebesparing, neemt het energiegebruik nog steeds toe. Grofweg 70%
  van het nationale energieverbruik komt overigens voor rekening van het bedrijfsleven.
- *Luchtvervuiling* is nog altijd een probleem. Allerlei verbrandingsprocessen (verwarming, industrie, vervoer) leiden tot toename van fijnstof en $NO_x$ in de lucht.
  De intensieve landbouw produceert nog steeds veel ammoniak. Dat is allemaal
  niet goed voor onze gezondheid. Astma is nog steeds een groeiende volksziekte
  en door luchtvervuiling sterven er jaarlijks duizenden mensen vroegtijdig.

Ieder levert zijn bijdrage aan de vervuiling en ieder wordt geconfronteerd met de
gevolgen. Voor iedereen is er dus veel te doen en te winnen.

## 15.2.1   DE MILIEUBELASTING DOOR EEN BEDRIJF OF INSTELLING

Met behulp van de volgende afbeelding kan snel inzichtelijk worden gemaakt op
welke niveaus de milieubelasting in bedrijven ontstaat, waar dus preventie en
bestrijding van de gevolgen kan worden ingezet. In bedrijven of instellingen is er
altijd sprake van input: apparaten, stoffen, materialen die worden aangevoerd voor
de bedrijfsactiviteiten. Ten tweede is er sprake van een werkproces, een productieproces of bedrijfsactiviteiten. Het productieproces verbruikt energie, veroorzaakt
uitstoot en lozingen. Daarnaast is er de output aan producten en diensten.

*Afbeelding 1. Schematische weergave van de milieubelasting*

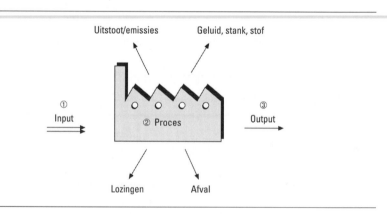

Voorbeelden van milieubelasting en milieuwinst in alle drie fasen zijn:

*Inputfase*
- *Milieubelasting:*
  - het gebruik en de inkoop van milieugevaarlijke en moeilijk afbreekbare stoffen;
  - te veel en milieuonvriendelijke verpakkingen;
  - milieuonvriendelijke en energieverslindende machines,
  - werknemers die allemaal alleen met de auto naar het werk komen.
- *Milieuwinst:* zorgvuldige inkoop, milieuzuinige, energiezuinige machines en apparaten, milieuvriendelijke stookinstallaties, andere technologieën, carpoolen en thuiswerken.

*Procesfase*
- *Milieubelasting* in de procesfase vindt niet alleen in fabrieken plaats (het 'productieproces'), want alle werk is een proces, waarin materialen worden gebruikt en verbruikt, energie wordt gebruikt, afval ontstaat. Dus ook de kantoren, instellingen, ziekenhuizen en scholen dragen bij aan de milieubelasting en vormen dus het terrein van actie.
- *Milieuwinst:* systematisch verminderen van de milieubelasting door optimalisering van het productieproces, door bijvoorbeeld schonere branders, goed onderhouden filters, afvalscheiding, intern hergebruik van energie, zuiniger doen met allerlei materialen, water hergebruiken enzovoort. Op die manier zijn uitstoot en lozingen minder milieubelastend, ontstaat er minder afval en het afval is bovendien minder milieubelastend.

*Outputfase*
- *Milieubelasting:* niet alleen het werk- of productieproces, maar ook het product dat wordt gemaakt kan meer of minder milieubelastend zijn. Ook in de afvalfase van het gemaakte product dient dat gemakkelijk hergebruikt of afbreekbaar te zijn. Denk aan al of niet milieuvriendelijke bouwmaterialen, verven, folies, gebruiksmiddelen.
- *Milieuwinst:* producten zonder zware metalen, producten die eenvoudig hergebruikt kunnen worden, producten die zelf het milieu zo min mogelijk belasten, het terugnemen van afgedankte producten, een energiezuiniger distributie van producten (bijvoorbeeld met de trein of boot in plaats van met de vrachtwagen).

---

**Tips or/VGW(M)-commissie**
- Inventariseer met behulp van bovenstaand model welke de belangrijkste milieubelastende factoren in uw bedrijf zijn in de fasen input, proces en output.
- Verzamel vervolgens ideeën hoe op deze drie niveaus milieuwinst kan worden geboekt.

- Resultaat is — hopelijk — een verzameling van vermoedens, vragen, wilde ideeën en aardige suggesties.
- Als de or/VGW(M)-commissie met milieu aan de slag wil, kan deze inventarisatie een prima uitgangspunt zijn.
- Het kan ook een goede zet zijn om met de werkgever af te spreken dat elke afdeling binnen een maand met twee milieubeschermende maatregelen komt (bijv. energiebesparing).

**Uit de praktijk**

Er is een site ontwikkeld die werknemers concrete tips, voorbeelden en informatie biedt om hun werkplek te verduurzamen. Op www.duurzaamaanhetwerk.nl zijn, speciaal voor werknemers, kaderleden en ondernemingsraden, suggesties te vinden rondom energie, afval, vervoer en inkopen. Er is een 'Inspiratieboek' in te zien en te downloaden met beschrijvingen van een tiental bedrijven en organisaties waarbij de or of een kadergroep zich heeft ingezet voor duurzaamheid. Per praktijkvoorbeeld zijn vijf gouden tips op een rij gezet. Ook zijn twee vragenlijsten opgenomen voor ondernemingsraden of kadergroepen die in kaart willen brengen hoe hun bedrijf op het terrein van duurzaamheid presteert en welke verbeteringen mogelijk zijn. Bovendien is er een werknemersvragenlijst en een 'FNV Duurzame Werkplekcheck' te vinden. Het inspiratieboek sluit af met een overzicht van milieubesparende tips uit de praktijk. Het project duurzaam werken komt voort uit een samenwerking tussen de FNV, FNV Bondgenoten en ABVAKABO FNV.

## 15.3 Wettelijke vereisten

### 15.3.1 INLEIDING

De werkgever moet zich houden aan de wetgeving zoals die is vastgesteld door de overheid. Veel bedrijven moeten zich houden aan voorschriften of een vergunning hebben op grond van een milieuwet. Die vergunning wordt verleend door een bevoegd gezag, bijvoorbeeld de gemeente. De controle op naleving van vergunning en voorschriften, wordt ook uitgevoerd door dat bevoegd gezag.

### 15.3.2 DE WET MILIEUBEHEER

De Wet milieubeheer is een parapluwet die praktisch alle milieuproblemen omvat. De Wet milieubeheer hanteert de term 'inrichting'. Alle organisaties waarin georganiseerd werk wordt verricht zijn een 'inrichting': een bedrijf, kantoor, baggerschip, school, winkel, instelling, ziekenhuis, bouwplaats. Die inrichtingen worden in categorieën ingedeeld. De categorie waarin een inrichting valt, bepaalt aan welke milieuvoorschriften moet worden voldaan:

- Sommige bedrijven hebben een milieuvergunning nodig (sinds 2011 spreken we overigens over een omgevingsvergunning).
- Sommige bedrijven moeten een 'Melding Activiteitenbesluit' doen bij de gemeente. Het Activiteitenbesluit is een Algemene maatregel van Bestuur (AMvB) die aan de Wet milieubeheer is verbonden en tal van concrete milieuvoorschriften bevat.
- Ten slotte zijn er bedrijven die geen vergunning nodig hebben en geen melding hoeven te doen, maar zich wel moeten houden aan de basale milieuvoorschriften die in het Activiteitenbesluit staan genoemd.

De milieuvoorschriften waaraan een bedrijf of instelling moet voldoen, zijn te vinden in de 'omgevingsvergunning milieu' of in het Activiteitenbesluit. Die voorschriften kunnen betrekking hebben op bijvoorbeeld de maximale uitstoot van stoffen in de lucht, de bescherming van de bodem, het zuiveren van afvalwater, rioolvoorzieningen, geluidshinder en energiebesparing.

---

**Uit de praktijk**

*Energiebesparingsplan*

De Wet milieubeheer verplicht bedrijven een energiebesparingplan te maken bij een elektriciteitsafname van 50.000 kWh of meer per jaar, of een gasverbruik vanaf 25.000 m³ per jaar. Voorstellen voor energiebesparende maatregelen met een terugverdientijd tot vijf jaar moeten daarin worden opgenomen. Deze maatregelen moeten uiteraard ook worden uitgevoerd. Bij het uitvoeren van de maatregelen kan een beroep gedaan worden op subsidies waardoor investeringen bijvoorbeeld versneld afgeschreven mogen worden. Het energiebesparingsplan moet voldoen aan normen die in Nederland daarvoor zijn opgesteld. Veel bedrijven zijn niet op de hoogte van deze verplichting en tot voor kort was er ook geen controle op handhaving door de overheid. Inmiddels wordt hier meer aandacht aan besteed. Op www.duurzaammkb.nl is een voorbeeld van zo'n energiebesparingsplan te vinden (vul 'energiebesparingsplan' in als zoekterm). Werknemers en de ondernemingsraad kunnen door gerichte vragen het opzetten en uitvoeren van zo'n plan stimuleren.

---

## 15.3.3 BEVOEGD GEZAG

Als voor een bedrijf een milieuvergunning vereist is, wordt deze verstrekt en gecontroleerd door het zogenaamde 'Bevoegd gezag'. Vaak is dat de gemeente, bij grotere en meer milieuvervuilende bedrijven is dat de provincie, of soms het ministerie van Infrastructuur en Milieu (het voormalige VROM).

### 15.3.4 ENKELE ANDERE WETTEN

De *Waterwet* treedt in werking als een bedrijf in bepaalde hoeveelheden loost op het oppervlaktewater (dus niet op het riool, dat valt onder de Wet milieubeheer). Daar is een aparte vergunning voor nodig van het waterschap, Rijkswaterstaat of de provincie.

De *Wet bodembescherming* stelt regels met betrekking tot de noodzaak tot saneren van de bodem (denk aan vroegere vervuilende fabrieken of voormalige ondergrondse olietanks) en voor het mogelijk daaruit voortvloeiende saneringsplan. Ook formuleert die wet regels als er direct naar de bodem wordt geloosd. Bevoegd gezag van deze wet is de gemeente of de provincie.

De *Wet Algemene Bepalingen Omgevingsrecht (WABO)*: deze wet is sinds 2010 van kracht en is bedoeld om de vergunningverlening op het gebied van bouwen, ruimte en milieu te vereenvoudigen. Met een omgevingsvergunning kan tegelijkertijd en in samenhang een vergunning worden aangevraagd voor milieu, bouwen, slopen, het kappen van een boom, enzovoort. In totaal vallen 25 'oude vergunningen' onder de WABO. Een milieuvergunning heet daarom officieel een 'omgevingsvergunning milieu'.

---

**Tips or/VGW(M)-commissie**

- Ga na: welke vergunningen heeft uw bedrijf of zou het moeten hebben? Of is er sprake van een 'Melding Activiteitenbesluit'?
- Welke voorschriften zijn er opgenomen in de vergunning of in de Melding Activiteitenbesluit?
- Waar ligt het bevoegde gezag (gemeente, provincie enzovoort) waaronder ons bedrijf valt, hoe doen ze de inspecties?
- Zijn er milieu-inspectierapporten gemaakt, maatwerkvoorschriften gegeven, waarschuwingen of boetes uitgedeeld? Zijn die aan de or/VGW(M)-commissie bekend, kent de or/VGW(M)-commissie de achtergrond daarvan?
- Wat zijn de belangrijkste aanbevelingen uit die milieu-inspecties in de organisatie en hoe worden die in de praktijk nageleefd?

---

## 15.4 Milieuzorg in het bedrijf

### 15.4.1 MOTIEVEN

Bedrijven en instellingen ('inrichtingen') kunnen verschillende motieven hebben om actief met milieuzorg en duurzaam ondernemen aan de slag te gaan. Allereerst omdat het verplicht is volgens de voorschriften uit de milieuvergunning. Andere motieven zijn het verbeteren van het imago naar de buitenwereld toe, besparing van kosten van bijvoorbeeld energie, of de maatschappelijke verantwoordelijkheid van het bedrijf, of eisen van klanten.

Het is verstandig om zich als or/VGW(M)-commissie af te vragen waarom uw bedrijf of instelling zich al of niet met milieuzorg bezighoudt. Bij die motieven moet worden aangeknoopt wanneer de or/VGW(M)-commissie verbeteringen in de milieuzorg bepleit, of verwaarlozing van de milieuregels aan de kaak wil stellen.

### 15.4.2 SYSTEMATISCHE AANPAK

Als een bedrijf met milieu aan de slag gaat kan dat het best op een systematische wijze, hoe bescheiden dat ook moge zijn. Dat houdt in dat er een simpel of meer uitgewerkt *'milieuzorgsysteem'* (of een energiezorgsysteem) zou moeten worden ingericht. Dat bevat minimaal de volgende elementen:

1. Een aanspreekpunt, coördinator of aanjager van de milieuactiviteiten.
2. Een overzicht van de milieuknelpunten, officieel 'milieuaspecten' genaamd
3. Een activiteiten- of verbeterplan.
4. Het eens per jaar bespreken van het thema milieu in verschillende overlegvormen van het bedrijf.
5. Informatie aan werknemers en leidinggevenden over:
   – het belang van de aandacht voor milieukwesties;
   – de milieuknelpunten binnen de organisatie en de verbeterplannen;
   – de oproep tot medewerking en creatieve ideeën.
      Deze informatiestrekking eens per jaar herhalen.
6. Rapportage over de resultaten van de inspanningen en op grond daarvan een herziening van of nieuwe impulsen voor de milieu-activiteiten. Ook dit geschiedt minimaal eens per jaar.

---

**Tips or/VGW(M)-commissie bij milieuzorg**
– Wie is aanspreekpersoon of coördinator van de milieuzorg? Is die persoon voldoende voor zijn taak toegerust en functioneert hij of zij naar tevredenheid?
– Is er een compleet overzicht van milieuaspecten in het bedrijf, die te maken hebben met het product, het productieproces, de plaats en de omgeving van het bedrijf?

- Is er een milieuverbeterplan dat jaarlijks wordt bijgesteld?
- Wordt er voldoende gecommuniceerd over milieurisico's en milieuverbeteringen?
- Worden de milieu-incidenten voldoende bekend gemaakt en geanalyseerd, worden maatregelen genomen en beschreven om ze een volgende keer te voorkomen?
- Wordt er in voldoende mate een appel gedaan op alle lagen in het bedrijf om de milieubelasting zoveel mogelijk te verminderen en met nieuwe verbeterideeën te komen?

## 15.5    Maatschappelijk verantwoord ondernemen

In meerdere bedrijven is milieuzorg opgenomen in een bredere aanpak: Maatschappelijk Verantwoord Ondernemen (MVO). Maatschappelijk verantwoord ondernemen houdt in dat een bedrijf naast het streven naar winst (profit) ook rekening houdt met het effect van zijn activiteiten op het milieu (planet) en dat men oog heeft voor menselijke aspecten binnen en buiten het bedrijf (people). Het gaat er om een balans te vinden tussen people, planet en profit. Niet alleen vanuit ethische gronden, maar ook omdat die balans vaak leidt tot betere resultaten voor het eigen bedrijf. Zo leveren sommige milieubeschermende maatregelen, zoals energiebesparing of afvalreductie, meteen al geld op. En de overheid stelt steeds strengere eisen aan het duurzaam inkopen van producten en diensten. Bovendien is een maatschappelijk verantwoorde onderneming aantrekkelijker voor consumenten en werknemers.

Bij MVO gaat het om een combinatie van uiteenlopende activiteiten zoals milieubescherming, diversiteit in het personeelsbestand, en eerlijke handel met ontwikkelingslanden. Om goed aan de slag te gaan met Maatschappelijk Verantwoord Ondernemen is het eerst zaak om voor het eigen bedrijf in kaart te brengen waar de huidige manier van werken maatschappelijke schade met zich meebrengt aan de en/of waar er in de eigen bedrijfsvoering kansen liggen om verantwoorder te gaan ondernemen. De vervolgstap is dan om keuzes te maken voor een beperkt aantal aandachtsgebieden en daarop concrete verbeterplannen te maken en uit te voeren.

Een ondernemingsraad die te maken krijgt met een directie die MVO omarmt, heeft als belangrijkste taak om te stimuleren en te toetsen dat mooie woorden ook daadwerkelijk in de praktijk worden gebracht. Zorg dat er concrete en haalbare plannen worden geformuleerd. Zie ook toe dat de uitvoering daadwerkelijk ter hand wordt genomen. Verder is het uiteraard bijzonder raadzaam om met eigen inhoudelijke or-voorstellen te komen. En tenslotte: bepleit dat de invulling van MVO in het eigen bedrijf mede wordt gebaseerd op de inbreng van de eigen werknemers. MVO is een kans die een or zorgvuldig dient op te pakken. Zie ook www.mvonederland.nl. Daar is ook een 'Duurzame groeitest' te vinden.

**Tips voor or en VGWM-commissie**

Vraag aan de bestuurder of de inkoop van grondstoffen, halffabricaten of gebruiks-artikelen als kantoormeubilair deugt. Is er kinderarbeid aan te pas gekomen? Is de productietechniek sterk vervuilend?

Stimuleer dat de instelling of het bedrijf zich aansluit bij het initiatief van de overheid om 100% duurzaam in te kopen.

Stel voor om de eventuele bonussen van directie en management te koppelen aan duurzaamheid.

Stimuleer dat het bedrijf of instelling de SER-verklaring 'Internationaal Maatschappelijk verantwoord ondernemen' volgt. (uiteraard indien van toepassing)

## 15.6 Milieucertificering en milieuverslag

Zoals ook op andere terreinen, kan een bedrijf op het gebied van milieuzorg ge-certificeerd worden. De certificering vindt doorgaans plaats op grond van ISO-14001. Die certificering houdt in dat er een grote set aan procedures en taakom-schrijvingen wordt geformuleerd. Ook wordt omschreven hoe het bedrijf op con-tinue wijze zijn milieuzorg moet verbeteren en de vervuiling moet verminderen. Onderdeel hiervan is een systeem van regelmatige interne en externe audits met daarin aanbevelingen ter verbetering. Inmiddels hebben zo'n 1600 Nederlandse bedrijven het ISO-14001 certificaat behaald.

Een aantal grote, industriële bedrijven in Nederland is verplicht een milieuver-slag te schrijven dat publiek moet worden gemaakt. Het gaat om de grootste ver-vuilers: raffinaderijen, cementfabrieken, elektriciteitscentrales, bepaalde bedrijven in de voedingsindustrie, grotere scheepswerven enzovoort. Het is van belang te weten of uw eigen bedrijf in die categorie valt. Uw directie of de milieu-inspectie kan de juiste informatie geven. Uiteraard mogen bedrijven die niet zijn aangewe-zen ook uit eigen beweging een milieujaarverslag opstellen.

Als een bedrijf een openbaar milieujaarverslag moet maken, is het zinvol dat de ondernemingsraad of VGW(M)-commissie zelf dat rapport leest, beoordeelt, daar-over overleg voert en zijn mening kenbaar maakt, voordat het definitief naar bui-ten wordt gebracht.

*Aandachtspunten voor de beoordeling van het milieujaarverslag*
Volledigheid:
- Is het milieujaarverslag volledig? Zie daarvoor het vorige milieuverslag of het milieuprogramma.
- Is de kwaliteit van het milieujaarverslag voldoende? Wordt er bijvoorbeeld in voldoende mate gerapporteerd over de milieuverbeterplannen en hun resulta-

ten, over de milieutaken en milieuverantwoordelijkheden van functionarissen en medewerkers en wat daarvan terecht komt, over het milieuzorgsysteem en hoe dat in de praktijk werkt, over de milieuvoorlichting en milieucommunicatie in het bedrijf?

Betrouwbaarheid:
- Wordt over alle relevante onderwerpen gerapporteerd of bijvoorbeeld alleen over enkele speerpunten van beleid?
- Het referentiekader: waaraan worden doelstellingen en resultaten afgemeten: aan wettelijke reductiedoelstellingen, aan gegevens en doelstellingen uit de branche, aan eigen bedrijfsdoelstellingen?
- Is het milieujaarverslag door een extern bureau geverifieerd?

Toegankelijkheid:
- Wordt het gebruik van vaktermen zoveel mogelijk beperkt?
- Is het verslag leesbaar en overzichtelijk?

## 15.7 De samenhang tussen arbo en milieu

Het verschil tussen arbo en milieu is dat arboproblematiek betrekking heeft op de werknemers van een bedrijf, en milieu de buitenwereld aangaat. Arbo en milieu hangen vaak nauw samen. Gevaarlijke stoffen bedreigen de veiligheid en gezondheid van werknemers, en ze bedreigen ook het milieu. Geluid, stank en stof schaden of hinderen de werknemers en mogelijk ook de omwonenden. Dikwijls wordt in bedrijven de samenhang tussen milieu en arbo erkend, maar blijven het gescheiden activiteiten. In talloze bedrijven is de zorg voor arbo en milieu al gebundeld. Hierbij volgt een lijstje van overeenkomsten en mogelijke integratiemomenten.

*Tabel 1.*

| Arbozorg | Milieuzorg |
|---|---|
| Gericht op veiligheid en gezondheid *binnen* het bedrijf | Gericht op bescherming van de buitenwereld |
| Arbo-intentieverklaring | Milieubeleidsverklaring |
| Arbocoördinator/preventiemedewerker | Milieucoördinator |
| Risico-inventarisatie en -evaluatie | Register van milieuaspecten en de milieugevolgen |
| Arbozorgsysteem: arbozorg organiseren en integreren in de organisatie | Milieuzorgsysteem: milieuzorg organiseren en integreren in de organisatie |

| Arbozorg | Milieuzorg |
|---|---|
| Meten en registeren van bijvoorbeeld geluid of gevaarlijke stoffen | Metingen en registraties van emissies en lozingen |
| Inspectie door Arbeidsinspectie | Inspecties door gemeente, provincie e.d. |
| Instemmingsrecht, inforecht or | Betrokkenheid, adviesrecht, inforecht or |

---

**Tips or/VGW(M)-commissie**
- Ga na of in het arbobeleid en het milieubeleid van uw bedrijf de bovengenoemde aspecten goed worden uitgevoerd.
- Ga na of de aanpak van het arbo- en milieubeleid in uw bedrijf meer gezamenlijk opgepakt kunnen worden. Bijvoorbeeld door in rondgangen zowel arbo- als milieuaspecten onder de loep te nemen, of door jaarlijks een geïntegreerd arbo- en milieuplan op te stellen.

## 15.8 De rechten en rol van de ondernemingsraad of VGW(M)-commissie

Hier volgt een overzicht van de rechten van de or/VGW(M)-commissie als het gaat om milieu, duurzaam en maatschappelijk verantwoord ondernemen.
- De or/VGW(M)-commissie heeft recht op informatie over alle relevante milieudocumenten. De or/VGW(M)-commissie kan die opvragen en moet die dan ontvangen (WOR artikel 31).
- De werkgever verstrekt het milieujaarverslag aan de ondernemingsraad, als hij dat op grond van de Wet milieubeheer moet schrijven. Hij bespreekt dat met de ondernemingsraad (WOR artikel 31a, lid 8).
- De werkgever vraagt advies over belangrijke maatregelen die het milieu betreffen. Daaronder wordt tevens verstaan 'het treffen of wijzigen van een beleidsmatige, organisatorische of administratieve voorziening' (artikel 25, lid 1l)). In dat verband kan worden gedacht aan een nieuwe verdeling van taken en verantwoordelijkheden betreffende milieu-aangelegenheden of een wijziging van de manier van rapporteren over milieukwesties, enzovoorts.
- Bij iedere 'gewone' adviesaanvraag kan het milieuaspect worden meegenomen. Denk dan met name aan het adviesrecht bij een belangrijke investering (bijvoorbeeld milieuvriendelijke materialen bij nieuwbouw), de verplaatsing van de onderneming en een nieuwe technologische voorziening.

– Het initiatiefrecht kan worden gebruikt om zelf initiatieven te nemen op het gebied van milieuzorg of duurzaam ondernemen.
– Er bestaat het recht zich te laten informeren en advies in te winnen bij interne en externe deskundigen.
– De or/VGW(M)-commissie heeft het recht te overleggen over alle kwesties waarover hij wil overleggen, dus ook over de milieuvervuiling en de milieuzorg.
– Ten slotte heeft de or/VGW(M)-commissie het recht de achterban te raadplegen over milieukwesties.

---

**Tip voor or en VGW(M)-commissie**

Wijs de werkgever op de 'Milieubarometer'. Dat is een online-meetinstrument dat de milieukosten en milieubelasting van een bedrijf of instelling snel een eenvoudig inzichtelijk maakt. Met de ingebouwde $CO_2$-meter kan ook de $CO_2$-uitstoot gemakkelijk worden afgelezen. Er kunnen bovendien vergelijkingen worden gemaakt met de milieubelasting van branchegenoten. Inmiddels bieden 30 gemeentes (waaronder Amsterdam en de gehele stadsregio Rotterdam) hun bedrijven een gratis abonnement aan. Ook de brancheorganisatie van de zoetwarensector geeft bedrijven in de branche deze gratis service. Zie: www.milieubarometer.nl

---

## 15.9 Milieuprofiel ondernemingsraad of VGW(M)-commissie

De ondernemingsraad kan zich op verschillende manieren met milieukwesties bezig houden, de or kan verschillende rollen oftewel 'milieuprofielen' aannemen. De keuze daarin wordt bepaald door de tijd die de or ter beschikking heeft, de motivatie en het belang dat de or hecht aan de milieuzaak. Het is zinvol uitdrukkelijk voor een profiel te kiezen dat haalbaar en ook motiverend is. Deze keuze is ook afhankelijk van de stand van zaken in het eigen bedrijf: Is er sprake van een forse belasting van het milieu? Wat is de kwaliteit van de aanpak in het bedrijf? In een bedrijf dat nauwelijks milieuaspecten heeft, of een bedrijf dat zijn milieuaanpak goed op orde heeft, ligt een minder actieve rol van de or voor de hand dan in een bedrijf dat grote milieuproblemen kent.

Verder is uiteraard ook van belang hoeveel andere prioriteiten de or of commissie heeft.

*Profiel 1: volgen*
De ondernemingsraad of VGW(M)-commissie volgt de milieu-activiteiten en besteedt er beperkte tijd aan. Eens per jaar leest en bespreekt men het milieujaarverslag en bespreekt dat in de overlegvergadering in aanwezigheid van een eventuele milieucoördinator. De or ontvangt audit- en inspectierapporten.

*Profiel 2: actief toetsen*
De ondernemingsraad of VGW(M)-commissie volgt de milieuactiviteiten van het bedrijf nauwlettend, heeft regelmatig overleg over milieu-aangelegenheden en doet op grond daarvan regelmatig verbetervoorstellen.

*Profiel 3: initiatieven nemen en sturen*
De or/VGW(M)-commissie doet tamelijk diepgaande kennis op van de milieuproblematiek in het bedrijf, onderhoudt zelf actief contact met de achterban betreffende het milieu, overlegt regelmatig met bestuurder en/of milieucoördinator, doet voorstellen om de milieuaanpak en het milieuzorgsysteem te verbeteren, bewaakt de samenhang tussen milieu, arbo en kwaliteitszorg.

---

**Tip: Filevrij werken?**
Special voor ondernemingsraden, kadergroepen en vakbondsbestuurders is onlangs een kenniscentrum Werk & Vervoer opgericht. Dit kenniscentrum biedt kennis en praktisch ondersteuning bij alle vraagstukken die te maken hebben met milieubewust vervoer. Daarbij gaat het zowel om woon-werkverkeer als om zakelijk verkeer. Te denken valt aan thema's als telewerken, flexibilisering van werktijden, reiskostenvergoedingen, (collectief) bedrijfsvervoer, fietsplannen, en vergroening van arbeidvoorwaarden op het gebied van mobiliteit. Dit initiatief van de drie vakcentrales wordt mede bekostigd door het ministerie van Verkeer en Waterstaat.
Zie www.werkenvervoer.nl.

---

## 15.10  Verdere suggesties om met milieuzorg aan de slag te gaan

### 15.10.1  ALGEMEEN

Hier volgen enkele suggesties. Maak daaruit een keuze die past bij het in de vorige paragraaf gekozen profiel.

In het algemeen is het aan te bevelen om aan te sluiten bij bestaande activiteiten of maatregelen. Voorbeelden daarvan zijn:
- Een adviesaanvraag over een verbouwing.
- De jaarlijkse bespreking van het budget: wat is er gereserveerd voor milieu en arbo?
- Betere integratie van milieuverslag en arborapportage.
- In het plan van aanpak — behorende bij de RI&E — kunnen milieuaspecten worden opgenomen.

- In werkoverleggen kunnen minimaal eens per jaar milieuzorg en milieu-ideeën worden besproken. Vraag als or/VGW(M)-commissie om rapportage van die besprekingen.
- Inzage in de rapportage van de milieu-inspectie en de aanbevelingen van de inspecteur. Dat levert informatie op en helpt om de toetsende taak van de or/VGW(M)-commissie vorm te geven.
- Als de or de gewoonte heeft regelmatig een enquête te houden onder het personeel, stel dan minstens één milieuvraag (naast minimaal één vraag over arbo, werkdruk en werkbeleving).

### 15.10.2 HET OPSTARTEN OF NIEUW LEVEN INBLAZEN VAN MILIEU-AANDACHT ONDER MEDEWERKERS

- Doe een oproep aan alle medewerkers of men mee wil denken. Vraag mensen persoonlijk als je het vermoeden hebt dat ze geïnteresseerd zijn.
- Begin met een kleine groep enthousiastelingen.
- Betrek er een belangrijke leidinggevende bij, bijvoorbeeld een hoofd beheer of facility manager.
- Start met gemakkelijk te realiseren kwesties, bijvoorbeeld afvalscheiding.
- Publiceer de resultaten.
- Vraag advies aan een deskundig bureau.
- Stel milieu-ambassadeurs aan in zoveel mogelijk afdelingen. Geef ze steeds heldere taken en maak het mogelijk dat zij deze taken ook kunnen uitvoeren.
- Loof een prijs uit voor het beste milieu-idee.
- Veroorzaak een olievlekwerking door een structurele aanpak: betere inkoop, integratie in de gehele organisatie.

### 15.10.3 DE PORTEFEUILLEHOUDER(S) MILIEU IN DE OR

De ondernemingsraad wil aandacht besteden aan milieukwesties en kiest ervoor om één of twee leden te vragen milieuportefeuillehouder te worden. Hier volgen enkele tips om aan de slag te gaan. Hieronder wordt over één portefeuillehouder gesproken, maar dat kunnen natuurlijk ook meerdere mensen zijn.

- De or verwoordt zijn eigen taak of 'profiel' (zie paragraaf 15.9) betreffende milieu en zet die zo mogelijk op schrift.
- De or geeft een vraag of opdracht mee aan de milieuportefeuillehouder. Die vraag of opdracht is concreet en tijdgebonden ('zoek dit of dat uit over milieuvervuiling en milieutaken binnen het bedrijf en rapporteer ons dat binnen een of twee maanden'). De uitkomst wordt besproken in de or. De or houdt de hoofdverantwoordelijkheid.
- De milieuportefeuillehouder informeert zich over de volgende vragen:

- Welke zijn de belangrijkste milieubelastende factoren en waardoor worden ze veroorzaakt (dat staat in de nulmeting of het milieuprogramma)?
- Wie heeft taken en verantwoordelijkheden in de milieuzorg, welke taken zijn dat? Raadpleeg daarvoor het milieubeleidsplan.
- In welke mate heeft milieuzorg draagvlak in de organisatie?
- Wat zijn de belangrijkste milieuverbeterpunten?
- Welke milieuknelpunten en mogelijke verbeteringen ziet de achterban?

- De milieuportefeuillehouder gaat praten met de milieucoördinator en vraagt naar de belangrijkste knelpunten en resultaten van de afgelopen periode en wat de actiepunten zijn voor de nabije toekomst.
- De milieuportefeuillehouder neemt tijdelijk deel aan het milieuoverleg of de milieucommissie in het bedrijf en let vooral op de mogelijke rol van werknemers en het draagvlak voor milieuzorg in de organisatie. Na elke vergadering schrijft hij een aantal nieuwe wetenswaardigheden of aandachtspunten op.
- De milieuportefeuillehouder rapporteert aan de or, bespreekt zijn/haar bevindingen en doet voorstellen voor verdere betrokkenheid, van de or of VGW(M)-commissie.

### 15.10.4 AANDACHT VOOR MAATSCHAPPELIJK VERANTWOORD ONDERNEMEN

- Neem het initiatief om samen met de directie te praten over maatschappelijk verantwoord ondernemen. Wat voor een bedrijf willen we zijn? Waar is verbetering mogelijk? Wat betekent dat voor ons bedrijf? (Zie hiervoor ook paragraaf 15.5.)

## 15.11 Verder lezen

- Zie paragraaf 30.21 en paragraaf 30.22.
- Milieuwegwijzer voor bedrijven en overheid, Uitgeverij Maurits Groen, Haarlem.
- www.infomil.nl (breed georiënteerde informatieve website).
- www.rivm.nl (het grote onderzoeksinstituut).
- www.ivam.uva.nl (een onderzoeks- en adviesbureau op het gebied van duurzaamheid).
- www.mvonederland.nl (site over maatschappelijk verantwoord ondernemen).
- www.fnvbondgenoten.nl (ook voor een filmpje over duurzaam werken bij een bierbrouwer).
- www.duurzaamaanhetwerk.nl (site met milieutips en suggesties voor en door werknemers).

## DEEL 4

ARBO CONCREET

# 16 De inrichting van arbeidsplaatsen

## 16.1 Inleiding

In de arbowetgeving is een reeks verplichtingen opgenomen voor de inrichting van veilige en gezonde werkplekken, veilige deuren en trappen, sanitair, brandvoorzieningen enzovoort. Ze staan vooral in het Arbobesluit, onder het kopje: 'Inrichting Arbeidsplaatsen'. Ze zijn samengevat in het Arbo-informatieblad nr. 14, *Inrichting van Bedrijfsruimten*. Hier volgt een greep uit de belangrijkste bepalingen. Aan het eind van dit hoofdstuk wordt aandacht besteed aan enkele speciale vereisten voor de bouwplaats.

## 16.2 Algemene bepalingen

Arbeidsplaatsen zijn veilig toegankelijk en kunnen veilig worden verlaten. Ze moeten schoon en ordelijk worden gehouden. Gebouwen en installaties zijn stevig en stabiel, voorwerpen of stoffen kunnen geen gevaren voor veiligheid en gezondheid opleveren. Hetzelfde geldt voor de wijze waarop de elektra is geïnstalleerd en voor de elektrotechnische en bedieningswerkzaamheden. Er moet regelmatig worden gecontroleerd of de aanwezige voorzieningen en maatregelen nog goed functioneren. Geconstateerde gebreken moeten zo snel mogelijk worden hersteld.

## 16.3 Vluchtwegen en nooduitgangen

Werknemers moeten, bij direct gevaar, zich snel en via de kortste weg in veiligheid kunnen brengen. Het aantal nooduitgangen en vluchtwegen en de plek ervan hangen af van de aard en gevaren van het werk, de arbeidsplaatsen en de aantallen werknemers. Vaak zullen er twee nooduitgangen moeten zijn. Rekening moet worden gehouden met gehandicapte werknemers, klanten en bezoekers en met het gebruik van nooduitgangen door de brandweer.

Nooduitgangen en vluchtwegen dienen vrij te zijn van obstakels. Nooduitgangen kunnen te allen tijde worden geopend, zonder hulpmiddelen zoals bijvoorbeeld een sleutel. Er moet adequate markering en noodverlichting zijn voor de vluchtwegen en nooduitgangen.

*Afbeelding 1.*

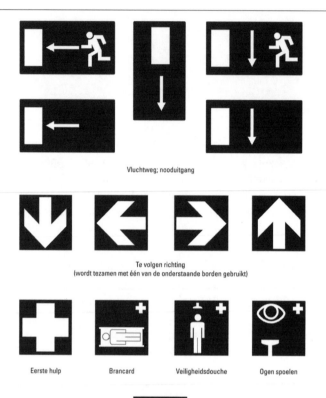

Vluchtweg; nooduitgang

Te volgen richting
(wordt tezamen met één van de onderstaande borden gebruikt)

Eerste hulp      Brancard      Veiligheidsdouche      Ogen spoelen

Telefoon voor redding en eerste hulp

## 16.4    Brandvoorzieningen

Voor het bestrijden van een beginnende brand moeten in elke bedrijf voldoende en geschikte brandbestrijdingsmiddelen aanwezig zijn, zoals brandblussers, brandhaspels en branddekens. Dat is afhankelijk van de aard van het werk, de daaraan verbonden gevaren en het maximum aantal werknemers en andere personen dat daar aanwezig kan zijn. Op deskundige wijze moet het aantal, de plaats en de types van de brandbestrijdingsmiddelen worden bepaald. De brandbestrijdingsmiddelen zijn gemakkelijk bereikbaar, van duidelijke signalering voorzien en eenvoudig te bedienen. Ook zijn — indien nodig — branddetectoren en alarmsystemen aanwezig.

Indien er speciale gevaren zijn bij uitvallen van licht, bijvoorbeeld bij gevaarlijke productieprocessen of gevaarlijke stoffen, is er adequate noodverlichting aanwezig.

## 16.5    Vloeren, wanden en plafonds

- Vloeren zijn zoveel mogelijk vrij van oneffenheden en gevaarlijke hellingen, ze zijn vast, stabiel en stroef.
- Transparante wanden zijn, indien mogelijk, duidelijk gemarkeerd en van veilig materiaal vervaardigd; ze zijn ook voldoende afgeschermd.
- Vloeren, wanden en plafonds zijn van zodanig materiaal gemaakt, dat ze eenvoudig kunnen worden schoon gehouden en onderhouden.

## 16.6    Deuren en doorgangen

- Deuren en doorgangen zijn afgestemd op aard en gebruik van de arbeidsplaats. Automatische deuren en hekken mogen geen gevaar opleveren en zijn uitgerust met gemakkelijk herkenbare beveiligingen, die moeten voorkomen dat werknemers gewond raken.
- Afhankelijk van de aard van het werk zijn deuren of andere doorgangen transparant.
- Op transparante deuren is op ooghoogte een markering aangebracht en ze zijn van veilige materialen gemaakt.
- In de directe omgeving van deuren en doorgangen die hoofdzakelijk voor voertuigen en transportmiddelen zijn bestemd, is een aparte doorgang voor voetgangers, die duidelijk gemarkeerd is en vrij van obstakels, als de doorgang voor voetgangers zelf niet veilig is. De doorgang is veilig als hij, bij eenrichtingsverkeer, minimaal 0,6 meter breder is dan het breedst passerende voertuig; bij tweerichtingsverkeer is de doorgang 0,9 meter breder dan tweemaal de breedte van het breedst beladen voertuig.

## 16.7    Verbindingswegen

- Verbindingswegen op bedrijfslocaties zijn veilig ingericht. Bijvoorbeeld binnen gebouwen en hallen, maar ook tussen gebouwen op een bedrijfsterrein.

– Er zijn verkeersregels vastgesteld als er sprake is van verbindingswegen op bedrijfsterreinen en op arbeidsplaatsen.
– Door middel van belijning is een duidelijke routing aangegeven.
– Er is veilige ruimte voor voetgangers gecreëerd.
– Indien nodig zijn verbindingswegen duidelijk afgebakend.

## 16.8 Gevaar vallende voorwerpen of omvallende constructies

– Gevaren van vallende voorwerpen of wankele constructies moeten direct worden verholpen.
– Als dat gevaar niet kan worden voorkomen, moeten de plaatsen gemarkeerd zijn met veiligheidssignalen.
– Plaatsen met gevaar voor vallende voorwerpen, mogen alleen worden betreden door werknemers die beroepshalve daar moeten zijn.

## 16.9 Valgevaar

Valgevaar is een van de meest voorkomende oorzaken van een arbeidsongeval. Op een werkplek boven de 2,50 meter is sprake van werken op hoogte. Dit betekent dat er sprake is van een verhoogd risico dat zelfs fatale gevolgen kan hebben.

Op plaatsen met valgevaar is — zo mogelijk — een veilige steiger, stelling, bordes of werkvloer aangebracht of er zijn doelmatige hekwerken of leuningen van minimaal 1 meter hoog geconstrueerd. Als genoemde voorzieningen niet kunnen worden aangebracht, moeten voldoende sterke en grote vangnetten worden aangebracht of anders een valbeveiligingsysteem of vallijn. Collectieve maatregelen hebben hier de voorrang boven individuele voorzieningen.

## 16.10 Afmetingen van arbeidsplaatsen

Afmetingen van arbeidsplaatsen en de bewegingsruimten om te werken moeten veilig en voldoende zijn. De wetgeving kent verder geen minimale maten.

## 16.11 Pauzeruimten

Er is een gemakkelijk toegankelijke ruimte voor het doorbrengen van pauzes. Deze ruimte is daarvoor geschikt — in principe is het geen werkruimte — en is voldoende ruim en voorzien van voldoende tafels en stoelen.

## 16.12    Kleedruimten

- Iedere werknemer beschikt over een plaats om zijn kleding op te hangen.
- Als er werkkleding wordt gedragen zijn kleedruimten beschikbaar die voldoende ruim zijn, naar mannen en vrouwen gescheiden en gelegen nabij de arbeidsplaats. Natte werkkleding kan worden gedroogd. De kleding die niet gedragen wordt tijdens het werk, kan doelmatig en afgesloten worden bewaard.
- Als dat nodig is worden werkkleding en persoonlijke kleding gescheiden en afgesloten bewaard. Dat is bijvoorbeeld het geval bij werkkleding die nat of modderig wordt of stinkt, of bij werkkleding van werknemers die met gevaarlijke stoffen werken.

## 16.13    Was- en doucheruimten

- Als het werk dat nodig maakt, bijvoorbeeld bij vies en stoffig werk, is er een wasruimte met voldoende goede wasbakken, die gescheiden zijn naar mannen en vrouwen.
- Indien nodig, zijn er doucheruimten, die voldoende ruim zijn, naar mannen en vrouwen gescheiden en met warm en koud stromend water.
- De douche- en wasruimten en kleedruimten zijn binnendoor en gemakkelijk bereikbaar.
- De gescheidenheid naar mannen en vrouwen kan ook worden bereikt door gebruik van de was- en doucheruimten op verschillende tijdstippen, zegt de wet.

## 16.14    Toiletten

Er is in de nabijheid van de plek waar de werknemers hun werk verrichten een voldoende aantal toiletten aanwezig:
- In of dichtbij de toiletten bevinden zich voldoende wastafels.
- De toiletten of het gebruik ervan zijn naar seksen gescheiden.

## 16.15    Eerstehulpposten

Als de gevaren op het werk dat nodig maken, zijn er voldoende eerstehulpposten aanwezig. Er zijn daar duidelijk zichtbare instructies aanwezig. Er is een alarmnummer duidelijk zichtbaar aangebracht. De hulpposten zijn voorzien van de noodzakelijke eerste-hulpuitrusting en zijn gemakkelijk met brancards bereikbaar.

---

**Tips**

– Loop bovenstaande vereisten door voor uw organisatie.

– Blader AI-blad nr. 14 eens door. Dit gaat over bedrijfsruimten, inrichting, transport en opslag. En lees de onderdelen waarvan u vermoedt dat er voor uw bedrijf nog verbeteringen nodig zijn.

– Bepaal wat u, gezien het bovenstaande, nader wilt onderzoeken. Maak hiervan een lijstje dat u gebruikt bij een rondgang door het bedrijf.

– Kijk in de RI&E en het plan van aanpak wat daar over uw knelpunten is genoteerd.

– Stel enkele prioriteiten vast; drie prioriteiten zijn beter dan een ellenlange waslijst.

– Maak bij deze prioriteiten een wensenlijst of actieplan.

---

Zie voor een uitwerking van een actiepunt paragraaf 30.30.

## 16.16    Vereisten voor de bouwplaats

Voor de bouwplaats zijn afzonderlijk een aantal algemene verplichtingen geformuleerd, de hierboven geformuleerde verplichtingen gelden ook.

*Algemeen*
Een bouwplaats is gemarkeerd en afgebakend. Op een bouwplaats is voldoende drinkwater en andere alcoholvrije drank beschikbaar. Indien nodig zijn er faciliteiten voor het bereiden van maaltijden.

*Stabiliteit en stevigheid*
Werkplekken die niet op de begane grond zijn gesitueerd, zijn stabiel en stevig. Dat wordt regelmatig en doeltreffend gecontroleerd.

*Elektra*
Elektrische installaties die vooraf aan de werkzaamheden op de bouwplaats aanwezig zijn worden geïdentificeerd (bepaald waar ze zich bevinden), gecontroleerd en duidelijk gekenmerkt.

Bovengrondse elektriciteitsleidingen worden zoveel mogelijk buiten de bouwplaats omgeleid of spanningsloos gemaakt. Indien dat niet mogelijk is, worden hekken of waarschuwingsborden geplaatst.

Indien voertuigen onder elektriciteitsleidingen door moeten rijden worden beschermingen onder de leidingen aangebracht.

Ondergrondse leidingen en kabels worden geïdentificeerd (bepaald en aangegeven waar ze zich bevinden) en er worden beschermingen aangebracht voor werknemers in geval van mogelijke beschadiging daarvan.

*Bouwputten, tunnels, ondergrondse werkzaamheden*
In bouwputten, tunnels, bij ondergrondse werkzaamheden worden doeltreffende stut- en taludvoorzieningen aangebracht. De uitgegraven aarde, het gebruikte materiaal en de gebruikte voertuigen worden op veilige afstand van de uitgraving gehouden. Indien nodig wordt rond de uitgraving een doeltreffend hekwerk gezet.

*Metaal en betonconstructies, bekistingen, zware prefab-elementen*
Deze worden gemonteerd of gedemonteerd onder toezicht van een speciaal daartoe aangewezen persoon. Bekistingen, tijdelijke schutten en schoren kunnen zonder gevaar voor werknemers de krachten dragen waaraan zij blootstaan.

---

**Tips or/VGW(M)-commissie**

– Loop bovenstaande vereisten door voor uw organisatie.

– Blader AI-blad nr. 14 over Bedrijfsruimten, inrichting, transport en opslag eens door. En lees de onderdelen waarvan u vermoedt dat er voor uw bedrijf nog verbeteringen nodig zijn.

– Bepaal wat u, gezien bovenstaande, nader wilt onderzoeken. Maak hiervan een lijstje dat u gebruikt bij een rondgang door het bedrijf.

– Kijk in de RI&E en het plan van aanpak wat daar over uw knelpunten is genoteerd.

– Stel prioriteiten vast, gezien bovenstaande: vier prioriteiten zijn beter dan een ellenlange waslijst.

– Maak een wensenlijst of actieplan, gezien bovenstaande onderwerpen.

Zie voor een uitwerking van een actiepunt de vragenlijst paragraaf 30.30.

---

## 16.17   Verder lezen

– Arbobesluit, hoofdstuk 3, 'Inrichting arbeidsplaatsen'.
– Arbo-informatieblad nr. 14, *Bedrijfsruimten, inrichting, transport en opslag.*
– *Praktijkgids arbeidsveiligheid*, Kluwer, Alphen aan den Rijn.
– *De Inspectiemethode Arbeidsomstandigheden* , Kerckebosch, Zeist.
– *Arbonormenboek*, Kluwer, Alphen aan den Rijn.

# 17 Bedrijfshulpverlening

## 17.1 Inleiding

Iedere werkgever dient werknemers aan te wijzen die taken uitvoeren als bedrijfs-hulpverlener. Bedrijfshulpverleners zijn er om eerste hulp te bieden, brand te voorkomen en in eerste instantie te bestrijden, enzovoorts. Het belang van goede bedrijfshulpverlening is groot. Ieder jaar wordt 300.000 maal eerste hulp gegeven vanwege een bedrijfsongeval, ieder jaar zijn er 1700 bedrijfsongevallen met blijvende arbeidsongeschiktheid. Op ieder moment van de bedrijfsvoering moeten bedrijfshulpverleners beschikbaar zijn, ze moeten naar behoren zijn opgeleid en er moeten passende voorzieningen en juist materiaal aanwezig zijn. De ondernemingsraad of VGW(M)-commissie heeft instemmingsrecht over het bedrijfsnood-plan en de organisatie en opzet van de bedrijfshulpverlening.

## 17.2 Wettelijke verplichtingen

### 17.2.1 ALGEMEEN

De werkgever wijst werknemers als bedrijfshulpverleners aan (artikel 15 Arbowet). Ook bij zeer kleine bedrijven is er altijd minimaal één bedrijfshulpverlener, dat kan daar eventueel de werkgever zijn. De werkgever baseert de organisatie van de bedrijfshulpverlening op de risico-inventarisatie en -evaluatie. De organisatie van de bedrijfshulpverlening en de opleiding van de bedrijfshulpverleners zijn afhankelijk van de aard en de ernst van de arborisico's, de ligging, grootte en aard van het bedrijf of de instelling, het aantal aanwezige werknemers en de zelfredzaamheid van 'derden' (patiënten, leerlingen) en de opkomsttijd van externe hulpverlenende instanties. De arbodienst of andere externe deskundigen kunnen adviseren over de opzet van de bedrijfshulpverlening en mogelijkerwijze de bedrijfshulp-verleners opleiden. Het is verstandig om enkele reële scenario's uit te werken van calamiteiten die zich kunnen voordoen. Dat kan gaan van ongeval en brand tot aan overstroming, bommelding of gasemissie bij buurbedrijven. In een bedrijfsnoodplan worden de maatregelen uitgewerkt die nodig zijn om de calamiteiten te beheersen.

---

**Tips**

– Zijn de bedrijfshulpverleners bekend bij de werknemers en zijn ze snel oproepbaar?

– Is er een bedrijfsnoodplan en bedrijfshulpverleningsplan in het bedrijf?

---

### 17.2.2 DE TAKEN

De taken van bedrijfshulpverleners zijn:
– verlenen van eerste hulp bij ongevallen;
– bestrijden en beperken van brand;
– alarmeren en evacueren van werknemers en andere aanwezigen.

De bedrijfshulpverlener heeft een 'voorpostfunctie'. Hij verricht de eerste hulp, bestrijdt als eerste een brand of brandje, voordat de professionele mensen arriveren. In sommige organisaties zijn er naast de BHV'ers ook apart opgeleide EHBO-'ers aanwezig. Dan beperken de BHV'ers zich vooral tot brand en ontruiming, en richten de EHBO'ers zich op ongevallen. Overigens is het niet meer verplicht om gediplomeerde EHBO'ers in huis te hebben.

---

**Tips**

– Zijn alle taken van de bedrijfshulpverleners voldoende bekend en omschreven?

– Zijn, als aanvulling op de wetgeving, voldoende preventieve taken omschreven, zoals het controleren van rookmelders en sprinklers en brandblusapparatuur, het controleren van vluchtwegen en nooduitgangen?

---

### 17.2.3 DE ORGANISATIE

De bedrijfshulpverleners moeten binnen enkele minuten na een incident ter plekke kunnen zijn om op de juiste manier te reageren. En binnen een korte tijd dient bij een calamiteit een gebouw op een geordende manier ontruimd te worden. Dat betekent dat er hoge eisen worden gesteld aan beschikbaarheid, bereikbaarheid, opleiding en oefening van bedrijfshulpverleners. Er dienen ook afspraken te zijn waardoor de externe hulpverleners (brandweer, ambulance) zo efficiënt mogelijk door de bedrijfhulpverleners worden opgeroepen en bijgestaan. Deze afspraken moeten bekend en geoefend zijn. Als nabijgelegen bedrijven ook gevaar kunnen lopen, wordt met hen afspraken gemaakt in verband met de bedrijfshulp-verlening. Er moeten vaste afspraken zijn gemaakt over opleiding, bijscholing en oefening. Iemand moet het geheel van de bedrijfshulpverlening coördineren. Het is raadzaam dat de bedrijfshulpverleners een badge of ander teken dragen die hen als zodanig herkenbaar maakt, en dat ze zodanige communicatieapparatuur heb-ben dat ze direct oproepbaar zijn. Alle werknemers moeten worden ingelicht over de bedrijfshulpverlening: de aangewezen bedrijfshulpverleners, de voorzieningen (bijvoorbeeld de EHBO-kisten), de nooduitgangen en vluchtwegen enzovoort. On-dernemingsraden doen er goed aan zich te verdiepen in de kwaliteit en bekend-heid van de praktische afspraken op het gebied van bedrijfshulpverlening. Dan kan, bij organisaties die de BHV te gemakkelijk opvatten, al snel blijken dat er zaken fout gaan. Bijvoorbeeld: belangrijke telefoonnummers zijn 's avonds niet bereikbaar, het aantal BHV'ers is in vakantieperiodes ontoereikend, nieuwe afde-lingen zijn niet in de plannen opgenomen etc. In de praktijk blijkt dat de bedrijfs-hulpverlening in noodsituaties zo sterk is als de zwakste schakel. Maar juist in noodsituaties mogen er geen zaken mis gaan.

---

**Uit de praktijk**

*Bijna-ongeval*

Tijdens een or-cursus breekt er 's avonds brand uit in het hotel. Alle gasten en perso-neelsleden worden door BHV'ers van het hotel gemaand om naar een buitengelegen verzamelplaats te gaan. Daar zien de or-leden hoe een BHV'er, die op de weg staat om de naderende brandweerauto de weg te wijzen, ternauwernood aan de dood ontsnapt. Hij wordt bijna aangereden door de brandweerauto die hem in het donker niet ziet staan. In de haast had de BHV'er verzuimd zijn fluorescerend hesje aan te trekken.

---

*Alle afspraken op schrift — het bedrijfsnoodplan*

Het is aan te bevelen alle afspraken en procedures betreffende de bedrijfshulp-verlening op schrift te stellen. Dat is het bedrijfshulpverleningsplan. Onder-deel daarvan is vaak een bedrijfsnoodplan. In het noodplan staat beschreven wat er moet gebeuren bij noodgevallen in een bedrijf of instelling, zoals wie welke taken en bevoegdheden heeft in verschillende noodsituaties, wie bijvoorbeeld be-velvoerder is, wat de taak is van de receptie, wat de taak is van de BHV'ers, wie wie moet inlichten, enzovoort.

Een ander onderdeel is het ontruimingsplan. Dat geeft aan hoe in geval van acute dreiging een gebouw (of een deel ervan) ontruimd dient te worden. Het beschrijft hoe aan iedereen wordt duidelijk gemaakt dat er een ontruiming volgt, welke stappen er achtereenvolgens dienen te worden gezet, wat er dient te ge-beuren met cliënten, klanten, patiënten, welke deuren gesloten moeten worden, wat er dient te gebeuren met draaiende machines en gevaarlijke stoffen, waar de werknemers zich weer dienen te verzamelen, hoe nagegaan wordt of alle mensen het gebouw verlaten hebben, etc.

De ondernemingsraad of VGW(M)-commissie heeft instemmingsrecht bij het opstellen of wijzigen van het bedrijfshulpverleningsplan of noodplan.

---

**Tips**

– Zijn de BHV'ers zodanig bekend bij de collega's en zijn de communicatiemiddelen beschikbaar, zodat ze snel bereikt kunnen worden?
– Zijn er op alle momenten dat er wordt gewerkt voldoende BHV'ers aanwezig?
– Is er een actueel en adequaat bedrijfshulpverleningsplan en/of noodplan en heeft de or/VGW(M) daar voldoende bij betrokken?
– Is er een ontruimingsplan dat voldoende rekening houdt met de specifieke kenmerken van het eigen bedrijf?
– Worden er voldoende ontruimingsoefeningen gehouden?

---

**Uit de praktijk**

*Lessen uit de Schipholbrand*

In 2005 woedde een felle brand in een cellencomplex in de buurt van Schiphol. 15 personen raakten gewond, 11 mensen kwamen om het leven. Waarschijnlijk is de ramp ontstaan doordat een gedetineerde man brand heeft gesticht in zijn cel.

Onderzoek toonde aan dat een betere organisatie en een striktere naleving van de ontruimingsprocedures waarschijnlijk tot minder slachtoffers had geleid.

Een voorbeeld: nadat de man uit zijn brandende cel was gered, zijn de BHV'ers het pand gaan ontruimen. Ze hebben er toen voor gekozen om de personen die het dichtst bij de ingang zaten het eerst te bevrijden. Achteraf een fatale fout: Door de snelle uitbreiding van hitte en rook konden de cellen aan het eind van de gang al gauw niet meer worden bereikt.

---

## 17.2.4 HET AANTAL BEDRIJFSHULPVERLENERS

Het aantal bedrijfshulpverleners dat aanwezig moet zijn, is afhankelijk van de aard van het bedrijf, de zwaarte van de risico's en de grootte van het bedrijf. De richtlijn is dat er binnen enkele minuten altijd minimaal één bedrijfshulpverlener beschikbaar moet zijn. Met de planning van de aanwezigheid van de BHV'er moet rekening worden gehouden met onregelmatige diensten, zoals ploegendiensten en met vakantie, andere verlofdagen en ziekte. Er bestaan geen wettelijke voorschriften meer over het minimum aantal BHV'ers dat aanwezig moet zijn in een organisatie. De bepaling dat er per 50 werknemers 1 BHV'er aanwezig moet zijn, is per

2007 uit de Arbowet geschrapt. Dat betekent dat de werkgever in overleg met de ondernemingsraad zelf vaststelt hoeveel BHV'ers er in de organisatie nodig zijn. De ondernemingsraad heeft instemmingsrecht als de werkgever afwijkt van het aantal dat eerder is vastgelegd. Om het animo te vergroten om BHV'er te worden, bestaan er in diverse bedrijven regelingen over een extra vergoeding. Sommige bedrijven sluiten ook een aparte ongevallenverzekering af voor BHV'ers. Dat laatste is nodig als de verzekeraar van mening is dat BHV-taken niet onder de normale ongevallenverzekering en aansprakelijkheidsverzekering van het bedrijf vallen.

*Alleen werkenden*

In diverse sectoren zijn er alleenwerkenden actief zoals monteurs, chauffeurs, loodgieters, bosarbeiders en schilders. Zij hoeven en kunnen niet altijd bereikbaar zijn voor een collega-BHV'er. Zij hoeven ook niet zelf BHV'er te zijn. Wel moeten ze zichzelf zoveel mogelijk in veiligheid kunnen brengen en hulp kunnen inroepen in geval van nood. Daartoe moeten ze goede instructies hebben en geschikte communicatieapparatuur.

---

**Tips**
- Is er een goede afspraak gemaakt over het aantal BHV'ers in het bedrijf of de instelling? Werkt dat op alle momenten in de week en in het jaar goed?
- Zijn er voldoende voorzieningen voor alleenwerkenden?

---

## 17.2.5 MATERIËLE MIDDELEN

Afhankelijk van de aard van het bedrijf zullen er adequate middelen aanwezig dienen te zijn.
- In het bedrijf of de instelling zijn voldoende en afdoende blusmiddelen aanwezig.
- Er is een adequaat branddetectiesysteem.
- Er is voldoende EHBO-materiaal.
- Er zijn passende communicatiemiddelen om de BHV'ers snel te kunnen oproepen.
- Er zijn veiligheidsborden en signalen in verband met noodsituaties.
- Er zijn posters en biljetten met informatie over: hoe te handelen bij brand en ongeval.

---

**Tips**
- Zijn bovenstaande materiële voorzieningen voldoende aanwezig?

---

> – Worden de materiële voorzieningen regelmatig gecontroleerd? Wie voert die controles uit?

## 17.2.6 OPLEIDING EN OEFENING

De bedrijfshulpverleners zijn zodanig opgeleid dat ze in staat zijn hun taken te vervullen: levensreddende eerste hulp en brandbestrijding. De aard en frequentie van opleiding en oefening zijn — opnieuw — afhankelijk van de risico's in het bedrijf. Voor 2007 was het verplicht dat een BHV'er minimaal begon met een tweedaagse training over brandbestrijding en levensreddende handelingen. Daarna was één herhalingsdag per twee jaar voorgeschreven. Nu is dat geheel opengelaten. De werkgever kan het aantal opleidingsdagen in samenspraak met de ondernemingsraad vastleggen.

Ook ontruimingsoefeningen zijn niet meer wettelijk voorgeschreven. Deze oefeningen zijn alleen nog verplicht voor bedrijven die met grote hoeveelheden gevaarlijke stoffen werken. Het kan ook gebeuren dat de gemeentelijke gebruiksvergunning voorschrijft dat er minstens eenmaal per jaar een ontruimingsoefening plaats vindt. Maar die gebruiksvergunning is alleen aan de orde bij bepaalde bedrijven die gevaarlijke stoffen opslaan, en bij instellingen waar minimaal tien gasten slapen (zoals hotels en ziekenhuizen) of waar minimaal tien kinderen of gehandicapten verblijven. Bij de meeste bedrijven in Nederland geldt dus geen wettelijke plicht tot het houden van ontruimingsoefeningen. Het is zaak om als or of individuele werknemer hierop aan te dringen. Uit analyses van calamiteiten bij bedrijven blijkt dat door regelmatige en gerichte oefeningen een ontruiming sneller en beter verloopt. Dat kan het verschil betekenen tussen leven en dood.

---

**Uit de praktijk**

*Brand bij TU Delft*

Door de uitslaande brand bij de TU Delft in mei 2008 ging het gebouw van Bouwkunde geheel verloren. Door een goed reagerende BHV-organisatie vielen er geen slachtoffers. Wat ging er goed op het gebied van BHV? Uit twee onderzoeksverslagen blijkt dat er meerdere succesfactoren waren. Bij al die factoren komt vooral het praktische karakter van de BHV als sterk punt naar voren. Zowel in het ontruimingsplan, de BHV-organisatie, de opleiding, als in de ontruimingsoefeningen is men niet uitgegaan van wettelijke regels of van een standaardaanpak, maar heeft men gekozen voor maatwerk waarbij de eigen praktijksituatie centraal stond.

Een or die zich buigt over de bedrijfshulpverlening in de eigen organisatie doet er verstandig aan zich steeds af te vragen of daar ook die praktijkgerichte aanpak is toegepast. Zo is het raadzaam dat de BHV-opleiding zoveel mogelijk op het eigen bedrijf plaatsvindt. Dat geldt zeker voor de herhalingsdagen. Als er zich een calamiteit aandient, is het van groot belang dat er meerdere malen in de plaatselijke omstandigheden is geoefend.

---

**Tips**

– Wordt er voldoende aan opleiding, bijscholing en oefening gedaan, zodat de BHV'ers van wanten weten zijn als er echt een incident gebeurt?
– Wordt gedetailleerd nagegaan of de opleiding en de diplomering voldoende kwaliteit hebben?
– Probeer af te spreken dat BHV'ers zo veel mogelijk met praktische situaties op het eigen bedrijf oefenen. Dat is veel leerzamer dan in een extern trainingscentrum.
– Maak afspraken over het aantal ontruimingsoefeningen, bijvoorbeeld eenmaal per jaar. Zie toe dat elke oefening uitgebreid geëvalueerd wordt en leidt tot aanpassingen in het bedrijfsnoodplan.

## 17.3  Rechten or/VGW(M)-commissie

– De or heeft instemmingsrecht over de organisatie van de bedrijfshulpverlening en het bedrijfshulpverleningsplan en/of noodplan. Dus voordat de werkgever zo'n plan tot uitvoering gaat brengen, moet hij tot een akkoord komen met de or of VGW(M)-commissie.
– Ook in het geval de werkgever de opzet van de bedrijfshulpverlening wil wijzigen moet hij instemming vragen aan de or of VGW(M)-commissie.
– De or/VGW(M)-commissie kan de Arbeidsinspectie inschakelen als de werkgever zich niet houdt aan de wettelijke verplichtingen.

## 17.4  Stappenplan opzet bedrijfshulpverlening

De volgende stappen kunnen worden gebruikt bij een gedegen aanpak van de bedrijfshulpverlening.
1. De werkgever besluit dat hij een gedegen opzet van de bedrijfshulpverlening wil.
2. De werkgever betrekt daar de ondernemingsraad of VGW(M)-commissie bij. Als de werkgever dat nalaat, zorgt de or/VGW(M)-commissie ervoor dat hij erbij wordt betrokken.
3. De werkgever schakelt een deskundige in, bijvoorbeeld een eigen deskundige of een op dit terrein ervaren adviseur van de arbodienst of van een gespecialiseerd bureau.

4. Op grond van de risico-inventarisatie en -evaluatie worden belangrijke knelpunten aangepakt:
   - de aanpak van gevaarlijke en gezondheidsbedreigende werkplekken.
   - vereiste verbetering van nooduitgangen, vluchtwegen, brandpreventie, noodverlichting, alarminstallaties;
5. Er worden scenario's van reële noodsituaties gemaakt.
   Bijvoorbeeld: brand, eerste hulp, bedrijfsongeval, bommelding, emissie van gassen in het eigen bedrijf of bij buurbedrijven, een agressie-incident, een overstroming, een gevaarlijk griepvirus, gladheid en stormen.
6. Er wordt een bedrijfsnoodplan opgezet.
   Daarin worden heldere en werkbare procedures geformuleerd over:
   - hoe worden de bedrijfshulpverleners ingeschakeld?
   - de vereiste aanpak van al de geschetste scenario's.
   - de alarmsignalen: bij welke signaal moet wie wat doen?
   - de coördinatie in noodsituaties en de bevoegdheden die daarbij horen.
   - de situaties waarin welke externe hulp wordt ingeschakeld.
   - wanneer moet worden ontruimd, wie geeft de opdracht?
   - hoe moet worden ontruimd, prioriteiten enzovoort?
   - contacten met hulpverleners, nabijgelegen bedrijven en instellingen.
7. De BHV-organisatie wordt opgezet:
   - Er worden voldoende bedrijfshulpverleners aangewezen, verspreid over de verschillende werktijden en afdelingen of vestigingen. Er wordt ook gedacht aan vervanging bij verlof of verzuim.
   - Taken en verantwoordelijkheden worden vastgelegd.
   - Er komt een goede vergoedingsregeling.
   - Er wordt gezorgd voor de juiste materiële voorzieningen.
8. Er wordt een systeem van oefeningen vastgelegd.
9. De opleidingssystematiek wordt vastgelegd:
   - leg de benodigde opleidingen vast, afgestemd op de risico's en de mogelijke ernst van de noodsituaties;
   - leg vast hoe vaak er bijscholing plaats vindt;
   - leg vast of en hoe er wordt geëxamineerd.
10. Er wordt vastgelegd hoe de gemaakte afspraken worden geborgd en actueel worden gehouden.
11. Het geheel wordt vastgelegd in een 'handboek' of 'BHV-beleidsplan'.
12. Over het bedrijfsnoodplan en de opzet en organisatie van de bedrijfshulpverlening vraagt de werkgever instemming aan de ondernemingsraad. De or maakt waar nodig nog aanvullende afspraken.
13. Het personeel wordt voorgelicht en geïnstrueerd. BHV'ers worden opgeleid.
14. Noodsituaties worden geoefend.
15. De BHV-organisatie, wordt op een vastgelegde tijd en frequentie geëvalueerd en waar nodig bijgesteld, mede op grond van praktische oefeningen.

16. Over die mogelijke aanpassing vraag de werkgever instemming aan de ondernemingsraad of VGW(M)-commissie.

---

**Uit de praktijk**

*BHV op 11 september 2001*

Bij de terroristische aanslag op het World Trade Center (WTC) te New York in september 2001 kwamen duizenden mensen om het leven. Uit onderzoek onder overlevenden
bleek dat zij gemiddeld zes minuten hebben gewacht totdat zij hun werkplek verlieten.
Een erg lange tijd! Er was nauwelijks lering getrokken uit de bijzonder trage ontruiming
van het WTC na de bomaanslag van 1993.

Een uitzondering betrof een bedrijf op de 44e verdieping waar 2700 medewerkers zich
snel naar buiten spoedden. Die snelheid was vooral te danken aan de veiligheidsman
van het bedrijf, die zich na 1993 onophoudelijk had ingespannen om het personeel te
blijven leren hoe op een voortvarende manier te ontruimen. Zijn inspanningen hadden
er toe geleid dat men — ook onder enorme stress — snel in actie kwam en de juiste
keuzes maakte.

De veiligheidsman zelf, Rick Rescorla, kwam bij de aanslag om het leven. Nadat bleek
dat er zich nog enkele collega's in het gebouw moesten bevinden, ging hij met vier
collega-veiligheidsmensen weer naar boven. Hij is niet meer teruggekomen.

---

## 17.5    Verder lezen

- Zie paragraaf 30.19.
- Arbo-informatieblad AI-10, *Bedrijfshulpverlening en noodplan*, Sdu, Den Haag.
- *Praktijkgids arbeidsveiligheid*, Kluwer, Alphen aan den Rijn.
- *Handreiking Bedrijfshulpverlening*, Stichting van de arbeid, 2008.

# 18  Gevaarlijke stoffen

## 18.1    Inleiding

Gevaarlijke stoffen zijn stoffen die de gezondheid in gevaar brengen, acuut of op lange termijn. Veel stoffen zijn herkenbaar, bijvoorbeeld door de gevaarsaanduiding op de verpakking, maar sommige zijn moeilijker herkenbaar en hebben pas na jaren hun uitwerking of zitten verborgen in andere stoffen. Gevaarlijke stoffen zijn niet alleen die stoffen die te maken hebben met gevaren voor brand, directe vergiftiging of ontploffing. Vele stoffen die al veel langer in een bedrijf aanwezig zijn en gewoon zijn geworden kunnen als sluipmoordenaar hun werking hebben, bijvoorbeeld hout- en meelstof, kwarts uit steen en cement, stoffen die in laboratoria of in de cosmetica worden gebruikt, of oplosmiddelen.

Gevaarlijke stoffen zijn er in veel variaties: stoffen, dampen, gassen, poeders en in vloeibare vorm. De gevolgen kunnen zijn: huiduitslag, bedwelming, longkanker, concentratieverlies, aantasting van allerlei organen, acute vergiftigingen, hersenbeschadiging, eczemen en ontstekingen. Jaarlijks overlijden naar schatting 1200 werknemers vroegtijdig door blootstelling aan kankerverwekkende stoffen. De problematiek van gevaarlijke stoffen, gassen en dampen is zeer omvangrijk en ingewikkeld. In dit hoofdstuk worden enkele hoofdlijnen behandeld van regelgeving en risicobeheersing van gevaarlijke stoffen. Hier worden kaderleden, de ondernemingsraad of VGW(M)-commissie voorzien van de benodigde basiskennis. Met behulp daarvan kan men belangrijke vragen stellen en initiatieven nemen.

## 18.2    De gevaren

Gevaar ontstaat als je in contact komt met gevaarlijke stoffen. Blootstelling kan plaats hebben langs drie wegen: bij inademen, huidcontact en inslikken. De gezondheidsschade wordt bepaald door de mate van schadelijkheid van de stof, de dosis, de frequentie en duur van de blootstelling aan een bepaalde stof. Andere factoren kunnen de risico's vermeerderen, zoals zwaar lichamelijke arbeid en onregelmatige werktijden. Die kunnen het lichaam gevoeliger maken voor gevaarlijke stoffen. Ook kan de gevoeligheid van de persoon een rol spelen: een beschadigde huid, allergieën of leeftijd.

Enkele voorbeelden van beroepen en werkplekken waar risico's bestaan:
- schilders: oplosmiddelen en verven;
- werkers in land- en tuinbouw: bestrijdings- en ontsmettingmiddelen;
- ziekenhuizen: narcosegassen en cytostatica;
- automonteurs: smeeroliën, benzine, uitlaatgassen, lasrook, verven;
- metaalbewerkers: snijoliën, ontvettingsmiddelen, lasrook, koelvloeistoffen;
- chauffeurs: vervoer gevaarlijke stoffen, uitlaatgassen, laad- en losrisico's;
- werkers in houtverwerkende industrie: houtstof, lijmen en kwartsstof;
- bakkers: meelstof en broodverbeteraars;
- werknemers in de chemische industrie.

De gevaren zijn in verschillende categorieën ingedeeld, zoals explosief, (licht) ontvlambaar, (zeer) vergiftig, irriterend, bijtend, allergie veroorzakend, kankerverwekkend, voor de voortplanting giftig en milieugevaarlijk. De registratie van de aanwezigheid van gevaarlijke stoffen in een bedrijf moet volgens deze categorieën plaatsvinden.

## 18.3 Wettelijke verplichtingen

De wettelijke verplichtingen staan geformuleerd in de Wet milieugevaarlijke stoffen, het Arbobesluit (hoofdstuk 4), de Arboregeling en de Bestrijdingsmiddelenwet. Hierna worden behandeld: de wettelijk verplichte registratie, etikettering, opslag, bijbehorende informatie en algemene regels voor gebruik.

### 18.3.1 REGISTRATIE

Volgens de bovengenoemde categorieën (ontvlambaar, bijtend, vergiftig enzovoort) wordt een register bijgehouden van gevaarlijke stoffen. Die registratie is in ieder geval onderdeel van de risico-inventarisatie en -evaluatie. In dat register zijn per stof opgenomen:
- de identiteit van de stof, de chemische naam of de handelsnaam en de componenten van die stof;
- de gevaren van de stof;
- de manier waarop blootstelling aan de stof kan plaatsvinden;
- de afdeling(en) waar de stof voorkomt.

Voor kankerverwekkende stoffen (carcinogene stoffen), stoffen die de voortplanting kunnen beïnvloeden (reprotoxische stoffen), mutagene stoffen (stoffen die het genetisch materiaal van een mens veranderen) en milieugevaarlijke stoffen gelden aanvullende registratieverplichtingen (Arbobesluit o.a. artikel 4.2a).

## 18.3.2 OPSLAG

Gevaren in verband met opslag spelen vooral een rol bij overtappen, gebruik en transport in de opslagruimte.

Er gelden regels en maximale hoeveelheden voor de opslag van gevaarlijke stoffen op verschillende plekken: in aparte losstaande opslaggebouwen, voor opslag in 'kluizen' (inpandige afgesloten ruimten), in losse kasten en in bouwkundige kasten.

Een aantal stoffen mag niet gecombineerd worden opgeslagen. Ontvlambare stoffen mogen bijvoorbeeld niet samen worden opgeslagen met vergiftige of bijtende stoffen en samengeperste gassen. Ze mogen niet worden opgeslagen samen met oxyderende stoffen en moeten worden opgeslagen in een brandwerende kast. Zuren mogen niet in één compartiment worden opgeslagen met logen (vanwege warmteontwikkeling), cyaniden (vorming van blauwzuurgas) en sulfiden (giftige en stinkende zwavelwaterstof). Compartimenten worden aangebracht door scheidingswanden of ruimten van twee meter tussen de verschillendsoortige chemicaliën (dat laatste in het geval van een apart opslaggebouw of vatenpark). Op de werkvloer mag een werkvoorraad van een gevaarlijke stof aanwezig zijn, maar niet meer dan er in één dag kan worden verwerkt.

## 18.3.3 ETIKETTERING

De stoffen, die volgens de wet gevaarlijk zijn, moeten worden voorzien van een etiket. Op dat etiket wordt vermeld:
– De chemische naam van de stof.
– De naam en het adres van de fabrikant, de importeur, en degene die de stof in de handel brengt.
– Een formulering met een gevaaraanduiding of waarschuwing (R-zin), bijvoorbeeld:
  • 'onherstelbare effecten niet uitgesloten' (R 40);
  • 'kan het ongeboren kind schaden' (R 61).
– Een tekst met aanbevelingen voor de veiligheid (S-zin):
  • 'draag geschikte handschoenen en een beschermingsmiddel voor de ogen/ voor het gezicht' (S 37/39);
  • 'buiten bereik van kinderen houden' (S 2).

Vanaf december 2010 worden de bovenstaande R- en S-zinnen overigens, in het kader van de invoering van een wereldwijd registratiesysteem van gevaarlijke stoffen, vervangen door vergelijkbare, maar anders geformuleerde H- en P-zinnen.

Het gevaarsymbool met bijschrift. Bij aceton bijvoorbeeld is het bijschrift 'licht ontvlambaar' en het gevaarsymbool ziet er als volgt uit:

*Afbeelding 1.*

In de komende jaren worden de gevaarsymbolen vervangen door tien nieuwe pictogrammen. Het symbool voor 'licht ontvlambaar' wordt bijvoorbeeld:

*Afbeelding 2.*

Bij het ompakken van de chemische stof naar hanteerbare voorraden op de werkvloer, moet de nieuwe verpakking ook van een etiket worden voorzien. Niet de leverancier, maar het bedrijf is daarvoor verantwoordelijk. Overigens is het zaak om de voorraden op de werkvloer zo klein mogelijk te houden, bij risicovolle stoffen zeker niet meer dan nodig is voor één dag.

### 18.3.4 NIEUWE VERPLICHTINGEN ROND GEVAARLIJKE STOFFEN

Vanaf november 2010 is een werkgever van een bedrijf dat gevaarlijke stoffen produceert of invoert, verplicht om dat te melden. Veel bedrijven zijn daarvan nog niet op de hoogte. Deze regel is van toepassing als de geproduceerde of geïmporteerde hoeveelheid van de stof meer dan één ton per jaar bedraagt.

Bij de registratie moeten bedrijven verschillende gegevens over de stof verzamelen en overleggen aan het Europese agentschap voor chemische stoffen. Hoe hoger het jaarlijkse marktvolume, hoe meer gegevens bedrijven dienen te verstrekken. Deze nieuwe verplichting komt voort uit de Europese Regelgeving rond stoffen, REACH genaamd.

Daarnaast is zijn er nieuwe verplichtingen rondom de indeling, etikettering en verpakking van stoffen en mengsels, CLP genaamd. Deze nieuwe regels gelden vanaf 1 december 2010 voor stoffen die na die datum zijn aangeschaft. Per 1 december 2012 moeten ook voorraden die al eerder in het bedrijf aanwezig waren, voorzien zijn van verpakkingen en etikettering die aan de nieuwe CLP-eisen voldoen. Uiterlijk op 1 juni 2015 moeten ook mengsels worden ingedeeld en geëtiketteerd volgens CLP. Hier geldt overigens géén ondergrens van één ton per jaar. Het betreft alle stoffen en mengsels die gevaarlijk zijn voor gezondheid of milieu. Verder dienen bijgewerkte veiligheidsinformatiebladen aan de klant verstrekt te worden.

Het is zaak om als ondernemingsraad van producenten of importeurs van chemische stoffen goed na te gaan of het bedrijf aan de nieuwe verplichtingen heeft voldaan, omdat het bedrijf anders geconfronteerd kan worden met forse dwangsommen of stillegging van de werkzaamheden. Europese vakbonden roepen werknemersvertegenwoordigingen op om hier alert op te zijn.

Ondernemingsraden van bedrijven die chemische stoffen gebruiken dienen er op toe te zien dat er nieuwe veiligheidsbladen worden verstrekt door de leveranciers en dat deze worden gebruikt voor werkinstructiekaarten en andere vormen van arbovoorlichting aan de werknemers. Bovendien kan het zijn dat er nieuwe inzichten op de veiligheidsinformatiebladen zijn verwerkt waardoor de gebruikersbedrijven een nieuwe beoordeling van de blootstelling moeten gaan maken.

## 18.4    Grenswaarden van chemische stoffen

Per 1 januari 2007 kennen we in Nederland een nieuw stelsel van grenswaarden. Grenswaarden bepalen de grens van de hoeveelheid stof waaraan een werknemer blootgesteld mag worden. Als de blootstelling onder die grens ligt, zou de werknemer, gezien de huidige wetenschappelijke kennis, geen gevaar lopen voor zijn veiligheid of gezondheid. Enkele jaren geleden golden hier nog de zogenaamde MAC-waarden (Maximaal Aanvaarde Concentraties). Deze zijn inmiddels vervallen. Voor zo'n 180 gevaarlijke stoffen, zoals bijvoorbeeld aceton en lasrook, gelden er wettelijke grenswaarden, die vaak strenger zijn dan de oude MAC-waarden. Ze zijn te vinden in de Arboregeling. Het zijn grenswaarden die gezondheidskundig verantwoord zijn.

Voor alle andere gevaarlijke stoffen dient de werkgever zelf te bepalen aan welke concentratie een werknemer ten hoogste blootgesteld mag worden. Vaak zal dat gebeuren op het niveau van een bedrijfstak. Maar soms zal een werkgever dat voor zijn eigen bedrijf moeten vaststellen.

Dikwijls kunnen de veiligheidsinformatiebladen van de leverancier hierbij behulpzaam zijn. Ook wordt vaak teruggegrepen op de oude MAC-waarden of buitenlandse normen. Bij het vaststellen van eigen grenswaarden is het wijs dat het bedrijf zich laat adviseren door deskundigen en er overleg is met de or, of de VGW (M)-commissie. In plaats van het zelf vaststellen van een grenswaarde kan een werkgever ook overgaan tot het op een gedegen manier vaststellen van een zogenaamde 'veilige werkwijze'. Als de werkgever kan garanderen dat met deze veilige werkwijze de blootstelling geen gezondheidseffecten kan hebben, hoeft hij geen eigen grenswaarde te bepalen. Enkele jaren geleden is de Leidraad Chemische stoffen verschenen.

Met dit instrument kan een werkgever samen met de or aan de hand van een stappenplan komen tot veilige grenzen aan stoffen en tot veilige werkwijzen. Zie hiervoor de website www.werkenmetchemischestoffen.nl.

Grenswaarden staan dus centraal in het gevaarlijke stoffenbeleid. Deze grenswaarden worden uitgedrukt in een maximaal toegestane hoeveelheid van de betrokken stof — milligram per kubieke meter — gedurende acht uur ('gewone' belasting) of gedurende 15 minuten (piekbelasting die hoger mag zijn).

Er zijn stoffen waarvoor geen veilige grenswaarde bestaat. Dat zijn de kankerverwekkende stoffen (carcinogeen), de mutagene stoffen (veranderen het genetisch materiaal van een mens) en de reprotoxische stoffen (giftig voor de voortplanting). Die zijn namelijk altijd gevaarlijk. Ze moeten soms toch worden gebruikt. Dan zijn extra voorzieningen vereist. Voor kankerverwekkende stoffen geldt bovendien een wettelijke vervangingsplicht: als een kankerverwekkende stof vervangen kan worden door een niet kankerverwekkende, moet dit altijd gebeuren. De ondernemingsraad kan daarover vragen stellen aan de werkgever.

De publieke grenswaarden van gevaarlijke stoffen zijn altijd enigszins 'politiek' bepaald en komen tot stand in de SER-commissie 'Grenswaarden Stoffen op de Werkplek', nadat de Gezondheidsraad eerst een advies over een veilig niveau heeft afgegeven.

Wanneer een wettelijke grens strenger is geworden (bijvoorbeeld enkele jaren geleden bij de stof formaldehyde, en bij houtstof) en dus nog niet of zeer moeilijk gehaald kan worden, moet de werkgevers een plan van aanpak maken om uiteindelijk wel aan die waarde te gaan voldoen. In de tussenliggende periode zullen werknemers dus de PBM's moeten dragen om aan de wet te voldoen en hun gezondheid zo goed mogelijk te beschermen. Dat is soms lastig, maar PBM's dragen is uiteraard altijd beter dan op termijn ziek worden.

Verder zorgt de Europese regeling voor gevaarlijke stoffen, het zogenaamde Reach-project ervoor dat alle producenten van chemische stoffen die in Europa willen leveren, aangeven hoe daar veilig en gezond mee gewerkt kan worden. Vaak staan op de veiligheidsinformatiebladen, die bij de gevaarlijke stoffen worden geleverd, ook grenswaarden vermeld. Regelmatig zijn deze grenswaarden strenger dan de oude MAC-waarden.

Grenswaarden gelden voor de gemiddelde volwassen medewerker. De waarden gelden niet bij zwaar werk of werk in hitte of kou. (De officiële wettelijke lijsten spreken van waarden bij 20°C. ) Als zwaar werk wordt gedaan kan de gevoeligheid voor gevaarlijke stoffen groter zijn.

De grenswaarden gelden telkens voor één stof. Als er meerdere stoffen in een ruimte voorkomen en al die stoffen op zichzelf beneden de grenswaarde liggen, betekent het nog niet dat het werk veilig is, omdat stoffen elkaars werking of elkaars verspreiding kunnen versterken. Bij blootstelling aan mengsels is er dus geen harde garantie voor veiligheid.

Een voorbeeld: de oplosmiddelen die het organisch psychosyndroom (OPS) veroorzaken, blijven in een bedrijf alle afzonderlijk ver onder de wettelijke waarden, maar kunnen toch samen, meestal door langdurige blootstelling, de genoemde ziekte veroorzaken.

## 18.4.1  GRENSWAARDEN EN BLOOTSTELLING

Grenswaarden zijn er niet voor niets. Zowel de publieke grenswaarden, die door de overheid zijn vastgesteld, als de grenswaarden die door het bedrijf zelf of door de bedrijfstak zijn vastgesteld, hebben een belangrijke functie. Ze zijn nodig om in een bedrijf na te kunnen gaan of de blootstelling van werknemers aan een bepaalde stof hun gezondheid bedreigt. Om dat te kunnen bepalen, dient de werkgever de volgende stappen te zetten:

1. Inventariseren en prioriteiten
   - De werkgever maakt een ranglijst van alle gevaarlijke stoffen die in het bedrijf gebruikt worden. Op volgorde van risico: de stoffen die in de eigen organisatie de meeste kans op aantasting van de gezondheid met zich mee brengen, komen boven aan te staan. De ongevaarlijkste stoffen die het minst gebruikt worden, staan onderaan.
2. Blootstellingsbeoordeling
   - De werkgever dient vast te stellen in welke mate werknemers aan een stof worden blootgesteld. Uiteraard begint hij met de stoffen die bovenaan de inventarisatielijst staan. Het bepalen van de blootstelling kan op twee manieren; er worden op een deskundige manier metingen verricht, of er wordt gebruik gemaakt van geaccepteerde software om tot schattingen te komen, bijvoorbeeld met de eerder genoemde Stoffenmanager.

Niet van alle stoffen hoeft de blootstelling bepaald te worden. Maar dan moet dat wel goed beargumenteerd worden. De Arbeidsinspectie kan die argumenten opvragen.

3. Vergelijk de blootstelling met de grenswaarde en pas zo nodig maatregelen toe.
   - Als de blootstelling onder de grenswaarde blijft, kan aangenomen worden dat de gezondheidsrisico's beheerst zijn. Is de blootstelling hoger dan de grenswaarde, dan zullen maatregelen getroffen moeten worden. Zie daarvoor paragraaf 18.5.

4. Zorg voor borging
   - Na verloop van tijd zullen bovenstaande stappen opnieuw gezet moeten worden. Bovendien zal de werkgever moeten borgen dat het goed blijft gaan, bijvoorbeeld door voorlichting, onderricht en toezicht. Ook zal de werkgever moeten vastleggen hoe met gevaarlijke stoffen moet worden omgegaan bij noodsituaties.

---

**Uit de praktijk**

*Zelfinspectie Gevaarlijke Stoffen*

In het najaar van 2011 heeft de Arbeidsinspectie, speciaal voor het midden- en kleinbedrijf, een digitale tool gepresenteerd waarmee een bedrijf zelf kan bepalen of men werkt volgens de arbowetgeving van gevaarlijke stoffen. Door zeventien vragen in deze zelfinspectietool te beantwoorden, krijgt de gebruiker een rapport waarin staat wat op orde is en welke punten er op het gebied van gevaarlijke stoffen nog zaken moeten worden verbeterd. Bij elke vraag staan links naar achtergrondinformatie. Ook worden suggesties gegeven op welke manier bepaalde punten zou kunnen verbeteren. Kaderleden en ondernemingsraden kunnen hun werkgever aansporen om dit instrument te gebruiken en kunnen het ook zelf toepassen als ze het gevaarlijkestoffenbeleid van hun bedrijf willen beoordelen en verbeteren. De zelfinspectiemethode is te vinden op www.zelfinspectie.nl/gevaarlijkestoffen.

---

Vragen die werknemers, de or of VGW(M)-commissie aan de werkgever kunnen stellen:
- Voor welke gevaarlijke stoffen die in het bedrijf worden gebruikt, zijn geen wettelijke grenswaarden vastgesteld en hoe gaan we daar mee om?
- Voor welke stoffen die in het bedrijf worden gebruikt, gelden wettelijke grenswaarden?
- Is voor alle gevaarlijke stoffen de blootstelling op de werkvloer gemeten of op een deugdelijke manier geschat?
- Worden er in het bedrijf gevaarlijke stoffen gebruikt met een blootstelling die boven de grenswaarde ligt?

– Wat moet er urgent worden ondernomen (bijvoorbeeld strengere maatregelen nemen)?
– Wat betekent dit concreet voor werknemers en leidinggevenden?

### 18.4.2 WAAR IS INFORMATIE OVER GRENSWAARDEN TE VINDEN?

Voor medezeggenschappers is het van belang om te weten welke grenswaarden er bestaan.

De *wettelijke* grenswaarden zijn te vinden in bijlage 13 van de Arboregeling (op grond van de artikelen 4.19.1 en 4.20.1).

Kankerverwekkende stoffen (carcinogene, mutagene en reprotoxische stoffen) zijn te vinden in bijlage 1, 2 en 3 van het Nederlandse Arbobesluit.

Zie ook www.arboportaal.nl.

Verder is er in de reeks van Arbo-informatiebladen ook een uitgave opgenomen 'Grenswaarden Gezondheidsschadelijke Stoffen', met een overzicht van de wettelijke grenswaarden, de oude MAC-waarden en grenswaarden in het buitenland. Ook de Sociaal-Economische raad biedt dergelijke overzichten. Zie daarvoor www.ser.nl. Verder geeft het *Chemiekaartenboek* informatie over ongeveer duizend gevaarlijke stoffen, de risico's die eraan verbonden zijn en hoe ermee om te gaan. Voorts geeft www.stoffenmanager.nl praktische informatie op dit vlak. (zie ook paragraaf 18.6). Ten slotte geven Veiligheidsinformatiebladen van leveranciers dikwijls grenswaarden aan, meestal verschillend per manier waarop een gevaarlijke stof wordt gebruikt.

## 18.5 Stapsgewijze aanpak, te beginnen bij de bron

Het Arbobesluit (artikel 4.4) schrijft voor dat de risico's in een bepaalde volgorde moeten worden aangepakt. Dat heet de arbeidshygiënische strategie en ziet er als volgt uit:

*1 Aanpak bij de bron*
Blootstelling aan gevaarlijke stoffen zo veel mogelijk voorkomen. Mogelijkheden daarvoor zijn: zo weinig mogelijk gevaarlijke stoffen gebruiken; andere stoffen gebruiken die minder gevaarlijk zijn; stoffen in andere vorm gebruiken, bijvoorbeeld pasta in plaats van poeders; technische maatregelen nemen, bijvoorbeeld zo veilig mogelijke productiemethoden gebruiken; zoveel mogelijk toepassen van gesloten systemen; de noodzaak van overtappen of overstorten minimaliseren of uitbannen, dus kleine verpakkingen, enzovoort.

*2 Aanpak aan de overdrachtsweg: afvoer, afzuiging*

Als stap 1 onvoldoende soelaas biedt, wordt de verontreinigde lucht doeltreffend afgevoerd. Tegelijkertijd dient verse lucht te worden aangevoerd. Afzuiging bij de bron is effectiever dan algemene afzuiging in de ruimte.

*3 Organisatorische maatregelen*

De duur van de blootstelling en/of het aantal blootgestelde werknemers wordt zo klein mogelijk gemaakt. Dat is mogelijk door bijvoorbeeld taakroulatie of het gaan werken in strikt gescheiden ruimten: aparte meet- en regelkamers, aparte spuit-cabines, een afgescheiden laboratorium, enzovoort.

*4 Persoonlijke beschermingsmiddelen*

Als bovenstaande maatregelen onvoldoende helpen moeten persoonlijke bescher-mingsmiddelen ter beschikking worden gesteld. Het werken met die bescher-mende middelen mag niet blijvend zijn en de duur van het dragen wordt tot het strikt noodzakelijke beperkt. De werkgever dient de PBM kosteloos te verstrekken, en aan te geven wanneer welke beschermingsmiddelen in te zetten zijn, en hoe ze op een juiste wijze te gebruiken, schoon te houden, enzovoort.

## 18.6 Verdere vereisten en aanbevelingen

### 18.6.1 DE RISICO-INVENTARISATIE EN -EVALUATIE

In de risico-inventarisatie en -evaluatie staan alle risico's van een bedrijf omschre-ven. In geval van gevaarlijke stoffen gelden er speciale regels. Er is voor alle ge-vaarlijke stoffen die in het bedrijf voorkomen diepgaande inventarisatie nodig. In zo'n verplichte inventarisatie moet de aard, mate en duur van de blootstelling moet worden beoordeeld (Arbobesluit 4.2.1) Het bedrijf moet aannemelijk maken dat de werknemers niet worden blootgesteld aan de gevaarlijke stoffen boven de wette-lijke grenswaarde. Waar daar twijfel over bestaat moet er een verantwoorde meting worden gehouden. In het geval dat er kankerverwekkende stoffen worden ge-bruikt, gelden er nog andere regels. Zo is ondermeer bepaald dat kankerwekkende stoffen vervangen dienen te worden of er moet gemotiveerd worden waarom deze stoffen strikt noodzakelijk zijn voor het arbeidsproces en niet kunnen worden vervangen. Dan gelden uiteraard strikte beheersvoorschriften.

De RI&E behelst eveneens een plan van aanpak, om die risico's effectief te beheersen of uit te bannen. Voor het midden- en kleinbedrijf is de 'Stoffenmana-ger' een handig hulpmiddel bij het opstellen van de RI&E en het plan van aanpak. De Stoffenmanager is een gratis digitaal hulpmiddel waarmee inzicht verkregen kan worden in de risico's van de gevaarlijke stoffen waarmee gewerkt wordt en in de mogelijke maatregelen die genomen kunnen worden om die risico's te beperken.

Bovendien kan met behulp van de stoffenmanager de blootstelling aan gevaarlijke stoffen op de werkplek worden beoordeeld zonder kostbare metingen. Deze beoordelingsmethode is door de Arbeidsinspectie geaccepteerd. Verder is de Stoffenmanager ook handig bij het maken van werkplekinstructiekaarten en bij de opslag van gevaarlijke stoffen. Zie: www.stoffenmanager.nl.

## 18.6.2 RISICO'S VAN ZWARE ONGEVALLEN MET GEVAARLIJKE STOFFEN

Voor een beperkt aantal (chemische) bedrijven waar met grote hoeveelheden gevaarlijke stoffen wordt gewerkt, gelden extra regels in het kader van het Besluit Risico Zware Ongevallen (BRZO). Dit besluit heeft als voornaamste doel om omwonenden te beschermen tegen calamiteiten als explosies en gaswolken. Het heeft uiteraard ook invloed op de veiligheid van werknemers.

Ongeveer 350 bedrijven in Nederland vallen onder de werkingssfeer van BRZO. Zij zijn verplicht om een 'preventiebeleid zware ongevallen' te voeren. Onderdeel daarvan is een veiligheidsbeheersysteem, dat aan allerlei eisen moet voldoen. De meest risicovolle bedrijven zijn bovendien nog verplicht een uitgebreid 'veiligheidsrapport' op te stellen, en te zenden naar het bevoegd gezag.

Zo'n 400 bedrijven in Nederland waar ook grote ongevallen met gevaarlijke stoffen kunnen plaats vinden, vallen onder een ander regime. Bij deze bedrijven geldt dat de risico's van een calamiteit binnen de bedrijfspoort blijven. Deze werkgevers dienen een zogeheten 'Aanvullende RI&E' op te stellen (ARIE) In zo'n aanvullende RI&E worden de risico's van zware ongevallen en de daarbij horende beheersmaatregelen uitvoerig besproken en beoordeeld.

Voor een ARIE-bedrijf gelden strengere regels op het gebied van bescherming van werknemers. Naast een preventiebeleid en een veiligheidsbeheerssysteem dienen zij te voldoen aan stringente eisen op het gebied van ongevalscenario's en interne noodplannen.

Het is overigens in de praktijk behoorlijk ingewikkeld om vast te stellen of een bedrijf onder de BRZO- of ARIE-regeling valt. Het ministerie van Sociale Zaken en Werkgelegenheid heeft toegezegd dat er een digitaal instrument komt dat daarbij behulpzaam is. Bedrijven kunnen overigens ook onder beide regelingen vallen. BRZO- en ARIE-bedrijven worden periodiek uitgebreid geïnspecteerd.

---

**Uit de praktijk**

*Lessen uit de brand bij Chemie-Pack*

Begin 2011 woedde bij het Moerdijkse bedrijf Chemie-Pack een langdurige brand, waarbij het bedrijf in vlammen opging en grote hoeveelheden gevaarlijke stoffen in de lucht en door het bluswater werden verspreid. Uit onderzoek naar deze ramp bleek dat er door het bedrijf grote fouten waren gemaakt bij de preventie van zware ongevallen, dat er te weinig kennis in huis was over gevaarlijke stoffen en dat het bedrijfsnoodplan ontoereikend was. Ondanks het feit dat Chemie-Pack was aangewezen als BRZO-bedrijf, waren de vergunningen niet goed geregeld en was het toezicht vanuit de gemeente niet conform de eisen. Er is een strafrechtelijk onderzoek gestart naar Chemie-Pack, dat overigens inmiddels failliet is gegaan. Naar aanleiding van de brand is bovendien door de inspectiedienst van het ministerie van VROM een onderzoek gedaan naar de veiligheid van ruim vierhonderd andere risicovolle bedrijven. Het resultaat loog er niet om: minstens 71 bedrijven scoorden op een of meer belangrijke veiligheidspunten ronduit 'slecht'. De betrokken gemeentes en provincies bleken de vergunningen en de handhaving — ondanks eerdere toezeggingen — niet op orde te hebben.

## 18.6.3 VOORLICHTING EN ONDERRICHT OVER GEVAARLIJKE STOFFEN

Er dient voorlichting en onderricht te worden gegeven over de mogelijke gevaren van het werken met gevaarlijke stoffen. Ze worden gegeven bij indiensttreding en worden regelmatig herhaald.

In de voorlichting en het onderricht komen in ieder geval aan de orde:
– De werkzaamheden waarbij blootstelling aan gevaarlijke stoffen mogelijk is, op cruciale plekken en momenten in het werkproces, bijvoorbeeld bij revisie en reiniging, bij het omtappen van chemische stoffen in kleine verpakkingen.
– De gezondheidsrisico's van de chemische stoffen en de grenswaarden.
– De informatie over veiligheids- en gezondheidsrisico's vanuit de leverancier, op een begrijpelijke wijze verwoord.
– Het veilig omgaan met de gevaarlijke stoffen, bijvoorbeeld bij het al of niet bewaren van kleine resthoeveelheden.
– De procedures die werknemers moeten hanteren.
– De wijze waarop de risico's gesignaleerd kunnen worden.
– Het gebruik van persoonlijke beschermingsmiddelen.

Onderricht betekent meer dan het geven van informatie. Het houdt in dat risicovolle werkzaamheden in de praktijk worden getraind. Ook kan worden geoefend hoe persoonlijke beschermingsmiddelen, moeten worden gedragen.

Aan zwangere werknemers wordt toegesneden voorlichting en onderricht gegeven, bijvoorbeeld over de gevaren waaraan het ongeboren kind bloot staat, welke maatregelen de werkgever heeft genomen en wat de werkneemster dient te doen en te laten. De handreiking 'Zwangerschap en arbeid' van de Stichting van de Arbeid geeft hiervoor een voorzet. Deze is te downloaden via www.stvda.nl.

## 18.6.4 VEILIGHEIDSINFORMATIEBLADEN EN WERKPLEKINSTRUCTIEKAARTEN

Van elke gevaarlijke stof moet een veiligheidsinformatieblad aanwezig zijn. De leverancier is verplicht deze te leveren. Dit veiligheidsblad dient op de werkplek voor ieder beschikbaar te zijn. Omdat fabrikanten en importeurs per december 2010 verplicht zijn om nieuwe regels rond indeling en etikettering van gevaarlijke stoffen toe te passen, dienen zij hun klanten bijgewerkte veiligheidsinformatiebladen te verstrekken. Omdat het veiligheidsblad soms uitgebreid en complex kan zijn, is het een werkplekinstructiekaart of gevarenkaart op de werkplek sterk aan te bevelen. Waar met gevaarlijke stoffen wordt gewerkt dient de werkgever de werknemers instructies te geven over de gevaren daarvan en de manier om er veilig en gezond mee om te gaan. Een werkinstructiekaart is daar een geschikte middel voor. Op zo'n kaart staan de naam van de stof, de gevaren die de stof met zich meebrengt, de preventieve maatregelen die worden aanbevolen en de maatregelen bij incidenten. Meestal met pictogrammen en een duidelijk taalgebruik. Zie hiervoor onder andere AI-blad 26 en www.stoffenmanager.nl. Op deze site zijn hulpmiddelen opgenomen om werkinstructiekaarten te maken.

Uiteraard is het verstrekken van een veiligheidsinformatieblad of werkplekinstructiekaart aan betrokken werknemers nog niet voldoende. Het is slechts een klein onderdeel van verplichte voorlichting en onderricht.

## 18.6.5 DIVERSEN

Iedere werknemer die voor het eerst kan worden blootgesteld aan gevaarlijke stoffen, wordt in de gelegenheid gesteld, voordat hij begint met deze werkzaamheden, een arbeidsgezondheidskundig onderzoek te ondergaan. (Arbobesluit 4.10a.1). Dit is een aanvulling op de verplichting tot het aanbieden van de mogelijkheid tot een arbeidsgezondheidskundig onderzoek aan werknemers zoals dat in artikel 8 Arbowet staat geformuleerd.

- Ieder die met gevaarlijke stoffen werkt zou zich regelmatig door een arts moeten laten onderzoeken. Beginnende signalen en klachten kunnen dan worden onderkend.
- In ruimten waar gewerkt wordt met gevaarlijke stoffen, zijn die stoffen in geen grotere hoeveelheden aanwezig dan voor de bedrijfsvoering strikt noodzakelijk is (artikel 4.1c lid 1 onder g Arbobesluit ).
- Er mag alleen met gevaarlijke stoffen worden gewerkt door mensen die in een gezonde geestelijke en lichamelijke toestand verkeren en die voldoende basiskennis hebben om de gevaren te kunnen onderkennen en voorkomen (artikel 4.1c lid 1 Arbobesluit onder j).
- Op plaatsen waar met stoffen wordt gewerkt van de categorieën 'vergiftig', 'zeer vergiftig', 'kankerverwekkend', 'mutageen' en 'voor de voortplanting vergiftig',

mag geen voedsel of drank worden genuttigd of bewaard (artikel 4.1c lid 1 onder k Arbobesluit).

- De werkplekken dienen opgeruimd en ordelijk te zijn en de regels betreffende persoonlijke hygiëne dienen bekend te zijn en te worden nageleefd (artikel 4.1c lid 1 onder f Arbobesluit).
- De werkgever dient een lijst bij te houden van werknemers die worden of kunnen worden blootgesteld aan kankerverwekkende of mutagene stoffen. Ieder werknemer heeft het recht om zijn gegevens daarop in te zien.
- De bedrijfshulpverleners moeten speciaal worden getraind op de risico's van de gevaarlijke stoffen en hoe ermee om te gaan in noodsituaties.

## 18.7 Rechten van de ondernemingsraad of VGW(M)-commissie

De belangrijkste wettelijke rechten — en daarmee mogelijkheden tot initiatief — zijn de volgende:

- De risico's van gevaarlijke stoffen moeten afdoende zijn beschreven in de risico-inventarisatie en -evaluatie. De (mogelijke) blootstelling aan gevaarlijke stoffen moet zijn beoordeeld en/of gemeten. Het plan van aanpak moet concrete maatregelen beschrijven om die risico's te verminderen of uit te bannen. Over de manier waarop de RI&E wordt uitgevoerd en over het plan van aanpak heeft de or/VGW(M)-commissie instemmingsrecht.
- Bij het invoeren of veranderen van regelingen, bijvoorbeeld procedures inzake gevaarlijke stoffen, heeft de ondernemingsraad of VGW(M)-commissie instemmingsrecht. Het kan verstandig zijn de werkgever daarop te wijzen.
- De or of VGW(M)-commissie heeft het recht zich op de hoogte te stellen van de arbeidsomstandigheden. De medezeggenschappers kunnen dus op regelmatige basis rondes doen en/of hun collega's raadplegen om na te gaan of de belangrijkste regels worden nageleefd.
- De Arbeidsinspectie kan worden gevraagd een onderzoek uit te voeren, de arbodienst (bedrijfsarts, arbeidshygiënist, enzovoorts) kan worden uitgenodigd en worden gevraagd om informatie en advies.
- Alle schriftelijke stukken inzake gevaarlijke stoffenbeleid kunnen worden opgevraagd op grond van het informatierecht.

---

**Tips or/VGW(M)-commissie**

Er kan worden gedacht aan de volgende activiteiten en initiatieven.

- Het register van gevaarlijke stoffen opvragen en bestuderen en vervolgens nagaan of op alle afdelingen de risico's voldoende bekend zijn en er voldoende maatregelen zijn genomen.

---

- In de RI&E opzoeken of de risico's van gevaarlijke stoffen diepgaand zijn beoordeeld.
- Opzoeken of er concrete maatregelen in het plan van aanpak zijn opgenomen die in de praktijk ook goed worden uitgevoerd.
- Vragen en controleren hoe het bedrijf is omgegaan met de wettelijke grenswaarden en met de stoffen waarvoor de werkgever zelf de grenswaarden moet vaststellen.
- Nagaan hoe het staat met de kennis en het risicobewustzijn van het personeel als het gaat om gevaarlijke stoffen.
- Nagaan of er wellicht te veel gevaarlijke stoffen op afdelingen te lang worden bewaard, of restproducten in kasten blijven liggen. Let extra op kankerverwekkende stoffen en op het gebruik en de opslag van zuren en logen.
- Nagaan of het gebruik en de regels betreffende de persoonlijke beschermingsmiddelen in orde zijn.
- Nagaan of persoonlijke beschermingsmiddelen slechts tijdelijk worden ingezet. Er moeten, waar mogelijk, plannen zijn om het gebruik van PBM's overbodig te maken.
- Nagaan of stimuleren dat mensen die aan gevaarlijke stoffen blootstaan regelmatig een arts, bijvoorbeeld de bedrijfsarts, bezoeken.
- Nagaan of stimuleren dat de werkgever een lijst bijhoudt met alle werknemers die met kankerverwekkende stoffen werken of hebben gewerkt.
- Voor goede praktijken op het gebied van gevaarlijke stoffen is het goed om op www.vast.szw.nl te kijken, en naar arbocatalogi die het onderwerp gevaarlijke stoffen hebben behandeld. Zoals bijvoorbeeld in de horeca, de tapijt- en textielindustrie en de verpleeg- en verzorgingstehuizen.

## 18.8 Nieuwe vormen van blootstelling aan gevaarlijke stoffen

Het onderwerp gevaarlijke stoffen is voortdurend in beweging door nieuwe stoffen die verschijnen en door nieuwe bewerkingsvormen. Hier richten we ons op twee ontwikkelingen die de laatste jaren veel aandacht hebben gekregen: nanodeeltjes en gegaste containers.

### 18.8.1 VEILIG OMGAAN MET NANODEELTJES

Nanodeeltjes zijn minuscuul kleine deeltjes met een omvang van een miljoenste millimeter. Bij nanotechnologie wordt er op molecuulniveau gesleuteld aan stoffen. Daardoor veranderen de eigenschappen van deze stoffen, worden ze synthetische nanodeeltjes genoemd, en zijn ze bijvoorbeeld goed bruikbaar in rubbers, zonnebrandcrèmes, medicijnen, lakken en textiel. In Nederland werken zo'n vier-

honderd werknemers met synthetische nanodeeltjes, vooralsnog aan universiteiten en in onderzoeksinstituten. Dat aantal zal in de komende jaren toenemen.

De risico's van nanodeeltjes zijn echter nog onbekend en onzeker. Omdat de
deeltjes zo klein zijn, dringen ze dwars door de huid heen. Ook dringen ze gemakkelijk binnen door de ogen. Zo kunnen ze misschien cellen beschadigen in de
nieren, lever en longen en zelfs doordringen in DNA-structuren. Er zijn geen
specifieke wettelijke regels voor nanodeeltjes, er bestaan geen grenswaarden, er
is niet eens een wettelijke definitie. Ook vermelding van nanomateriaal op etiket-
ten en veiligheidsinformatiebladen is niet verplicht. Zo kan het zijn dat er bedrijven met nanodeeltjes werken, zonder het zelf te weten. Nanodeeltjes zijn dan
bijvoorbeeld in grondstoffen verwerkt.

De enige algemene verplichtingen voor nanodeeltjes zijn de bepalingen die
voor alle gevaarlijke stoffen gelden. Bijvoorbeeld: in de RI&E moet aandacht worden besteed aan het risico en de beheersing van nanodeeltjes, en werknemers
dienen er voorlichting en onderricht over te krijgen.

De Sociaal-Economische Raad (SER) heeft in het voorjaar van 2009 geadviseerd om in bedrijven de blootstelling van werknemers aan nanodeeltjes geheel
te voorkomen of anders te minimaliseren. Inademing en huidcontact moet worden voorkomen, bijvoorbeeld door de nanodeeltjes in een afgeschermde vloeistof,
afgesloten ruimte of gesloten systeem op te nemen. Of door labkasten, of door
zwaar beschermde werknemers in een afgezette werkplek met goede afzuiging te
laten werken. In de RI&E van het bedrijf zal moeten worden beschreven op welke
manier deze voorzorg het beste vorm kan krijgen.

Na het SER-advies is een aantal vervolgacties uitgevoerd:

–  Er is een flyer van de Arbeidsinspectie verschenen, genaamd: 'Arbeidsrisico's
   bij het werken met nanodeeltjes' (zie www.arbeidsinspectie.nl).
–  Sociale partners hebben eind 2010 een handreiking uitgegeven met de titel:
   'Handreiking veilig werken met nanomaterialen' (zie www.ivam.nl).
–  Er is een onderzoek uitgevoerd naar de haalbaarheid en bruikbaarheid van
   zogenaamde referentiewaarden voor nanodeeltjes; dat zijn eigenlijk grenswaarden voor meest gebruikte nanostoffen, waarvan door wetenschappers
   wordt verondersteld dat deze grenzen veilig zijn. Dat onderzoek heeft laten
   zien dat dergelijke referentiewaarden zijn te gebruiken op de werkplek. Voor
   verschillende typen nanodeeltjes zijn bijbehorende waarden op te stellen, die
   ook meetbaar zijn. Vaak zijn meetmethodes erg omslachtig.
–  In het voorjaar van 2011 is de Stoffenmanager Nano gelanceerd. Dit digitale
   instrument stelt de gebruiker in staat om op de mogelijke gezondheidsrisico's
   door blootstelling aan nanodeeltjes op de werkvloer globaal in kaart te brengen.
   Ook biedt het enkele beheersmaatregelen aan (zie www.stoffenmanager.nl).
–  Er is vanuit de FNV een voorlichtingscampagne opgezet, gericht op werknemers en ondernemingsraden. Deze campagne gaat over de risico's van nanodeeltjes. In het najaar van 2011 is allerlei voorlichtingsmateriaal ontwikkeld om

risico's en de benodigde maatregelen onder de aandacht te brengen (zie www.fnv.nl).

### 18.8.2 GEVAARLIJKE GASSEN IN ZEECONTAINERS

In een zeecontainer kunnen gevaarlijke gassen aanwezig zijn. Indien een medewerker een zeecontainer opent of betreedt kan door blootstelling aan een gevaarlijk gas tijdelijk of blijvend gezondheidsletsel ontstaan.

Er zijn twee verschillende soorten gassen die in een zeecontainer terecht kunnen komen:
– Bestrijdingsmiddelen die in het land van herkomst zijn toegevoegd om beschadiging van de lading door larven en insecten tegen te gaan. Vooral ladingen die uit Azië en Afrika per zeeschip worden aangevoerd, zijn geregeld gegast. Het gaat bijvoorbeeld om containers met levensmiddelen, kleding, schoenen, speelgoed en meubels. Ze zijn vaak gegast met methylbromide of andere giftige stoffen. Dit is effectief, snel en vooral goedkoop, maar brengt wel het risico met zich mee dat bij aankomst nog hoge concentraties reukloos gif in de container zitten.

Dit zijn de zogenaamde 'gegaste containers'. Maar minstens zo'n groot probleem vormen de andere gevaarlijke gassen in zeecontainers:
– Gassen die ontstaan door het uitdampen van stoffen die gebruikt zijn bij de fabricage van producten en bij het verpakkingsmateriaal (zoals bijvoorbeeld verf en lijmen). Daarnaast kunnen er ook gassen vrijkomen door chemische processen in de lading.

Per jaar komen ongeveer één miljoen containers met een gezondheidsbedreigende gasconcentratie Nederland binnen. Daarvan worden er naar schatting zo'n 600.000 in Nederland zelf geopend. Vooral medewerkers in logistieke en handelsbedrijven krijgen hiermee te maken.

De gezondheidseffecten zijn afhankelijk van de concentratie van het gas, de blootstellingsduur en het aangrijpingspunt op het lichaam (gassen kunnen in het lichaam opgenomen worden via inademing, via de huid of een combinatie van beide). De gezondheidseffecten kunnen variëren van bedwelming of vergiftiging tot verstikking. Ook zijn er verhoogde risico's van brand of explosie.

In het Arbobesluit is in artikel 3.5g opgenomen dat bij een vermoeden van de aanwezigheid van stoffen die een gevaar zijn voor verstikking, bedwelming, vergiftiging of brand, de werknemer deze ruimte of plaats niet betreedt, voordat uit onderzoek is gebleken dat het gevaar niet aanwezig is. De ontvanger van zeecontainers dient onderzoek te verrichten of er gevaarlijke gassen in zeecontainers aanwezig zijn. Als er een vermoeden bestaat dat een container gevaren voor de gezondheid met zich mee kan brengen, zal eerst zal een meting gedaan moeten worden door een opgeleide gasmeetdeskundige. Bepaald wordt of de concentratie van het gemeten gas boven of onder de grenswaarde ligt. De gegevens van het onderzoek en de maatregelen worden schriftelijk vastgelegd en bewaard. Op grond van de meetgegevens neemt de ontvangende werkgever zonodig maatregelen om te zorgen dat het 'veilig' wordt om de zeecontainer te openen en te betreden. Bijvoorbeeld door ventilatie, veilige procedures, voorlichting en persoonlijke beschermingsmiddelen.

Bij gegaste containers is het nog doeltreffender om met leveranciers af te spreken dat zij zorgen dat er geen gevaarlijke gassen in de zeecontainers voorkomen. Bijvoorbeeld door ongedierte op een andere manier te bestrijden, zoals door verhitting. Dan worden ook de arbeidsomstandigheden beter beschermd van de werknemers in de landen waar de containers vandaan komen.

In 2011 is er door het Platform Gassen in Containers een 'Protocol veilig omgaan containergassen' ontwikkeld. Dat protocol biedt werknemers een handvat voor het veilig omgaan met gassen in zeecontainers. In dat protocol staat een uitgewerkt stappenplan centraal. Het protocol bevat ook 25 tipkaarten met praktische instructies over allerlei aspecten van het omgaan met gevaarlijke gassen in containers. Het protocol en stappenplan is beschikbaar op www.pgic.nl en op de website van Gezond Transport: www.gezondtransport.nl. Het protocol is direct toepasbaar voor bedrijven. Het stappenplan wordt op korte termijn ook in de vorm van een Arbocatalogus aangeboden aan de Arbeidsinspectie. Daarmee wordt het protocol de norm voor veilig omgaan met gevaarlijke gassen in zeecontainers.

---

**Uit de praktijk**

*Blijvend ziek door een gegaste container*

Een havenmedewerker moest containers met pinda's bemonsteren. Bij de negende container sloeg zijn meter enorm uit. Dat wees op een zeer hoge concentratie van de giftige stof fosfine. In de loop van de dag werd de man onwel en verloor het bewustzijn. Ondanks een snelle ziekenhuisopname heeft het slachtoffer maanden na de bewuste dag nog steeds voortdurende hoofdpijn en beweegt hij zich voort in een rolstoel.

---

## 18.9 Biologische agentia

Werknemers kunnen in hun werk in aanraking komen met virussen, parasieten, bacteriën en schimmels. Met een duur woord worden dat biologische agentia genoemd. Biologische agentia kunnen een risico zijn voor medewerkers in de zorg, de agrarisch sectoren, afvalverwerking, vleessector, textielindustrie en bij riool-werkzaamheden. Het kan gaan om een tekenbeet in de bosbouw, een prikincident in het ziekenhuis, of overdraagbare dierenziekten in de veehouderij. En een risico als besmetting met legionella is in de meest uiteenlopende sectoren aanwezig. Door biologische agentia kunnen werknemers infecties oplopen en ernstig ziek worden. In een aantal beroepen wordt gericht met biologische agentia gewerkt. Daar zijn extra wettelijke regels van toepassing.

---

**Uit de praktijk**

*Aanpak bij de bron*

In een dakpannenfabriek kregen plotseling meer dan 10 werknemers van een afdeling huidklachten. Na onderzoek bleek dat zij hadden gewerkt met een glazuurmiddel dat slechts zelden werd gebruikt. Het middel werd bewaard in een tonnetje en dat was de afgelopen maanden verontreinigd met een schimmel, die de huidklachten veroor-zaakte. De aanpak was eenvoudig en goedkoop: Het oude glazuurmiddel werd verwij-derd, en er werd vastgelegd dat men voortaan niet meer van dat glazuur aanmaakt dan op korte termijn gebruikt zal worden. Zo is de bewaartijd sterk teruggedrongen en daarmee het risico van huidklachten.

www.arbokennisnet.nl.

---

Als aanpak bij de bron niet mogelijk of niet afdoende is, zijn hygiënemaatregelen van groot belang: zoals handschoenen, overschorten en adembescherming. Soms is preventieve vaccinatie nodig, bijvoorbeeld tegen hepatitis B. Werknemers met verlaagde weerstand door medicijngebruik of ziekte, en zwangere werknemers verdienen extra aandacht.

Het risico van biologische agentia is een van de onderwerpen die in de RI&E diepgaand moet worden onderzocht. Op grond daarvan kunnen waar mogelijk preventieve maatregelen worden getroffen. Daarbij gaat het altijd om maatwerk. Verder is ook de kennis van werknemers van groot belang. Zij dienen de risico's goed te kennen, de voorzorgsmaatregelen, de vereiste hygiëne en hoe te handelen na een onverhoopte besmetting. Daarom dient de werkgever periodiek duidelijke voorlichting en instructies te verzorgen. Ook tijdens het periodiek arbeidsgezond-heidskundig onderzoek dat wordt aangeboden aan de werknemers moet specifieke aandacht zijn voor biologische agentia.

## 18.9.1 LEGIONELLA

De bekendste vorm van biologische agentia is legionella. Legionella is een bacterie die de veteranenziekte of legionellagriep veroorzaakt. De ziekte kan ontstaan wan-neer besmet water wordt verneveld en mensen de bacterie inademen. Zo kan bijvoorbeeld besmetting ontstaan in een brandslang, sproei-installatie, airco-installatie of koeltoren. Groei van legionella kan optreden bij temperaturen tussen de 20 en 50° Celsius, vooral in stilstaand water. De griepvariant is meestal van voorbijgaande aard, maar de veteranenziekte is een chronische longaandoening met mogelijk dodelijke afloop. Risicogroepen zijn personen met een verminderde weerstand, ouderen en stevige rokers. Een bedrijf zal in kaart moeten brengen waar mogelijk legionellabesmetting kan ontstaan. Waar mogelijk dienen preventieve maatregelen worden getroffen, bijvoorbeeld door loze waterleidingen met stilstaand water te verwijderen of door verneveling tegen te gaan. Bedrijven met een blijvend mogelijk risico van legionellabesmetting dienen een legionellabeheersplan op te stellen. Vanaf 1 juli 2011 dient daarbij een gecertificeerd bedrijf ingeschakeld te worden. In het legionellabeheersplan, dat deel uitmaakt van de RI&E, wordt per installatie een tekening en een beschrijving van de werking opgenomen. Ook worden daarin periodieke preventieve maatregelen vastgelegd, zoals controles, temperatuurmetingen, monstername, het spoelen van weinig gebruikte tappunten en het onderhoud. De uitvoer van deze taken dient in het logboek te worden bijgehouden en inzichtelijk te zijn voor controle door het waterleidingbedrijf of het ministerie van Infrastructuur en Milieu.

Zie ook de Arbo-informatiebladen 9 en 32 over respectievelijk Biologische agentia en Legionella.

## 18.10 Verder lezen

- Arbo-informatieblad 3: *Asbest*, Sdu, Den Haag.
- Arbo-informatieblad 6: *Werken met kankerverwekkende stoffen*, Sdu, Den Haag.
- Arbo-informatieblad 9, *Biologische agentia*, Sdu, Den Haag.
- Arbo-informatieblad AI-19, *Industriële Verfverwerking*, Sdu, Den Haag.
- Arbo-informatieblad AI-28, *Werken met bestrijdingsmiddelen*, Sdu, Den Haag.
- Arbo-informatieblad AI-23, *Toxische stoffen in de houtverwerkende industrie*, Sdu.
- Arbo-Informatieblad 25, *Preventie van zware ongevallen door gevaarlijke stoffen*
- Arbo-Informatieblad 26, *Veiligheidsinformatiebladen en werkpleketikettering*
- Arbo-Informatieblad 28, *Veilig werken met bestrijdingsmiddelen*
- Arbo-Informatieblad 31, *Gezondheidsrisico's van gevaarlijke stoffen*
- Arbo-Informatieblad 32, *Biologische agentia*
- Zie paragraaf 30.18
- *Grenswaarden Gezondheidsschadelijke Stoffen*, Sdu, Den Haag.
- *Chemiekaartenboek*, Ten Hagen & Stam, Den Haag.
- *Veilig werken met bestrijdingsmiddelen*, brochure van het ministerie van SZW.
- *Werken met kankerverwekkende stoffen*, brochure van het ministerie van SZW.
- *Ziek van oplosmiddelen, aanbevelingen om het organisch-psychosyndroom te voorkomen*, brochure van het Ministerie van SZW, (www.rijksoverheid.nl).

- *Arbeidsrisico's bij het werken met nanodeeltjes*, Arbeidsinspectie

*Internet:*
- www.arboportaal.nl
- www.veiligwerkenmetchemischestoffen.nl
- www.stoffenmanager.nl
- www.arbobondgenoten.nl

# 19 Lawaai

## 19.1 Inleiding

Geluid is belangrijk voor het functioneren van een mens. Door middel van klanken en geluid drukken mensen zich uit. Muziek geeft veel mensen plezier. Mensen communiceren door met elkaar te spreken. Te veel geluid noemen we lawaai. Lawaai kan hinderlijk, schadelijk en gevaarlijk zijn. Een kleine half miljoen werknemers staan bloot aan schadelijk geluid. Lawaai veroorzaakt gehoorschade en lawaaidoofheid. Als je gehoorschade hebt opgelopen is dat blijvend: je herstelt er niet van.

Lawaaidoofheid is onherstelbaar en leidt vaak tot een sociaal isolement. Opnieuw staat lawaaidoofheid bovenaan de lijst van gemelde beroepsziekten.

Lawaai heeft ook verlies aan concentratie tot gevolg, en daarmee een verhoogde kans op het maken van fouten en het betrokken raken bij ongelukken. Lawaai vermeerdert tevens de kans op stress. Te hoge geluidsniveaus maken mondeling communiceren moeilijk en waarschuwingssignalen minder hoorbaar. Er zijn dus redenen te over om attent te zijn op een overdosis aan geluid op de werkplek. Toch werken in Nederland zo'n half miljoen mensen in een lawaaiige omgeving.

De maat voor het geluidsniveau is de decibel, dB(A). De decibel is een verhoudingsmaat. Decibellen mogen niet zomaar bij elkaar worden opgeteld of afgetrokken. Een voorbeeld: 80 dB(A) plus 80 dB(A) is 83 dB(A). Dus een stijging van 3 dB(A) betekent een verdubbeling van het geluidsniveau.

## 19.2 Wettelijke verplichtingen

De wettelijk normen staan geformuleerd in het Arbobesluit, vanaf artikel 6.7 en de corresponderende beleidsregels. Over het onderwerp bestaat ook een Arbo-informatieblad: 4, *Lawaai op de arbeidsplaats*

**Voorbeeld**

*Lawaai in de Arbocatalogus Metaal*

Een van de arbothema's die in de Arbocatalogus metaal en metalektro is opgenomen is schadelijk geluid. Naast een oplossingenboek voor lawaaiproblemen is daar ook een 'Verbetercheck Schadelijk Geluid' te vinden. Dat is een digitaal instrument waarmee een werkgever, arbocoördinator of ondernemingsraad zelf in staat om is *zonder te meten* helder te krijgen wie, waar wordt blootgesteld aan schadelijk geluid, en waardoor dat komt. Door gegevens over de praktische werksituaties in het programma in te vullen, is direct zien waar er schadelijk geluid is en welke maatregelen wel en niet (voldoende) bijdragen aan het verlagen van het geluidsniveau. De verbetercheck werkt volgens een stoplichtmodel: 'Groen' is goed. Een groen licht van de Verbetercheck, betekent overigens ook een voldoende van de Arbeidsinspectie. 'Rood' vraagt om verbeteringen. Het programma levert desgewenst ook een plan om de werkplekken aan te pakken, medewerkers tot gezonder gedrag te motiveren en om betere afspraken te maken. Ofwel een Plan van Aanpak, dat zo aan de RI&E kan worden gevoegd. Zie: www.5xbeter.nl.

## 19.2.1  SCHADELIJK GELUID

Op dit moment is van overheidswege bepaald dat de grens voor schadelijk geluid ligt op 80 dB(A). Indien iemand op een meter afstand niet goed verstaanbaar is door omgevingslawaai, mag je aannemen dat je boven die grens zit. In dat geval moet de dagdosis van het geluid (het gemiddelde geluid per dag) worden gemeten. De gevonden risico's moeten worden opgenomen in de risico-inventarisatie en -evaluatie. De te nemen maatregelen worden beschreven in het plan van aanpak. De ondernemingsraad heeft daarop instemmingsrecht. Aan het begin van een lawaaiproject, dient de werkgever dus met de or of VGW(M)-commissie te overleggen. De geluidsmetingen moeten periodiek worden herhaald volgens een schriftelijk vastgesteld tijdschema en in ieder geval bij het veranderen van de arbeidsomstandigheden, bijvoorbeeld bij het aanschaffen van nieuwe machines of apparaten. De ondernemingsraad krijgt de gelegenheid zijn oordeel te geven over de methode van het meten van geluid. Het resultaat van de metingen moeten tien jaar worden bewaard in een zogenaamd geluidsregister. De werkgever stelt bij een geluidsniveau dat hoger is dan 80 dB(A) gehoorbeschermende middelen ter beschikking aan de werknemers.

*Tabel 1.  De wettelijke verplichtingen in schema*

| Boven de 80 dB(A) |
| --- |
| De werkgever heeft de volgende verplichtingen: |

| |
|---|
| – Beoordelen van geluid op de arbeidsplaatsen. |
| – Gehoorbescherming ter beschikking stellen. |
| – Voorlichting verzorgen. |
| – Periodiek een gehooronderzoek aanbieden aan de betrokken werknemers. |
| |
| *Boven de 85 dB(A)* |
| – Werknemers zijn verplicht om gehoorbescherming te dragen. |
| – De werkgever zorgt voor het markeren van plaatsen met geluidsniveau hoger dan 85 dB(A)), met pictogrammen. Alleen personen die er toestemming voor hebben mogen deze gebieden betreden. |
| – De werkgever maakt een schriftelijk plan om het geluidsniveau te verminderen en voert de voorgenomen maatregelen uit. |
| – Zie verder de maatregelen boven de 80 dB(a). |
| |
| *Boven de 87 dB(a)* |
| – Als met inbegrip van de eventuele gehoorbescherming dit niveau wordt overschreden, moet de werkgever meteen maatregelen treffen om onder dit niveau te komen. |
| – Zie verder de maatregelen boven de 85dB(a). |

In de regelgeving doen zich twee vreemde zaken voor. Ten eerste is vastgesteld dat er gehoorschade kan optreden boven 80 dB(a), maar is een werkgever pas bij een geluidsniveau boven de 85 dB(a) verplicht om een plan te maken en maatregelen te treffen. De tweede rariteit zit in het feit dat een werkgever vanaf 80 dB(a) verplicht is om gehoorbeschermingsmiddelen te verstrekken, maar dat werknemers pas vanaf 85 dB(a) wettelijk verplicht zijn deze te dragen. Deze vreemde punten komen voort uit compromissen, zowel op Europees als op Nederlands niveau.

Bij elk geluidsniveau boven de 80 dB(a) geldt een maximale tijd waaraan een werknemer zonder gezondheidsschade kan worden blootgesteld. Dit geldt voor het geluidsniveau zoals het de oren bereikt. Er moet dus rekening gehouden worden met demping door eventuele persoonlijke beschermingsmiddelen.

De lijn is eenvoudig: hoe harder het geluid, hoe korter de maximale tijd. Onderstaande tabel geeft daarvoor een overzicht.

*Tabel 2.*

| Maximale werktijd in een lawaaiige omgeving | |
|---|---|
| Geluidsniveau | Maximale blootstelling per dag |
| 80 decibel | 8 uur per dag |
| 83 decibel | 4 uur per dag |
| 86 decibel | 2 uur per dag |
| 89 decibel | 1 uur per dag |
| 92 decibel | 1/2 uur per dag |
| 95 decibel | 1/4 uur per dag |

## 19.2.2 HINDERLIJK GELUID

Geluidsbelasting betreft niet alleen schadelijk geluid. Ook hinderlijk geluid moet worden voorkomen. De aanbevelingen daarvoor staan in het hierna volgende schema.

*Tabel 3. Advies geluidsniveau in verband met communicatie en concentratie tijdens het werk*

| Voorbeelden werkzaamheden | Geluidsniveau |
|---|---|
| Werkvoorbereiding | 65 dB(A) |
| Gegevensverwerking | |
| Tekenen | |
| Laboratoriumwerk | |
| | |
| Administratief werk | 55 dB(A) |
| Ontwerpen | |
| Kraanmachinewerk | |
| Werk in meet- en regelkamer | |
| | |
| Werken in spreekkamer | 45 dB(A) |
| Leiding geven | |
| Maatschappelijk werk | |
| | |
| Telefonistenwerk | 35 dB(A) |
| Chirurgisch werk | |
| Beleidswerk | |

Bron: NVN 3438.

## 19.2.3 GEHOORONDERZOEK

Bij een geluidsniveau van 80 dB(A) of meer stelt de werkgever de werknemers in de gelegenheid een gehooronderzoek te ondergaan als mogelijk onderdeel van het periodiek arbeidsgezondheidskundig onderzoek (het PAGO). Dit wordt uitgevoerd door een gecertificeerde arbodeskundige, bijvoorbeeld van de arbodienst.

## 19.2.4 VOORLICHTING, ONDERRICHT EN TOEZICHT

Werknemers die aan schadelijk geluid, boven de 80dB(A), worden blootgesteld, moeten voorlichting en onderricht ontvangen over:
– de risico's van schadelijk geluid;
– de wettelijke regels;

- de maatregelen die zijn getroffen;
- de noodzaak, de werking, en het gebruik van gehoorbeschermende middelen en de betreffende regels;
- het gehooronderzoek: het nut ervan en hoe ermee wordt omgegaan.

De werkgever zorgt ervoor dat toezicht wordt gehouden op de genomen maatregelen.

## 19.2.5 GELUID VERMINDEREN

Bij een geluidsniveau van 85 dB(A) en hoger dient de werkgever, zoveel als redelijkerwijze mogelijk is, dit te verminderen tot onder die grens. Door technische en organisatorische maatregelen. Hierbij hanteert de werkgever de zogenaamde 'arbeidshygiënische strategie'. Die bestaat uit de volgende stappen:
- Maatregelen bij de bron. Arbo-informatieblad 4 Lawaai op de arbeidsplaats geeft een overzicht van mogelijke aanpakken bij de bron:
  - beter onderhoud: bijv. een goede smering, trillende onderdelen vastzetten, versleten tandwielen vervangen, regelkleppen bijstellen;
  - vermindering van het geluid van perslucht door drukvermindering, geluidsarme uitblaasmondstukken;
  - vermindering contactgeluid: beperking valhoogte en tegengaan van stoten producten;
  - andere werkwijzes: vervanging pneumatisch gereedschap door hydraulisch, snijden in plaats van hakken, machinaal vijlen in plaats van slijpen;
  - vervanging van lawaaiproducerende machine.
- Maatregelen aan de overdrachtsweg, bijvoorbeeld omkasting of isolatie van de geluidsbron of demping van het geluid door geluidsschermen of isolerende en geluidsabsorberende wanden of plafonds.
- Organisatorische maatregelen: zo weinig mogelijk mensen en hen zo kort mogelijk blootstellen aan het geluid (denk aan taakroulatie).
- Als dat alles niet voldoende is, stelt hij gehoorbeschermende middelen ter beschikking.

Lawaaizones van boven de 85 dB(A) dienen te worden afgebakend en met pictogrammen te worden gemarkeerd .Boven deze grens dient de werkgever een schriftelijk plan op te stellen voor de bestrijding van lawaai op de werkplaats. In dat plan moeten ondermeer de volgende aspecten zijn opgenomen:
- de beoordeling en zo nodig de meting van het geluidsniveau op de arbeidsplaatsen;
- de manier waarop het lawaai wordt aangepakt en de voorzieningen voor de betrokken werknemers.

## 19.2.6 GEHOORBESCHERMING DRAGEN

Bij een geluidsniveau van 85 dB(A) en hoger, is de werknemer verplicht gehoor-beschermende middelen te gebruiken. Die moeten de geluidsbelasting verminde-ren tot onder de grens van 80 dB(A). De werknemer wordt in de gelegenheid gesteld een oordeel te geven over de keuze van de gehoorbeschermingsmiddelen. De demping moet voldoende zijn, maar niet overmatig. Akoestische waarschu-wingssignalen moeten nog hoorbaar zijn. Otoplastieken worden het meest ge-bruikt. Deze gehoorbeschermers hebben een goede dempende werking, worden persoonlijk aangemeten en zijn dus het best aan de persoon aangepast. Soms wordt het dragen van dubbele gehoorbeschermers aanbevolen, bijvoorbeeld oto-plastieken plus kappen bij het werken bij straalmotoren.

Bij gebruik van gehoorbeschermende middelen moet rekening worden gehou-den met:

- het klimaat waarin wordt gewerkt;
- de aard van het werk;
- de noodzaak ze te gebruiken samen met andere persoonlijke beschermings-middelen, bijvoorbeeld met helmen of kleding;
- het draagcomfort en persoonlijk eigenschappen van werknemers;
- de persoonlijke voorkeur van werknemers;
- mogelijke medische aspecten, bijvoorbeeld allergieën (sommige mensen kun-nen het dragen van de bovengenoemde otoplastieken moeilijk verdragen).

Ten slotte dienen ze in voldoende mate beschikbaar te worden gesteld, ze moeten worden onderhouden, gerepareerd en schoon gehouden en indien noodzakelijk worden ze vervangen. Het verdient aanbeveling alle regels betreffende aanschaf, verstrekking, gebruik en vervanging in een protocol bij elkaar te zetten.

## 19.3 Rechten werknemers en ondernemingsraad

De werknemers en de ondernemingsraad hebben de volgende rechten en be-voegdheden:

- De ondernemingsraad heeft instemmingsrecht over een concept-lawaaibestrij-dingsplan en over een regeling over persoonlijke beschermingsmiddelen tegen lawaai.
- Het is verstandig als de betrokken werknemers moeten een oordeel kunnen geven over de gehoorbeschermingsmiddelen. Ze moeten betrokken worden bij de keuze van gehoorbeschermers. Er zijn overigens otoplastieken verkrijgbaar die alleen bepaalde tonen dempen. In andere otoplastieken is een radiootje ingebouwd, waarmee iedere werknemer de zender van zijn eigen voorkeur kan beluisteren. Uiteraard is het maximale volume van die radio begrensd.

- De werknemers worden bij geluidsniveaus boven de 80 dB(A) in de gelegenheid gesteld een gehooronderzoek te ondergaan.
- De betrokken werknemers worden van de uitslag van het gehooronderzoek op de hoogte gesteld.
- Aan de werknemers wordt voorlichting en onderricht gegeven over de risico's van lawaai en hoe daar op een gezonde manier daarmee om te gaan, zoals persoonlijke beschermingsmiddelen. De werknemers dienen die voorlichting en onderricht te volgen.

---

**Tips**
- Zijn de risico's in verband met schadelijk en hinderlijk geluid voldoende gemeten en beschreven?
- Is er een concreet plan van aanpak om de geluidsniveaus terug te brengen?
- Wordt de geluidsproblematiek in voldoende mate aan de bron aangepakt?
- Is er een onderhoudsschema voor machines en apparaten, zodat de geluidsniveaus niet onnodig hoog zijn?
- Is er een schriftelijk plan om geluid regelmatig te meten?
- Zijn werknemers geraadpleegd voordat gehoorbeschermende middelen zijn aangeschaft?
- Is er een 'protocol' over het omgaan met gehoorbeschermende middelen dat bij alle betrokkenen bekend is?
- Wordt er voldoende toezicht gehouden op de geluidsvoorschriften?
- Is er in de sector een arbocatalogus met sectorgerichte afspraken en oplossingen over geluid? Welke onderdelen daarvan zijn bruikbaar voor het eigen bedrijf?

---

## 19.4   Verder lezen

- Arbo-informatieblad 4, *Lawaai op de arbeidsplaats*, Sdu, Den Haag.
- *Praktijkgids arbeidsveiligheid*, Kluwer, Alphen aan den Rijn.
- *Arbonormenboek*, Kluwer, Alphen aan den Rijn.
- *Lawaai is geen gehoor*. Brochure van het Ministerie van Sociale Zaken en Werkgelegenheid (www.rijksoverheid.nl).

# 20 Klimaat

## 20.1 Inleiding

Onder klimaat verstaan we de temperatuur, de tocht, de luchtvochtigheid, de al of niet verse lucht waarin mensen moeten werken. In heel veel bedrijven en instellingen hebben mensen problemen met het klimaat. Te koude kantoren op maandagochtend, te lang werken in koel- of vriescellen, werken bij of met ovens, zoals bakkers of werkers in de metaal, slechte ventilatiesystemen waardoor mensen hoofdpijn krijgen, hitte tijdens de zomerperiode, buiten werken in weer en wind.

Onder kantoorwerkers vindt 47% de klimaatbeheersing onvoldoende of slecht. In bedrijven waar door het productieproces veel warmte vrijkomt, kan de temperatuur zo oplopen dat de gezondheid van de werkenden wordt bedreigd. Klimaatproblemen neigen de problemen met betrekking tot lichamelijke werkhouding (rug, nek, schouders, polsen) en werkdruk te verergeren.

Voor de ondernemingsraad ligt hier een belangrijk werkterrein. Het is geen gemakkelijk onderwerp, onder andere omdat de wettelijke normen vaag zijn geformuleerd.

## 20.2 Wat wordt onder klimaat verstaan?

Bij de beheersing van het klimaat gaat het om twee invalshoeken:
- Het voorkomen van *gezondheidsschade;* dat speelt bij buitengewoon koude of warme omstandigheden.
- Het scheppen van een omgevingsklimaat waarin *behaaglijk* kan worden gewerkt. Dat is aan de orde in de overgrote meerderheid van de werksituaties. Het element 'hinder' is enkele jaren geleden uit de wetgeving geschrapt. 'Hinder' blijft echter aan de orde als het gaat om goede en redelijke klimatologische omstandigheden waarin werknemers moeten werken. Ook kan schade ontstaan bij langdurige hinder, in combinatie met werkdruk, langdurig, repeterend en monotoon werk.

Het klimaat kent de volgende factoren:

- de luchttemperatuur;
- de stralingstemperatuur: de afstraling van temperatuur vanaf objecten, bijvoorbeeld radiatoren of ovens;
- de luchtvochtigheid: vochtige of droge lucht;
- de luchtbeweging: het al of niet voorkomen van tocht;
- al of niet verse lucht.

De klimaatomstandigheden worden beïnvloed door:
- stoffen die uit de materialen van een gebouw kunnen vrijkomen en bijdragen aan een 'sick building', een gebouw waar je ziek van wordt. Gebleken is dat klachten toenemen als werknemers niet de mogelijkheid hebben om zelf de temperatuur in hun werkruimte te beïnvloeden of een raam te kunnen openen;
- het al of niet doen van zwaar lichamelijk werk;
- de gedragen kleding.

Bij het bepalen van de juiste en behaaglijke klimatologische omstandigheden moeten al deze factoren worden meegewogen.

## 20.3    Wettelijke vereisten en aanbevelingen: algemeen

In het Arbobesluit staan de volgende regels (artikel 6, lid 1 en 2):
- De temperatuur op de arbeidsplaats veroorzaakt geen schade aan de gezondheid van de werknemers.
- Op de arbeidsplaats is voldoende niet-verontreinigde lucht aanwezig.
- Luchtverversingsinstallaties functioneren zodanig dat werknemers niet aan hinderlijke tocht worden blootgesteld.
- Luchtverversingsinstallaties zijn altijd bedrijfsklaar en, voor zover nodig voor de gezondheid, voorzien van een controlesysteem, dat storingen in de installatie signaleert.

De Gezondheidsraad heeft recentelijk een studie uitgebracht waarin wordt voorgesteld een grenswaarde vast te stellen van 38°C. Let wel: dan gaat het niet om de temperatuur van de werkruimte, maar om de lichaamstemperatuur. De raad stelde vast dat er gezondheidsschade kan optreden als de lichaamstemperatuur boven die waarde komt. In 2010 is er vanuit de Sociaal Economische Raad overleg met de overheid gestart over het opnemen van een wettelijke norm voor werken in warmte. Dat heeft nog geen zichtbaar resultaat opgeleverd.

## 20.4    Temperatuur en tocht

Voor gewone werkzaamheden kan de tabel hieronder worden gebruikt. Die geeft een indicatie voor een optimaal klimaat.

Voor zeer hete (bijvoorbeeld ovens) en zeer koude omstandigheden (bijvoorbeeld vriescellen) gelden andere grenswaarden. In die gevallen moet worden voorkomen dat er schade aan de gezondheid ontstaat. Raadpleeg hiervoor de arboinformatiebladen 20 en 48.

*Tabel 1.*

| Arbeid | Zomerkleding | Idem + overall | Winterkleding | Idem + overall |
|--------|--------------|----------------|---------------|----------------|
| Licht  | 25 | 22 | 22 | 20 |
| Matig  | 19 | 15 | 14 | 11 |
| Zwaar  | 14 | 9  | 6  | 2  |

Bron: Inspectiemethode arbeidsomstandigheden.

*Invloed van werknemers*
Het verdient aanbeveling dat klimaatomstandigheden kunnen worden beïnvloed door individuele werknemers. Dat mensen zelf ramen kunnen open doen, dat ramen op een kierstand of een grotere stand gezet kunnen worden of radiatoren hoger of lager kunnen zetten. Daar zijn verschillende redenen voor. Er bestaan verschillende persoonlijke behoeften, verschillende onderdelen van gebouwen vragen een verschillende klimaatregulering. Verder werken centrale klimaatregulerende installaties vaak niet naar tevredenheid. Het blijkt dat het aantal klachten afneemt naar mate de werknemers meer mogelijkheden hebben om zelf temperatuur en ventilatie in te stellen.

**Uit de praktijk**

In de arbocatalogus voor de industriële bakkerijen en zoetwaren is afgesproken dat werknemers niet meer tewerkgesteld mogen worden op werkplekken met een temperatuur boven de 40°C. Op meerdere afdelingen binnen deze sectoren wordt die temperatuur nu nog regelmatig overschreden. Er is een overgangstermijn afgesproken om werkgevers de gelegenheid te geven de benodigde voorzieningen aan te brengen. Tot die tijd is een maximale werktijd per dienst afgesproken voor het werken op werkplekken met een temperatuur boven de 40°C.

Verder dienen alle werkgevers in de beide sectoren een warmteplan op te stellen en voor te leggen aan de ondernemingsraad of personeelsvertegenwoordiging. Tenslotte zijn er diverse maatregelen tegen de hitte verplicht gesteld, zoals afzuiging van hete lucht boven de ovenuitgang, aanvoer koelere lucht, hitteschilden, taakroulatie bij langdurig werken in hitte, ventilatoren, waterverstrekking en het ter beschikking stellen van luchtige kleding van 100% katoen.

## 20.5 Werken in warme omstandigheden

Vanaf circa 35 graden, bij een luchtvochtigheid van 50% of hoger, lopen werkne-mers een reële kans op *heat stress* indien ze grote lichamelijke inspanningen ple-gen.

De combinatie van hitte en vocht stelt hoge eisen aan hart en bloedvaten. Gevolgen van te grote hitte kunnen zijn:
– Huidaandoeningen zoals jeuk en blaasjesuitslag.
– Hittekramp (kramp in de spieren).
– Hitte-uitputting door uitdroging.
– Onvoldoende doorbloeding is naar de hersenen; flauwvallen is het gevolg.
– Een hitteberoerte is het meest ernstige effect. Dit gebeurt als de inwendige temperatuur van het lichaam boven de 41 graden komt.
– Daarnaast neemt door teruglopend concentratievermogen de kans op ongeluk-ken toe. Voor bepaalde beroepen houdt dit grote risico's in.
– Risicogroepen: extra last van de warmte kunnen hebben: zwangeren, mensen met longaandoeningen of hartaandoeningen, suikerpatiënten en personen die medicijnen tegen o.m. hoge bloeddruk gebruiken.

Bij temperaturen vanaf 32 graden kunnen de eerste gezondheidsklachten optre-den, en gaat het lichaam merkbaar minder goed functioneren: van verminderde concentratie tot hoofdpijn en soms flauwvallen. Bij temperaturen van 40 graden of hoger, bestaat een onaanvaardbaar risico voor ernstige gezondheidsklachten. In de buitenlucht gelden extra risico's vanwege blootstelling aan de zon.

Van de Nederlandse werknemers moet 39% (ruim 2,5 miljoen) weleens in hitte werken. Dat geldt vooral voor:
– werknemers in de buitenlucht;
– werknemers in bedrijven waar productieprocessen hitte genereren (hoogovens, papierfabrieken, kassen, bakkerijen);
– werknemers in gebouwen met een slechte klimaatregeling;
– werknemers in transportmiddelen zonder deugdelijke airco.

*Gezondheidsnormen en regels*
De wettelijke normen zijn vaag te noemen: Het Arbobesluit stelt dat de tempera-tuur niet schadelijk mag zijn voor de gezondheid van werknemers. 'Goed werk-

geverschap' vereist dat ook bij temperaturen die niet direct schadelijk voor de gezondheid zijn, de nodige maatregelen worden getroffen.

*Oplossingen*

In onderstaand schema zijn oplossingen voor werken bij hitte weergegeven (bron: www.arbobondgenoten.nl).

*Tabel 2.*

| Oplossingen | | |
|---|---|---|
| **Tijdelijke maatregelen** | | **Structurele maatregelen** |
| – | korter werken | – warmte- producerende apparaten zoveel mogelijk vervangen, isoleren of in een aparte ruimte zetten |
| – | zo kort mogelijk aaneengesloten werken | – warmte afzuigen |
| – | pauzeren in koele ruimtes | – een goed geïsoleerd gebouw |
| – | verlichting dempen waar dit kan | – een goede luchtbehandelings- en koelinstallatie (airco of topkoeling) |
| – | warmte producerende apparaten zoveel mogelijk uit zetten | – goede, zelf-regelbare zonwering en ventilatie |
| – | aangepaste kleding (liefst 100% katoen) | – zonwerend glas |
| – | extra ventilatie | – zonwering toepassen: buitenzonwering is effectiever dan binnenzonwering |
| – | veel (water) drinken | – goed onderhoud van gebouw en installaties |
| – | airco of koelunit huren | |
| – | platte daken eventueel natmaken ter koeling | |
| Aanvullende maatregelen bij zeer extreme hitte | | |
| – | maximaal 1 uur aaneengesloten werken afwisselen met 30 minuten of meer pauze in koele ruimtes | |
| – | maximaal 5 uur per dag totaal werken | |
| – | verlagen werktempo en werkintensiteit | |
| – | werk onderbreken indien direct veiligheids- of gezondheidsrisico (chauffeurs, patiënten) dreigt | |
| Het benaderen van de Arbeidsinspectie kan in deze omstandigheden zin hebben. De Arbeidsinspectie zal nagaan of daadwerkelijk gevaar voor de gezondheid aanwezig is en indien nodig ingrijpen. | | |

Op www.arbobondgenoten.nl staat een digitaal rekeninstrument (hittestresscalculator) waarmee werknemers in staat zijn zelf op een gemakkelijke manier te berekenen of op de hitte op hun werkplek de gevarenzone bereikt.

## 20.6   Luchtverversing en ventilatie

In alle werksituaties moet er een goed systeem zijn waardoor de lucht regelmatig wordt ververst. De lucht wordt gebruikt en dus vervuild door menselijke in- en uitademing. Ook kan de lucht worden vervuild door gevaarlijke stoffen. Ventilatie kan op een natuurlijke manier geschieden, bijvoorbeeld door open ramen; het kan ook op een mechanische manier, door middel van een installatie. De helft van de klimaatklachten op kantoor kan worden verholpen, zo blijkt uit onderzoek, door het beter afstellen en onderhouden van verwarmings- en verversingsinstallaties.

De belangrijkste richtsnoeren voor luchtverversing en ventilatie worden hierna samengevat.
- Voor kantoor: 30 m³ verse lucht per uur per persoon: aangeraden wordt 40-60 m³ per uur per persoon.
- In leslokalen: 20 m³ per uur per persoon.
- In andere werkruimten waarin lichte arbeid wordt verricht: 25 m³ per uur per persoon.
- Dit zijn geen wettelijke eisen. In de arboregelgeving staan alleen globale, algemene vereisten zoals: 'Op de arbeidsplaats is voldoende niet verontreinigde lucht aanwezig' en 'Luchtverversingsinstallaties functioneren zodanig dat werknemers niet aan hinderlijke tocht worden blootgesteld'.

In sommige arbocatalogi zijn nieuwe afspraken over ventilatie opgenomen, zoals bijvoorbeeld in arbocatalogi in het onderwijs.

Overige aandachtspunten:
- Het laten circuleren en hercirculeren van lucht geeft het risico van blootstelling aan gevaarlijke, hinderlijke en toxische stoffen. Die blootstelling is verboden.
- In geval van de aanschaf van nieuwe apparatuur, zoals fotokopieerapparatuur of printers, moet rekening worden gehouden met het vrijkomen van gevaarlijke stoffen of warmte. Vervanging van filters die de uitstoot verminderen, dient minimaal eenmaal per jaar plaats te vinden.
- Ventilatiesystemen dienen jaarlijks te worden geïnspecteerd en gereinigd, uiteraard zonder gebruikmaking van schadelijke ontsmettingsmiddelen.

**Uit de praktijk**
Verbeter het binnenklimaat zonder dure metingen
Bijna alle (kantoor)gebouwen hebben klimaatinstallaties. Het betreft doorgaans een combinatie van filtering, verwarming, koeling en warmteregwinning. Ondanks alle inspanningen lukt het maar zelden om daadwerkelijk voor een aangenaam binnenklimaat te zorgen. Vaak komen toch veel klachten over temperatuur en droge lucht, die op een slechte luchtkwaliteit wijzen.
Omdat vele duizenden stoffen een rol kunnen spelen bij luchtkwaliteitsproblemen is het doorgaans weinig zinvol om met (dure) metingen te beginnen. Veel zinniger is het om eerst de precieze klachten in kaart te brengen: welke klachten zijn er, wie heeft ze, waar

en wanneer? Op grond daarvan kan men goed rondkijkend de mogelijke oorzaken achterhalen: Wordt er voldoende schoongemaakt? Zijn er printers en kopieerapparaten in de
buurt die warmte en fijn stof uitstoten? Worden er chemische schoonmaakmiddelen
gebruikt die overlast geven? Veroorzaken planten, vloerbedekking, plafondplaten of be-
kledingsstoffen een stofprobleem? Werkt het ventilatiesysteem wel goed? (Hier kan overigens een $CO_2$-meting zinvol zijn om na te gaan of het ventilatiesysteem goed werkt).

Ook de neus is een geschikt hulpmiddel: Waar ruikt het muf? Zijn er nog verontreini-
gende processen in het gebouw die de luchtkwaliteit beïnvloeden, zoals bijv. een huis-
drukkerij of keuken? Zijn de rookruimtes voldoende afgesloten?

Tot slot kunnen de klimaatinstallaties voor een deel zelf beoordeeld worden. Kijk en ruik
of de diverse onderdelen van de installaties goed schoon zijn. Vooral filters, koelbatte-
rijen en bevochtigingsinstallaties kunnen bij onvoldoende onderhoud een bron van
vervuiling worden. Door één voor één de mogelijke oorzaken weg te nemen kan na
verloop van tijd bezien worden of het nodig is om verdergaande maatregelen te nemen.

Bron: Ir. A. Raue (TU-Delft)

## 20.7 Beschermende kleding

Als door klimaatsomstandigheden gevaar voor de gezondheid kan ontstaan, moet
de werkgever beschermende kleding ter beschikking stellen.

De eisen die aan beschermende kleding worden gesteld zijn:

- De kleding moet geschikt zijn voor het doel waarvoor het wordt gedragen; de
  materialen zijn afgestemd op de eisen.
- Kleding moet zoveel mogelijk bedekkend zijn; denk daarbij vooral aan polsen,
  hoofd en handen.
- Vochtabsorberende onderkleding is vaak aan te bevelen.
- Knopen en andere sluitingen moeten zijn weggewerkt en er mogen geen los-
  hangende delen voorkomen.
- De gebruiksaanwijzing moet in het Nederlands worden bijgeleverd.
- Na regelmatige reiniging moet de kleding nog passend en goed sluitend zijn.
- Beschermende kleding wordt in voldoende mate beschikbaar gesteld. Ze wordt
  voldoende onderhouden, gereinigd en gecontroleerd op noodzaak van vervanging.
- Bij werken in warme omstandigheden is onderkleding van 100% katoen aan te
  bevelen. Bij extreme warmte zijn koelvesten met zogenaamde PCM-packs effectief en comfortabel.
- Bij werken in koude omstandigheden dient de kleding te zijn afgestemd op de
  specifieke omstandigheden:
  - bij arbeid met inspanningspieken is vochttransporterend ondergoed en ven-
    tilerende bovenkleding nodig;

- bij grote temperatuurwisselingen is, naast vochttransporterend ondergoed, kleding in lagen gewenst, die eenvoudig aan en uit te trekken is;
- bij regen en wind zijn waterdichte dampdoorlatende overkleding met capuchon, handschoenen en waterdichte laarzen gewenst;
- bij werken in een koelruimte met natte producten zijn waterafstotende bovenkleding, een waterdicht schort en rubberlaarzen nodig;
- bij blootstelling aan vrieskou en luchtbeweging horen warme onderkleding en isolerende kleding, die zoveel mogelijk van de huid bedekt: handschoenen, capuchon, bivakmuts en isolerende laarzen.

## 20.8    Rechten en mogelijkheden van de ondernemingsraad

Voor de ondernemingsraad of VGW(M)-commissie gelden vooral de rechten en mogelijkheden die er ook bij andere arbothema's bestaan.

- In de risico-inventarisatie en -evaluatie behoren de risico's met betrekking tot klimaat worden beschreven. Controleer dit.
- Het plan van aanpak moet concrete maatregelen bevatten om de risico's te elimineren of terug te brengen. Controleer dit en dring zo nodig aan op betere maatregelen. Vraag daarbij de achterban om praktische suggesties.
- In het periodiek arbeidsgezondheidskundig onderzoek, kunnen klachten staan die te maken hebben met klimaatproblemen. Als er een nieuw PAGO-onderzoek komt, kan de ondernemingsraad er voor pleiten om ook gevolgen van warmte, kou of luchtvochtigheid in het onderzoek op te nemen.
- Controleer of jaarlijks de ventilatiesystemen worden geïnspecteerd en gereinigd, en dat de filters worden vervangen.

## 20.9    Verder lezen

- Arbo-informatieblad 20, *Werken onder koude omstandigheden*, Sdu, Den Haag.
- Arbo-informatieblad 24, *Binnenmilieu*, Sdu, Den Haag.
- Arbo-informatieblad 48, *Werken onder warme omstandigheden*, Sdu, Den Haag.
- *Praktijkgids arbeidsveiligheid*, Kluwer, Alphen aan den Rijn.
- *Arbonormenboek*, Kluwer, Alphen aan den Rijn.
- www.arbobondgenoten.nl.

# 21 Lichamelijke belasting

## 21.1 Inleiding

Tillen, lang in dezelfde houding werken, uitgeput raken, steeds dezelfde bewegingen maken, blootstaan aan trillingen. We noemen het lichamelijke of fysieke belasting, oftewel het geheel van werkhoudingen en lichamelijk inspanningen door bewegingen en krachtuitoefeningen. Lichaamsbeweging en krachtuitoefening zijn in principe goed, ze oefenen en trainen het lichaam en houden het in conditie. Te grote en langdurige krachtuitoefening kan gezondheidsschade vooroorzaken, evenals eenzijdig werk met steeds dezelfde bewegingen, en onnatuurlijke lichaamshoudingen. Een groot deel van de WIA-instroom wordt veroorzaakt door aandoeningen aan het 'bewegingsapparaat', het geheel van spieren en gewrichten. De maatschappelijke kosten van arbeidsgebonden klachten aan het bewegingsapparaat zijn hoog, een kleine vijf miljard. Ondanks alle nieuwe technische middelen, is de lichamelijke belasting onder werknemers in Nederland nog steeds erg hoog. Dat blijkt ook uit het overzicht van beroepsziekten: zo'n 42% van de beroepsziekten betreft aandoeningen in het bewegingsapparaat.

*Geen harde wettelijke normen*
Er bestaan niet veel harde wettelijke normen als het gaat om lichamelijke belasting. De belangrijkste algemene norm vinden we in het Arbobesluit: 'de fysieke belasting (mag) geen gevaren met zich meebrengen voor de veiligheid en gezondheid van de werknemer' (Arbobesluit 5.2). Zo'n algemene formulering vraagt natuurlijk om een nadere invulling. Die vinden we gedeeltelijk in aanbevelingen en richtlijnen die ook door de Arbeidsinspectie worden gehanteerd. De Nederlandse overheid ziet in het algemeen af van harde wettelijke normen. Ze geeft de sociale partners de ruimte om in een Arbocatalogus afspraken te maken over de manier waarop invulling kan worden gegeven aan bovenstaande globale wetgeving.

Wel is in de wetgeving vastgelegd dat fysieke belasting één van de onderwerpen is die in een RI&E diepgaand moet worden onderzocht. Blijkt uit de RI&E dat fysieke belasting in de organisatie gezondheidsrisico's oplevert, dan moet bij een nadere inventarisatie per risicovolle werkplek in kaart worden gebracht hoe groot de fysieke belasting is. Per werkplek dient (waar van toepassing) in kaart worden gebracht: de kenmerken van de last, de vereiste lichamelijke inspanning, de kenmerken van de werkomgeving en de eisen van de taak.

In dit hoofdstuk worden vijf onderdelen van de lichamelijke belasting behandeld: het tillen, de werkhouding,, repeterend werk, duwen en trekken en trillingen.

### 21.1.1    FYSIEKE BELASTING IN DE ARBOCATALOGI

In de arbocatalogus voor de papier- en kartonverwerkende industrie is een door TNO ontwikkelde Quick Scan fysieke belasting opgenomen. Dit instrument bestaat uit de volgende onderdelen:

- formulieren die op de werkvloer moeten worden ingevuld en zo inzicht geven in de risico's op het gebied van fysieke belasting;
- een handboek met uitleg over fysieke belasting, de manier waarop de formulieren moeten worden ingevuld;
- een vragenlijst, die behulpzaam kan zijn bij het vooraf prioriteren van afdelingen op grond van klachten;
- voorbeelden van de knelpunten/risico's die kunnen voorkomen en mogelijke oplossingen om de risico's te verminderen.

De vragenlijsten en het handboek die voor deze sector zijn ontwikkeld, zijn ook goed bruikbaar in andere sectoren. Zie: www.verbondpk.nl/arbocatalogus.

In de arbocatalogi van de sectoren zoetwaren, pluimvee en vleesindustrie is een digitaal instrument opgenomen om de fysieke belasting van een fysiek zware werkzaamheid te analyseren. Dit instrument is in die arbocatalogi nagenoeg vergelijkbaar uitgewerkt en heeft als naam: Wegwijzer of Werkcheck fysieke belasting. Het maakt het mogelijk om uiteenlopende vormen van fysieke belasting te meten. Zo is bijvoorbeeld de tilmethode NIOSH erin verwerkt. Op grond van de ingevoerde gegevens bepaalt het digitale instrument of een werkzaamheid al dan niet acceptabel is. Dit instrument is ook in andere sectoren goed te gebruiken. Zie www.arbocataloguszoetwaren.nl, www.arbocatalogus-pluimvee.nl of www.arbocatalogus-vlees.nl.

## 21.2    Tillen

### 21.2.1    INLEIDING

Ongeveer een miljoen werknemers tillen regelmatig meer dan goed is voor hun gezondheid. De rug wordt daardoor overbelast en kan na verloop van tijd in de problemen komen. Als de gezondheidsschade er eenmaal is, is volledig herstel een moeizame zaak.

### 21.2.2  AANPAK BIJ DE BRON

Zoals alle belastende factoren in de arbeidsomstandigheden moet ook het tillen bij de bron worden aangepakt. Dat houdt in dat het tilwerk wordt geëlimineerd of wordt verminderd door technische en organisatorische maatregelen: vorkhef-trucks rijden pallets met lasten direct in een stelling, door middel van pompwa-gens worden vrachtwagens zonder tilwerk geladen. De stand van de wetenschap en techniek moet veel til- en draagwerk overbodig kunnen maken.

### 21.2.3  TILWERK AFWISSELEN MET ANDER WERK

Als er wel moet worden getild begint het verminderen van tilbelasting met het goed organiseren van het werk op een afdeling waar moet worden getild. Dat betekent het afwisselen van de werkzaamheden. Op lichamelijk niveau is het ge-brek aan afwisseling de meest schadeveroorzakende en ziekmakende factor in het werk. Dat betekent dat tiltaken moeten worden afgewisseld met andere taken en dat tilwerk in tijd wordt beperkt.

### 21.2.4  DE TILSITUATIE

De belasting door tillen ontstaat niet alleen door het tilgewicht, maar door veel meer factoren die de 'tilsituatie' bepalen. Dat houdt het volgende in:
– het tillen vanaf een lage beginstand, bijvoorbeeld vanaf de grond;
– tillen in een gedraaide of draaiende houding;
– hoe hoog de last moet worden getild en hoe ver van het lichaam;
– de hanteerbaarheid van de last, de maten van de last en de aan- of afwezigheid van handgrepen;
– de frequentie van het tillen: hoe vaak en hoe snel getild moet worden;
– de bewegingsruimte om bijvoorbeeld met twee mensen te kunnen tillen.

Met al die factoren dient rekening te worden gehouden, als de tilsituatie verbeterd moet worden.

### 21.2.5  MAXIMAAL TILGEWICHT: DE NIOSH-METHODE

Er is een methode ontwikkeld om uit te rekenen wat het goede tilgewicht is bij een bepaalde frequentie van tillen. Die houdt tevens rekening met bovengenoemde factoren. Het is de zogenaamde NIOSH-norm, genoemd naar het instituut in de Verenigde Staten dat de norm ontwikkelde, het National Institute for Occupational

Safety and Health. Het is een methode die internationaal de standaard is geworden en ook door de Nederlandse Arbeidsinspectie wordt toegepast. Ook Nederlandse rechters verwijzen naar deze norm, zoals in de casus 'Hernia na het tillen van een oven', die in hoofdstuk 6 is beschreven.

Voor NIOSH is het maximale tilgewicht 23 kilogram. Dat geldt alleen voor de ideale tilsituatie, waarin alle tilfactoren gunstig zijn. In de praktijk is een tilsituatie zelden ideaal. Daarom houdt de NIOSH-methode ook rekening met de volgende factoren:

– de horizontale factor: de afstand die de tillast horizontaal aflegt tussen het begin en eind van het tillen;
– de verticale factor: de verticale afstand, meestal van laag naar hoog, die bij het tillen wordt afgelegd tussen begin en eind van het tillen;
– de verplaatsingsfactor: de afstand die de tillast aflegt;
– hoe vaak er per minuut getild moet worden, de duur van de tilactiviteit en de rusttijd na het tillen;
– de draaihoek die bij het tillen wordt gemaakt;
– de grip op de te tillen last: handvatten, uitsparingen, geen lastige maten, de mogelijkheid om de vingers gemakkelijk in 90° ten opzichte van de middenhand om het tilvoorwerp te kunnen plaatsen.

Iedere keer als bovenstaande factoren niet optimaal zijn, vermindert het maximaal te tillen gewicht. Zo wordt het maximale gewicht bijvoorbeeld teruggebracht tot 4 kilo als het gaat om tillen boven schouderhoogte.

*Tilberekeningen*
Het kan nuttig zijn om met bovengenoemde factoren rekening te houden als er in een bedrijf ongezonde tilsituaties aanwezig zijn en als de or of VGW(M)-commissie ze wil verbeteren. Op de internetsite van FNV Bondgenoten is een vereenvoudigde versie van NIOSH te vinden: je typt de kenmerken van een bepaalde tilsituatie zelf in en het maximale tilgewicht wordt voor je uitgerekend. Zie www.arbobondgenoten.nl.

## 21.2.6   DE TILHULPMIDDELEN

Als er in een werksituatie zwaar of vaak getild moet worden is het de taak van de werkgever om te bezien of met technische of organisatorische maatregelen de tilbelasting kan worden verminderd. In RI&E moet bij alle tilwerksituaties nagegaan worden hoe groot de tilbelasting is en hoe het tillen verlicht kan worden. Er zijn er veel technische hulpmiddelen om in te zetten:

– Heftafels, om de hoogte vanaf de grond te verminderen.
– Kranen en heftrucks om lasten mechanisch te verplaatsen.
– Tilmiddelen om zware patiënten te kunnen verplaatsen.

– Allerlei kleine vervoermiddelen: wagentjes, pompwagens, verrijdbare pallets die het tillen en dragen moeten verlichten; ze moeten geschikt zijn en goed worden onderhouden.

In diverse arbocatalogi of branchewebsites zijn voorbeelden van geschikte tilhulp-middelen te vinden. Zie bijvoorbeeld www.gezondehandel.nl.

### 21.2.7 DE TILINSTRUCTIE EN TILTECHNIEK

Voorlichting en onderricht zijn verplicht bij til-, duw- en trekwerk, zoals bij alle risicovolle werkzaamheden. Onderricht houdt in dat informatie wordt gegeven over het tilwerk en de risico's die ermee zijn verbonden, dat het juiste en onjuiste tillen wordt gedemonstreerd en dat het tillen wordt geoefend. Het beste is dat in iedere tilsituatie samen met een deskundige de beste tilmethode wordt bepaald en daarna geoefend. Het beladen van vliegtuigen is nu eenmaal anders dan het werken in een groenteveiling, een kaaspakhuis of een verpleeghuis.

In diverse organisaties en sectoren, vooral in de zorg, zijn tilprotocollen opgesteld waarin is vastgesteld in welke situaties met welke hulpmiddelen en technieken dient te worden getild.

In veel situaties gelden de volgende aanbevelingen:
– Even de tijd nemen, nagaan of er een tilhulpmiddel is en dat gebruiken.
– Dicht bij het lichaam tillen.
– Niet draaien tijdens het tillen.
– Tillen met beide handen die ongeveer evenveel gewicht dragen.
– Bij zware lasten met twee personen tillen.

In de zorgsector zijn er in veel instellingen ergocoaches aan gewezen. Dat zijn werknemers die een training hebben gevolgd om hun collega's voor te lichten en te adviseren over de juiste tiltechniek. Zij adviseren ook over andere vormen van fysieke belasting. Zie www.ergocoach.nl.

### 21.2.8 TILLEN BIJ ZWANGERSCHAP

In januari 2012 zijn arbomaatregelen bij zwangerschap in het Arbobesluit opgenomen (artikel 5.13a). Op het gebied van lichamelijke belasting zijn daarin de volgende normen opgenomen:
– Gedurende de hele zwangerschap moet de noodzaak om te bukken, knielen of hurken zo veel mogelijke voorkomen worden. Hetzelfde geldt voor het tillen van gewichten. Het in één handeling te tillen gewicht mag niet hoger zijn dan 10 kilo.
– Vanaf de twintigste week van de zwangerschap mogen gewichten van meer dan 5 kilo niet meer dan 10 keer per dag worden getild.

– Vanaf de dertigste week van de zwangerschap mogen gewichten van meer van 5 kilo niet meer dan 5 keer per dag worden getild. Zwangere werkneemsters mogen niet meer verplicht dagelijks meer dan eenmaal per uur te hurken, knielen, bukken of staande voetpedalen te bedienen.

## 21.3 Werkhouding

### 21.3.1 INLEIDING

Van lichamelijke belasting en gevaren van gezondheidsschade is ook sprake als mensen langer in eenzelfde lichaamshouding werken. We noemen dat de statische werkhouding. Dat speelt zowel bij zittend als bij staand werk. Het komt bijvoorbeeld veel voor bij lassen, uitbenen, beeldschermwerk, chirurgisch werk, fijn-montagewerk. Lang staan belast de benen en voeten, het geeft risico's voor spataderen. Zittend werk is in principe beter, maar het kromt en belast de onderrug. Afwisseling is dus het devies.

De ondernemingsraad of VGW(M)-commissie kan belangrijk werk doen door de gevaren i.v.m. de statische werkhouding aan te kaarten. Vaak moeten in dit geval bedrijfsblindheid en gewoonten worden doorbroken: staand werk lijkt alerter en actiever en zittend werk zou een slomere uitstraling hebben. Veel werk heeft ook zijn ongeschreven codes: 'banketbakkerswerk doe je nu eenmaal staande'.

### 21.3.2 DE GEVAREN

Slechte vormen van statische werkhoudingen zijn:
– Staand werk doen, gedurende meer dan vier uur per dag of meer dan één uur achtereen.
– Zittend werk van meer dan vijf uur per dag of meer dan twee uur achter elkaar.

### 21.3.3 DE WERKSTOEL

De werkstoel is een stoel die bij werken wordt gebruikt, anders dan bij kantoorwerk. De aanbevelingen gelden voor stoelen die het grootste deel van de dag worden gebruikt.
– De zitting: van gemakkelijk te reinigen materiaal; slijtvaste, stroeve en ventilerende bekleding; antistatisch materiaal.
– Zittinghoogte: indien vast, tussen 44 en 46 cm; indien verstelbaar tussen 39 en 51 cm.
– Zittingbreedte: minimaal 40 cm.
– Zittingdiepte: minimaal 44 cm.

- Rugleuning: slijtvaste, stroeve, antistatische en ventilerende bekleding; liefst hoge rugleuning, minimaal 37 cm hoog; een bolling die lendenen steunt.
- Armsteun: indien verstelbaar: 20-27 cm boven de zitting; indien niet verstelbaar: 23-25 cm boven de zitting.
- Zwenkwielen: alleen als dat voor de taak noodzakelijk is.

## 21.3.4 HET WERKVLAK

De hoogte van het werkvlak is van groot belang voor een goede werkhouding. De hoogte van het werkvlak is afhankelijk van het werk dat wordt gedaan. Precisiewerk, bijvoorbeeld het repareren van horloges, vraagt om een hoger werkvlak. Een werkvlak waar werk op verricht wordt dat krachtinspanning vraagt, is lager: tot 30 cm onder de ellebogen.

Nog enkele aanbevelingen met betrekking tot het werkvlak:
- Voorkom dat met opgetrokken schouders moet worden gewerkt.
- Voorkom dat met gebogen rug moet worden gewerkt.
- Zorg ervoor dat de hoogte van het werkvlak is aangepast aan de lichaamslengte van de werknemer.
- Zorg zo nodig voor een in-hoogte-verstelbaar werkvlak.

Voorts moet er voldoende been- en voetruimte zijn voor zittend of staand werk. Sinds 2011 zijn de beleidsregels die daarvoor concrete normen aangaven, niet meer van toepassing.

*Afbeelding 1. Een zorgvuldig ontwerp van de werkplek is van groot belang om lichamelijke overbelasting te voorkomen.*

### 21.3.5 AANBEVELINGEN VOOR EEN GOEDE WERKHOUDING

– Wissel staan, lopen en zitten tijdens het werken af.
– Geef mensen daartoe afwisselende taken.
– Werk niet langer dan een uur achtereen en vier uur per dag in een staande houding.
– Vermijd staand werken zoveel mogelijk; meestal kan het staande werk ook grotendeels zittend worden gedaan. Een gecombineerde zit-stawerkplek is een goed alternatief.
– Overweeg een stasteun als hulpmiddel.
– Voorkom het werken boven schouderhoogte.
– Vermijd ongewone gewrichtstanden.
– Zorg in geval van zittend werk voor een goede werkstoel of kantoorstoel, en wissel dit werk af met lopen en staan.
– Zorg voor een juiste hoogte van het werkvlak.

## 21.4 Repeterend werk

### 21.4.1 INLEIDING

Steeds dezelfde bewegingen moeten uitvoeren met handen of armen, heet repeterend werk. Het komt voor in vele beroepen: sorteerders van post, kappers, metselaars, stukadoors, lopendebandwerkers, champignon- of tomatenplukkers, caissières, beeldschermwerkers, werknemers in de vis- en vleesverwerkende industrie. Meer dan 2,5 miljoen werknemers staan bloot aan risico's van zich te vaak herhalende handelingen. Iemand komt in de gevarenzone als dat meer dan twee uur per dag of een uur achter elkaar gebeurt. De risico's nemen verder toe als dat werk in een slechte werkhouding wordt gedaan en er kracht bij nodig is, als er klimaatproblemen zijn of er sprake is van werkdruk.

Bij lichamelijke belasting wordt vaak vooral gedacht aan zwaar tillen of sjouwen, maar langdurige repeterende handelingen kunnen minstens zo belastend zijn.

### 21.4.2 WETTELIJKE AANKNOPINGSPUNTEN

Er zijn geen wettelijke normen voor repeterend werk, behalve de algemene regel dat het werk de gezondheid niet mag schaden. Voor beeldschermwerk zijn er wel enkele normen geformuleerd. Zie hiervoor 'Kantoor- en beeldschermwerk'. Verder zijn er de volgende wettelijke aanknopingspunten:
- De risico's van repeterend werk moeten in de risico-inventarisatie en -evaluatie volledig en voldoende diepgaand worden beschreven. Daar is een meetmethode voor beschikbaar, HARM genaamd, die ook door de Arbeidsinspectie wordt gebruikt bij haar inspecties. Deze methode is gericht op herhaalde hand- en arnbewegingen.
- In het plan van aanpak staan maatregelen die de risico's zoveel mogelijk verminderen.
- Het rapport van het periodiek arbeidsgezondheidkundig onderzoek, biedt soms aanknopingspunten om tot verbeteringen te komen.
- Er moet voorlichting en onderricht worden gegeven, dat doeltreffend is en aan de taken is aangepast.

Ga ook na of er in uw sector een arbocatalogus is afgesloten die aandacht besteedt aan repeterend werk. U vindt er misschien normen die in uw branche zijn afgesproken en goede praktijken op het gebied van repeterend werk.

### 21.4.3 AANBEVELINGEN BIJ REPETEREND WERK

- Wissel het werk af met ander werk. Voorkom dat er meer dan een uur achtereen, of vier uur per dag vergelijkbare repeterende handelingen worden verricht.
- Zorg dat er pauzes kunnen worden gehouden.
- Een horizontale reikafstand tot 30 cm tussen rechte romp en 'object' kan nog. Daarboven wordt het belastend. Regelmatig meer dan 45 cm reiken is onaanvaardbaar.
- Voorkom werken boven schouderhoogte en beperk zo veel mogelijk draaiende bewegingen.
- Let op goede voorlichting en onderricht over de bovengenoemde factoren.
- Zorg ervoor dat er toezicht op wordt gehouden dat werknemers de meest gezonde houdingen aannemen en de hulpmiddelen gebruiken.
- Probeer piekdrukte te voorkomen door buffers in te bouwen (bijvoorbeeld met een carrousel bij een lopende band).
- De werknemer zou de gewoonte moeten aannemen zijn lichaam regelmatig bewust even te ontspannen, soms even heen en weer te lopen, of enkele rek- en strekoefeningen te doen.

## 21.5  RSI

RSI is de afkorting van Repetitive Strain Injury, vertaald: letsel door zich herhalende inspanningen. Het wordt beschouwd als een beroepsziekte. Ten onrechte wordt het de muisarmziekte genoemd. Niet alleen beeldschermwerkers hebben er last van, ook voegers en metselaars, stukadoors, vleesverwerkers en werknemers die assemblagewerk doen. RSI is een verzamelbegrip van aandoeningen aan nek, schouders, ellebogen en polsen. RSI ontstaat door langdurig werken in dezelfde houding en met steeds dezelfde bewegingen. In Nederland werkt 55% van de werkzame beroepsbevolking per dag twee uur of meer aan een beeldscherm. Van de werkzame beroepsbevolking had in 2009 ruim 36% RSI-klachten. Dat is een gemiddelde over alle beroepen. Een onderzoek van de Arbeidsinspectie wees uit dat 56% van de beeldschermwerkers RSI-gerelateerde klachten had aan polsen, schouders en nek.

De laatste jaren zijn pogingen om de naam RSI te vervangen door KANS, een afkorting van 'klachten aan arm, nek en schouder', een medisch correctere naam, maar wel minder krachtig.

*Herkennen van RSI-verschijnselen*
RSI moet zo vroeg mogelijk worden onderkend. In een vergevorderd stadium is het niet meer te genezen. Grofweg zijn er drie fase te onderscheiden: Een eerste

fase is een gevoel van pijn of doof gevoel op een bepaalde plaats als iemand bepaalde werkzaamheden verricht. De tweede fase treedt op als er niet zo'n duidelijk verband meer is met bepaalde taken. Ook na het werk heeft men nog pijn. Ook bij het dragen van boodschappentassen en autorijden treedt de pijn, de tinteling en mogelijke uitstraling op. In de derde fase is de pijn altijd aanwezig, soms treden zwellingen op of veranderingen van huidskleur.

### Maatregelen tegen RSI

De volgende maatregelen worden aanbevolen om RSI te voorkomen:

- Wissel het repeterend werk af met ander werk: de maatregel die het meest effectief is en die het minst wordt genomen, omdat men vaak nu eenmaal een bepaalde functie heeft.
- Neem voldoende pauzes. Een serie van pauzes van minimaal 10 minuten is effectiever dan de korte pauzes of de langere lunchpauze.
- Verminder de werkdruk; werkdruk is een belangrijke bijkomende factor in het ontstaan van RSI.
- Pas de werkplek op een ergonomische wijze aan. Maak gebruik van ondersteuningsmiddelen voor de arm en handen. Bedenk wel dat RSI maar voor een deel door de techniek wordt bepaald.
- Installeer pauzesoftware, bijvoorbeeld de 'beeldschermtachograaf' op de computer.
- Zorg voor voorlichting, onderricht en toezicht op de juiste werkwijze.
- Als er gezondheidsklachten zijn, raadpleeg een arts; wacht daar niet te lang mee.

### De RSI-test

Een test die aanwijzingen geeft over het bestaan van RSI-risico's.

Bron: www.arbobondgenoten.nl.

*Tabel 1. RSI-test*

| | | |
|---|---|---|
| 1 Doet u meer dan vier uur per dag hetzelfde werk? (typen, beeldschermwerk of andere handelingen): | Ja: 5 punten | Nee: 0 punten |
| 2 Kunt u uw werk even onderbreken of een korte rustpauze nemen? | Ja: 0 punten | Nee: 5 punten |
| 3 Doet u al jarenlang elke dag hetzelfde werk met steeds dezelfde handelingen? | Ja: 5 punten | Nee: 0 punten |
| 4 Is uw werk sterk repeterend; met andere woorden, doet u meer dan 2 uur per dag dezelfde beweging meer dan 1 uur achter elkaar? | Ja: 5 punten | Nee: 0 punten |

| | | |
|---|---|---|
| 5 Werkt u meer dan 30% van uw werkdag met uw handen 5 cm boven de hoogte van uw elleboog? | Ja: 3 punten | Nee: 0 punten |
| 6 Werkt u meer dan 30% van de werkdag met gebogen polsen? | Ja: 3 punten | Nee: 0 punten |
| 7 Werkt u meer dan 30% van de werkdag met opgetrokken schouders? | Ja: 3 punten | Nee: 0 punten |
| 8 Werkt u meer dan 30% van de werkdag met uw lichaam voorover gebogen? | Ja: 3 punten | Nee: 0 punten |
| 9 Is het meer dan 30% van de dag te koud op uw werk? | Ja: 3 punten | Nee: 0 punten |
| 10 Heeft u regelmatig snelheidspieken in uw werktempo? | Ja: 3 punten | Nee: 0 punten |

Uitslag:

– minder dan 15 punten: waarschijnlijk minder kans op RSI;
– tussen de 15 en 23 punten: kans op RSI;
– 23 of meer punten: groot RSI-risico.

**Uit de praktijk**

*RSI-risico's stijgen*

Het risico last te krijgen van de spieraandoening RSI wordt steeds groter. Dat blijkt in 2009 uit onderzoek van de RSI-Vereniging. Het aantal uren dat werknemers in Nederland achter een beeldscherm werken, stijgt namelijk sterk. Bijna de helft van de werktijd wordt nu achter een beeldscherm doorgebracht; gemiddeld zo'n 3,7 uur per dag. Beeldschermwerk blijkt een van de belangrijkste oorzaken te zijn van RSI. Ruim 1,8 miljoen werknemers — dat is een kwart van de Nederlandse beroepsbevolking — heeft RSI-klachten. Ook dit aantal neemt toe.

## 21.6 Duwen en trekken

### 21.6.1 INLEIDING

In diverse sectoren worden regelmatig zware lasten handmatig voortbewogen. Het gaat bijvoorbeeld om rolcontainers in de groothandel, mengkuipen in de voeding, en om voedselkarren en bedden in de zorg. Maar het betreft niet alleen rollend materieel. Het kan ook gaan om het (ver)plaatsen van zware voorwerpen, bijvoorbeeld in een magazijnstelling. Handmatig duwen en trekken kan tot lichamelijke overbelasting leiden. Dat kan op den duur klachten en gezondheidsschade opleveren, zoals aan schouder en lage rug.

## 21.6.2 WETTELIJKE AANKNOPINGSPUNTEN

Er zijn geen wettelijke normen voor duwen en trekken, behalve de algemene regel dat het werk de gezondheid niet mag schaden. Verder zijn er de volgende wettelijke aanknopingspunten:

- De risico's van duwen en trekken moeten in de risico-inventarisatie en -evaluatie volledig en voldoende diepgaand worden beschreven. Daar is een meetmethode voor beschikbaar, KIM genaamd, die ook door de Arbeidsinspectie wordt gebruikt bij haar inspecties.
- In het plan van aanpak dienen maatregelen te staan die de risico's zoveel mogelijk verminderen.
- Het rapport van het periodiek arbeidsgezondheidskundig onderzoek, biedt soms aanknopingspunten om tot verbeteringen te komen.
- Er moet voorlichting en onderricht worden gegeven, dat doeltreffend is en aan de taken van de werknemers is aangepast.

Verder heeft de Arbeidsinspectie op haar site, een module opgenomen met aandachtspunten voor inspecteurs die bedrijven op het gebied van duwen en trekken inspecteren. Zie daarvoor: www.arbeidsinspectie.nl.

En het is uiteraard bijzonder verstandig om na te gaan of er in uw sector een arbocatalogus is afgesloten die het onderwerp duwen en trekken behandelt. U vindt er misschien normen die in de branche gehanteerd worden en goede praktijken op het gebied van duwen en trekken. Of u ziet er geschikte oplossingen voor uw werkpraktijk.

---

**Uit de praktijk**

*Forse schadevergoeding door overmatige duwbelasting*

Een werknemer van zuivelbedrijf heeft in 2011 van zijn baas een schadevergoeding van meer dan € 100.000 gekregen. De man had een chronisch letsel aan zijn pols opgelopen door het stelselmatig duwen van 400 kilogram zware rolcontainers. Het Bureau Beroepsziekten FNV heeft de man begeleid bij zijn schadeclaim. De gedupeerde moest voor zijn werk dagelijks met vijftien tot twintig containers in de weer. Het bedrijf had een kettingbaan vervangen, waardoor hij in plaats van één wel twintig tot veertig meter moest duwen.

Hij heeft er een beknelde zenuw aan overgehouden, waaraan hij — mede door een slechte re-integratie en ondanks meerdere operaties — blijvend letsel en blijvende arbeidsongeschiktheid heeft opgelopen.

---

## 21.6.3 AANBEVELINGEN

Om overbelasting door duwen en trekken te voorkomen kunnen op verschillende niveaus verbeteringen worden aangebracht.
- In de organisatie van het werk:
  - Beperking van het aantal duw- en trekhandelingen door logistieke verbeteringen of door inschakeling van elektrische palletwagens, handpallettrucks of heftrucks;
  - Beperking van het laadgewicht;
  - Afwisseling van werkzaamheden;
- In de werkplekinrichting:
  - Handvatten van rollend materieel in de goed stand en hoogte;
  - Een effen harde vloer zonder drempels of andere obstakels;
  - Grote, goed onderhouden wielen;
- De werktechniek:
  - Liever duwen dan trekken;
  - Duw met beide armen
  - Breng het voorwerp langzaam in beweging en nooit met een harde ruk;
  - Draag stevige schoenen met stroeve zolen

In de arbocatalogus van de groothandel in aardappels groenten en fruit is een duw- en trekcalculator opgenomen waarmee is te berekenen of de lichamelijke belasting bij duwen en trekken van lasten te groot is.(www.gezondehandel.nl). Daarvoor is wel een trekveer nodig om de trekkracht te bepalen.

Zie ook de site van het beroepsgoederenvervoer voor brochures en instructiekaarten bij het werken met rolcontainers en handpallettrucks.(www.gezondtransport.nl)

---

**Uit de praktijk**

*Vuistregels van de Arbeidsinspectie bij duwen en trekken van rollend materieel:*

De Arbeidsinspectie heeft 6 karregels opgesteld in de vorm van vragen:

1. Heeft het object goede en soepel lopende wielen?
2. Hebben de wielen een doorsnede van 12 cm of meer?
3. Is het totaalgewicht van het object kleiner dan 300 kilo?
4. Kan overal over gladde en horizontale vloeren gereden worden?
5. Zijn gedurende de hele transportweg drempels afwezig?
6. Zijn er handvatten of goede duwplaatsen op een juiste (instelbare) hoogte?

(De juiste hoogte is individueel bepaald, maar ligt voor duwen meestal tussen de 100 en 150 cm en voor trekken juist iets lager).

---

## 21.7 Trillingen

### 21.7.1 INLEIDING

Blootstelling aan trillingen en schokken is een veel voorkomende, maar vaak niet onderkende vorm van fysieke belasting. In Nederland worden ongeveer 600.000 werknemers regelmatig blootgesteld aan trillingen. Er worden twee verschillende soorten trillingen onderscheiden: lichaamstrillingen en hand-armtrillingen.

### 21.7.2 LICHAAMSTRILLINGEN

Lichaamstrillingen zijn trillingen die het lichaam als geheel in trilling brengen. Ze kunnen aandoeningen aan de lage rug en beschadiging van de wervelkolom veroorzaken. Het gaat hier om trillingen die via de vloer of het zitvlak het hele lichaam doen trillen. Voorbeelden van beroepen waarin lichaamstrillingen voorkomen zijn: conducteurs, zeelieden, heftruckchauffeurs en werknemers in betonfabrieken. Lichaamstrillingen vormen een probleem met name voor werknemers die dagelijks langdurig werken aan machines, of op voertuigen die trillingen veroorzaken. Maar ook mensen die slechts een deel van de werkdag aan trillingen blootstaan lopen gevaar. Sommige apparaten en machines produceren namelijk zulke intensieve trillingen, dat een dagelijkse, kortdurende blootstelling al ernstige risico's met zich mee kan brengen.

---

**Uit de praktijk**

In de zomer van 2011 heeft een 59-jarige chauffeur, die door rugklachten arbeidsongeschikt was geraakt, een schadevergoeding van € 30.000 ontvangen. De man werkte voor een koeriersbedrijf. De stoel in zijn vrachtwagen was niet van voldoende kwaliteit om lichaamstrillingen tegen te gaan en bleek een belangrijke oorzaak van de chronische rugklachten. De rechtszaak die Bureau Beroepsziekten FNV namens hem had aangespannen, leidde tot de hierboven genoemde schikking met de verzekeraar van het koeriersbedrijf.

---

### 21.7.3 HAND-ARMTRILLINGEN

Hand-armtrillingen zijn trillingen die via de handen op het lichaam worden overgedragen. Bij hand-armtrillingen is vooral risico aanwezig op vaat- en zenuwaandoeningen en bot-, gewrichts- en spieraandoeningen.

Blootstelling aan hand-armtrillingen komt vaak voor bij mensen die werken met trillende, maar vooral stotende, werktuigen, zoals motorkettingzagen, slijpmachines, bosmaaiers, drilboren, bikhamers e.d. In combinatie met veel kracht zetten en een ongunstige werkhouding worden de gezondheidsrisico's bij hand-armtrillingen nog groter. Effecten van hand-armtrillingen zijn vaak pas waarneembaar op langere termijn. Een bekend voorbeeld is het zogenoemde 'wittevingerssyndroom': door werken met trillend gereedschap kunnen de bloedvaatjes of kleine zenuwen in de handen beschadigd raken, waardoor de doorbloeding verstoord raakt. Dit leidt dan tot koude handen en pijnklachten.

Klimatologische omstandigheden, met name kou, kunnen ook van invloed zijn op klachten. Een voorbeeld hiervan is dat bij hand-armtrillingen vaatkrampen kunnen optreden. Deze vaatkrampen kunnen heftiger zijn of eerder voorkomen omdat de vaten zich ook door kou vernauwen.

## 21.7.4  WETGEVING

In het kader van de RI&E moeten de niveaus van de mechanische trillingen waaraan werknemers worden blootgesteld beoordeeld worden en indien nodig gemeten. Bij hand- en armtrillingen kan men het trillingsniveau doorgaans aflezen op het arbeidsmiddel. De fabrikant dient dat daarop aan te geven. Het meten en beoordelen van *lichaams* trillingen vergt veel deskundigheid en de juiste apparatuur. Er zijn ook schattingstabellen beschikbaar die ingezet kunnen worden in plaats van de gecompliceerde metingen.

Voor trillingen zijn twee grenswaarden en twee actiewaarden vastgesteld. Een grenswaarde is de waarde die niet overschreden mag worden. Een actiewaarde is de waarde waarbij de werkgever acties moet ondernemen om de blootstelling voor de werknemer te reduceren. De waarden gelden voor een blootstelling gedurende een achturige werkdag.

*Tabel 2.*

|  | Actiewaarden | Grenswaarden |
|---|---|---|
| Lichaamstrillingen | 0,5 m/s$^2$ | 1,15 m/s$^5$ |
| Hand-armtrillingen | 2,5 m/s$^2$ | 5 m/s$^2$ |

De gezondheidskundige waarden liggen lager dan de actiewaarden. Dit houdt in dat de actiewaarden niet de bescherming bieden die gezondheidskundig optimaal zou zijn.

Als de actiewaarde wordt overschreden of zou kunnen worden overschreden, dient de werkgever een plan van aanpak op te stellen om de blootstelling aan trillingen te voorkomen. Daarin wordt ondermeer aandacht besteed aan: alternatieve werkmethoden, de keuze van de juiste arbeidsmiddelen, onderhoudsprogramma's, geschikte kleding, en beperking van de duur van de blootstelling.

Werknemers mogen niet worden blootgesteld aan trillingen boven de grenswaarde. Indien de grenswaarde toch wordt overschreden worden maatregelen getroffen om de blootstelling terug te brengen tot onder de grenswaarde en worden de beschermings- en preventiemaatregelen aangepast om te voorkomen dat de grenswaarde opnieuw wordt overschreden.

Verder geldt dat aan werknemers die worden blootgesteld aan mechanische trillingen tijdens werk, doeltreffende voorlichting en onderricht moet worden gegeven. Tenslotte dient iedere werknemer die voor de eerste keer wordt belast met werkzaamheden waarbij trillingsblootstelling boven de actiewaarde ligt, in de gelegenheid gesteld te worden om vóór aanvang van de werkzaamheden een arbeidsgezondheidskundig onderzoek te ondergaan.

### 21.7.5  AANBEVELINGEN

- Bepleit trillingsarme apparatuur, vooral bij aanschaf van nieuwe arbeidsmiddelen.
- Zorg bij hand-armtrillingen dat de werkgever handschoenen verschaft bij koud weer.
- Let op dat machines een passend vermogen hebben. Zowel te veel als te weinig vermogen kan extra trillingen veroorzaken.
- Verminder de overbrenging van trillingen bv door dempers onder machines, opstelling van machines vrij van de vloer, trillingsabsorberende platen op het stavlak etc.
- Stimuleer het rouleren van betrokken werknemers, zodanig dat hun blootstelling afneemt.
- Bepleit regelmatig onderhoud van de arbeidsmiddelen en chauffeursstoelen, zodat de productie van trillingen beperkt wordt.
- Maak afspraken over een vlakke vloer en goede vering bij rijdend materieel, zoals heftrucks.
- Maak ter vermindering van trillingen van rijdend materieel afspraken over de keuze van de banden en de (stoel)vering, over de staat van het wegdek en over beperking van de rijsnelheid.
- Voor meer informatie van de aanpak van trillingen bij heftrucks, zie de brochure van de Arbeidsinspectie: 'Blootstelling aan trillingen heftrucks'.

## 21.8    Lichamelijke belasting: Tips voor werknemers, or en VGW (M)-commissie

- Ga na in welke werksituaties belastend lichamelijk werk voorkomt, klachten van collega's zijn een goed signaal.
- Zoek in de risico-inventarisatie en -evaluatie op welke risico's inzake tillen, werkhouding en repeterend werk zijn genoemd en welke maatregelen in het plan van aanpak worden genoemd.

- Ga na of in de RI&E aangetroffen risico's op het gebied van fysieke belasting in een nadere inventarisatie diepgaand zijn onderzocht. Zo niet, dring aan op zo'n verdiepend onderzoek.
- Kijk in het rapport van het periodiek arbeidsgezondheidskundig onderzoek (PAGO) naar gezondheidsklachten en aanbevelingen daaromtrent.
- Nodig een ergonoom uit, van een arbodienst of een adviesbureau, en bespreek de problematiek.
- Bezoek gelijksoortige bedrijven om te zien hoe zij met de fysieke belasting zijn omgegaan.
- Ga na of er in de Arbocatalogus van uw branche aandacht wordt besteed aan lichamelijke belasting. Zo ja, ga aan de hand van die catalogus na hoe uw bedrijf scoort ten opzichte van de normen en de laatste stand van de techniek die daarin worden beschreven.
- Bespreek met de collega's wat de belangrijkste problemen zijn, en welke oplossingen zij zien. Leg dit voor aan de werkgever.
- Bepaal de prioriteiten en zorg dat die een plek krijgen in het plan van aanpak van de organisatie.


## 21.9    Verder lezen

- Arbo-informatieblad AI-8: *Zittend en staand werk*, Sdu, Den Haag.
- Arbo-informatieblad AI-29 *Fysieke belasting bij het werk*, Sdu, Den Haag.
- *Handboek fysieke belasting: een complete methode voor het inventariseren en oplossen van knelpunten*, Sdu, Den Haag.
- *Handboek ergonomie*, Kluwer, Alphen aan den Rijn.
- Tillen, Brochure van het Ministerie SZW, (www.rijksoverheid.nl).
- *Handboek RSI*, Sdu, Den Haag.
- *Handreiking Arbomaatregelen en zwangerschap & arbeid, Stichting van de arbeid*, 2008. Zie ook www.stvda.nl.
- www.werkendlichaam.nl is in 2004 ontwikkeld door het Nederlands Kenniscentrum Arbeid en Klachten Bewegingsapparaat (Kenniscentrum AKB).

# 22  Kantoor- en beeldschermwerk

## 22.1    Inleiding

Kantoorwerk beslaat in veel bedrijven het leeuwendeel van de werkzaamheden. In die bedrijven staat de aandacht bij de werkgever en de ondernemingsraad voor arbeidsomstandigheden dikwijls op een laag pitje. Dat is onterecht, want ook in deze bedrijven zijn er risico's voor veiligheid en gezondheid. Overigens gelden voor deze arbeidsorganisaties dezelfde verplichtingen en rechten, c.q. mogelijkheden, voor de ondernemingsraad als in andere bedrijven en instellingen.

In praktisch alle andere arbeidorganisaties waar het kantoorwerk niet overheerst bestaat er een 'afdeling kantoor'. In het vervoersbedrijf, de fabriek, het ziekenhuis, de school, de politieorganisatie, de thuiszorginstelling, et cetera. Het kantoorwerk ondersteunt de primaire werkzaamheden van de organisatie. Ook in die organisaties gaat de aandacht voor arbo- en verzuimbeleid vaak automatisch uit naar de hoofdwerkzaamheden: de productiehal, de chauffeurs, het werk aan het bed, enzovoort.

Daarom wordt in dit hoofdstuk speciaal aandacht geschonken aan kantoorwerk en het meest specifieke van het kantoorwerk, het werk aan het beeldscherm. In het vorige hoofdstuk vindt u meer specifieke informatie over RSI.

## 22.2    Algemene wettelijke verplichtingen voor kantoorwerk

### 22.2.1    DE INRICHTING VAN HET KANTOOR

De algemene vereisten voor de inrichting van het kantoor zijn dezelfde als voor alle werkplekken. Er gelden verplichtingen betreffende de voorzieningen voor brandveiligheid, er dienen goede brandblusapparatuur en de juiste EHBO-voorzieningen te zijn. Er dienen vluchtwegen en nooduitgangen te zijn en een veilige elektrische installatie. Ook dient er een adequaat klimaatbeheersingssysteem te zijn: luchtverversing, warmte en tocht moeten goed worden gereguleerd en beheerst. Er dient daglicht te zijn en zo mogelijk uitzicht naar buiten. Er dienen voorzieningen te zijn voor rokers, oftewel niet-rokers dienen te worden beschermd

tegen rook. De trappen, deuren en doorgangen dienen veilig te zijn en toegankelijk voor rolstoelgebruikers. Verder zijn er geen gladde en rommelige vloeren,
onveilige drempels en doorgangen. Als er met gevaarlijke stoffen wordt gewerkt,
bijvoorbeeld schoonmaakmiddelen, de toner van het fotokopieerapparaat, gelden
hiervoor de vereisten voor etikettering, opslag, gebruik en afdanking. Er is voldoende sanitair en adequate kleedruimten. Ook zijn er geschikte pauzeruimten.
Zie voor de hier genoemde thema's de betreffende hoofdstukken elders in dit
boek.

## 22.2.2 ORGANISATIE ARBOZORG

Niet alleen de inrichting van en de voorzieningen in het kantoor moeten veilig en
gezond werk garanderen, maar ook gelden de gebruikelijke verplichtingen voor de
organisatie van de arbozorg.
- Er is een risico-inventarisatie en -evaluatie, die volledig, voldoende diepgaand
  en actueel is.
- In het plan van aanpak staan verbeterpunten betreffende het kantoor. Die verbeterpunten zijn bekend en worden daadwerkelijk aangepakt.
- Er zijn leidinggevenden met arbotaken, die aanspreekbaar zijn voor medewer-
  kers.
- Er is ziekteverzuimbeleid en een goede afstemming met de arbodienst. Er is
  beleid om verzuim te voorkomen, een spreekuur, goede begeleiding en aan-
  dacht voor zieken, een periodiek arbeidsgezondheidskundig onderzoek
  (PAGO).
- Er is een werkwijze en werksfeer waardoor werkstress en beroepsziekten wor-
  den voorkomen.
- Er is beleid om agressie en seksuele intimidatie tegen te gaan.
- Er zijn bedrijfshulpverleners aangewezen die zijn opgeleid.
- Er is voldoende arbodeskundigheid aanwezig; als dat niet het geval is kan die
  deskundigheid worden ingeroepen, bijvoorbeeld van de arbodienst.
- Er wordt voorlichting en instructie gegeven aan nieuwe medewerkers en bij
  ingebruikneming van nieuwe apparatuur of meubilair aan alle medewerkers.
- In het werkoverleg komen ook arbo- en verzuimkwesties ter sprake.
- Aan milieuzorg wordt de nodige aandacht besteed.
- De directie of hoogste leiding overlegt met de or/VGW(M)-commissie of vraagt
  instemming aan de or, als er regelingen worden veranderd of ingevoerd inzake
  het arbo- of verzuimbeleid.
- De ondernemingsraad of VGW(M)-commissie besteedt voldoende aandacht
  aan arbo- en verzuimkwesties in het kantoor.

## 22.3    Beeldschermwerk

Het meest specifiek voor kantoorwerk is het beeldschermwerk en de beeldscherm-werkplek. Daar zal de rest van dit hoofdstuk over gaan. Op het gebied van compu-tergebruik is Nederland koploper in Europa. Bovendien stijgt het aantal Neder-landse werknemers dat met een beeldscherm of computer werkt nog jaarlijks. In het Arbobesluit (afdeling 2/3, 5.7-5.15) en de Arboregeling (5.1-5.3) staan de vereis-ten voor beeldschermwerk. De ergonomische concretisering en uitleg is te vinden in AI-blad 2 'Werken met beeldschermen'. Hieronder volgt een samenvatting van de belangrijkste. Ze kunnen worden beschouwd als aandachtspunten voor beeld-schermwerkers en voor de or/VGW(M)-commissie.

*Definitie van beeldschermwerk*
Waarop zijn de wettelijke verplichtingen betreffende beeldschermwerk van toepas-sing?
   Onder beeldschermwerk wordt verstaan:
– administratief werk;
– CAD-werk (Computer Aided Design): ontwerpen met behulp van de computer;
– procesbesturing, regelkamers in fabrieken;
– werk in meldkamers, verkeersleiding;
– beeldschermwerk thuis.

Onder beeldschermwerk of beeldschermwerkplekken wordt *niet* verstaan:
– bestuurdersplaatsen in cabines;
– computersystemen bedoeld voor het publiek;
– draagbare systemen, niet aanhoudend gebruikt op een werkplek;
– rekenmachines, kassa's met kleine displays;
– beeldschermwerk dat gewoonlijk minder dan twee uur per etmaal wordt ver-richt; de hieronder geformuleerde vereisten gelden niet voor het geval minder dan twee uur per dag beeldschermwerk wordt gedaan.

---

**Uit de praktijk**
Beeldschermwerk in arbocatalogi
De arbocatalogus voor de architectenbureaus heeft een 'checklist beeldschermwerk' voor werknemers. Die lijst bestaat uit zo'n 60 vragen, maar er kunnen eventueel delen overgeslagen worden. Na het invullen krijgt de werknemer een beoordeling van zijn werkplek en ziet meteen of er een verhoogd RSI-risico is. Met groene en rode kleuren is aangegeven welke werkaspecten goed zijn geregeld en welke niet. Bijvoorbeeld in de werkplek of in de werkwijze. Daar waar nodig krijgt de invuller automatisch tips ter verbetering. Deze checklist is bruikbaar voor alle beeldschermfuncties, ook buiten de architectenbranche. Zie: www.arbocatalogusarchitecten.nl

---

In dezelfde arbocatalogus is ook een checklist voor werkgevers opgenomen waarmee zij kunnen nagaan hoe het beeldschermwerk in de eigen organisatie is geregeld. Op www.dearbocatalogus.nl is een algemene handreiking over beeldschermwerk en de kantooromgeving opgenomen. Die is niet toegesneden op een specifieke sector maar geeft veel praktische informatie over de arboaspecten van beeldschermwerk en alles wat daarmee samenhangt.

## 22.4 Algemene verplichtingen betreffende beeldschermwerk

### 22.4.1 RISICO-INVENTARISATIE EN -EVALUATIE

In de risico-inventarisatie en -evaluatie moet aandacht worden besteed aan risico's met betrekking tot het gezichtsvermogen, de fysieke belasting en de psychische belasting. De werkgever moet doeltreffende maatregelen treffen om deze risico's te voorkomen en te bestrijden.

### 22.4.2 WERKTIJDEN

Na twee uur dient ander werk te worden gedaan of een pauze worden genomen zo geeft het Arbobesluit dan aan. In de toelichting bij het Arbobesluit wordt daar nog aan toegevoegd dat ten hoogste vijf à zes uur per dag beeldschermwerk mag worden gedaan Het aantal uren beeldschermwerk per dag is in Nederland de laatste jaren licht stijgend: gemiddeld iets minder dan vier uur per dag. Wie langer dan zes uur per dag beeldschermwerk doet, heeft een duidelijk verhoogde kans op RSI. Dat komt vooral voor administratief personeel en bij werknemers in specialistische beroepen: statistici, wiskundigen, ICT'ers, Cad/Cam tekenaars, boekhouders en kassiers. Volgens de Arbobalans 2009 werkt niet minder dan 24% van de Nederlandse beroepsbevolking volgens eigen opgave meer dan zes uur per dag aan het beeldscherm.

### 22.4.3 OGEN OF BRIL

De werkgever geeft medewerkers die voor het eerst beeldschermwerk doen de mogelijkheid om oogonderzoek te ondergaan. Dat aanbod wordt herhaald bij gezichtstoornissen. Indien er aanleiding voor is wordt specialistisch oogonderzoek gedaan. De werkgever stelt, indien nodig, speciale oogcorrectiemiddelen voor het beeldschermwerk beschikbaar, de zogenaamde beeldschermwerkbril. Vaak is de arbodienst hierbij adviseur.

## 22.4.4 INSTRUCTIE

De werkgever geeft doeltreffende voorlichting en onderricht over risico's van beeldschermwerk. Hij kan daarvoor de arbodienst inschakelen.

## 22.4.5 WERKDRUK EN WERKSFEER

De belangrijkste eerste stap om beeldschermarbeid te verbeteren is te kijken naar de sfeer op de afdeling en de inhoud en organisatie van het beeldschermwerk. Van belang is te weten hoe het werk door de mensen wordt beleefd.
- Voorkomen moet worden dat er te vaak in pieken en te grote tijdsdruk wordt gewerkt.
- Er moet worden gezorgd dat mensen voldoende geschoold worden om hun werk te kunnen doen.
- Ze moeten met goed materiaal en apparatuur kunnen werken.
- De stijl van leidinggeven en de collegiale sfeer verdienen aandacht.

## 22.4.6 INTERESSANT EN AFWISSELEND WERK

Het beeldschermwerk dient zoveel mogelijk te worden afgewisseld met ander werk. Het verdient aanbeveling het werk zo interessant mogelijk te maken. Daartoe kunnen de volgende mogelijkheden dienen:
- De indeling en volgorde van het werk door de medewerkers zelf laten bepalen.
- Afwisseling aanbrengen in moeilijke en makkelijker taken.
- Voldoende informatie geven over het doel van het werk.
- Voldoende sociaal en functioneel contact tijdens het werk mogelijk maken.
- Voldoende zelfstandigheid en verantwoordelijkheid in het werk aanbrengen.
- Voor de beeldschermwerker moeten er opleidingsmogelijkheden en loopbaanmogelijkheden binnen de organisatie zijn.

---

**Tips or/VGW(M)-commissie**
- Kijk of in de RI&E of het PAGO-rapport iets staat over de werkbeleving van kantoormedewerkers.
- Vraag de werkgever een werkdruk- of werkbelevingsonderzoek te (laten) doen.
- Ga met de collega's op kantoor praten over hun werkbeleving.

---

## 22.5    Werkplek en apparatuur

De belangrijkste vereisten voor de beeldschermwerkplek en de apparatuur zijn de volgende.

### 22.5.1    HET BEELDSCHERM

- De tekens op het beeldscherm moeten voldoende scherp zijn, de afstand tussen tekens en regels moet voldoende zijn.
- Het contrast tussen tekens en achtergrond kan worden ingesteld.
- Het beeldscherm is vrij te plaatsen op de werktafel of het bureau.
- De kijkafstand van ogen tot beeldscherm is minimaal 50 cm voor een beeldscherm van 14 inch; bij 15 inch is dat 60 cm en bij 17/18 inch is het 70 cm.
- Er dient geen sprake te zijn van hinderlijke glans en spiegeling op het beeldscherm.
- De tekenhoogte moet voldoende zijn: ongeveer 2,95 mm bij een kijkafstand van 50 cm en bij een optimale kijkhoek van 20°-22°; de tekenhoogte dient verder instelbaar te zijn.
- De ooghoogte dient gelijk te zijn met de bovenkant van het beeldscherm of net iets eronder.

### 22.5.2    LAPTOP OF NOTEBOOK

- In de arboregeling staat dat het beeldscherm kantelbaar en in hoogte instelbaar dient te zijn; als er laptops langer dan 2 uur per dag worden gebruikt, is dat dus niet conform de wettelijke vereisten en zal dat schade toebrengen aan de gezondheid.
- Dat probleem kan worden verholpen door de laptop te voorzien van een los toetsenbord en een muis. Bovendien dient hij dan geplaatst te worden in een docking station of op een speciale laptophouder.

### 22.5.3    HET TOETSENBORD

- Het toetsenbord moet los zijn van de rest van de computer.
- Het is zo plat mogelijk, maximaal 4 cm hoog op de hoogte van middelste rij toetsen.
- De onderzijde kan niet glijden bij gebruik.
- Vóór het toetsenbord is voldoende ruimte voor hand en arm.
- Het toetsenbord, het beeldscherm en de documenten (bij voorkeur in een documenthouder!) bevinden zich op ongeveer dezelfde kijkafstand.
- Een minitoetsenbord (zonder numeriek deel) heeft een groot voordeel als er veel afgewisseld wordt tussen werk aan het toetsenbord en gebruik van de

muis. De afstand tussen het midden van het toetsenbord (letter H) en de positie van de muis is dan veel kleiner.

## 22.5.4 DE MUIS

- De muis is zo plat mogelijk, niet hoger dan 4 cm, hij heeft geen scherpe randen of hoeken, de twee delen (rechter en linker kant) zijn symmetrisch, zodat hij ook met de linkerhand kan worden gebruikt.
- De muis werkt met een optisch systeem.
- De snelheid van de muis op het scherm is niet te hoog en niet te laag ingesteld.
- De softwarematige instelling van de muis is niet te licht, zodat de vinger op de muis kan rusten.
- De kabel aan de muis is lang genoeg of de muis werkt draadloos.
- De muis ligt zo dicht mogelijk naast het toetsenbord.
- De armen kunnen bij muisgebruik worden ondersteund.

## 22.5.5 DE WERKTAFEL

- De werktafel is geheel glad.
- Hij is licht van kleur en niet spiegelend.
- Tijdens het werken aan de tafel is een comfortabele werkhouding mogelijk.
- De werktafel is voldoende groot en instelbaar, hij is minimaal 120 cm breed, de diepte is voldoende voor de kijkafstand tot het beeldscherm.
- Er is voldoende ruimte voor de andere werkzaamheden.
- De werktafels met een vaste hoogte zijn 74-76 cm hoog.
- Let op: lees- en schrijfwerktafels zijn gemiddeld vijf cm hoger dan beeldschermwerktafels.
- De dikte van het bovenblad is maximaal vijf cm, inclusief de draagconstructie.
- Er is voldoende vrije beenruimte: 60 cm breed, 65 cm diep en 80 cm diep op voethoogte.

## 22.5.6 DE KANTOORSTOEL

- De stoel is stabiel en veilig.
- De zitting is in hoogte verstelbaar, tussen 41-53 cm.
- De zitdiepte is instelbaar, tussen 40-44 cm.
- De rugleuning is voldoende hoog (minimum 37 cm) en geeft voldoende steun aan de lendenen.
- De rugleuning is in hoek en hoogte verstelbaar: het kantelmechanisme is uitschakelbaar of vast te zetten.
- De armleuningen zijn kort en instelbaar.

- zie verder NPR (Nederlandse praktijkrichtlijn) 1813, of het de handreiking kantooromgeving op www.dearbocatalogus.nl

## 22.5.7 DE VOETENSTEUN

- Uitgangspunt is dat tijdens het beeldschermwerk de voeten plat op de grond kunnen staan, terwijl tegelijk de stoel voldoende steun biedt, zonder dat de onderkant van de bovenbenen knellen aan de voorkant van de stoel.
- Als dat niet het geval is, dient er een voetensteun te zijn die voldoende breed (± 40 cm) en diep (± 30 cm) is, die instelbaar is en een slipvrije bovenkant heeft (zie het AI-blad *Kantoren*).

---

**Tip or/VGW(M)-commissie**

- Leg bovenstaande aanbevelingen (of een selectie daarvan) eens voor aan de beeldschermwerkers.

---

## 22.6 De omgeving van de beeldschermwerkplek

### 22.6.1 AANBEVELINGEN RONDOM VERLICHTING

- Er is voldoende verlichting, vanaf 200 lux, om het werk te kunnen doen.
- Er is een goede lichtafscherming bij directe verlichting; tijdens het beeldschermwerk is er geen directe inkijk in de lampen.
- Er is een niet te groot contrast tussen werkplekverlichting en omgevingsverlichting.
- De verlichting veroorzaakt geen verblinding en hinderlijke reflecties op het scherm.
- De ramen zijn voorzien van een passende en instelbare helderheidswering.
- De beeldschermen staan in een hoek van 90° op de ramen opgesteld.
- Om hoge contrasten te voorkomen, worden beeldschermen niet voor een raam geplaatst.

### 22.6.2 AANBEVELINGEN RONDOM GELUID

- Het geluid verstoort het werken niet: het is maximaal 45 dB(A) bij niet spreken. Laat het geluid op de kantoorwerkplek eens meten door een externe deskundige of de arbodienst.

## 22.6.3 AANBEVELINGEN RONDOM KLIMAAT

- Hinderlijke warmte wordt voorkomen.
- Er is geen hinderlijke tocht. Er is sprake van hinderlijke tocht als 10% of meer van de medewerkers daarover klaagt.
- De vochtigheidsgraad is toereikend (minimaal 30%, liever minimaal 40%): er is geen sprake van te droge lucht.
- De ramen kunnen door de medewerkers worden geopend.

---

**Tip or/VGW(M)-commissie**

- Laat verlichting, klimaat en geluid meten door de arbodienst of een technisch bureau.

---

## 22.7  De manier van werken aan het beeldscherm

Hier volgen enige aanbevelingen die deels al in het bovenstaande zijn opgenomen:

- Werk zodanig aan het beeldscherm, dat de voeten stevig op de grond staan, het beeldscherm recht voor u staat, de bovenarmen recht naar beneden kunnen afhangen, de hoek tussen boven- en onderarm 90% is bij het typen en de stand van de pols recht is: de as van de onderarm loopt rechtdoor tot aan de middelvinger.
- Voorkom ver reiken naar toetsenbord en muis; ze moeten direct onder handbereik zijn.
- Als u de hele dag beeldschermwerk doet, wissel de lichaamhouding af; laat uw collega niet de koffie halen, doe dat zelf, telefoneer staande, enzovoort.
- Ga uw toetsenbord niet te krachtig te lijf. Voorkom tevens het 'in de aanslag houden' van de vinger, daardoor kunnen spanning, doorbloedingsproblemen en later klachten ontstaan.
- Ondersteun de armen met armleuningen en de polsen op het bureau.
- Ontspan af en toe even bewust de armen, polsen en schouders.
- Installeer pauzesoftware (bijvoorbeeld de beeldschermtachograaf) op uw computer.

## 22.8  Het Nieuwe Werken

De laatste jaren neemt Het Nieuwe Werken een grote vlucht. Daaronder wordt verstaan dat de werknemer zelf zijn werktijden en werkplek kiest. De werkplek kan thuis zijn, onderweg of in speciaal daarvoor ingerichte bedrijfsvoorzieningen. In de praktijk is het vaak een combinatie van deze locaties. Ook zijn er geen vaste werktijden meer. Dit tijd- en plaatsonafhankelijk werken is met name van toepassing op kennismedewerkers en wordt mogelijk gemaakt door de huidige ICT-voorzieningen. Het geeft allerlei voordelen: de werknemer kan het werk beter inpassen in zijn privéleven, heeft een enorme zelfstandigheid en heeft minder reistijd. De werkgever krijgt er meer betrokken werknemers van en een afname van kosten voor huisvesting en reiskosten.

Daar staan ook nieuwe risico's tegenover. Veel thuiswerkende werknemers hebben een enorme prestatiedrang en lopen zichzelf voorbij. Daardoor lopen ze het risico altijd met werk bezig te zijn en loopt hun privéleven gevaar. Ook hebben ze minder begeleiding van hun leidinggevende en minder contact met collega's. Allemaal aspecten die een burn-out in de hand werken. In de Arbobalans 2010 worden deze risico's geschetst, maar wordt geconstateerd dat Het Nieuwe Werken nog niet heeft geleid tot hogere gezondheidsklachten.

Een tweede punt van aandacht betreft de beeldschermwerkplek. Op het bedrijf is dat doorgaans goed geregeld, maar thuis of onderweg nog lang niet overal. Met een laptop aan de keukentafel werken of in de hangmat in de tuin oogt praktisch en verleidelijk, maar kan bij langdurige of veelvuldige toepassing al snel tot RSI leiden. Het Arbobesluit is slechts gedeeltelijk van toepassing op thuiswerk en werken in andere locaties buiten het eigen bedrijf. Zo is de werkgever niet verantwoordelijk voor het aantal nooduitgangen of het geluidsniveau daar. Maar de werkgever is er wel verantwoordelijk voor dat de thuiswerkplek aan de arbovoorschriften voldoet: computer, bureau, stoel, verlichting et cetera. Valt dit niet te realiseren, dan mag hij geen toestemming voor thuiswerk geven. De werkgever is daar ook verantwoordelijk voor als er in het bedrijf geen officieel thuiswerkbeleid bestaat en het thuiswerk alleen oogluikend wordt toegestaan. Dat is in 2006 ondubbelzinnig bevestigd in een uitspraak van het gerechtshof van Amsterdam (zoek voor meer informatie op www.rechtspraak.nl naar de rechterlijke uitspraak met het volgende nummer: *LJN* AZ5431.

De werkgever zal ook voorlichting en toezicht moeten organiseren. Dat laatste kan bijvoorbeeld door de thuiswerkers hun eigen werkplek te laten inspecteren en/of een foto te laten maken van hun thuiswerkplek. Om de arboaspecten van Het Nieuwe Werken goed te organiseren, zijn de volgende drie stappen van belang:

1. Gedegen voorbereiding: het bedrijf zal ruimschoots de tijd moeten nemen voor een gedegen voorbereiding. Men dient goed na moeten denken voor welke functies welke vormen van Het Nieuwe Werken geschikt zijn. Werknemers die thuis of op andere buitenlocaties gaan werken, krijgen vervolgens verplichte workshops aangeboden. Daarin wordt aandacht besteed aan de ergonomische aspecten van het beeldschermwerk, de regelingen van het bedrijf daar-

bij inbegrepen. Ook de psychische aspecten komen aan bod en de begrenzingen die het bedrijf oplegt ten aanzien van bereikbaarheid en werktijden.

2. Gerichte RI&E: de RI&E van het bedrijf zal toegespitst moeten worden op Het Nieuwe Werken. Dat betekent onder meer dat de betreffende medewerkers met vragenlijsten hun werkplek en psychische arbeidsbelasting beoordelen.

3. Terugkoppeling: in functioneringsgesprekken zal de ergonomie van de thuiswerkplek en vooral de psychische belasting van Het Nieuwe Werken een vast onderdeel moeten worden. Daarnaast zijn regelmatige bijeenkomsten van verspreid werkende collega's sterk aan te bevelen. Sommige bedrijven hebben voor hen een groepsaccount op sociale media ingesteld, zodat men elkaar op die manier treft. Ten slotte is het raadzaam om regelmatig een medewerkerstevredenheidsonderzoek te organiseren en de aanbevelingen die daar uit voortkomen toe te passen.

Voor meer informatie: zie de praktische handreiking 'Het Nieuwe Werken, hoe blijf je er gezond bij?' op www.werkenvervoer.nl. Daar is ook een handzame folder te downloaden.

## 22.9    De or/VGW(M)-commissie aan het werk op kantoor

### 22.9.1    ENIGE MOGELIJKHEDEN OM AAN DE SLAG TE GAAN

– De or kan initiatief nemen op grond van het initiatiefrecht (WOR artikel 23, lid 3): een voorstel aan de directie doen om de beeldschermwerkplekken te laten onderzoeken en te verbeteren.

– De or kan zijn achterban op kantoor raadplegen (WOR artikel 18).

– De or kan vragen om een onderzoek beeldschermwerk als dat in de RI&E onvoldoende is gebeurd. Zo'n aanvulling van de bestaande risico-inventarisatie en -evaluatie is namelijk wettelijk verplicht.

– De or kan in het regulier overleg met de arbodienst de situatie op kantoor en het beeldschermwerk aan de orde stellen.

– De or kan tijdens een cursus een plan van aanpak uitwerken inzake kantoorwerk.

– De or kan bij de jaarlijkse bespreking van de schriftelijke rapportage pleiten voor bijstelling van het huidige plan van aanpak. Hij kan daarin laten opnemen dat de beeldschermwerkplekken zullen worden verbeterd.

– De or kan een verbouwing of nieuwbouw aangrijpen om te pleiten voor verbetering van de beeldschermwerkplek.

– De or kan ervoor pleiten de beeldschermtachograaf te installeren op computers of daarmee een experiment te doen.

## 22.9.2 EEN BASISVRAGENLIJST VOOR DE OR OF VGW(M)-COMMISSIE

1. Zoek mogelijkheden om meningen en wensen te peilen van de medewerkers op kantoor: een enquête, gesprekjes, enzovoort
2. Zijn er klachten en knelpunten op kantoor?
    Zie daarvoor bijvoorbeeld de RI&E en het PAGO-rapport. Denk hierbij aan veiligheid en brandveiligheid; beeldschermwerk; risico's van stress en werktijden; klimaatproblemen.
3. Zijn er knelpunten in de organisatie van de arbozorg?
    - Is er een arbo- en verzuimbeleid betreffende het kantoor?
    - Is er duidelijkheid over arbotaken en arboverantwoordelijkheden?
    - Zijn er verbeterplannen inzake arbo en verzuim?
4. Is er al of niet sprake van overmatige tijdsdruk?
    Is het werk voldoende afwisselend en interessant?
    Krijgen mensen voldoende verantwoordelijkheid in het werk?
5. Kunnen de medewerkers voldoende pauzes nemen en het beeldschermwerk afwisselen met ander werk?
6. Zijn het beeldscherm, andere apparatuur en de beeldschermwerkplek in orde?
7. Is er reëel overleg, voldoende collegialiteit en een doortastende leiding als er knelpunten zijn?
8. Worden de uitvoerende medewerkers betrokken bij aanschaf van meubilair, apparatuur, nieuwe computerprogramma's en bij nieuwe werkprocedures?
9. Worden medewerkers voldoende voorgelicht over het instellen van hun beeldschermwerkplek; zowel bij indiensttreding als regelmatig daarna?

## 22.10  Verder lezen

- Arbo-informatieblad 7: *Kantoren*, Sdu, Den Haag.
- Arbo-informatieblad 2: *Werken met beeldschermen*, Sdu, Den Haag.
- Handreiking Kantooromgeving op www.dearbocatalogus.nl
- *De Inspectiemethode arbeidsomstandigheden voor kantoren/administratief werk*, Kerckebosch, in samenwerking met bureau VHP Ergonomie (zie www.VHP-ergonomie.nl).
- www.beeldschermtachograaf.nl .
- www.arbobondgenoten.nl .
- www.dearbocatalogus.nl
- *Handboek RSI*, Sdu, Den Haag.

# 23 Machineveiligheid

## 23.1 Inleiding

De veiligheid van machines en andere 'arbeidsmiddelen' is van groot belang voor mensen die met die machines werken of die in de directe omgeving daarvan werken. Veilig werken aan machines of andere 'arbeidsmiddelen', zoals kranen, steigers, handgereedschappen, transportmiddelen houdt in dat wordt voorkomen dat mensen letsel oplopen of dat grote en onherstelbare schade ontstaat. Zorgen voor veiligheid betekent ervoor zorgen dat het arbeidsmiddel, afdoende is geconstrueerd en opgesteld, regelmatig wordt onderhouden en gekeurd, en dat er de verplichte voorzieningen zijn aangebracht: afschermingen en beveiligingen, alarmsignalen en noodstoppen. Maar nog meer betekent het dat moet worden gekeken naar de mensen: werkt de juiste man of vrouw op de risicovolle werkplek, heeft hij voldoende instructie gehad, bestaat er een cultuur van veilig werken, is het gebruikelijk dat mensen vanwege de druk om snel te werken allerlei veiligheidsprocedures overslaan, wordt er voldoende toezicht gehouden?

Er bestaan enorm veel soorten machines, gereedschappen en arbeidsmiddelen. In het kader van dit boek wordt inzake veilig werken enkele hoofdlijnen geschetst. Meer gedetailleerde informatie kan worden gevonden bij de veiligheidskundige van uw bedrijf of van de arbodienst, bij de leverancier van de arbeidsmiddelen, in de arbocatalogus van de eigen sector, of in de vakliteratuur.

---

**Uit de praktijk**

*Arbeidsinspectie beoordeelt machineveiligheid*

De Arbeidsinspectie beschrijft in 2010 in een rapport over haar inspecties in de zoetwarenindustrie de stand van zaken rondom machineveiligheid. Waarschijnlijk is deze beschrijving ook (deels) van toepassing op andere industrietakken met deels verouderde machines. De Arbeidsinspectie merkt op: 'Het aantal tekortkomingen met betrekking tot machineveiligheid is veel te hoog. Bijna driekwart van deze overtredingen is toe te schrijven is aan geen of een gebrekkige afscherming van bewegende delen van machines (In sommige gevallen was de beveiliging weggehaald omdat het 'prettiger' zou werken). Machineveiligheid blijkt een structureel probleem te zijn binnen de sec-

---

tor. Dit wordt mede veroorzaakt door het grote aantal verouderde machines (vóór 1995). Deze machines hebben veelal niet de beschermingen die nu wel vereist zijn en voldoen daarmee niet aan de stand van de techniek. Naast de afscherming van bewegende delen hebben de overige geconstateerde overtredingen met betrekking tot machineveiligheid grotendeels te maken met het plegen van onvoldoende onderhoud aan de machines en het onvoldoende treffen van adequate maatregelen tijdens het onderhoud.'

In 2011 heeft de zoetwarensector overigens een arbocatalogus gelanceerd met meerdere brancheafspraken en goede praktijken ter verbetering van de machineveiligheid.

## 23.1.1 DE WETGEVING: HOOFDLIJNEN

Op dit moment gelden twee wettelijke kaders:
- Het *Arbobesluit* (met daaraan gekoppeld de Arboregeling, beleidsregels enzovoort) met verplichtingen voor de werkgever die de machine aanschaft en zijn mensen eraan laat werken.
- Het *Warenwet* Besluit machines, met verplichtingen voor de fabrikant van het arbeidsmiddel. Dat is de Nederlandse toepassing/'vertaling' van de Europese 'machinerichtlijn'. Per 29 december 2009 gaat een licht gewijzigde versie van deze machinerichtlijn voor alle arbeidsmiddelen in Nederland in.

Als de werkgever ingrijpende veranderingen aanbrengt in een machine, of zelfbouwer wordt, is hij daarmee 'fabrikant'. Als de fabrikant voldoet aan de Europese regels kan hij een CE-keurmerk op zijn apparaat plaatsen. Alle machines en apparaten die na 1 januari 1995 in gebruik zijn genomen, moeten zo'n CE-keurmerk hebben.

Dit zijn de eisen waaraan een fabrikant van een machine moet voldoen:
- een risicoanalyse uitvoeren voor de machine of installatie;
- maatregelen nemen om de risico's te beheersen, conform de stand der techniek;
- een Nederlandstalige gebruiksaanwijzing opstellen voor de machine, plus een technisch constructiedossier en een zogenaamde EG-verklaring van overeenstemming;
- een CE-markering aanbrengen op de machine.

*Wanneer CE-markering*
Een bedrijf en werknemers krijgen met CE-markering te maken:
- voor machines die na 1 januari 1995 zijn gekocht en toen voor het eerst op de markt kwamen; worden gekocht of gemaakt;
- als het bedrijf zelf een machine of installatie ontwikkelt;
- als machines ingrijpend worden aangepast of worden opgenomen in een groter geheel, ook al zijn de oorspronkelijk machines van voor 1995.

– als wijzigingen aan een arbeidsmiddel worden aangebracht door niet deskundig personeel of met materieel dat niet voldoet aan de CE-normen, dan vervalt de CE-markering en moet die opnieuw worden aangevraagd.

### Doel CE-markering

Als een machine een CE-markering heeft, kan de werkgever er doorgaans van uitgaan dat de machine zelf aan alle vereisten van de Europese wetgeving — en het Nederlandse Arbobesluit — voldoet. Er is dan geen aparte keuring meer nodig. Dat betekent echter niet dat er geen problemen meer zouden zijn. Bijvoorbeeld door lawaai, ongelukkige opstelling van de machine, ergonomische problemen. Tijdens het gebruik dient de staat van veiligheid op niveau te worden gehouden, door regelmatig onderhoud en regelmatige keuringen. Wie machines mag keuren is afhankelijk van de gevaarklasse van de machine. De meeste arbeidsmiddelen kunnen worden gekeurd door de eigen werknemers van de fabrikant, die daarvoor een passende opleiding moeten hebben gehad. Sommige gevaarlijke en zeer gevaarlijke machines en installaties moeten door externe instanties worden gekeurd.

### Meer dan CE-markering

Om de veiligheid van werknemers te waarborgen, is veel meer nodig dan het controleren of er een CE-keurmerk op staat. Naast de vereisten nodig voor de CE-markering gelden ook de bepalingen uit het Arbobesluit. Bovendien blijkt dat sommige fabrikanten zich er soms gemakkelijk van af maken, waardoor de geleverde machine niet aan de Europese normen voldoet. Alertheid is dus geboden voor werkgever én ondernemingsraad.

---

**Uit de praktijk**

*CE-markering is niet voldoende*

In oktober 2008 stond in een rechtszaak de vraag centraal of een werkgever er van uit mag gaan dat een machine veilig is als er een CE-markering op staat. Die vraag werd door een werkgever opgeworpen in zijn beroep tegen een boete die hij van de Arbeidsinspectie kreeg opgelegd na een bedrijfsongeval. Een ingeleende werknemer was met zijn hand tussen de draaiende aandrijfwielen van een machine gekomen. De rechter gaf aan dat een CE-markering de werkgever niet ontslaat van zijn zorgplicht. De werkgever had de aanvullende voorschriften in het Arbobesluit rondom machinebeveiliging moeten navolgen. Het beroep van de werkgever werd daarom afgewezen en de boete van € 10.800 bleef gehandhaafd.

---

Hierna staan de belangrijkste wettelijke vereisten voor veilige machines opgesomd.

## 23.1.2  MECHANISCHE VEILIGHEID

- De machine bestaat uit deugdelijk materiaal en is deugdelijk geconstrueerd.
- In verband met bewegende delen, bijvoorbeeld aandrijfdelen, zijn beveiligingen aangebracht. Deze zijn stevig uitgevoerd, kunnen niet gemakkelijk worden genegeerd of weggehaald, zijn op voldoende afstand tot de gevaarlijke zone aangebracht en belemmeren het zicht op de arbeid zo weinig mogelijk.
- Gevaren van knellen, pletten, snijden moeten worden voorkomen door afscherming, omkasting of andere constructies.
- De gevaren van wegschietende delen moeten zo goed mogelijk worden voorkomen. De onderdelen van de machine moeten zo goed mogelijk worden geborgd, er moeten voorzieningen zijn om delen van het te bewerken materiaal op te vangen, bijvoorbeeld splinters of losschietende stukken hout, kunststof of metaal. Als er risico overblijft moeten persoonlijke beschermingsmiddelen, zoals brillen of kleding worden gedragen.

## 23.1.3  OPSTELLING

- De machine moet zodanig zijn geplaatst, dat gevaar voor vallen, omkantelen, oververhitting, brand, directe en indirecte aanraking met elektriciteit wordt voorkomen.
- Indien nodig, is de machine doelmatig verankerd.
- Aan de machine moet een ergonomische werkhouding mogelijk zijn.
- Werknemers die de machine gebruiken, afstellen of onderhouden, moeten op een veilige manier alle punten kunnen bereiken.
- Voorkomen moet worden dat de machinebediende zijn werk moet doen op loop- of transportroutes van anderen in het bedrijf.
- Looproutes voor eenrichtingsverkeer zijn minimaal 0,6 meter breed, voor tweerichtingsverkeer 0,9 meter.
- De werkruimte rond de machine is vrij van obstakels zodat gevaar van struikelen en vallen wordt voorkomen; de vloeren zijn voldoende vlak en stroef.
- Er moet voldoende ruimte zijn voor het neerleggen en opslaan van gereedschap of gereed product.

## 23.1.4  BEDIENING

- Bedieningshendels en schakelaars moeten als zodanig herkenbaar en zichtbaar zijn.
- Het inwerkingstellen van een machine mag alleen kunnen geschieden door een opzettelijk te verrichten handeling, niet door bijvoorbeeld bij toeval een knop of pedaal aan te raken.

– Een machine moet op veilige wijze kunnen worden stopgezet, door een knop of hendel, zo dicht mogelijk bij de machinebediener.
– Er dient ook een noodstopvoorziening te zijn die duidelijk is gemarkeerd met het vereiste nieuwe symbool – een hand boven een knop en die binnen handbereik geplaatst is. Soms is het ook gewenst een centrale noodstopschakelaar te hebben voor een groep machines.

## 23.1.5 ELEKTRISCHE VEILIGHEID

– Aan de elektrische veiligheid moeten hoge eisen worden gesteld. De elektrische installatie van de machine kan in aanraking komen met chemische stoffen, hete splinters en spanen, een vallend voorwerp. De bedrading moet daarop zijn ingesteld.
– De elektrische installatie dient op regelmatige basis te worden gecontroleerd op mechanische beschadigingen van leiding en draden enzovoort.
– Werkzaamheden aan elektrische installaties worden alleen door deskundigen uitgevoerd.
– De machines moeten voldoende geaard zijn; de aarding moet periodiek worden gecontroleerd.
– Er dient een nulspanningsbeveiliging te zijn, zodat bij wegvallen of verminderen van de stroom, de machine niet automatisch in werking wordt gesteld als de elektrische spanning weer op niveau is.
– Bij uitval van de machine is het belangrijk dat beschreven staat hoe de opstartprocedure van de machine is, dit om gevaarlijke en onverwachte situaties te voorkomen.

## 23.1.6 ANDERE VEREISTEN

– De machines zijn beveiligd tegen het vrijkomen van gevaarlijke stoffen, hete stoffen of gassen.
– Gevaar van blootstelling aan gevaarlijke stoffen moet allereerst aan de bron worden aangepakt. Daarna kan worden gedacht aan adequate afzuiging of beschermende middelen, zoals kleding, brillen, handschoenen enzovoort.
– Er is voldoende verlichting op de plekken waar wordt gewerkt en waar onderhoud moet worden gepleegd.
– Waarschuwingssignalen zijn goed zichtbaar en herkenbaar als alarmsignaal.
– Voor mensen die aan een machine werken en die deels zittend hun werk kunnen doen, is passende zitgelegenheid ter beschikking gesteld. Dat geldt ook voor mensen die hun werk staand moeten doen en af en toe kunnen gaan zitten.
– Indien mogelijk zijn er geluidsabsorberende dempers tussen machine en vloer aangebracht.

## 23.2 Procedures en arbozorg

Aan de volgende procedures en afspraken dienen aandacht te worden besteed:
- De fabrikant dient een *gebruikershandleiding* in de taal van de gebruiker bij de machine te voegen. Daarin dienen aanwijzingen te zijn opgenomen voor:
  - bediening;
  - onderhoud en reparatie;
  - reiniging;
  - transport van de machine;
  - installatie en aansluiting;
  - opslag en afvoer na afdanking.
- Ook de oorspronkelijk handleiding dient te worden bijgevoegd.
- Iedere machine heeft een *technisch-constructiedossier*, dat bestaat uit vele product- en procesgegevens van de 'machine'. Die moeten aantonen dat een machine voldoet aan fundamentele veiligheids- en gezondheidseisen. Dit dossier is in bezit van de fabrikant en kan worden opgevraagd door de controlerende instanties.
- Er dient een procedure te zijn voor regelmatig onderhoud.
- Voor dat onderhoud is het aan te bevelen een goede checklist te maken. De onderhoudslijst dient goed te worden bijgehouden.
- Er dient een lijst of logboek aanwezig te zijn voor registratie van storingen, stagnatie, bijna-ongevallen en ongevallen met letsel.
- Er hoort een lijst aanwezig te zijn waarop vermeld staat welke inspecties en nieuwe keuringen zijn gepland en welke inmiddels zijn uitgevoerd; wie inspecteert hoe vaak welk arbeidsmiddel?
- Er dient te worden vastgesteld wie de arbeidsmiddelen mag bedienen en wie toegang heeft tot de ruimten waar de machines zijn opgesteld.
- Er dient een plan te zijn voor voorlichting en onderricht voor gebruikers; daarin dienen ook de herhalingscursussen te zijn opgenomen. Die plannen dienen naar tevredenheid te worden uitgevoerd.
- Het toezicht op veilig gedrag is goed georganiseerd. De 'toezichthouders' weten wat ze wel en niet moeten doen en op welke manier. Er wordt regelmatig gecontroleerd of de toezichthoudende taken in voldoende mate worden uitgevoerd.
- De bedrijfshulpverlening is goed georganiseerd.
- Er zijn voldoende vluchtwegen en nooduitgangen, die altijd vrij van obstakels zijn en voorzien van passende verlichting en noodverlichting.
- In het werkoverleg wordt regelmatig over veiligheids- en gezondheidsaspecten overlegd, inclusief de veiligheidscultuur en de 'incidenten' of bijna-ongevallen.
- De bedrijfsleiding besteedt op een gerichte manier aandacht aan de versterking van de veiligheidscultuur in het bedrijf. Daarbij is het handig om gebruik te maken van de vele goede praktijkvoorbeelden die het ministerie van Sociale

Zaken en Werkgelegenheid heeft verzameld. Ze zijn terug te vinden op www.arbeidsveiligheid.arboportaal.nl.

---

**Uit de praktijk**

*Versterking Arbeidsveiligheid*

Het Ministerie van Sociale Zaken en Werkgelegenheid heeft de afgelopen jaren meerdere bedrijven en sectoren begeleid bij het versterken van de veiligheid. Ze heeft een overzicht gemaakt van 22 bedrijven met een succesvolle aanpak.

Zo heeft een afvalverwerkend bedrijf 40% minder ongevallen gerealiseerd vooral door communicatietrainingen voor het management. En een bierbrouwerij heeft het aantal ongevallen zelfs met 50% verlaagd, ondermeer door medewerkers onveilige situaties te laten fotograferen. Meer informatie daarover is te vinden op www.arbeidsveiligheid.arboportaal.nl . Daar is ook een stappenplan opgenomen om tot een verhoging van de bedrijfsveiligheid te komen en een methode om het rendement van een investering in veiligheid te berekenen. De onderstaande tien tips zijn ook van afkomstig van de site.

Op de site is per tip een toelichting en een kort en informatief filmpje te zien.

10 tips voor versterking van de arbeidsveiligheid:

- beïnvloed veiligheidsgedrag;
- beloon goed gedrag;
- betrokkenheid (top)management is essentieel;
- borg de veiligheidscultuur in een structuur;
- laat medewerkers zelf nadenken;
- leer van elkaar;
- los veiligheidsproblemen operationeel op;
- maak resultaten zichtbaar;
- norm leidinggevende is norm medewerkers;
- zoek de weerstanden en los ze op.

---

## 23.3    De werknemers

Ook het gedrag van werknemers is van groot belang voor een zo groot mogelijke veiligheid en gezondheid in het werk. De volgende zaken dienen daarom goed geregeld te zijn;

De werknemers:
- Zijn voldoende bekend met procedures.
- Worden in staat gesteld zich aan de procedures te houden.
- Zorgen ervoor dat ze zich vanuit hun eigen verantwoordelijkheid aan de procedures houden.

- Kunnen de tegenspraak tussen snel werken en veilig werken aan de orde stellen en doen dat als het nodig is.
- Accepteren geen mentaliteit van flinke jongens of 'zo hebben we het altijd gedaan'.
- Komen tijdens het werkoverleg met de verbeterpunten inzake veilig en gezond werken aan machines.
- Melden gevaren direct aan hun leidinggevende en zonodig bij de preventiemedewerker en de ondernemingsraad of VGW(M)-commissie.

*Tabel 1.*

| Oorzaken van bedrijfsongevallen (gebaseerd op ongevalsmeldingen aan de Arbeidsinspectie) | |
| --- | --- |
| *Ongevalcategorie* | *Percentage* |
| Vallen van een hoogte of gelijke hoogte | 32% |
| Contact met (draaiende delen) van machines | 25% |
| Contact met vallende of instortende objecten | 13% |
| Aanrijding door een voertuig | 4% |
| Ongeval op of in een bewegend voertuig met verlies van beheersing | 4% |
| Blootstelling aan een gevaarlijke stof uit een open of gesloten omhulling | 4% |
| Contact met hangende, slingerende of rondvliegende voorwerpen | 3% |
| Contact met hangende of slingerende objecten, zoals ladingen in kranen | 2% |
| Beklemd raken | 2% |
| Contact met elektriciteit | 2% |
| Contact met object dat wordt gebruikt of gedragen | 2% |
| Contact met handgereedschap | 2% |
| Contact met schuivende, rollende voorwerpen | 1% |
| Brand | 1% |
| Agressie van mensen of dieren | 1% |
| Explosie en blootstelling aan extreem hoge geluidsniveaus (piekbelasting) | 1% |
| Overig | <1% |

## 23.4 Verplichte documenten en voorzieningen

Bij iedere machine of ieder stuk gereedschap moeten, afhankelijk van de zwaarte van de risico's, maar in ieder geval bij de aanwezigheid van enig risico, de volgende documenten voorhanden zijn (ook als ze een CE-markering hebben):
- Bedieningsvoorschriften, met daarin opgenomen:
  - de risico's van het arbeidsmiddel;
  - de technische beveiligingen;
  - gedragsregels, hoe met het apparaat om te gaan, tijdens gewoon gebruik en bijvoorbeeld tijdens storingen.

- Een onderhoudsplanning, met daarin opgenomen:
  - wat onderhouden, welke onderdelen;
  - hoe dat te doen;
  - door wie en wanneer;
  - rapportage daarover, bijvoorbeeld in een logboek.
- Een plan voor keuringen, met daarin opgenomen:
  - wat keuren?
  - hoe dat te keuren?
  - door wie? (In ieder geval door deskundige mensen; bij gevaarlijke arbeids-middelen als hijskranen, liften, gasinstallaties, enzovoort, geschiedt dat door externe keuringsinstanties);
  - rapportage daarover.

Bij zeer veel, en vooral bij de meer risicovolle arbeidsmiddelen zijn de volgende voorzieningen verplicht:
- *Procedures*, bijvoorbeeld voorafgaand aan het in gebruik stellen van de installa-tie of het apparaat, procedures voor keuringen en onderhoud, enzovoort.
- *Bedieningsinstructies*, vastgelegd in documenten, zie boven.
- *Persoonlijke beschermingsmiddelen:* er moet worden aangegeven welke PBM's moeten worden gebruikt.
- *Opleidingen:* verplichte en gewenste opleidingen moeten zijn vastgelegd.

## 23.5 De belangrijkste gevaren

Om de belangrijkste gevaren van een 'arbeidsmiddel' snel te kunnen vaststellen, kan de volgende checklist worden gebruikt. Hij is gebaseerd op EN-ISO 14121.

De or/VGW(M)-commissie kan de hieronder geschetste mogelijke gevaren nagaan.

1. *Mechanische gevaren:* het kunnen aanraken van bewegende delen, gevaren van snijden, knellen enzovoort.
2. *Elektrische gevaren:* mogelijkheden van direct of indirect elektrisch contact, kans op elektrostatische verschijnselen enzovoort.
3. Gevaren door *hitte of koude:* contactmogelijkheid met hete of koude oppervlak-ken, gevaar van brand of explosie.
4. Gevaren veroorzaakt door *lawaai:* gehoorbeschadiging, collega's of waarschu-wingssignalen niet horen.
5. Gevaren door *trillingen:* daardoor kunnen 'witte vingers' of neurologische aan-doeningen ontstaan.
6. Gevaren door *straling:* radioactieve straling, lasers, hoge concentratie van elek-tromagnetische velden, enzovoort.

7. Gevaren van *materialen of stoffen* die worden gebruikt of kunnen worden uitgestoten door de machine; bijvoorbeeld giftige vloeistoffen, gassen, dampen, rook of stof; microbiologische gevaren, brand of explosiegevaar.

8. Gevaren door negeren van *ergonomie:* ongezonde werkhouding, zware krachtuitoefening.

9. Gevaren die ontstaan als *storingen* optreden, als energie uitvalt.

10. *Veiligheidsvoorzieningen die ontbreken* of onjuist of onhandig zijn aangebracht, bijvoorbeeld start- en stopvoorzieningen, afschermingen, veiligheidstekens en -signalen.

11. Gevaren door een ongeschikte *werkomgeving* rond de machine: transportproblemen, onvoldoende ruimte om te werken, ruimte om onderdelen en gereedschap en gereed product neer te kunnen leggen, onvoldoende verlichting.

12. Gevaren in verband met *werkdruk en stress:* 'gedwongen' worden om veiligheidsvoorzieningen en procedures over te slaan; gevaren door langdurige overconcentratie die het werk vraagt, of langdurige mentale onderbelasting, waardoor de aandacht verslapt en gevaren optreden, enzovoort.

De gevaren die in de bovengenoemde checklist zijn geformuleerd, moeten zijn erkend en tevens zijn ingedekt door de juiste maatregelen. Als dat niet het geval is of als daar twijfels over bestaan, moet de veiligheidskundige van het bedrijf of van de arbodienst worden geraadpleegd. Actie is dan geboden.

---

**Uit de praktijk**

*Heftruck: handig en gevaarlijk*

Het rijden met heftrucks brengt helaas veel ongevallen met zich mee. Vaak is dan sprake van ernstig letsel. Jaarlijks ontvangt de Arbeidsinspectie zo'n 200 meldingen van ernstige ongevallen met heftrucks. In 2008 raakten tientallen werknemers zwaargewond en hadden niet minder dan 8 ongevallen een dodelijke afloop. Tweemaal was het de ongezekerde lading die viel, tweemaal kantelde de truck door onjuist gebruik, drie keer was het een aanrijding als gevolg van onvoldoende kijken of zicht, en één keer was het een geval van ongeoorloofd meerijden, waarna het slachtoffer bij het afspringen viel en door de truck werd overreden. Zoals elk jaar blijft het onvoldoende kijken (vooral bij het achteruitrijden) de hoofdoorzaak van de meldingen.

Enkele bevindingen van de Arbeidsinspectie:

– bijna de helft van de ongevallen heeft letsel aan de voeten tot gevolg;

– goed opgeleide heftruckchauffeurs zijn aantoonbaar minder bij ongevallen betrokken;

– een veilige inrichting van de transportomgeving kan in belangrijke mate bijdragen aan het verminderen van aanrijdongevallen.

Bron: Brochure Arbeidsinspectie: Heftrucks, hoe voorkom ik ongevallen en schade?

In het najaar van 2011 benadrukte de Arbeidsinspectie dat heftruckchauffeurs bij on-veilig rijgedrag een boete kunnen krijgen van € 100 of € 200.
Zie verder paragraaf 30.24 en www.arbobondgenoten.nl.

## 23.6 Rechten en taken van ondernemingsraad en/of VGW(M)-commissie

De ondernemingsraad of VGW(M)-commissie:
- Heeft recht op informatie over alle documenten, het beleid en de afspraken betreffende veilig werken met machines en andere arbeidsmiddelen.
- Heeft er voldoende weet van dat alle gevaren en wettelijke vereisten bekend zijn bij al degenen die dat moeten weten.
- Heeft kennis van het feit dat in de risico-inventarisatie en -evaluatie de risico's van arbeidsmiddelen volledig zijn beschreven en dat alle en de juiste maat-regelen in het plan van aanpak zijn opgenomen.
- Heeft instemmingsrecht bij het invoeren, veranderen en intrekken van veilig-heidsprocedures.
- Stelt het veiligheidsbewustzijn in de organisatie regelmatig aan de orde.
- Bepleit dat in het werkoverleg regelmatig over veiligheidskwesties en inciden-ten wordt gesproken; ontvangt over die werkoverleggen de verslagen en afspra-ken.
- Kan ertoe bijdragen dat in de organisatie de kennis over veiligheid en onveilig-heid bij de mensen snel en begrijpelijk beschikbaar is.
- Is door contact met de collega's, de achterban, op de hoogte van de meeste onveilige situaties die in de werkpraktijk spelen.
- Zorgt ervoor dat op afdoende manier onderzoek wordt gedaan naar incidenten en (bijna-)ongevallen. De or/VGW(M)-commissie houdt toezicht op de juiste verbeteracties.
- Zorgt ervoor dat het gehele beleid betreffende machineveiligheid af en toe grondig wordt geëvalueerd en zo nodig bijgesteld. Dat beleid betreft:
  - De kennis en het bewustzijn binnen de organisatie.
  - De technische staat van machines en andere apparatuur.
  - De procedures bij gebruik, incidenten, onderhoud en inspecties.
  - Het overleg en de communicatie betreffende veiligheid en onveiligheid.
  - Het handelen van de mensen en de wijze van toezicht.

## 23.7 Verder lezen

- Arbo-informatieblad nr. 11, *Machineveiligheid: afscherming en beveiligingen*

- Arbo-informatieblad nr. 14, *Bedrijfsruimten: inrichting, transport en opslag.*
- Arbo-informatieblad nr. 17, *Hijs- en hefmiddelen*
- Brochure: 'Heftrucks: hoe voorkom ik ongevallen en schade?' op www.arbeids-inspectie.nl.
- *Praktijkgids arbeidsveiligheid,* Kluwer, Alphen aan den Rijn.
- *Arbonormenboek,* Kluwer, Alphen aan den Rijn.
- Zie paragraaf 30.23 en paragraaf 30.24.
- www.arbeidsveiligheid.arboportaal.nl

# 24 Persoonlijke beschermingsmiddelen

## 24.1 Inleiding

Persoonlijke beschermingsmiddelen (PBM's) worden gedragen door werknemers om hen te beschermen tegen gevaren in het werk. We hebben het dan over handschoenen, helmen, beschermende pakken, veiligheidsschoenen, brillen, gehoorbescherming, enzovoorts. Van alle bedrijven gebruikt 62% PBM's, vooral in de sectoren bouw, landbouw en visserij en industrie.

De afbeeldingen op de volgende pagina laten de gebodsborden zien waarop is aangeven welke persoonlijke beschermingsmiddelen daar verplicht moeten worden gebruikt. PBM's hebben als nadeel dat ze het arboprobleem zelf niet aanpakken. Bovendien vinden veel werknemers persoonlijke beschermingsmiddelen onaangenaam. Sommige PBM's leveren op hun beurt zelfs weer nieuwe risico's op, zoals verminderd zicht bij gelaatsbescherming of allergie door latexhandschoenen.

Persoonlijke beschermingsmiddelen kunnen worden onderverdeeld in:
- hoofdbescherming: helmen, haarnetjes;
- oog- en gelaatbescherming: veiligheidsbrillen, gelaatschermen;
- gehoorbescherming: kappen, otoplastieken;
- ademhalingsbescherming: stoffilters, gelaatskappen, maskers met perslucht;
- hand- en armbescherming: vele soorten handschoenen;
- voet- en beenbescherming: vele soorten veiligheidsschoenen en laarzen;
- werkkleding: allerlei veiligheidspakken en andere kleding;
- valbescherming: valharnassen, gordels;
- overige: bij straling, duiken, explosieven etc.

De or of VGW(M)-commissie heeft behoorlijke mogelijkheden om te sturen en invloed te hebben op het beleid inzake persoonlijke beschermingsmiddelen.

In dit hoofdstuk komen algemene regels over persoonlijke beschermingsmiddelen aan de orde.

## 24.2 Sluitstuk arbobeleid

De persoonlijke beschermingsmiddelen horen het sluitstuk te zijn van het arbobeleid; als andere oplossingen niet mogelijk zijn. In de praktijk vormen ze bij meerdere bedrijven helaas de kern van het arbobeleid.

Dit staat op gespannen voet met de wet, die van de werkgever verwacht dat hij eerst andere oplossingen zoekt. Persoonlijke beschermingmiddelen zijn de laatste stap in de aanpak die een werkgever bij een arboknelpunt moet volgen. Die aanpak dient volgens artikel 3 lid b Arbowet plaats te vinden in deze volgorde:

1. Bestrijding van het gevaar aan de bron.
2. Technische maatregelen aan de overdrachtsweg tussen gevaarbron en de mens, bijvoorbeeld afzuiging bij gevaarlijke stoffen of geluidsdempende voorzieningen bij lawaai.
3. Organisatorische maatregelen: zo weinig mogelijk mensen op die werkplek of roulering van het aantal werknemers; bijvoorbeeld in plaats van vier de hele dag, acht mensen voor halve dagen.
4. Het gebruik van persoonlijke beschermingsmiddelen.

Deze volgorde noemt men ook wel de arbeidshygiënische strategie, omdat arbeidshygiënisten dit schema hebben ontworpen. Pas als maatregelen op een hoger niveau redelijkerwijs niet door een werkgever kunnen worden uitgevoerd, kan hij maatregelen op een lager niveau kiezen. Persoonlijke beschermingsmiddelen sluiten daarbij de rij. Ze mogen alleen worden verstrekt als alle hoger gelegen maatregelen niet mogelijk of niet afdoende zijn. Of als tijdelijke maatregel totdat de meer gedegen oplossingen zijn aangebracht.

*Afbeelding 1.*

| | | |
|---|---|---|
| Oogbescherming verplicht | Veiligheidshelm verplicht | Gehoorbescherming verplicht |
| Ademhalingsbescherming verplicht | Veiligheidsschoenen verplicht | Veiligheidshandschoenen verplicht |
| Veiligheidspak verplicht | Gelaatsbescherming verplicht | Individueel veiligheids-harnas verplicht |

## 24.3 Vereisten voor het persoonlijke beschermingsmiddel

De algemene vereisten zijn ondermeer te vinden in het Arbobesluit (Arbobesluit 8.1 en verder):
– Het persoonlijke beschermingsmiddel moet geschikt zijn voor de te vermijden gevaren.

- Het PBM moet geen groter gevaar veroorzaken, bijvoorbeeld moeten bij gehoorbescherming waarschuwingssignalen te horen zijn.
- Het moet ergonomisch verantwoord zijn, en geen lichamelijk of psychisch probleem veroorzaken, bijvoorbeeld afgestemd zijn op allergieën van de drager.
- Het moet, na eventuele aanpassingen, goed hanteerbaar en passen zijn voor de drager.
- Het moet voorzien zijn van een CE-markering en een duidelijke gebruiksaanwijzing.
- De mogelijk verschillende soorten PBM's moeten op elkaar zijn afgestemd, bijvoorbeeld veiligheidshelmen en gehoorbescherming.

*Vereisten voor het gebruik*
- Persoonlijke beschermingsmiddelen moeten in voldoende aantal beschikbaar zijn.
- Ze moeten worden onderhouden, gerepareerd en schoon gehouden.
- Zodra dat noodzakelijk is, dienen ze te worden vervangen.
- In principe is het gebruik bedoeld voor één persoon.
- De gegevens over het PBM moeten aanwezig zijn.
- De PBM's moeten worden gebruikt volgens de gebruiksaanwijzing.

Voor de specifieke en gedetailleerde vereisten voor de vele PBM's wordt verwezen naar NEN-normen. Zie daarvoor de vakliteratuur en het Arbo-informatieblad 49, dat geheel aan persoonlijke beschermingsmiddelen is gewijd.

*Uitgangspunten bij persoonlijke beschermingsmiddelen:*
- de werkgever stelt persoonlijke beschermingsmiddelen gratis beschikbaar;
- de werknemer moet inspraak hebben in de keuze van het PBM;
- het is verplicht het PBM te dragen als de werkgever dat vraagt;
- regels over gebruik, schoon houden en tijdig vervangen staan duidelijk op papier;
- de or/VGW(M)-commissie heeft instemmingsrecht op de procedures en regels inzake PBM's.

*Gratis leidraad over aanschaf van PBM's*
Het Nederlands centrum voor normalisatie NEN heeft in 2008 met een groep deskundigen een leidraad opgesteld die de stappen beschrijft voor een afgewogen aanschaf van persoonlijke beschermingsmiddelen. De 'Leidraad bij de aanschaf van persoonlijke beschermingsmiddelen, keuze, gebruik, reiniging en onderhoud' geeft in tien stappen aan hoe een succesvolle aanschaf kan plaatsvinden. Via een inventarisatie, het vaststellen van criteria, het bijhouden van een onderhoudsplan, communicatie met gebruikers en evaluatie kan een optimaal resultaat met de PBM's worden verkregen. Deze leidraad is gratis te downloaden van

www2.NEN.nl en mag door iedereen worden verspreid, onder het voorbehoud van bronvermelding.

## 24.4  Afspraken en beleid

Als persoonlijke beschermingmiddelen nodig zijn omdat de arborisico's niet op andere manieren bestreden kunnen worden, moeten afspraken gemaakt worden over de volgende kwesties. Die afspraken worden op schrift gesteld.

- De aanschaf:
  - Wie schaft de PBM's aan?
  - Welke eigenschappen moet het PBM hebben?
  - De keuzemogelijkheden van werknemers bij eerste aanschaf.
  - Rekening houden met persoonlijke eigenschappen van werknemers (lichaamsbouw, huidtypen, allergieën).
- De verstrekking:
  - Aan wie worden ze verstrekt?
  - In welke hoeveelheid?
  - Door wie worden ze verstrekt?
  - Welke keuzemogelijkheden zijn er voor de gebruiker?
- De instructies:
  - Hoe de PBM te gebruiken?
  - Het aanmeten van het PBM
  - Hoe het PBM te onderhouden, op te slaan en te vervangen
- De regelmatige controle:
  - Hoe vaak geschiedt de controle?
  - Door wie wordt gecontroleerd; in ieder geval een deskundige.
- Het onderhoud:
  - Wie onderhoudt het PBM?
  - Is dat de drager, deskundigen, de leverancier?
  - Hoe vaak vindt onderhoud plaats?
- De reiniging:
  - Wie bepaalt dat er moet worden gereinigd (meestal is dat de gebruiker).
  - Wie reinigt?
  - Hoe vaak?
- De vervanging:
  - Het is verstandig af te spreken wanneer het PBM moet worden vervangen.
  - Wie bepaalt of het PBM moet worden vervangen? (bijvoorbeeld in overleg tussen drager en zijn leidinggevende of de arbocoördinator dan wel preventiemedewerker.

*Afbeelding 2. De ondernemingsraad heeft instemmingsrecht over het PBM-beleid.*

## Beleid

Een beleid met betrekking tot persoonlijke beschermingsmiddelen dient geba-seerd te zijn op een verplichte nadere risico-inventarisatie die speciaal op PBM's is gericht (Arbobesluit, artikel 8.2). Daarin dienen de volgende onderdelen te worden opgenomen:

- Er wordt beschreven welke arbogevaren niet door andere middelen dan door persoonlijke beschermingsmiddelen kunnen worden bestreden
- Een lijst van ingezette PBM's en activiteiten waar deze PBM's verplicht zijn gesteld.
- Een beoordeling of de juiste beschermingsmiddelen bij de risico's zijn ingezet.
- Een beschrijving van eventuele nieuwe risico's die door het gebruik van de PBM's kunnen ontstaan.
- Een plan van aanpak om de gesignaleerde knelpunten op het gebied van PBM aan te pakken.

Het PBM-beleid zou verder uit de volgende elementen kunnen bestaan:

- Er wordt vastgelegd welke de plannen zijn om meer brongerichte maatregelen te nemen. Bij die laatste plannen wordt een tijdpad aangegeven waarin wordt aangegeven wanneer de andere maatregelen voldoende zijn om de PBM's over-bodig te maken.
- Over voorlichting en onderricht betreffende PBM's wordt vastgelegd:

- – wie geeft het: de chef, leverancier, de arbocoördinator, of anderen;
- – op welke manier en hoe vaak het wordt gegeven.
- Er wordt beschreven hoe de gebruiker bij de keuze van PBM's worden ingeschakeld.
- Er wordt aangegeven hoe het bedrijf omgaat met PBM's voor uitzendkrachten en andere tijdelijke krachten. Een goed uitgangspunt daarbij is dat de uitzendkrachten dezelfde PBM's als de vaste krachten ontvangen. Als dat niet mogelijk is, bijvoorbeeld omdat het niet doenlijk is om hen speciaal aangemeten beschermingsmiddelen te verschaffen, dan dienen de verstrekte PBM's gelijkwaardig te zijn. Zo kan het bij lawaai-problemen niet reëel zijn om tijdelijke krachten otoplastieken te verstrekken. In dat geval krijgen zij oorkappen of vervangbare oorpluggen. Watten of oorproppen zijn niet gelijkwaardig en worden niet verstrekt.
- Er wordt op schrift gesteld bij wie klachten kunnen worden geuit en wat daarmee wordt gedaan: bijvoorbeeld: de klacht wordt ingediend bij leidinggevende, arbocoördinator en or/VGW(M)-commissie. De klager wordt altijd gehoord, een en ander wordt op schrift gezet, binnen twee weken krijgt de indiener van de klacht antwoord.
- De evaluatie over de wijze van gebruik wordt vastgelegd. Daarin zijn opgenomen: de ervaring van gebruikers en toezichthouders, het onderhoud, de reiniging, de vervanging, enzovoort.
- Er wordt vastgelegd dat er een registratie is of komt van de verstrekking, het onderhoud en de vervanging van persoonlijke beschermingsmiddelen.
- Er wordt vastgelegd hoe het toezicht op het gebruik van de PBM's wordt georganiseerd en het eventuele sanctiebeleid. Als een werknemer bij herhaling niet gebruikmaakt van persoonlijke beschermingsmiddelen, dan kan de werkgever hem waarschuwen, schorsen en zelfs (op staande voet) ontslaan. Dergelijke sancties dienen wel vooraf gecommuniceerd te worden.
- Ten slotte wordt vastgelegd dat de or/VGW(M)-commissie de vaste overlegpartner is bij het vaststellen, uitvoeren en veranderen van het beleid inzake persoonlijke beschermingsmiddelen. De ondernemingsraad moet daaraan zijn instemming geven.

## 24.5  Werknemers: rechten en verplichtingen

De verplichting van werknemers rondom persoonlijke beschermingsmiddelen zijn (zie artikel 11 Arbowet):
- persoonlijke beschermingsmiddelen volgens voorschriften gebruiken;
- persoonlijke beschermingsmiddelen na gebruik opbergen;
- voorlichting en onderricht over beschermingsmiddelen volgen;

- gevaren melden als ze voortkomen uit het gebruik van persoonlijke beschermingsmiddelen.

De Arbeidsinspectie kan een werknemer een boete opleggen als hij op heterdaad betrapt wordt bij het niet dragen van ter beschikking gestelde PBM's op plekken waar dat wel verplicht is gesteld. Die boete bedraagt € 450.

Aandachtspunten voor de ondernemingsraad of VGW(M)-commissie zijn:
- Als PBM's voor het eerst beschikbaar en verplicht worden gesteld, dient de tijdelijkheid daarvan te worden geformuleerd.
- Er geldt instemmingsrecht voor de ondernemingsraad bij het vaststellen en veranderen van de wijze van omgaan met PBM's.
- Bij het vaststellen van het arbobeleid zou ook *het beleid* met betrekking tot PBM's (zie paragraaf 24.4) moeten worden beschreven.
- Bij de afspraken over 'arbovoorlichting en -onderricht' zou de or/VGW(M)-commissie attent moeten zijn op het onderdeel 'gebruik van PBM's'.
- Er dienen afspraken te worden gemaakt over het toezicht op het gebruik van PBM's; dat geldt ook voor het schoonhouden en tijdig vervangen: omschrijf wie daarin taken heeft.
- Voorts is het aan te bevelen afspraken te maken over regelmatige evaluatie van het PBM-beleid.
- Bedenk dat als de werknemers hun voorgeschreven PBM's niet of onvoldoende dragen, de werkgever hier altijd eindverantwoordelijk voor is. Pogingen van de werkgever om deze verantwoordelijkheid over te hevelen naar de individuele werknemer — bijvoorbeeld door deze een verklaring te laten ondertekenen — zijn *niet* rechtsgeldig. De werkgever zal toezicht moeten houden, en de werknemer moeten aanspreken op zijn gedrag en zo nodig maatregelen treffen. Daar kan geen formulier wat aan veranderen.

*Tips or en VGW(M)-commissie*
Ga na hoe werknemers de PBM's ervaren die ze ter beschikking krijgen:
- Zijn er betere, meer gedegen oplossingen denkbaar dan PBM's?
- Worden ze voldoende betrokken bij de keuze van de PBM's?
- Hoe is het draagcomfort?
- Is er voldoende voorlichting en onderricht?
- Wat is hun oordeel over de verstrekking, vervanging, het onderhoud en reinigen en het toezicht?

## 24.6    Verder lezen

- *Kluwer's PBM-Gids*
    Een uitgebreid overzicht van alle persoonlijke beschermingsmiddelen, in-

clusief cd-rom met relevante wet- en regelgeving, normen, jurisprudentie en productinformatie van leveranciers.
- *Werken met Persoonlijke Beschermingsmiddelen* . Gratis brochure van het ministerie van SZW, (zie: www.rijksoverheid.nl)
- *Arbo-informatieblad 49 Persoonlijke beschermingsmiddelen, SDU Den Haag*
- Leidraad bij de aanschaf van persoonlijke beschermingsmiddelen, gratis te downloaden van www.nen.nl

# 25 Werkdruk en werkstress

## 25.1 Inleiding

Ongeveer 40% van de Nederlandse werknemers geeft aan te maken te hebben met hoge werkdruk. De werkdruk is het hoogst in leidinggevende functies, bij docenten in het onderwijs, in commerciële beroepen, en bij werknemers in de zorg en de horeca. Dat blijkt uit de Arbobalans 2010 van TNO. Daarin is ook te lezen dat psychische klachten de voornaamste oorzaak zijn van langdurige arbeidsongeschiktheid.

*Veelkoppig monster*
Werkdruk en werkstress zijn problemen die steeds vaker hun tol eisen. Een moeilijk punt is dat werkdruk veel gezichten heeft en veel oorzaken. De vroegere Industriebond FNV schreef begin jaren negentig een brochure met de fraaie titel: *Werkdruk, een veelkoppig monster*. Een monster, omdat het mensen verslindt en veelkoppig vanwege zijn vele verschijningsvormen en oorzaken. Werkdruk kan veroorzaakt worden door te weinig personeel, maar ook door ondoordachte planning, teveel uitzendkrachten, onvoldoende opleiding, tekortschietende leiding etc., etc. Nog ingewikkelder wordt het omdat de ene mens nu eenmaal anders omgaat met werkdruk dan de ander. Dat betekent niet dat werkdruk en de risico's van werkstress kunnen worden teruggebracht tot individuele stressbestendigheid. In het werk zelf, de werksfeer en de organisatie van het werk liggen belangrijke oorzaken van stress en aangrijpingspunten voor verbeteringen.

## 25.2 Wat is werkdruk en werkstress?

Werkdruk is de spanning die ervaren wordt tussen wat het werk vraagt en wat de werknemer kan doen. Bij werkdruk is de tijdsdruk een belangrijke factor: te veel werk voor te weinig mensen, te veel pieken in het werk. Maar het is niet de enige factor. Het gaat ook om zaken als variatie in het werk, zelfstandigheid, invloed op het werk, sociale steun. Waar het bij werkdruk op neerkomt is dat een werknemer in het werk meer regelproblemen heeft dan regelmogelijkheden om die problemen op te lossen. Als die balans langdurig verstoord is, ontstaat er een druksituatie in het werk waardoor mensen bekneld raken.

Werkstress kan het gevolg zijn van die spanning. Net zoals gehoorproblemen het gevolg kunnen zijn van lawaai. Stress heeft vele uitingsvormen: zich terugtrekken, snel geïrriteerd raken, een waas voor de ogen krijgen, het werk — geestelijk — mee naar huis nemen, piekeren, maagklachten, hoofdpijn en slaapklachten.

Stress is op zich een neutraal begrip. Het is de extra spanning — bijvoorbeeld voor een examen — waardoor je als mens alerter bent en beter presteert. Het is de stoot adrenaline in een acute verkeerssituatie, waardoor je net ontsnapt aan een ongeluk. Maar als het lichaam te vaak die pieken moet verwerken, wordt deze gezonde spanning een overspanning en ontstaan er problemen.

*Uitgangspunten aanpak*

Bij de aanpak van werkdruk is een belangrijk devies om er op tijd bij te zijn. De problematiek van werkdruk en werkstress wordt vergezeld door een hoge mate van struisvogelpolitiek. Werkgevers steken nogal eens de kop in het zand. Werknemers doen dat op hun eigen manier: ze gaan te lang door en zeggen te laat: stop! De cultuur in het bedrijf, de druk van de groep en de eigen werkethiek ('Ik heb geen problemen!') spelen daarin een belangrijke rol.

Voor een echte aanpak is wezenlijk dat wordt gekeken naar het werk, de organisatie daarvan en de sfeer waarin dat moet worden verricht. Werkdruk is een organisatieprobleem, het zit niet tussen de oren. En mocht de privésituatie een belangrijke rol spelen, dan is het belangrijk dat het werk die situatie niet verergert.

## 25.3 De gevolgen van werkdruk

De gevolgen van een overmatige werkdruk zijn bij iedereen anders. De ene persoon slaapt slecht of krijgt lage rugpijn, de ander krijgt darmproblemen of hoofdpijn. (zie tabel 1). Als de werkdruk te lang te hoog blijft kan het tot overspannenheid leiden. Of het leidt tot burn-out: opgebrand zijn, een chronische vorm van stress die vooral in contactrijke beroepen voorkomt en gepaard gaat met uitputting. Uit onderzoek uit 2008 bleek dat werknemers bij overspannenheid gemiddeld achttien weken thuis zijn. Bij burn-out duurt het gemiddeld 40 weken voordat een medewerker weer volledig aan het werk is. Het duurt gemiddeld twee en half jaar voor de burn-outklachten geheel verdwijnen.

*Tabel 1. Mogelijke gevolgen van overmatige werkdruk*

| Gedrag: | zich terugtrekken; |
| --- | --- |
| | opvliegendheid; |
| | geen maat weten; |

| | geen of minder pauzes nemen. |
|---|---|
| Houding: | gehaastheid; |
| | irritatie; cynisme; |
| | een waas voor de ogen krijgen; |
| | minder relativeringsvermogen en humor; |
| | thuis met het werk bezig blijven. |
| Vermogens: | verminderde concentratie; |
| | vergeetachtigheid. |
| Gevoel: | dingen worden gauw te veel; |
| | piekeren; |
| | tegen werk opzien. |
| Lichamelijk: | sneller moe; |
| | zweten; |
| | maagpijn, hoofdpijn, lage rugpijn; |
| | slaapproblemen. |
| | verhoogd medicijngebruik; |
| Leefstijl | veel gaan roken; |
| | alcoholmisbruik. |

## 25.4 Enkele gegevens

Ongeveer 40% van de beroepsbevolking werkt regelmatig met een hoge werkdruk. Het percentage werknemers dat werkdruk rapporteert verschilt per sector. Jaarlijks zijn er 200.000 werknemers overspannen thuis. Velen van hen lijden aan 'burn-out', opgebrand zijn, een zware vorm van stress. Het percentage werknemers met burn-outklachten is de laatste jaren toegenomen. In 2010 kampte 13% van de werknemers met een burn-out, in 2007 was dat nog 11%.

Hoogopgeleiden voelen zich iets vaker opgebrand dan lager opgeleiden. Jongeren hebben er relatief weinig last van. Het onderwijs is de bedrijfstak waar burn-outklachten het meest voorkomen.

Psychische aandoeningen zijn de belangrijkste oorzaak van arbeidsongeschiktheid. Werkdruk en met name het ontbreken van invloed op werk, werkomstandigheden en werktijden, vormen bovendien een verhoogd risico om te overlijden aan hart- en vaatziekten.

---

**Uit de praktijk**

*Burn-out*

"En toen opeens 's nachts knapte er iets. Ik werd wakker en kon me niet meer bewegen. Ik was compleet verstard, al mijn spieren zaten vast. Ik heb nog even gedacht

---

dat ik een hersenbloeding kreeg, zo vreemd voelde ik me. Ik wilde me niet ziek melden, maar ik moest wel, want ik kon domweg mijn bed niet uitkomen. Toen de huisarts langs kwam had hij de conclusie in no-time getrokken: ik was burn-out.

Ik werkte op de automatisering van een groot informaticabedrijf. Tijdens mijn sollicitatie had ik nog gezegd dat ik geen 'nine-to-five mentaliteit' had. Het ging in de eerste jaren heel goed met ons bedrijf, ik werkte zo'n 50 uur, niet echt weinig maar het voelde vaak niet als werken. Ik vond het leuk wat ik deed, werd goed beloond en kreeg regelmatig een opsteker. Ik ergerde me dat sommige mensen zo slap deden, dat ze alleen maar klaagden en veel te weinig uitvoerden.

De economie ging slechter, er kwamen reorganisaties in het bedrijf. Er moesten veel mensen weg, ook van onze afdeling; ik niet. De druk om te presteren werd alsmaar hoger. Toen ik na verloop van tijd voorzichtig tegen mijn baas zei dat ik het echt te druk had, werd ik afgescheept met het verhaal dat we even alle zeilen bij moesten zetten, maar dat dat echt van korte duur zou zijn."

Nu concludeert hij:

"Ik heb me altijd heel sterk met het bedrijf geïdentificeerd. Inmiddels weet ik dat dat niet verstandig was. Als het goed ging met het bedrijf voelde ik me een winner. In mindere tijden sloeg dat gevoel radicaal om en voelde ik me een verliezer. Nu zit de verliezer thuis. Ik heb verloren van mijn werk. Ik ben op."

## 25.5 Verplichtingen werkgever

De werkgever heeft de volgende verplichtingen:
- Werkdruk is sinds 2007 uitdrukkelijk in de Arbowet opgenomen en worden genoemd onder het begrip 'psychosociale arbeidsbelasting' (artikel 1.3e Arbowet).
- De werkgever dient beleid te voeren om psychosociale arbeidsbelasting te voorkomen of te beperken (artikel 3.2 Arbowet).
- het Arbobesluit geeft een nadere invulling: de werkgever dient in de RI&E en het plan van aanpak aandacht te besteden aan psychosociale arbeidsbelasting, en dus ook aan werkdruk. Verder dient de werkgever er ook voorlichting over te geven.
- Het periodiek arbeidsgezondheidskundig onderzoek (PAGO) biedt de mogelijkheid om daarin een vragenlijst werkdruk-werkstress op te nemen. De rapportage van die PAGO en de aanbevelingen die daarin staan zijn meestal een nuttig handvat voor het bedrijf en de ondernemingsraad of VGW(M)-commissie.

- In ieder bedrijf dient een ziekteverzuimbeleid worden gevoerd dat de bedoeling heeft ziekte te voorkomen.
- Sommige cao's verplichten de werkgevers in de betreffende sector tot activiteiten om de werkdruk te onderzoeken en terug te dringen. Ga eens na of dat voor uw cao ook geldt!
- Enkele arbocatalogi besteden aandacht aan het thema werkdruk.

---

**Uit de praktijk**

*Werkdruk in de arbocatalogus*

Het onderwerp werkdruk komt in tientallen arbocatalogi aan de orde. Daarin zijn ook uiteenlopende digitale werkdruk-checklists opgenomen. Hieronder worden er drie beschreven. Ze zijn achtereenvolgens bestemd voor: de werknemer, de leidinggevende en het team. Deze checklists zijn overigens ook bruikbaar voor geïnteresseerden buiten de genoemde sectoren.

- De arbocatalogus voor architectenbureaus heeft een werkdrukvragenlijst voor *werknemers* met 25 vragen. Meteen na het invullen krijgt de werknemer automatisch een beoordeling van zijn werkdruk. Met groene en rode kleuren wordt aangegeven welke werkaspecten goed of niet goed zijn geregeld, bijvoorbeeld 'invloed op werktijden' of 'planning'. Daar waar nodig krijgt de invuller ook tips ter verbetering door. Deze checklist is speciaal voor architecten ontwikkeld maar is ook bruikbaar voor andere kantoorfuncties. Zie www.arbocatalogusarchitecten.nl.
- In de arbocatalogus gehandicaptenzorg is een checklist opgenomen waarmee *leidinggevenden* kunnen nagaan hoe hun stijl van leidinggeven van invloed is op de werkdruk van de medewerkers. Er zijn vragen opgenomen over items als: 'slimmer organiseren,', 'werkoverleg' en 'vroegtijdig signaleren van werkdruk.'. De leidinggevende krijgt op terreinen waar hij zich verder wil ontwikkelen oplossingen, tips en goede praktijken aangereikt. Zo krijgt elke leidinggevende een advies op maat. Zie www.profijtvanarbobeleid.nl.
- In de arbocatalogus voor commerciële verzekeraars zijn naast individuele checklists ook verbeterchecks voor *teams* opgenomen. Na het invullen van zo'n checklist krijgen de teams toegang tot de oplossingen uit de arbocatalogus die voor hen van belang zijn. Er zijn trainingen georganiseerd voor preventiemedewerkers en personeelsfunctionarissen om teams te begeleiden bij de verbeterchecks en het invoeren van de oplossingen. Zie www.gezondverbond.nl.

---

## 25.6 Belangen en weerstanden van de werkgever

Naast verplichtingen zijn er nogal wat belangen voor de werkgever om werkdruk binnen de perken te houden:

- De werkgever heeft belang bij goed gemotiveerde en alerte werknemers en geen belang bij werknemers die door stress niet optimaal functioneren.
- Stressproblemen veroorzaken een verslechterde werksfeer, slechtere klantrelaties, mindere prestaties en meer fouten, afbreuk en storingen.
- Verzuim op grond van stress kost veel geld; de stressverzuimers blijven doorgaans lang ziek.
- Gezien de krimpende beroepsbevolking is het ook voor werkgevers van steeds groter belang om personeel langdurig op een gezonde en productieve manier aan het werk te houden.

Uit de praktijk is bekend dat veel werkgevers het probleem ontkennen of individualiseren: Dat gebeurt vaak met één van de volgende drogredenen: 'het zit tussen de oren', 'het is een privézaak', 'er is bij ons helemaal geen werkdruk', 'werkdruk is niet te meten', 'we moeten de stressbestendigheid van de medewerkers verbeteren', 'er is wel werkdruk, maar daar is niets aan te doen' et cetera.

Daarmee zien ze over het hoofd dat werkdruk een organisatieprobleem is dat kan worden aangepakt. Een verwijzing naar uiteenlopende werkdruk tussen verschillende bedrijven met vergelijkbare afdelingen maakt dat zichtbaar. Mogelijk kan ook de bedrijfsarts de gevolgen van werkdruk in het bedrijf aangeven.

Werkgevers die werkdruk in het bedrijf niet willen onderkennen, zien ook hun eigen belang op langere termijn onvoldoende in.

## 25.7    Wettelijke rechten ondernemingsraad

Er zijn enkele wettelijke rechten voor de ondernemingsraad of VGW(M)-commissie om werkdruk aan te pakken. Maar het gebruik van die wettelijke mogelijkheden zal niet de doorslag geven om de werkgever te overtuigen van een serieuze aanpak. Goede argumenten, vasthoudendheid en een strategische aanpak van de or of VGW(M)-commissie zijn belangrijker!

*Een overzicht*
De werknemersrechten vormen ongeveer het spiegelbeeld van de verplichtingen van de werkgever: de verplichtingen van de werkgever zijn de rechten voor de or/VGW(M)-commissie:
- De verplichtingen van de werkgever een risico-inventarisatie en -evaluatie te (laten) maken geeft de or de mogelijkheid — zelfs het recht! — om te vragen de werkdruk-risico's te laten onderzoeken als onderdeel van die RI&E.
- Vervolgens moeten in het plan van aanpak, behorend bij de RI&E, de maatregelen om dat risico te voorkomen concreet worden beschreven.

- De verplichting een periodiek arbeidsgezondheidskundig onderzoek te laten uitvoeren, geeft de or/VGW(M)-commissie de mogelijkheid, daarin een werkdruk- of werkbelevingsonderzoek te laten opnemen.
- Het informatierecht biedt de mogelijkheid gegevens op te vragen die te maken kunnen hebben met werkdruk en werkstress: ziekteverzuim, een opeenstapeling van niet opgenomen vakantiedagen, fouten en storingen in het werk.
- In sommige sectoren schrijft de arbocatalogus of cao verplichtingen aan de werkgever voor, en bijbehorende rechten voor de ondernemingsraad.
- De arbodienst kan worden gevraagd naar zijn indrukken en opvattingen over de invloed van werkdruk op werk en werksfeer en naar de nuttigheid van werkdrukonderzoek.
- De vakbond kan worden gevraagd om zijn ervaringen met werkdrukonderzoek in te brengen en samen met de or of VGW(M)-commissie een serieuze aanpak te bepleiten. Als dat pleidooi niet lukt kan de or of vakbond een eigen onderzoek starten, bijvoorbeeld met behulp van de Quick Scan werkdruk, of een onderzoeksmethode speciaal gericht op de eigen sector.

**Arbosucces**

*Werkdruk is te meten!*

Kaderleden bij een chemisch concern hebben een instrument ontwikkeld om werkdruk in hun bedrijf aantoonbaar te maken. Het is een rekenmethode om per afdeling vast te stellen of men voldoende reservecapaciteit heeft. Reservecapaciteit is de capaciteit die in de bezetting van een afdeling aanwezig moet zijn voor indirecte activiteiten als opleiding, vrije dagen, ziekteverzuim, seniorendagen, or- of vakbondswerk e.d. Als een afdeling te weinig reservecapaciteit heeft, komt men voortdurend met de planning in de knel of men moet bijvoorbeeld de voorgeschreven opleidingen laten schieten. In een spreadsheet kan eerst de *benodigde* reservecapaciteit worden ingevuld, rekening houdend met cao-afspraken over opleidingen en seniorendagen, het aantal or-leden op de afdeling, ervaringsgegevens rond ziekteverzuim et cetera. Vervolgens kan de *aanwezige* reservecapaciteit worden berekend. Het verschil tussen beide berekeningen is een hard bewijs voor werkdruk.

Natuurlijk is een te geringe reservecapaciteit niet de enige oorzaak van werkdruk, maar door het tekort aan reservecapaciteit goed in kaart te brengen, is er wel een zakelijk gesprek mogelijk met de afdelingsleiding over werkdruk. Er zijn geen uitwegen meer mogelijk als 'werkdruk zit tussen de oren' of 'werkdruk is niet te meten'; de cijfers tonen het gewoon aan als er te weinig capaciteit is.

De kaderleden hebben met hun instrument al meerdermalen ondernemingsraden in hun bedrijf ondersteund bij het berekenen van het tekort aan reservecapaciteit. Ook assisteerden zij bij de gesprekken die daarna met het management werden gehouden. Steeds leidde dat tot succes: er werden extra mensen aangenomen. Het instrument is ook voor andere bedrijven met ploegendiensten te gebruiken.

## 25.8 De aanpak van werkdruk door de ondernemingsraad

De ondernemingsraad of VGW(M)-commissie heeft drie aangrijpingspunten voor een werkdrukprobleem in de organisatie:

– *Aansturen op betere preventie.*

Het is voor en ondernemingsraad en de werknemers uitaard van groot belang dat de oorzaken van de te hoge werkdruk worden opgespoord en aangepakt.

– *Vroegtijdige signalering van werkstress bevorderen.*

Als werknemers uitvallen als gevolg van een te hoge werkdruk zeggen collega's dikwijls achteraf dat ze aan hadden zien komen. Door training kunnen leidinggevenden op het spoor worden gezet om vroegtijdig de signalen te herkennen en gericht in te grijpen bij werknemers die in de gevarenzone verkeren.

– *Betere begeleiding van langdurig zieken.*

Werknemers die uitvallen als gevolg van werkstress of burn-out kunnen soms maandenlang uit de roulatie zijn. Een zorgvuldige aanpak kan hun verzuimduur soms fors inkorten, terwijl een verkeerde aanpak de terugkeer juist kan vertragen. Een ondernemingsraad kan er voor pleiten om afgewogen aanpak op papier te zetten, uiteraard met ruimte voor maatwerk.

In de komende paragrafen richten we ons op het eerste spoor: de preventie. Bij preventie van werkdruk zijn er drie mogelijkheden:
– de concrete weg;
– werkdruk bespreekbaar maken in de teams;
– aansturen op een werkdrukonderzoek.

Deze drie manieren van aanpak worden hierna verder uitgewerkt.

### 25.8.1 DE CONCRETE WEG

Bij de concrete weg gaat de or of VGW(M)-commissie zelf op zoek naar belangrijke oorzaken van overmatige werkdruk. Waarschijnlijk verschilt dat per afdeling; Bij de ene afdeling speelt het probleem dat de software veel werkproblemen geeft, bij een andere afdeling werken zoveel uitzendkrachten dat de vaste werknemers overbelast zijn, weer een andere afdeling kampt met een ondoordachte planning en weer elders is de vervanging bij ziekte niet goed geregeld. Soms zijn er ook oorzaken die over meerdere afdelingen of voor de hele organisatie gelden. De ondernemingsraad kiest een belangrijke oorzaak en gaat daarmee aan de slag, of zet de VGW(M)-commissie daarmee aan het werk: informatie verzamelen, betrokkenen spreken, voorstellen maken en een handige tactiek bepalen. Na deze voorbereiding probeert de ondernemingsraad met de werkgever afspraken te maken over dit onderwerp en gaat dan verder de tweede oorzaak van overmatige werkdruk.

Zie voor de aanpak van zo'n probleem paragraaf 30.30.

Het voordeel van deze concrete aanpak van werkdruk is dat het heel praktisch en herkenbaar is en mogelijk snel tot resultaat kan leiden.

In het hierna volgende schema 'Mogelijke oorzaken van werkdruk' worden enkele oorzaken van werkdruk op een rij gezet.

*Tabel 2. Mogelijke oorzaken van werkdruk*

| Tijdsdruk | - Werktempo is te hoog. |
|---|---|
| | - Te veel pieken in het werk. |
| | - Te krappe personeelsbezetting. |
| Het werk zelf | - Werk is onbevredigend. |
| | - Werk is moeilijk of zwaar; onvoldoende opleiding gehad. |
| | - Te veel taken voor middenkader. |
| | - Werk is psychisch belastend. |
| | - Toename agressie en geweld. |
| De werkomgeving | - Problematische planning van het werk. |
| | - Ondeugdelijk materiaal en gereedschap. |
| | - Ontbrekende steun van collega's. |
| | - Onvoldoende steun van de leiding |
| | - Te veel uitzendkrachten. |
| | - Problematische samenwerking met collega's of met derden |
| De werk- en arbeidsvoorwaarden | - Prestatiebeloning die de mensen opjaagt. |
| | - Werktijden: te lang, plotselinge wijzigingen; onvoldoende mogelijkheid snipperdagen op te nemen. |
| | - Weinig rustmogelijkheden tijdens en tussen diensten. |
| | - Werkonzekerheid en reorganisaties |
| | - Onvoldoende opleiding |
| De persoonlijke factor | - De persoonlijkheid van de werknemer. |
| | - De privésituatie die extra druk kan veroorzaken. |

## 25.8.2 WERKDRUK BESPREEKBAAR MAKEN IN DE TEAMS

In deze tweede route zorgt de ondernemingsraad dat de werkgever leidinggevenden aanspoort om met hun team de oorzaken van werkdruk te bespreken en samen naar werkbare oplossingen te zoeken. Leidinggevenden krijgen een handzaam boekje of ander instrument aangereikt waarin is weergegeven hoe ze dit overleg kunnen aanpakken. Een voorbeeld van zo'n instrument is het Werkdrukspel van AbvaKabo FNV of de teamaanpak die te vinden is op www.gezondverbond.nl, de arbocatalogus van de commerciële verzekeringen. In ieder aangewezen team zal de gekozen aanpak dienen te leiden tot een speerpuntenlijst en een concreet verbeterplan met een tijdschema.

Deze aanpak werkt als het geen vrijblijvend karakter heeft. Alleen als de directie hierin een krachtige voortrekker is, kan het op meerdere afdelingen gaan werken. Een volgende voorwaarde voor deze methode is dat er in de organisatie al regelmatig werkoverleg wordt gehouden en dat met name leidinggevenden voldoende sociaal vaardig zijn om de besprekingen tot een goed resultaat te brengen. Waar nodig kan de afdeling Personeelszaken/P&O ondersteuning geven.

### 25.8.3 DE WEG VAN HET ONDERZOEK

In de derde aanpak kiest de ondernemingsraad voor de weg van het onderzoek. De ondernemingsraad kan ervoor pleiten een onderzoek te laten houden door de arbodienst, een gespecialiseerd bureau, een universiteit of een vakbond. Er zijn talloze methodes om de werkdruk te meten, de bekendste zijn de Quick Scan werkdruk (een goedkoop instrument dat door het bedrijf of or zelf is te gebruiken) en de VBBA (een gerenommeerd instrument dat vooral door arbodiensten en onderzoeksbureaus wordt ingezet, vaak onder de naam Monitor@Work). Daarnaast zijn er vele andere methodes om werkdruk te meten. Soms ook zijn ze toegespitst op een bepaalde sector. Recentelijk komen er onderzoekmethodieken die niet zozeer het verminderen van de werkdruk centraal stellen, maar wel het verhogen van het werkplezier en de vitaliteit.

Een voordeel van de onderzoeksweg is dat er een gedegen, schriftelijke basis is om werkdrukoorzaken aan te pakken. Het nadeel is dat het een lange weg is, die het risico kent dat hij nergens toe leidt. Ook zijn in sommige organisaties de werknemers inmiddels 'onderzoek-moe'.

Om van de onderzoeksweg een succes te maken zijn hier een aantal belangrijke aanbevelingen:

- Zorg vooraf dat de directie zich achter het onderzoek schaart en aangeeft met de resultaten aan de slag te willen.
- Maak goede afspraken met de onderzoeker dat er in het eindrapport niet alleen cijfers komen, maar ook concreet uitgewerkte conclusies en aanbevelingen per afdeling.
- Denk goed na over welke afdelingen in het onderzoek worden uitgesplitst: Wijs niet te kleine afdelingen aan, want dan is er te weinig response om tot goede uitspraken te komen. Wijs geen grote samengestelde afdelingen aan, (zoals 'de productie' want dan verdwijnen specifieke werkdrukoorzaken in het grote geheel.
- Spreek vooraf af dat de onderzoeker of een medewerker van P&O met de onderzoeksresultaten langs de afdelingen gaat om hen te informeren, maar

vooral om het verhaal achter de cijfers te horen en gezamenlijk een aanpak uit te stippelen.

### 25.8.4 HOE NU VERDER?

Ga eerst na welke signalen er over werkdruk zijn. Ga dit na op de afdelingen, bij de bedrijfsarts en zoek het op in rapporten van de RI&E en de PAGO. Als hieruit blijkt dat werkdruk een prioriteit is voor de or, VGW(M)-commissie of kadergroep is, bedenk dan welke aanpak het belangrijkst is: preventie, vroegtijdige signalering of betere begeleiding.

Als preventie naar voren komt, bedenk dan welke route het meest kansrijk is: de concrete weg, het bespreekbaar maken in teams of pleiten voor een werkdrukonderzoek. Werk die keuze vervolgens praktisch uit. Wat willen we precies, en hoe gaan de werkgever aan onze kant krijgen?

---

**Uit de praktijk**

*Werkdruk door ploegendienst*

Ongeveer 10% van de werknemers in de Nederland werkt soms of regelmatig in ploegendienst. Nog veel meer mensen werken regelmatig 's avonds of 's nachts. Werken in ploegendienst of op onregelmatige tijden stelt hoge eisen aan de gezondheid en het vraagt ook nogal wat offers in de sociale sfeer. Daarmee wordt de werkdruk vergroot. FNV Bondgenoten heeft in het najaar van 2010 een geheel geactualiseerde brochure uitgegeven met de titel 'Vernieuwing van roosters.' Deze uitgebreide brochure geeft concrete handvatten voor gezonde roosters. Er staan vuistregels voor goede roosters in, roostervoorbeelden en beoordelingen van uiteenlopende (ploegen)roosters. Ook nieuwe ontwikkelingen als 'slimmer werken' en 'zelfroosteren' komen aan bod. Een handig hulpmiddel voor ieder die de zwaarte van ploegendiensten en onregelmatige werktijden wil verminderen. De brochure is downloaden van www.fnvbondgenoten.nl.

---

## 25.9   Verder lezen

- Zie paragraaf 30.20.
- *Quick Scan Werkdruk*, Kerckebosch, Zeist.
- Arbo-informatieblad 42; Werkdruk en werkstress, SDU Den Haag.
- www.burnin.nl (informatieve website over burn-out).
- www.stichtingpandora.nl (onafhankelijke website voor mensen met psychische problemen).
- www.arbobondgenoten.nl (arbosite van FNV Bondgenoten).

# 26 Ongewenste omgangsvormen

## 26.1 Inleiding

Nogal wat werknemers hebben last van ongewenste omgangsvormen, vooral door derden: klanten, cliënten, bezoekers en passanten. Maar ook collega's en leidinggevenden vertonen soms ongewenste omgangsvormen. Het gaat dan om agressie en geweld, pesten, seksuele intimidatie en discriminatie. Uit de Arbobalans 2010 van TNO blijkt dat jaarlijks niet minder dan 37% van de werknemers te maken krijgt met één of meer vormen van ongewenste omgangsvormen.

Vooral in de gezondheidszorg, de horeca, het openbaar bestuur en het onderwijs is er sprake van veel ongewenst gedrag. Het gaat daarbij vaak om ongewenst gedrag van externen. In de landbouw en visserij, de bouwnijverheid en de industrie ervaren de minste werknemers ongewenst gedrag. In deze sectoren is de bron van ongewenst gedrag vooral intern.

Uit de Arbobalans 2009 bleek dat van alle ongewenste omgangsvormen *intimidatie door derden* het meeste voorkomt. 19% van de werknemers had daar in een jaar tijd me te maken gehad. Zie verder de onderstaande tabel:

*Tabel 1.*

| Ongewenste omgangsvorm | Percentage werknemers dat daar in een jaar tijd mee te maken heeft gehad |
|---|---|
| **Door externen (klanten, cliënten, passagiers e.d.)** | |
| - Intimidatie | 19% |
| - Pesten | 7% |
| - Geweld | 6% |
| - Ongewenste seksuele aandacht | 5% |
| **Door internen (collega's en leidinggevenden)** | |
| - Intimidatie | 11% |
| - Pesten | 8% |
| - Ongewenste seksuele aandacht | 2% |
| - Geweld | 1% |

Er zijn aanzienlijke verschillen in blootstelling aan ongewenste omgangsvormen tussen mannen en vrouwen, allochtonen en autochtonen en tussen leeftijden. Ook de verschillen tussen verschillende sectoren zijn groot.

*De ondernemingsraad*
Sommige ondernemingsraden zijn actief met het onderwerp bezig, vaak vanwege een of meer incidenten. Bij veel andere ondernemingsraden leeft het onderwerp niet. Net als in veel bedrijven. Als het woord seksuele intimidatie valt, of ongewenste intimiteiten, wordt een beetje lacherig gedaan. Of men neemt het onderwerp wel serieus maar hoort nooit van incidenten in de organisatie. Gezien de cijfers uit de inleiding is ongewenste omgangsvormen een item dat in elke organisatie speelt. Het feit dat er weinig over naar buiten komt, kan juist een deel van het probleem zijn. Het slachtoffer spreekt niet vanwege angst of schaamte en de dader is zich vaak van geen kwaad bewust en heeft geen idee wat de gevolgen voor het slachtoffer kunnen zijn.

Voor de ondernemingsraad volgen hier enkele startvragen:
– Bent u bekend met voorvallen in uw bedrijf of instelling die agressief of intimiderend genoemd kunnen worden?
– Zijn de voorzieningen en maatregelen in uw organisatie (vertrouwenspersoon, aanwezigheid en toepassing klachtenreglement, technische/bouwkundige aanpassingen, reactie leiding en nazorg) zodanig dat ze goed zullen werken als er echt iets op het terrein van ongewenste omgangsvormen voorvalt?
– Is er voldoende preventief beleid en een 'respectvolle cultuur' als het gaat om gewenste en ongewenste omgangsvormen?

In dit hoofdstuk komt het volgende aan de orde:
– de belangrijkste elementen van ongewenste omgangsvormen;
– de wettelijke vereisten en de aanpak van de Arbeidsinspectie;
– de onderdelen van succesvol beleid;
– de vertrouwenspersoon: taken, faciliteiten en competenties;
– een goed klachtenreglement;
– de rol en mogelijkheden van de ondernemingsraad.

## 26.2   Agressie en geweld

Agressie en geweld worden in de Arbowet aan de orde gesteld onder de noemer van *psychosociale arbeidsbelasting*. Onder agressie en geweld wordt verstaan: 'voorvallen waarbij een werknemer psychisch of fysiek wordt lastig gevallen, bedreigd of aangevallen onder omstandigheden die rechtstreeks verband houden met het verrichten van arbeid' (Toelichting op de Arbowet, artikel 1,3e).

Overvallen zijn bekend bij winkels, in het bankwezen en bij benzinestations.

Het publiek gedraagt zich in toenemende mate agressief bij sociale diensten, woningcorporaties, de Belastingdienst, ambulancediensten, in ziekenhuizen, in het onderwijs, in treinen, bussen en taxi's en in de horeca.

Agressie en geweld is op te delen in verbaal geweld (schelden, bedreigen) en lijfelijk geweld (slaan, vastpakken, duwen). Tevens bestaat een aanzienlijk deel van de ervaren agressie uit psychisch geweld (de verschillende vormen van pesten, waarover in de volgende paragraaf meer).

Ook intimidatie (schelden, dreigen, e.d.) is een vorm van agressie. Volgens de Arbobalans 2009 van TNO heeft 19% van de werknemers in een jaar tijd te maken gehad met intimidatie door derden. 11% van hen was geconfronteerd met pestgedrag door collega's en leidinggevenden. Geweld werd voornamelijk verricht door derden, tegen 6% van de werknemers. Zo'n 1% van de werknemers kreeg te maken met intern geweld. Op een beroepsbevolking van zo'n 7 miljoen personen is dat een enorm aantal.

De werkgever moet volgens de Arbowet beleid maken om agressie en geweld te voorkomen en passend om te gaan met incidenten. Veel organisaties hebben daarin stappen ondernomen. Ook enkele arbocatalogi besteden aandacht aan agressie en geweld. Zo zijn in de arbocatalogus voor gemeenten informatie en voorbeelddocumenten opgenomen over gedragsregels, verdeling van taken en bevoegdheden, werkinstructies, voorzorgsmaatregelen, voorlichting en onderricht, afhandeling van incidenten, opvang en nazorg. Ook wordt uitgebreide aandacht besteed aan de inrichting van gebouwen en werkplekken. Verder is er een Gemeentelijk Incidenten Registratiesysteem ingevoerd. Zie www.aeno.nl. Deze site is ook aan te bevelen voor geïnteresseerden uit andere sectoren.

Een ander voorbeeld betreft een ziekenhuis waar men de agressie door het publiek grondig heeft willen aanpakken. Daaruit zijn de volgende maatregelen voortgekomen:

- Er hangen posters in het ziekenhuis en bij artsen, tandarts, fysiotherapeuten.
- Samen met de medewerkers zijn alle ruimten bezocht en is gevraagd welke als veilig en welke als onveilig worden ervaren; op grond van de bevindingen zijn technische en bouwkundige maatregelen genomen.
- Voor medewerkers is er een kaartje gemaakt met daarop hoe te handelen bij agressief gedrag:
  - eerst kalmeren;
  - dan registreren;
  - vervolgens een alarmknop indrukken.
- In geval van bedreiging of handtastelijkheden wordt de alarmknop gebruikt, wordt de bewaking ingeschakeld, die ingrijpt en de zaak overneemt, naam en incident registreert en een gele kaart uitdeelt aan de dader.
- Bij fysiek geweld wordt direct de alarmknop gebruikt, de bewaking grijpt in en deelt een rode kaart uit; schriftelijk wordt de persoon de toegang ontzegd, er wordt aangifte gedaan bij de politie.

- Er is een veiligheidsconvenant gemaakt samen met politie en OM uit de regio, zodat er ook daadwerkelijk iets met de aangifte zal worden gedaan.
- Er zijn afspraken gemaakt over procedures bij urgente gevallen, bijvoorbeeld dat iemand aangifte kan doen met het ziekenhuis als woonadres.

Het is zaak om als bedrijf of instelling een doordacht beleid vast te stellen rondom agressie en geweld. Begin 2010 heeft de Arbeidsinspectie een flyer uitgegeven met de naam: 'Agressie en geweld: Waar let de Arbeidsinspectie op?' Dit zijn de elf onderdelen van een beleid over agressie en geweld die daar worden genoemd. Het is raadzaam om die op te nemen in het eigen bedrijfsbeleid:

1. De risico's op het gebied van agressie en geweld in een RI&E zijn in kaart gebracht.
2. Er is een procedure om incidenten te melden, te registreren, te analyseren en te bespreken.
3. De medewerkers zijn herhaaldelijk voorgelicht, geïnstrueerd en getraind.
4. De organisatie heft een protocol waarin is beschreven hoe medewerkers agressief gedrag van publiek, bezoekers of cliënten kunnen voorkomen en hoe ze moeten handelen als het toch gebeurt.
5. Er zijn huisregels opgesteld waaraan bezoekers en cliënten zich moeten houden.
6. Er zijn afdoende organisatorische en personele maatregelen getroffen om agressie en geweld te voorkomen of te beperken.
7. Er zijn voldoende bouwkundige en technisch voorzieningen getroffen.
8. Er is een goed werkend alarmsysteem met een adequate alarmprocedure.
9. Er is een goede regeling voor opvang, ondersteuning en nazorg na een incident.
10. Er is een doordachte regeling gericht op het aanpakken van de dader(s).
11. Het agressie- en geweldbeleid wordt regelmatig geëvalueerd en waar nodig aangepast.

Voor meer toelichting bij deze punten, zie www.arbeidsinspectie.nl.

In 2011 heeft de Arbeidsinspectie een digitale zelfinspectiemethode rondom agressie en geweld ontwikkeld. In zestien vragen kan een werkgever of werknemer het agressiebeleid van de eigen organisatie beoordelen. Die vragen betreffen al de hierboven genoemde onderdelen van een goed beleid. Op grond van de beoordeling verschijnt er een aantal passende verbeterpunten. Ook is achtergrondinformatie te vinden bij de vragen en verbeterpunten. Zie www.zelfinspectie.nl/agressie.

## 26.3    Pesten

In bedrijven of instellingen worden iedere dag werknemers gepest door collega's of leidinggevenden. Op zijn tijd een grapje, een beetje plagen? Daar hebben we het niet over. Het gaat over plagen dat doorschiet, grapjes die bij voortduring vernederend zijn, iemand openlijk bespotten, grapjes waarvan je wel voelt dat ze niet leuk meer zijn.

Onder pesten wordt in de Toelichting op de Arbowet het volgende verstaan: "Alle vormen van intimiderend gedrag met een structureel karakter, van een of meerdere werknemers (collega's, leidinggevenden) gericht tegen een werknemer of een groep van werknemers, die zich niet kan of kunnen verdedigen tegen dit gedrag. Een belangrijk element is de herhaling van dit gedrag".

Aldus de Memorie van Toelichting op de Arbowet.

Waarom pesten mensen? Sommigen zijn gewend op anderen af te geven. Ze doen het regelmatig en weten bijna niet beter. Soms willen mensen er beter van worden, ze willen een betere werkplek, een betere functie, dus worden anderen weggepest. In andere gevallen wordt frustratie afgereageerd, willen mensen hun macht demonstreren. Anderen kijken toe, doen soms mee, leidinggevenden doen mee of kijken de anderen kant op. Volgens de Arbobalans 2009 van TNO had 8% van de werknemers in een jaar tijd te maken gehad met pestgedrag door collega's en leidinggevenden en 7% was geconfronteerd met pestgedrag door derden.

Pesten bestaat in vele varianten. De hoofdvormen zijn:
- Sociaal isoleren: steeds dezelfde persoon niet meevragen voor de lunch, opzettelijk negeren in gesprekken.
- Bespotten: iemand bespotten vanwege zijn uiterlijk, manier van praten of lopen; of omdat iemand geen partner heeft; mensen bijnamen geven die vernederend zijn en die een vorm van collectief pestgedrag zijn. De rechter legde enkele jaren geleden gevangenisstraffen op aan vier collega's die iemand zo hadden gepest vanwege zijn lichamelijke omvang dat hij zelfmoord had gepleegd.
- Werken onaangenaam of onmogelijk maken: belangrijke informatie of telefoontjes niet doorgeven, water in iemands werkschoenen laten lopen; steeds dezelfde persoon vervelende klussen laten opknappen; snel dingen op de computer veranderen als iemand naar het toilet is.
- Roddelen: over iedereen wordt dat wel eens gedaan; het gaat erom of het steeds over dezelfde gaat, altijd negatief is en iemand zich niet verweert of kan verweren.

- Verder zijn er de vormen van regelrechte bedreiging, lichamelijk geweld, seksuele intimidatie, racisme die bovenstaande zaken verergeren.

*Wat te doen als je het ziet gebeuren?*
Dat is niet eenvoudig. Als je het voor een ander opneemt, moet je ervoor zorgen dat jezelf ook geen mikpunt wordt. Aan het slachtoffer laten merken dat je hem/haar waardeert en het pestgedrag afkeurt, samen naar een oplossing zoeken, medestanders onder collega's zoeken. Niet meelachen, of weggaan als pesten plaatsvindt, maar letterlijk aan de kant van het slachtoffer gaan staan. Verwijs het slachtoffer zo mogelijk naar de vertrouwenspersoon.

Enkele aangrijpingspunten voor de or:
- Pesten is een vorm van 'psychosociale arbeidsbelasting' waar de Arbowet van zegt dat het voorkomen en bestreden moet worden.
- Om na te gaan in hoeverre het bestaat in het eigen bedrijf, kan de or verzoeken of eisen dat er vragen over dit onderwerp opgenomen worden in de risico-inventarisatie, het PAGO of een werknemerstevredenheidsonderzoek.
- Incidenten kunnen en moeten worden aangegrepen om de cultuur en het bestaande beleid te verbeteren.
- Ga na bij de bedrijfsarts, vertrouwenspersoon en klachtencommissie na in hoe vaak zij te maken krijgen met gevolgen van pestgedrag.

---

**Uit de praktijk**

*Twee jaar thuis door pesten*

"Je gaat twijfelen aan jezelf, heel erg twijfelen. Dat is misschien wel het ergste wat er met je gebeurt als je door collega's wordt gepest. Eerst werd er lachend tegen me gezegd: je bent een ouwe lul en werden er opmerkingen gemaakt over mijn kleding en mijn snor. Die snor heb ik toen maar afgeschoren. Maar het ging steeds verder. Er werd bijvoorbeeld viezigheid in mijn schoenen gestopt. Het ging maar door. Nu zit ik al twee jaar thuis. Door het pesten van mijn collega's heb ik posttraumatische stress opgelopen en heb ik hartritmestoornissen. Die gaan nooit meer over. Dankzij de vakbond heb ik bijna € 40.000 schadevergoeding gekregen. Dat is natuurlijk mooi. Maar ik had er liever gewoon hard voor gewerkt. Terugkijkend denk ik dat ik eerder aan de bel had moeten trekken. Maar je schaamt je. Je schaamt je dat je dit als grote volwassen kerel overkomt."

(De Volkskrant, 25 oktober 2011)

---

## 26.4 Seksuele intimidatie

Onder seksuele intimidatie wordt verstaan: als ongewenst ervaren seksueel getinte aandacht die verbaal is of non-verbaal (aanraken of kijken).

Volgens de Arbobalans 2009 van TNO heeft 5% van de werknemers in een jaar tijd te maken gehad met ongewenste seksuele aandacht door derden. 2% van hen was geconfronteerd met ongewenste seksuele aandacht door collega's en leidinggevenden. Seksuele intimidatie heeft dikwijls te maken met macht. Vooral van mannen tegenover vrouwen, van hoger geplaatsten tegenover ondergeschikten. In een enkel geval geschiedt het andersom, van vrouwen naar mannen, en soms worden er ook onterecht beschuldigingen geuit.

Al jaren staat in de Arbowet dat er beleid op dit punt moet worden gemaakt. Vaak bestaat dat uit een klachtenprocedure, het aanstellen van een vertrouwenspersoon en het bekend maken binnen de organisatie dat dit niet wordt getolereerd. De bedrijven die beleid hebben gemaakt, zijn in aantal toegenomen.

---

**Uit de praktijk**

Uitspraken van rechters maken het volgende duidelijk

- Als de pleger op de hoogte was van het beleid van de werkgever aangaande seksuele intimidatie, wordt het feit hem sterker aangerekend.
- Een directeur of leidinggevende die seksuele intimidatie pleegt, wordt dat sterker aangerekend; er wordt dan een zwaardere sanctie opgelegd.

---

In de Arbowet staat sinds 1 januari 2007 geen definitie meer van seksuele intimidatie. Die is nu opgenomen in de officiële toelichting op de Arbowet. Hij luidt als volgt.

"Onder seksuele intimidatie wordt verstaan enige vorm van verbaal, non-verbaal of fysiek gedrag met een seksuele connotatie dat als doel of gevolg heeft dat de waardigheid van een persoon wordt aangetast, in het bijzonder wanneer een bedreigende, vijandige, beledigende, vernederende of kwetsende situatie wordt gecreëerd'. Het kan zich voordoen in een aantal verschijningsvormen: 'dubbelzinnige opmerkingen, onnodig aanraken, gluren, pornografische afbeeldingen op het werk, maar ook om aanranding of verkrachting'. Er moeten ook die gevallen onder worden verstaan 'waarin sprake kan zijn van seksuele chantage, zodanig dat de kans op promotie en beslissingen over het werk afhangt van het verlenen van seksuele gunsten".

Naast de Arbowet is seksuele intimidatie ook onder de werkingssfeer van de Wet gelijke behandeling van mannen en vrouwen gebracht. Dat heeft tot gevolg dat de lastige bewijspositie van een slachtoffer van seksuele intimidatie is verbeterd. Als vrouwen (daarvan is meestal sprake) aannemelijk kunnen maken dat ze op een seksueel intimiderende wijze zijn bejegend, is het aan de werkgever dit vermoeden te weerleggen. Dat wil zeggen dat als de rechter op grond van de door het slachtoffer gestelde feiten vermoedt dat sprake is van seksuele intimidatie, de *werkgever* moet bewijzen dat daarvan geen sprake is. Waarom de werkgever en niet de verdachte? Omdat de werkgever ervoor verantwoordelijk is dat er geen ongewenste omgangsvormen voorkomen in zijn bedrijf. Het slachtoffer kan een beroep doen op de Commissie Gelijke Behandeling.

## 26.5    Discriminatie

Om discriminatie op de werkvloer te bestrijden moeten werkgevers voortaan op dit terrein een actief beleid voeren tegen discriminatie. In 2009 is deze verplichting in de Arbowet opgenomen. De term discriminatie is in de wet overigens niet terug te vinden. Het wordt in artikel 1.e Arbowet 'direct of indirect onderscheid' genoemd.

Deze wijziging in de Arbowet betekent dat werkgevers de risico's van discriminatie op de werkvloer in kaart moeten brengen en zo nodig een preventieplan moeten maken. Ook dient er waar nodig voorlichting gegeven te worden. De Arbeidsinspectie houdt toezicht op deze maatregelen. Eén van de redenen waarom discriminatie opgenomen is in de Arbowet is, omdat discriminatie vergelijkbare psychosociale problemen veroorzaakt en een vergelijkbare aanpak vereist als andere ongewenste omgangsvormen in de Arbowet.

Volgens de Arbobalans 2009 van TNO geeft 2% van de Nederlandse werknemers aan dat er op hun werk discriminatie naar sekse voorkomt. Hetzelfde percentage is aan de orde bij discriminatie naar huidskleur of leeftijd. En 1% van de werknemers noemt discriminatie naar geloof of seksuele geaardheid. Discriminatie komt meer dan gemiddeld voor in de sectoren vervoer en horeca.

Uit onderzoek in 2003 bleek dat werkgevers nauwelijks initiatieven namen tegen discriminatie. Nu 'discriminatie' expliciet in de Arbowet is opgenomen, kan de Arbeidsinspectie actie ondernemen tegen werkgevers die geen beleid tegen discriminatie voeren of ontwikkelen. Ondernemingsraden kunnen hun werkgever aanspreken en zo nodig de Arbeidsinspectie inschakelen. Dat betekent niet dat de Arbeidsinspectie de instantie is waar benadeelde werknemers of een or de vraag voor kunnen leggen of een bepaalde behandeling of regeling in het bedrijf discriminerend is. Zo'n kwestie kan alleen worden voorgelegd aan de Commissie Gelijke Behandeling of aan de rechter. De Arbeidsinspectie kan alleen toetsen of de werkgever een gericht beleid voert tegen discriminatie en kan zo nodig een eis of een bestuurlijke boete opleggen.

Zie voor meer informatie de site van een landelijk expertisecentrum discriminatie: www.art1.nl.

## 26.6 Wettelijke verplichtingen

De Arbowet bepaalt dat er beleid moet worden gemaakt ter voorkoming en -als dat niet mogelijk is- beperking van psychosociale arbeidsbelasting, waaronder ook agressie en geweld, seksuele intimidatie, discriminatie en pesten vallen (artikel 3 lid 2 Arbowet).

Dat beleid moet ter instemming aan de ondernemingsraad worden voorgelegd. Ook bij veranderingen van dat beleid, moet aan de ondernemingsraad instemming worden gevraagd.

In het Arbobesluit staat verder dat een werkgever in de RI&E aandacht moet schenken psychosociale arbeidsbelasting, en dus ook over ongewenste omgangsvormen. Ook dient hij voorlichting aan werknemers hierover te verstrekken (artikel 2.15 Arbobesluit).

## 26.7 Succesvol beleid

Veel bedrijven hebben beleid geformuleerd inzake ongewenste omgangsvormen. Bij sommige werkt dat goed, bij vele andere niet en blijft het steken in het beleid op papier.

TNO heeft de volgende voorwaarden geformuleerd om effectief beleid te bereiken:

1. Het management heeft commitment met het beleid inzake ongewenste omgangsvormen, stelt voldoende middelen ter beschikking en draagt het geformuleerde beleid actief uit.
2. Het beleid is geborgd. In werkoverleg dient het ter sprake te komen, net zoals in functioneringsgesprekken met medewerkers en leidinggevenden. Het beleid wordt regelmatig geëvalueerd.
3. Er zijn richtlijnen geformuleerd voor acceptabel en onacceptabel gedrag tussen collega's: een gedragsprotocol. Die richtlijnen zijn ontstaan in gesprek met het personeel.
4. Er zijn vertrouwenspersonen aangesteld en opgeleid. Die hebben als hoofdtaak de ondersteuning van een werknemer na een incident. Afhankelijk van de wens van de betrokken werknemer kan het zijn dat zij een luisterend oor bieden, advies geven over de te volgen aanpak van het probleem, bemiddelen of de werknemer begeleiden bij een officiële klacht.
5. Er moet opvang en begeleiding zijn van slachtoffers:
   a. De leiding moet weten wat te doen.
   b. De vertrouwenspersoon is onafhankelijk, bekend en bereikbaar voor de mensen en is ter zake kundig.

c. Er is een klachtenprocedure met een klachtencommissie Onderdeel daarvan zijn: registratie, hoor en wederhoor, zorgvuldigheid naar slachtoffer en beschuldigde, verslaggeving en privacy.

d. Men zorgt voor en organiseert nazorg.

6. Er zijn goede werkplekaanpassingen en andere materiële voorzieningen aangebracht.

7. Er wordt voorlichting gegeven aan medewerkers en derden.

## 26.8    De vertrouwenspersoon

In talloze bedrijven is een vertrouwenspersoon aangesteld. Profiel en competenties zouden het volgende moeten bevatten:
- het is een persoon die het vertrouwen geniet van de werknemers;
- hij/zij is bekend en bereikbaar: laagdrempelig;
- er is een omschrijving van taken en bevoegdheden gemaakt, waaronder geheimhouding, verantwoording en rapportage;
- er zijn faciliteiten beschikbaar gesteld: tijd, plek om te spreken, opleiding;
- hij/zij is voldoende gespreksvaardig, is ter zake kundig en heeft een opleiding gehad;
- hij/zij neemt geen deel aan de klachtencommissie;
- hij/zij adviseert het slachtoffer over de meest geschikte weg: eerst mogelijk de informele weg, daarna wellicht de formele weg naar de klachtencommissie;
- hij/zij staat het slachtoffer bij, is eerste klankbord en steun en kan verwijzen naar professionele instanties voor mogelijk verdergaande begeleiding;
- hij/zij verzorgt jaarlijks een geanonimiseerd overzicht voor directie en or met daarin de vormen van ongewenste omgangsvormen die zijn voorgelegd door werknemers.

Gezien het feit dat vrouwen meer te maken krijgen met de meest delicate vorm van ongewenste omgangsvormen, seksuele intimidatie, is het aan te bevelen om minstens één vrouw als vertrouwenspersoon aan te wijzen. Soms kiezen bedrijven voor een combinatie van een interne met een externe vertrouwenspersoon. In sommige bedrijfstakken met veel kleine bedrijven is gekozen voor centrale vertrouwenspersonen die door werknemers uit de hele branche kunnen worden benaderd.

Als onderdeel van het beleid met betrekking tot ongewenste omgangsvormen valt het aanstellen van een vertrouwenspersoon door het bedrijf onder het instemmingsrecht van de ondernemingsraad.

## 26.9    Het reglement

Het is van belang dat er een klachtenreglement is geformuleerd. Het klachtenreglement is een onderdeel van het beleid inzake ongewenste omgangsvormen. Daarin wordt vastgelegd op welke manier een slachtoffer van ongewenste omgangsvormen een officiële klacht kan indienen. Doorgaans betreft zo'n regeling alleen klachten over ongewenst gedrag door collega's. Ongewenste omgangsvormen door derden wordt op een andere manier afgehandeld. Overigens is daar ook zorgvuldigheid van groot belang.

Op veel websites zijn voorbeelden van klachtenreglementen te vinden, onder andere op: www.arbobondgenoten.nl.

Enkele elementen die het reglement zou moeten bevatten:
- doel van het reglement;
- reikwijdte: heeft het reglement betrekking op alle vormen van ongewenste gedrag of een onderdeel daarvan, bijvoorbeeld agressie en geweld; heeft het reglement betrekking op collega's of (ook) op publiek en klanten, binnen of ook buiten werktijd?
- wijze van registratie van een klacht of een incident;
- vertrouwenspersoon: taken, benoeming, geheimhouding, voorzieningen, verantwoording en rapportage;
- aanwijzingen voor informele of formele afhandeling van klachten;
- klachtencommissie: doel, samenstelling, benoeming, taken en bevoegdheden (bijvoorbeeld bindend advies), hoor en wederhoor, beroepsmogelijkheid, faciliteiten, verslaglegging en geheimhouding, bewaartermijn stukken;
- klachtenprocedure;
- indiening en behandeling van de klacht, inclusief een bepaling over het al dan niet ontvankelijk zijn van een klacht;
- voorlopige maatregelen lopende het onderzoek;
- tijdstermijnen na indienen klacht, horen van partijen, advies;
- sancties;
- vergoeding kosten klager en aangeklaagde;
- werkingstijd van het reglement.

Bij het instellen van een klachtencommissie kan een organisatie kiezen uit twee vormen: de interne of de externe klachtencommissie. Een interne klachtencommissie bestaat geheel of grotendeels uit werknemers van het bedrijf. Soms is een externe jurist aangesteld als voorzitter. Zo'n commissie komt alleen bij elkaar als er een klacht wordt ingediend. Als er weinig klachten zijn is dat meteen een probleem. Het is niet eenvoudig om als leek tot een zorgvuldige en sluitende behandeling van klachten te komen, zeker niet als het om delicate en ingewikkelde zaken gaat als ongewenste omgangsvormen. Sommige klachtencommissies ervaren, ondanks scholing dat ze door te weinig praktijkervaring de klachtenprocedure moeilijk in praktijk kunnen brengen. In dat geval is een externe klachtencommissie te overwegen. Die wordt 'geleverd' door een onafhankelijk bureau en bestaat uit ervaren deskundigen. Uiteraard zijn de kosten hiervan hoger.

In sommige sectoren, zoals de bakkerijen, zijn in de cao afspraken gemaakt over vertrouwenspersonen en een klachtencommissie op brancheniveau. De sociale partners hebben bij een arbodienst deze voorzieningen geregeld. Bedrijven en werknemers uit de sector kunnen hiervan gebruik maken.

## 26.10   De rol en mogelijkheden van de ondernemingsraad

Als vertegenwoordiger en stem van het personeel kan de or een belangrijke functie hebben. Enkele suggesties hierbij:

- Initiatief nemen betreffende dit onderwerp (initiatiefrecht, artikel 23 WOR).
- Een tijdelijke of vaste commissie benoemen die zich verdiept in bestaand of gewenst beleid inzake ongewenste omgangsvormen en de concrete ervaringen daarmee (instellen commissie, artikel 15 WOR).
- Lezen en onderling bespreken van de cultuur in het bedrijf met betrekking tot risico's op ongewenste omgangsvormen, mogelijke incidenten en het beleid dat op papier staat.
- Polsen op afdelingen over het bestaan van de problematiek van ongewenste omgangsvormen, de werking van bestaand beleid, de begeleiding van mensen, verbeteringsideeën (raadplegen achterban, artikel 17 lid 1 WOR).
- Samen met de vertrouwenspersoon de plussen en minnen van de bedrijfscultuur betreffende ongewenste omgangsvormen bespreken, het functioneren van de vertrouwenpersoon bespreken, het bestaande beleid betreffende ongewenste omgangsvormen tegen het licht houden.
- Samen met personeelszaken/P&O/HR het bestaande beleid bespreken.
- Nagaan of in de risico-inventarisatie en het plan van aanpak de risico's op of aanwezigheid van agressie en geweld en seksuele intimidatie op een waarheidsgetrouwe en goede manier zijn beschreven.
- Nagaan of in de PAGO-vragenlijst (PAGO staat voor Periodiek Arbeidsgezondheidskundig Onderzoek) op afdoende wijze onderwerpen met betrekking tot ongewenste omgangsvormen staan geformuleerd.
- Verzoeken of de directie een effectief beleid kan formuleren, invoeren, wijzigen en uitdragen.
- Voorstellen doen om onderdelen van het beleid te verbeteren; wellicht is dat beleid onhelder, niet werkzaam, afwezig, onbekend.
- Pleiten voor het invoeren of verbeteren van een gedragscode, een reglement, een andere vertrouwenspersoon, de verantwoordelijkheid van leidinggevenden.

- Volgen of er met een incident zorgvuldig en slagvaardig wordt omgegaan.
- Vragen om regelmatige — anonieme — rapportages.
- Op een gepaste manier bij de personen in kwestie nagaan of er zorgvuldig is omgegaan met zowel slachtoffer als beschuldigde.
- Met de zelfinspectiemethode van de Arbeidsinspectie nagaan of het beleid rondom ongewenste omgangsvormen van de eigen organisatie aan de eisen voldoet (zie www.zelfinspectie.nl/agressie).
- Het instemmingsrecht bij het invoeren of de veranderingen van het beleid inzake ongewenste omgangsvormen gebruiken om afspraken te maken over ontbrekende onderdelen van een goede aanpak (artikel 27 lid 1d WOR).

## 26.11  Verder lezen

- Zie paragraaf 30.17
- www.platformseksueleintimidatie.nl.
- www.art1.nl (landelijk expertisecentrum discriminatie).
- www.arbokennisnet.nl en www.dearbocatalogus.nl (uitgebreide informatie over ongewenste omgangsvormen).

## DEEL 5

DE PRAKTIJK VAN HET ARBOWERK

# 27 Het oprichten van een VGW(M)-commissie

## 27.1 Inleiding

In dit hoofdstuk wordt geschetst welke stappen de ondernemingsraad zou moeten of kunnen doorlopen als hij een VGW(M)-commissie op wil richten. Bij elke stap worden verschillende mogelijkheden en de voor- en nadelen daarvan beschreven. Aan de orde komen:

- Waarom een VGW(M)-commissie oprichten: de voor- en nadelen.
- Het instellingsbesluit, de wettelijke kaders en de keuzemogelijkheden.
- Koers bepalen op hoofdlijnen:
  - concrete zaken of beleidszaken;
  - initiëren of controleren.
- Al of niet deelnemen aan de arbocommissie van het bedrijf.
- Zichzelf goed organiseren.

## 27.2 Waarom een VGW(M)-commissie oprichten, de voor- en nadelen

Veel ondernemingsraden hebben een VGW(M)-commissie, een commissie voor veiligheid, gezondheid en welzijn (en eventueel milieu). Omdat ze er ooit voor gekozen hebben, omdat het hen verstandig leek. Als een ondernemingsraad overweegt een VGW(M)-commissie op te richten is het zinvol voor- en nadelen af te wegen en van de ervaring van anderen te leren. De voor- en nadelen zijn weergegeven in deze paragraaf.

De ondernemingsraad mag zelf beslissen over het al of niet instellen van een VGW(M)-commissie. Het is een commissie van de or zelf. De directie, de 'bestuurder' moet wel in kennis worden gesteld. Als de bestuurder het er niet mee eens is, kan hij dat kenbaar maken. Als in onderling overleg geen oplossing wordt gevonden, kan de ondernemingsraad de bedrijfscommissie inschakelen voor bemiddeling en uiteindelijk de kantonrechter om een uitspraak vragen.

Overigens geven sommige ondernemingsraden de voorkeur aan de naam 'arbocommissie'. Het is vrij om welke naam dan ook te kiezen, als het maar duidelijk is om welk type commissie het gaat: een commissie ingesteld door en bedoeld voor de ondernemingsraad, of een commissie die de (ook) de werkgever adviseert. Dit hoofdstuk richt zich op de commissie van de or.

De *voordelen* van het instellen van een VGW(M)-commissie zijn de volgende:
– De medezeggenschap krijgt meer kennis en deskundigheid, omdat een commissie zich specialiseert.
– De taak van de andere leden van de ondernemingsraad wordt verlicht.
– Commissieleden vinden het vaak ook plezierig; het is motiverend om zich op één terrein wat meer te specialiseren.
– Het kan een verbreding zijn van het medezeggenschapswerk: de VGW(M)-commissie kan mensen van buiten de or in de commissie benoemen.

De *nadelen* van een VGW(M)-commissie zijn:
– Het kost meer tijd voor de commissieleden, die meestal ook or-lid zijn.
– Als er onvoldoende VGW(M)-zaken zouden spelen, kan het bestaan van een commissie een versnippering van krachten tot gevolg hebben.
– Voor een kleine or kan het een (te) zware belasting zijn.

*Varianten*
Er zijn ook varianten mogelijk. Als ondernemingsraad kan men ertoe besluiten 'VGW(M)-portefeuillehouders' aan te stellen zonder over te gaan tot het instellen van een speciale VGW(M)-commissie. Dat gebeurt met name bij kleine ondernemingsraden of bij organisaties waar het thema arbeidsomstandigheden niet zo belangrijk is. Geef als or die portefeuillehouders dan wel een taak mee en evalueer dit portefeuillehouderschap na een jaar.
Er zijn ook ondernemingsraden die de taken van de VGW(M)-commissie combineren met andere taken, bijvoorbeeld een commissie VGW(M)/werktijden, of een commissie arbo en sociaal beleid. Dat is afhankelijk van de specifieke behoeften en wensen in een bedrijf of instelling. Het VGW(M)-terrein is echter zo omvangrijk dat het meestal een eigen commissie rechtvaardigt.

*Tips or*
– Zet op een rijtje wat voor- en nadelen zijn van het instellen van een VGW(M)-commissie.
– Maak het voornemen van de or kenbaar aan de werkgever, met goede argumenten.

## 27.3 Het instellingsbesluit: de taakstelling en bevoegdheden van de VGW(M)-commissie

Als de ondernemingsraad heeft besloten een VGW(M)-commissie in te stellen, legt hij dat vast in een zogenaamd instellingsbesluit. Wat daarin hoort te staan, vinden we in artikel 15 van de Wet op de ondernemingsraden. Het instellingsbesluit is meestal een bijlage bij het reglement van de ondernemingsraad.

In het instellingsbesluit moeten vier onderwerpen worden geformuleerd.
– De *samenstelling* van de commissie:
  – het aantal leden van de commissie wordt vastgelegd;
  – de ondernemingsraad kan besluiten niet-or-leden te benoemen in de commissie;
  – de meerderheid van de commissie dient te bestaan uit or-leden.
– De *taken* van de commissie:
  De ondernemingsraad legt de taken vast, bijvoorbeeld:
  – agendapunten van de or voorbereiden;
  – uit eigen beweging adviezen geven aan de or;
  – zich op de hoogte stellen van nieuwe ontwikkelingen op VGW(M)-gebied;
  – overleg plegen met arbocoördinator en/of arbodienst.
– De *bevoegdheden* van de commissie. Hierin bestaan twee hoofdvarianten.
  – De ondernemingsraad draagt geen bevoegdheden over: dat wil zeggen dat de VGW(M)-commissie alleen voorbereidend werk doet voor de arbo-onderwerpen van de ondernemingsraad.
  – De ondernemingsraad draagt wel bevoegdheden over aan de commissie. Dit zijn enkele bevoegdheden die overgedragen kunnen worden, van lichter naar zwaarder:
    – De VGW(M)-commissie krijgt rechtstreeks informatie over arbozaken (zie het informatierecht artikel 31 WOR) vanuit het bedrijf en de arbodienst.
    – De VGW(M)-commissie overlegt over lopende kleinere arbozaken met de bedrijfsvertegenwoordigers en heeft de bevoegdheid daar afspraken over te maken, zonder het met de or te hoeven overleggen.
    – De VGW(M)-commissie heeft de instemmingsbevoegdheid van de or gekregen bij het vaststellen van de RI&E, het veranderen van het contract met de arbodienst, het invoeren of veranderen van het arbobeleidsplan of het ziekteverzuimbeleid.
– De *werkwijze* van de commissie. In het instellingsbesluit wordt de werkwijze van de VGW(M)-commissie vastgelegd; bijvoorbeeld: hoe de voorzitter en secretaris worden gekozen (bijvoorbeeld 'de commissie kiest uit zijn midden een voorzitter en secretaris'), wie de commissie bij elkaar roept en hoe dat gebeurt,

339

of er wordt gewerkt met een agenda en verslagen en een vaste vergaderplanning enzovoort.

Zie hoofdstuk 33. Daarin zijn enkele keuzemogelijkheden opgenomen voor een ondernemingsraad die een VGWM-commissie wil oprichten. Zie ook: www.ser.nl.

## 27.4 De koers van de VGW(M)-commissie

Op het moment van oprichten van de commissie is het zinvol een discussie te voeren over drie grote lijnen in de koers van de VGW(M)-commissie:
- Gaat de commissie zich vooral bezig houden met concrete arbokwesties of gaat ze zich vooral inlaten met arbobeleid?
- Wil de commissie vooral toetsend en controlerend bezig zijn of wil de commissie zich ondernemend opstellen: initiatieven nemen en meedenken?
- Met welke thema's gaat de commissie zich vooral bezighouden?

Beide punten worden hieronder uitgewerkt.

### 27.4.1 CONCREET OF BELEIDSMATIG?

De voordelen van het accent op concreet zijn duidelijk.

Concrete kwesties — zoals omgaan met gevaarlijke stoffen, tilhulpmiddelen, betere klimaatregeling — spreken de meeste commissies erg aan. Er worden zichtbare problemen aangepakt, de commissie zal daarmee zijn gezicht naar de achterban kunnen laten zien. De valkuil is dat de commissie zich laat verleiden tot brandjes blussen en incidenten oplossen. Dat ad-hocbeleid pakt de kern van het probleem niet aan; het kan zijn dat de vraag waarom er zoveel arboknelpunten blijven bestaan op deze manier niet aan de orde komt.

Het voordeel van een meer beleidsmatige aanpak is ook duidelijk. De commissie houdt zich in dat geval bezig met structurele zaken, met de bron van al die concrete arboproblemen: een goede RI&E, een jaarlijks plan van aanpak, systematische arbovoorlichting en -onderricht, een goede opzet en organisatie van de bedrijfshulpverlening. Dat betekent dat de commissie zich ook meer met documenten en schriftelijke beleidsnota's bezig houdt.Valkuil van deze 'beleidskoers' is dat het VGW(M)-werk te veel papierwerk wordt en blijft steken in algemeenheden en goede bedoelingen. Dat arbobeleid en arboplannen op schrift moeten staan is glashelder. Maar uiteindelijk gaat het om concrete resultaten.

De kunst is om het concrete en het beleidsmatige te combineren. Zorgen voor een stevig jaarlijks plan van aanpak (beleidsspoor), dat daadwerkelijk moet leiden tot het oplossen van allerlei concrete arboproblemen, bijvoorbeeld het verminderen van tocht op diverse werkplekken (het concrete spoor). Het is de kunst om concrete kwesties naar structureel en beleidsmatig niveau te tillen. Het is daarbij wijs om jaarlijks als ondernemingsrad of commissie met een lijst van onderwerpen te komen die een plek in het nieuwe plan van aanpak of arbojaarplan verdienen.

Nog een ander voorbeeld: zorg dat het bedrijf een systeem ontwikkelt waarmee werknemers onveilige of ongezonde werksituaties kunnen melden. Vaak heeft dat namen als 'SOS-kaarten' (Signalering Onveilige Situaties) Als dat systeem goed functioneert; (de knelpunten worden opgepakt en de melder krijgt hiervan een terugkoppeling) is het een goede beleidsmatige manier allerlei praktische problemen te helpen oplossen, zonder dat de VGW(M)-commissie achter allerlei praktische zaken aan moet hollen.

---

**Tips or/VGW(M)-commissie**

- Bespreek met elkaar het vraagstuk over de concrete en beleidsmatige invalshoek. Geef voorbeelden van concrete problemen die door een beleidsmatige aanpak beter worden aangepakt.
- Leg de uitkomst van die discussie vast in een werkplan waarin beide sporen zijn opgenomen.

---

### 27.4.2 TOETSEN OF INITIATIEF NEMEN?

Nog niet zolang geleden vonden veel ondernemingsraden — en hun commissies — dat hun belangrijkste taak was het toetsen en controleren van het ondernemingsbeleid. De werkgever is immers verantwoordelijk voor dat beleid, de ondernemingsraad heeft er nauwelijks invloed op, waarom zou een or zich dan verantwoordelijk maken voor een beleid, waar je geen grip op hebt en ook de kennis niet voor hebt om dat vorm te geven.

De bakens zijn in veel ondernemingsraden verzet. Zij hebben de reactieve rol verwisseld voor een actieve of proactieve rol, waarin plaats is voor eigen initiatieven en meedenken met de werkgever. Daarmee wordt het belang van een kritische houding ten opzichte van de werkgever overigens niet ontkend. De praktijk in veel bedrijven en instelling blijft dit noodzakelijk maken, maar de grondhouding is veranderd. Het blijkt ook meer resultaat op te leveren. Uit onderzoek is gebleken dat een VGW(M)-commissie die zelf initiatieven neemt, meer resultaten boekt dan een commissie die alleen controleert en toetst.

De voordelen van de controlerende rol zijn:
- de verantwoordelijkheden tussen werkgever en ondernemingsraad (en VGW (M)-commissie) zijn duidelijk onderscheiden;

– de soms tegengestelde belangen tussen werkgever en werknemers worden helder gemaakt.

De voordelen van de initiërende rol zijn:
– er worden bij een goede samenwerking meer resultaten behaald;
– de zelfstandigheid en volwassenheid van de ondernemingsraad en VGW(M)-commissie worden duidelijker vormgegeven;
– er worden geen onnodige tegenstellingen gecreëerd;
– vaak is het plezieriger werken.

Het aandachtspunt bij de initiërende rol is dat het meer tijd kost en dat soms te veel de verantwoordelijkheid van de werkgever wordt overgenomen. Er moet worden voorkomen dat de VGW(M)-commissie een soort stafdienst van het bedrijf wordt. Bovendien werkt het alleen als er een zeker basis van vertrouwen is tussen werkgever en OR, en als beide partijen een visie hebben op arbo- en verzuimbeleid die redelijk overeenkomt.

---

**Tips or/VGW(M)-commissie**
– Bespreek voor- en nadelen van de controlekoers of van de initiatiefkoers.
– Trek hieruit conclusies voor de werkwijze van de VGW(M)-commissie.

---

### 27.4.3 WELKE THEMA'S?

Een belangrijke kwestie bij de koersbepaling betreft ten slotte de prioriteitstelling van de VGW(M)-commissie. Ten eerste zal helder moeten zijn of de commissie zich alleen met arbeidsomstandigheden bezighoudt, of ook met milieu. In de praktijk is het overigens opmerkelijk dat de meeste VGW(M)-commissies zich helemaal niet het milieuthema bezighouden. Vervolgens is de vraag welke deelonderwerpen worden opgepakt. Die vraag wordt gedeeltelijk beantwoord door de eerder genoemde koersbepalingen. Zo zal een toetsende commissie zich grotendeels richten op onderwerpen die door de werkgever worden aangereikt. Het is van belang dat de VGW(M)-commissie bij haar prioriteitstelling twee zaken goed in de gaten houdt:
– Beperk ten eerste het aantal thema's dat de commissie onder handen neemt. Liever drie thema's goed uitwerken dan zes onderwerpen halfbakken.
– Ga vervolgens goed na wat er leeft onder de achterban. Als de commissie een arbothema oppakt dat door (een deel van) het personeel als nijpend wordt ervaren, laat dat niet alleen zien dat de commissie luistert naar de werkvloer, maar vergroot dat ook de kans op succes. De commissie staat er dan namelijk niet alleen voor, maar kan ook de betrokken werknemers achter zich krijgen.

## 27.5 De plaats van de VGW(M)-commissie in het arbo-overleg

Als de VGW(M)-commissie van start gaat is het verstandig na te denken welke plek de commissie wil gaan innemen in het arbo-overleg van het bedrijf of de instelling. De plek die men inneemt kan van doorslaggevend belang zijn voor de effectiviteit en plezier in het VGW(M)-werk. Nogal eens raken commissies daarin verstrikt.

Er zijn vele mogelijkheden, maar de belangrijkste opties zijn:
- de VGW(M)-commissie is een voorbereidende commissie van de or;
- de zelfstandige VGW(M)-commissie maakt zelf afspraken met de werkgever en/of de arbocoördinator;
- de gemengde arbowerkgroep.

### 27.5.1 DE VGW(M)-COMMISSIE ALS VOORBEREIDER VOOR DE OR

In deze constructie doet de or de zaken en de commissie bereidt dat voor. Alle contacten met de werkgever en het overleg lopen langs de ondernemingsraad. Voordeel van deze opzet is de helderheid, de or is en blijft hoofdverantwoordelijk voor het arbowerk. Nadeel is dat beslissingen vaak lang op zich laten wachten. Er moet worden gewacht tot er een ondernemingsraadvergadering of een overlegvergadering is. En in die overlegvergadering komen soms de arbokwesties niet aan bod omdat er andere belangrijke agendapunten zijn.

### 27.5.2 DE VGW(M)-COMMISSIE ALS ZELFSTANDIGE COMMISSIE

In dit model maakt de commissie afspraken over alle arbozaken rechtstreeks met de bestuurder of zijn vertegenwoordiger. De commissie heeft alle arbobevoegdheden van de or overgedragen gekregen. In dat rechtstreekse overleg tussen bedrijf en VGW(M)-commissie worden bijvoorbeeld de instemmingsaanvraag over de vernieuwing van de risico-inventarisatie en -evaluatie behandeld, evenals de instemmingsaanvraag over de verandering van het verzuimbeleid of de bedrijfshulpverlening.

Voordeel is dat de commissie — zelfstandig als hij is — slagvaardig kan optreden. De lijnen met de bedrijfsvertegenwoordigers zijn kort, er hoeft niet twee keer te worden overlegd.

Nadelen van deze constructie zijn:
- de or houdt zich helemaal niet meer bezig met arbo-onderwerpen;
- de samenhang met andere onderwerpen, bijvoorbeeld het sociaal beleid raakt uit beeld;

– de VGW(M)-commissie wordt een mini-or, waardoor verschillen in standpunten en zelfs rivaliteit tussen or en de commissie kan ontstaan. Een geslepen werkgever kan beide partijen zelfs tegen elkaar uitspelen.

## 27.5.3  DE GEMENGDE ARBOWERKGROEP

In dit model is er eigenlijk geen sprake meer van een commissie van de ondernemingsraad. In plaats daarvan is er door de werkgever een arbowerkgroep opgericht, waaraan ook enkele or-leden kunnen deelnemen.

Voordelen van deze constructie zijn: de korte lijnen door het directe overleg en de slagvaardigheid rond kleinere concrete arbokwesties, die direct kunnen worden afgehandeld.

Nadelen van deze constructie zijn:
– de or-leden in de arbocommissie worden nogal eens overvleugeld door de vertegenwoordigers van het bedrijf die deskundiger zijn en een leidinggevende positie hebben;
– deze or-leden zitten soms met een 'twee-petten-probleem'; zij hebben meegewerkt aan een voorstel waar de rest van de ondernemingsraad niet blij mee is, en zien zichzelf dat plan verdedigen. Dat kan ingewikkelde problemen geven;
– als de arbocommissie adviseert aan de directie, heeft het er de schijn van dat de or het ermee eens is, omdat leden van de or/VGW(M)-commissie in de arbocommissie over het advies hebben meegepraat. Het kan dus rolverwarring geven. Soms verdwijnt zo het instemmingsrecht van de ondernemingsraad bij arboregelingen zelfs buiten beeld.

Uit onze ervaringen blijkt dat dit laatste model ofwel erg goed functioneert, ofwel erg slecht. Het is een model van uitersten. Het kan erg goed lopen als er bij alle betrokkenen een bereidheid is om flink met arbo aan de slag te gaan. De grootste problemen ontstaan als die bereidheid er bij directie of arbocoördinator niet is, of als de taak van de arbowerkgroep niet helder is, waardoor er erg weinig uitkomt.

---

**Tips or/VGW(M)-commissie**
– Bespreek de voor- en nadelen van de verschillende mogelijkheden van de plaats van de VGW(M)-commissie in het arbo-overleg van het bedrijf.
– Beoordeel welke vorm in uw bedrijf het meest kans geeft op succes.
– Pas in overleg met de andere betrokkenen de overlegvorm zonodig aan.

---

## 27.6 De VGW(M)-commissie organiseert zich

Bij de start van de VGW(M)-commissie is het aan te bevelen een aantal zaken goed te organiseren. Er kan worden gedacht aan de volgende punten:
– Maak een taakverdeling binnen de commissie. Wijs in ieder geval een voorzitter en secretaris aan.
– Ontwerp een jaarschema met vergaderdata.
– Maak afspraken over tijdsbesteding van de commissieleden, zodat de leidinggevenden van die medewerkers weten wanneer ze afwezig zijn op de afdeling.
– Organiseer een archiefkast om documenten, informatiemateriaal en verslagen te bewaren.
– Breng de belangrijke arbodocumenten van het bedrijf of de instelling bij elkaar: het arbobeleidsplan, de risico-inventarisatie en -evaluatie, het contract met de arbodienst, de veiligheidsvoorschriften en -procedures, het PAGO-rapport, de schriftelijke rapportage, adviezen en rapporten van de arbodienst, ongevalsrapporten, een mogelijk arbohandboek.
– Verzamel basisinformatiemateriaal over arbeidsomstandigheden: de laatste versie van de Arbowet, de tekst van het Arbobesluit en de Arboregeling de Arbo-informatiebladen die voor het bedrijf en de instelling relevant zijn, een inhoudelijk basisboek over arbo, bijvoorbeeld de *Praktijkgids Arbeidsveiligheid* (die meer omvat dan veiligheid alleen). Uiteraard hoort u ook snel toegang te hebben tot de arbocatalogus — als die voor uw sector is afgesloten.
– Zet belangrijke adressen en telefoonnummers handzaam bij elkaar, van de Arbeidsinspectie, de contactpersoon van de arbodienst, uw arbo-opleider, de deskundige van de vakbond, het doorkiesnummer van de arbocoördinator, de arbotelefoon van FNV Bondgenoten enzovoort.
– Spreek een inwerk- of oriëntatieperiode af, en bespreek met elkaar wat in die inwerkperiode wordt gedaan.
– Maak een plan over de manier waarop met de achterban wordt gecommuniceerd, schriftelijk en mondeling; denk aan een 'VGW(M)-bulletin', aan (half) jaarlijks een goed voorbereide arboronde.
– Maak op een aansprekende en duidelijke manier het bestaan van de VGW(M)-commissie bekend. Vermeld daarin:
    – de namen van de VGW(M)-commissieleden;
    – een foto van ieder;
    – de afdelingen waar de commissieleden werken;
    – de (interne) telefoonnummers waar ze te bereiken zijn;
    – kort en krachtig de taak van de VGW(M)-commissie;
    – de eerste plannen waarmee de commissie aan de slag gaat.
– Maak een werkplan waarin de commissie haar speerpunten vastlegt. Stel met elkaar vast wat de grootste prioriteiten zijn. Denk daarbij aan de keuze die de commissie heeft gemaakt tussen concreet en beleidsmatig bezig zijn. Leg de

speerpunten vast in een handzaam werkplan. Het blijkt dat het niet handig is om het werkplan een heel jaar vol te plannen met arbo-onderwerpen. Veel beter werkt het om een lijst met speerpunten op te stellen en in een werkplan de belangrijkste thema's voor de eerst maanden te verdelen onder de commissie leden. Vaak is het handig om onderwerpen, met een duidelijke opdracht en tijdsplanning, aan duo's mee te geven.

---

**Tips or/VGW(M)-commissie**

Ga spoedig op cursus om o.a. bovenstaande kwesties te bespreken en op de rails te zetten. NB: De kosten van de training en van het verblijf zijn voor rekening van uw werkgever, maar worden in 2012 voor een aanzienlijk deel vergoed door speciale subsidie. Ieder VGW(M)-lid heeft recht op drie scholingsdagen per jaar, naast de vijf dagen die beschikbaar zijn indien hij/zij ook lid is van de ondernemingsraad.

---

# 28 Het werk van de VGW(M)-commissie verbeteren

## 28.1 Inleiding

Het is zinvol van tijd tot tijd stil te staan bij het functioneren van de VGW(M)-commissie: kent de commissie zijn zaakjes, worden er voldoende activiteiten ondernomen en resultaten behaald, heeft iedereen er nog plezier in?

Aan de hand van de twaalf kenmerken van een goede VGW(M)-commissie worden tips gegeven om het functioneren van de commissie te verbeteren. Trouwens, ook als er geen VGW(M)-commissie is, kan dit hoofdstuk nuttige suggesties bieden voor de ondernemingsraad en zijn arbo-werk.

*12 Succesfactoren voor de VGW(M)-commissie*
De VGW(M)-commissie:
1. is breed samengesteld;
2. weet wat er leeft;
3. heeft kennis van zaken;
4. neemt initiatieven;
5. heeft een juiste positie in het arbo-overleg;
6. levert output;
7. werkt planmatig;
8. doet meer dan vergaderen;
9. hanteert zijn netwerk;
10. werkt als team;
11. heeft een strakke organisatie;
12. kiest de juiste tactieken.

## 28.2 De commissie breed samenstellen

Het is raadzaam om werknemers uit verschillende belangrijke afdelingen van de organisatie in de commissie op te nemen. Op deze manier is er beter contact met uiteenlopende werksoorten. Een combinatie van 'lezers' en 'doeners' is ook prettig. De ondernemingsraad doet er verstandig aan bij de samenstelling van de commissie met beide zaken rekening mee te houden. Eventueel door geschikte 'buitenleden' in de commissie op te nemen. Dat zijn werknemers die niet in de or zijn gekozen, maar die zich wel willen inzetten voor verbetering van de arbeidsomstandigheden.

Als er geen contact is met belangrijke afdelingen of geledingen van de organisatie, kan de VGW(M)-commissie ook arbocontactpersonen zoeken op die afdelingen.

Over het algemeen is het niet aan te raden om de arbocoördinator op te nemen in een or-commissie. Hij zou dan namelijk zijn eigen werk moeten beoordelen. In een gemengde arbowerkgroep is dat natuurlijk anders. Zie daarvoor paragraaf 28.5.

## 28.3 Weten wat er bij de achterban leeft

Het contact met de achterban is de navelstreng, de voedingsbron van de medezeggenschap, dus ook van de VGW(M)-commissie. Maar het contact met de achterban is niet altijd even eenvoudig. Het is zaak om als commissie planmatig bij de achterban na te gaan wat er speelt. En om op een aantrekkelijke manier te vertellen wat de commissie doet en welke resultaten dat oplevert. Middelen voor het contact met de achterban zijn:

- Regelmatig een arbo- of VGW(M)-bulletin verspreiden, of dat deel uit laten maken van een or-bericht
- Aan het prikbord een leesbaar verslag ophangen, mogelijk met een eigen kleur of logo.
- Uitdagende concrete koppen boven de teksten plaatsen.
- Af en toe een arboronde houden, met een praktische vragenlijst: zie voor het maken van een vragenlijst voor een arborondgang de paragraaf 30.2 in de 'Arbogereedschapskist'.
- Regelmatig een praatje maken op de eigen en een nabijgelegen afdeling.
- Een bijeenkomst organiseren voor een groep werknemers waarbij een actueel arboprobleem leeft.
- Een enquête houden over een actueel onderwerp. Of een raadpleging met als belangrijkste vragen: hoe staat de arbozorg ervoor op uw afdeling en wat kan er beter? Wat zou de VGW(M)-commissie moeten oppakken in de komende periode?
- Er voor zorgen dat arbo op een goede manier in de werkoverleggen aan de orde komt. Zo mogelijk als or- of commissielid zo'n werkoverleg bezoeken.
- In organisaties met meerdere locaties is het aan te bevelen de commissievergadering op een steeds wisselende locatie te houden en dat te koppelen aan een korte arborondgang door dat filiaal.

– Informatie over de commissie en haar werkzaamheden op het intranet van het bedrijf plaatsen.
– Een krachtige tekst opnemen in het or-jaarverslag. Dus geen saaie opsomming van vergaderdata en -onderwerpen, maar kort en krachtig de behaalde successen en tegenslagen op een rij, en uiteraard ook de plannen voor de komende tijd.

---

**Or-succes**

*Achterbancontact door een or-markt*

De ondernemingsraad van een middelgrote gemeente heeft een bijzondere manier gevonden om contact met de achterban te onderhouden. Jaarlijks wordt een or-markt georganiseerd. Op die markt staat elk uur een ander or-thema centraal. Medewerkers van de gemeente kunnen aanschuiven bij het onderwerp dat hen interesseert. De laatste keer was er bijvoorbeeld een arbo-workshop, waar de kwaliteit van de arbeidsomstandigheden binnen de gemeente onder de loep werd genomen. Dit ook met het oog op de aanstaande verhuizing naar een nieuw stadhuis. Toen werd meteen besproken hoe de or dient om te gaan met het nieuwe concept van flexplekken, die de huidige vaste kantoorplekken moeten gaan vervangen. De opkomst varieert per uur van zo'n 25 tot 60 leden uit de achterban. Bij het thema 'Leeftijdsfasebewust personeelsbeleid' bijvoorbeeld, dat verzorgd werd door een opleider van FNV Formaat, waren nagenoeg alle stadswachten aanwezig. 'Blijkbaar was dit voor hen een interessant thema', aldus de or-voorzitter. 'Dat was voor ons ook een eyeopener'. Tussen de middag biedt de or een gratis lunch aan en een prikkelende spreker. 'Dit jaar sprak een actrice op een komische manier over omgang tussen de seksen op de werkvloer. En vorig jaar was dat een managementgoeroe die met veel humor sprak over managementstijlen. Toen was het volle bak'. De or-markt wordt uit het or-budget betaald. 'Volgend jaar gaan we het zeker weer organiseren, al is het een hele klus,' vervolgt de or-voorzitter. 'We gaan binnenkort de bestuurder vragen er voor te zorgen dat de afdelingshoofden dan de mensen op hun afdeling zelf oproepen om naar de or-markt te gaan. Dan zal de opkomst ongetwijfeld nog hoger worden.'

---

## 28.4   Kennis van zaken

Zonder kennis zal een commissie niets bereiken. De commissie dient een beeld te hebben van de belangrijkste arboknelpunten in het bedrijf en hoe die ervaren worden door de werknemers. Ook dient ze de hoofdlijnen te kennen van de belangrijkste arbodocumenten in het bedrijf. Uiteraard is wetskennis ook van belang, zowel als het gaat om arboregels als om haar eigen wettelijke bevoegdheden.

- De commissie beschikt over de belangrijkste arbodocumenten van het bedrijf of de instelling. Bijvoorbeeld de risico-inventarisatie en -evaluatie, het plan van aanpak dat daarbij hoort, het contract met de arbodienst, het bedrijfsnoodplan, het ziekteverzuimbeleid, het eventuele arbobeleidsplan, de belangrijkste veiligheidsprocedures, rapporten en adviezen van arbodienst en Arbeidsinspectie.
- De commissie heeft een oordeel over de kwaliteit van het arbo-en verzuimbeleid in de organisatie en heeft regelmatig contact met de belangrijkste betrokkenen.
- De commissie heeft de rechten en mogelijkheden voor de VGW(M)-commissie goed op een rijtje.
- De commissie kent de werkgeversverplichtingen en de taken van arbodienst en Arbeidsinspectie.
- De commissie heeft de beschikking over basisliteratuur, of weet waar men een en ander kan opzoeken, als er informatie nodig is, bijvoorbeeld de arbowetgeving, de Arbo-informatiebladen die voor het eigen bedrijf of instelling van belang zijn (zie hoofdstuk 34).
- De commissie heeft toegang tot internet en kent daar de belangrijkste websites.
- De commissie volgt regelmatig een toegespitste training om haar kennis op de genoemde terreinen bij te spijkeren.

## 28.5 De juiste positie in het arbo-overleg

Er zijn VGW(M)-commissies in allerlei soorten en maten. Ze hebben ieder een eigen positie in het arbo-overleg binnen de organisatie. Hieronder schets ik drie hoofdvarianten. Alle drie de varianten kunnen de beste keuze zijn binnen een bedrijf. In de praktijk zijn er nog allerlei tussenvormen. Het gaat er om dat de or bewust kiest welke variant in zijn organisatie de meest geschikte is.

- *De VGWM-commissie als adviseur van de ondernemingsraad.*
  In deze variant is de commissie de uitzoekclub voor de or. Als er een instemmingsaanvraag op het gebied van arbo- en verzuimbeleid komt, bereidt de commissie het antwoord van de ondernemingsraad voor. Of de commissie bereidt een eigen voorstel voor ter verbetering van de lawaai-aanpak. Het is dan de ondernemingsraad die met de bestuurder tot afspraken komt.
  Voordeel van dit systeem is de helderheid. Iedereen weet precies waar hij aan toe is. Een nadeel kan zijn dat het soms omslachtig en tijdrovend kan werken.

- *De VGW(M)-commissie met mandaat.*
  In het instellingsbesluit heeft de ondernemingsraad vergaande bevoegdheden aan de commissie toebedeeld. Ze kan zelfstandig overleg voeren met de

bestuurder en instemmingsaanvragen op het gebied van arbo- en ziekteverzuim afhandelen. De or wordt op de hoogte gehouden, maar heeft zelf geen bemoeienis meer met dat werkveld.

De snelheid en de directheid zijn de voordelen van deze variant. Nadelen kunnen zijn dat het belangrijke terrein van arbo- en verzuimbeleid buiten de or blijft en maar door een klein aantal personen wordt behandeld. Soms ook ontstaat er tweespalt tussen de ondernemingsraad en de VGW(M)-commissie over de juiste koers, zeker ook als de directie ze tegen elkaar uit probeert te spelen.

– *De gemengde arbowerkgroep.*

In deze variant is eigenlijk niet echt sprake van een commissie van de ondernemingsraad. De directie heeft hier een werkgroep ingesteld met een gemengde samenstelling: naast arbocoördinator/interne preventiemedewerker, P&O, leidinggevenden en eventueel een directielid, zijn ook leden van de or en/of VGW(M)-commissie in de werkgroep opgenomen.

Hier is het voordeel dat, als er bereidheid is om samen tot echte verbeteringen te komen, er enorm snel en met een groot draagvlak gewerkt kan worden. Nadeel is dat de or-leden soms ondersneeuwen, en soms met een 'twee-pettenprobleem' zitten. Ook kan het zijn dat het instemmingsrecht van de or uit het zicht verdwijnt omdat directie meent dat de or in de werkgroep zijn zegje al heeft kunnen doen.

---

**Tip**
– Beoordeel of er in uw organisatie een overlegmodel is gekozen dat het mogelijk maakt dat de VGW(M)-commissie slagvaardig is en goede resultaten boekt. Overweeg zonodig een voorstel tot overstap naar een andere variant.

---

## 28.6    Initiatieven nemen

De commissie beperkt zich niet tot het controleren en volgen van het arbobeleid van het bedrijf, maar neemt ook zelf initiatieven. Uit onderzoek blijkt: hoe meer initiatieven de VGWM-commissie neemt, des te meer resultaten er worden geboekt en motiverender het arbowerk is. Het is dus zaak om een paar keer per jaar een onderwerp uit te diepen en om te vormen tot een eigen voorstel. Liefst een arboknelpunt dat sterk leeft onder de achterban.

Er zijn initiatieven in soorten en maten. Om er een paar te noemen:
– een verzoek het beeldschermwerk op de kantoorafdeling te verbeteren;
– een onderbouwde brief om het lawaai van een aantal machines te verlagen, compleet met enkele praktische voorstellen;

- een voorstel om de bedrijfshulpverlening op sterkte te houden, met een overzicht van de huidige tekorten;
- een verzoek om de arbodienst een onderzoek naar tilhulpmiddelen te laten doen;
- een doortimmerde brief om veiliger met onderhoud om te gaan;
- een dringend voorstel om nieuwe medewerkers en uitzendkrachten de juiste en concrete arbovoorlichting en -onderricht te geven.

Een eigen initiatief dient goed te worden voorbereid. De commissie moet het probleem goed beschrijven en zo mogelijk passende maatregelen voorstellen.Het is niet de bedoeling om een compleet uitgewerkt voorstel op tafel te leggen. Dat is de taak van de bedrijfsleiding. Wel is van groot belang om van te voren na te gaan op welke manier het voorstel met de meeste kans van slagen kan worden gepresenteerd (zie daarvoor paragraaf 28.13).

---

**Tips**

- Hoeveel — stevig onderbouwde — initiatieven heeft de VGW(M)-commissie het afgelopen jaar ondernomen?
- Wat is de conclusie uit het antwoord op bovenstaande vraag?

---

## 28.7 Output leveren

Sommige VGW(M)-commissies vergaderen veel en lezen veel teksten, en daar blijft het bij. Ze zijn als sponsen: er gaat veel in, maar als je niet stevig knijpt komt er niets uit. De kwaliteit van een commissie laat zich aflezen aan haar output. Een commissie die is ingesteld als adviseur van de or heeft schriftelijke adviezen aan de ondernemingsraad als belangrijkste output. De commissie doet er verstandig aan al haar werkzaamheden dan ook op het maken van die schriftelijke adviezen te richten: Stel vast hoeveel schriftelijke adviezen de commissie per jaar ongeveer wil uitbrengen. Stel elk jaar prioriteiten, maak taakverdelingen, zorg dat buiten de vergadering de onderwerpen inhoudelijk goed worden voorbereid, zodat er een advies richting de ondernemingsraad uitkomt, etc.

Voor een VGW(M)-commissie die van de or de bevoegdheden heeft overgedragen gekregen, bestaat de belangrijkste output uit de afspraken met de bestuurder of een andere gesprekspartner.

**Tips**

– Levert de VGW(M)-commissie voldoende output? Hoe komt dat?

– Zet op een rijtje hoeveel arboverbeteringen het afgelopen jaar zijn doorgevoerd en hoeveel verbeteringen (mede) het resultaat waren van de inspanningen van de or of VGW(M)-commissie.

– Trek conclusies uit de antwoorden op bovenstaande vragen.

## 28.8  Planmatig werken

Planmatig werken versterkt de medezeggenschap. Al te vaak werken VGWM-commissies ad hoc en improviserend. Het is zaak om zorgvuldig speerpunten te kiezen en daar een taakverdeling en tijdsplanning aan te koppelen. Maak een werkplan dat sturend is, maar ook ruimte houdt voor onverwachte gebeurtenissen.

Hulpmiddelen voor planmatig werken zijn:

– prioriteiten stellen en de eerstgekozen prioriteiten verdelen onder de commissieleden;

– een handzaam werkplan maken en daar daadwerkelijk mee werken;

– een vergaderplanning opstellen voor het hele jaar;

– op een gestructureerde manier vergaderen, heldere besluiten nemen en werken met een schriftelijke besluitenlijst.

**Tips**

– Wees voorzichtig om een uitgebreid werkplan te maken dat een heel jaar vooruit plant. Het is vaak beter om een lijst met speerpunten op te stellen en alleen bij de eerste prioriteiten taken te verdelen en een tijdsplanning te maken.

– Elke vergadering kan er dan gekeken worden of er weer leden van de commissie beschikbaar zijn voor een nieuw onderwerp van de speerpuntenlijst.

– Zorg dat een commissielid of een duo dat een opdracht meekrijgt om een speerpunt uit te werken daarbij altijd een heldere opdracht krijgt die duidelijk maakt wat precies de bedoeling is.

## 28.9  Meer dan vergaderen

Wil een commissie resultaten boeken, dan is vergaderen alleen niet voldoende. Om inhoudelijk goed beslagen ten ijs te komen is het veel beter om buiten de vergadering voorbereidend werk te doen: tussentijds overleggen, meningen polsen bij de achterban, informatie en voorbeelden opzoeken in arboboeken en op het internet, een brief opstellen, rapporten lezen, en vooral: voorstellen schrijven.

Het is aan te bevelen om steeds een speerpunt toe te wijzen aan twee of drie leden van de commissie. Zorg dan wel dat zij een duidelijke taak mee krijgen en dat er in samenspraak met hen wordt vastgesteld wanneer zij hun bevindingen schriftelijk rapporteren aan de commissie.

---

**Tips**

– Noteer hoeveel uur per maand de VGW(M)'er besteedt aan zijn VGW(M)-werk buiten de vergaderingen om. Trek daar conclusies uit.

– In organisaties waar men in ploegendiensten werkt of waar men op verschillende locaties verspreid over het land werkt, is het niet eenvoudig om naast de vergaderingen met twee of drie commissieleden uitzoekwerk te doen. Dan kan het handig zijn om dat uitzoekwerk meteen voor of na een commissievergadering te plannen.

---

## 28.10 Het netwerk hanteren, intern en extern

Het bewust bouwen aan en hanteren van een netwerk, versterkt het VGW(M)-werk aanzienlijk. Het geeft de commissie meer informatie en vergroot de kansen op resultaat.

Het interne netwerk bestaat uit:

– mensen met meningen oftewel opinieleiders: ga na wat zij voor ideeën hebben over arboproblemen en arboverbeteringen;

– collega's die vroeger in de VGW(M)-commissie hebben gezeten: ze zijn nogal eens bronnen van informatie;

– de afdeling P&O, die taken en meningen heeft over de arboknelpunten en arbozorg;

– de arbocoördinator/-interne preventiemedewerker met zijn taken en bevoegdheden;

– geïnteresseerde leidinggevenden;

– mensen van de technische dienst en/of het gebouwenbeheer; ze hebben vaak goede ideeën over arboverbeteringen.

Het externe netwerk bestaat uit:

– de arbodienstverlener: het is belangrijk met hen een zakelijke en vertrouwensband te hebben, hen af en toe uit te nodigen voor een gesprek. In hoofdstuk 34 staan mogelijke afspraken die met een arbodienst te maken zijn om dat contact in goede banen te leiden;

- belangrijke andere instanties: weten waar je terecht kunt bij vragen en problemen; zie hiervoor adressen en telefoonnummers in hoofdstuk 31;
- de Arbeidsinspectie: kent u de 'vaste' inspecteur voor uw bedrijf? Weet u waarvoor en hoe u de Arbeidsinspectie kunt inschakelen?
- de vakbond; voor de arbotelefoon, of een contact met de vakbondsbestuurder;
- andere bedrijven uit dezelfde sector kunnen veel goede ideeën binnen brengen.

In enkele sectoren zijn er or-platforms opgericht, gericht op uitwisseling en ondersteuning.

---

**Tips**

- Zorg dat u de interne arbofunctionarissen in uw organisatie kent: hun namen, functies en interne telefoonnummers.
- Benader de interne deskundige, maak een praatje met hem of haar, vraag om zijn opinie of om tips voor taken van de VGW(M)-commissie.
- Zorg dat u de namen en telefoonnummers van de arbodienst en Arbeidsinspectie kent.
- Zoek eens contact met de VGW(M)-commissie van andere bedrijven.

---

## 28.11 Werken als team

Een goede commissie werkt met een taakverdeling, er wordt voor gewaakt dat niet één of twee mensen met vrijwel alles worden belast. Belangrijke kwesties worden eerst met het hele team doorgenomen voordat er actie wordt ondernomen. Er wordt aandacht besteed aan de onderlinge samenwerking. Er is onderling belangstelling en waardering. En de leden van de commissie worden aangesproken op gemaakte afspraken.

---

**Tips**

- Bespreek jaarlijks in de commissie: wat gaat er goed en wat niet goed, hoe kan de commissie zijn werk verbeteren.
- Laat eventueel de voorzitter tussentijds in de gaten houden hoe de leden zich opstellen in de commissie. Waar nodig kan zij/hij mensen aanspreken en coachen.

---

## 28.12 Het commissiewerk strak organiseren

Om tot resultaten te komen is het van belang om het commissiewerk vrij strak te organiseren. Hieronder volgen acht aspecten van zo'n strakke organisatie van de commissie:

– Er is een voorzitter en een secretaris aangewezen en zij functioneren goed.

De voorzitter heeft vooral als taak om de vergaderingen in goede banen te leiden en de commissieleden te coachen. De secretaris zorgt voor de verslaglegging, archivering en correspondentie. Voorzitter en secretaris vormen samen het dagelijks bestuur van de commissie. Zij zorgen samen voor de vergaderagenda's, en zijn het aanspreekpunt voor derden.

– Er is bij elke commissie vergadering een duidelijke agenda en een kort verslag.

De agenda geeft bij elk inhoudelijk agendapunt een korte beschrijving waaruit duidelijk blijkt wat het doel van de bespreking is. Het verslag van de commissievergadering is kort en bevat voornamelijk de gemaakte afspraken en een bijgewerkte actielijst.

– Er is een zakelijke vergaderwijze.

Aan de hand van een goed uitgewerkte agenda zorgt de voorzitter dat men in de commissievergadering samen tot een soepele afhandeling van de agendapunten komt. Besluiten die genomen worden zijn helder en hebben draagvlak binnen de commissie

– Elk jaar wordt er een vergaderschema opgesteld.

Dat vergaderschema bevat de vergaderdata en plant ook de jaarlijks terugkerende onderwerpen in. (bijvoorbeeld: steeds in maart spreekt de commissie met de bedrijfsarts en elk jaar in september stelt de commissie haar wensenlijst voor het komende arbojaarplan vast.

– De afstemming met de or is geregeld en functioneert goed.

De rolverdeling tussen de ondernemingsraad en de commissie is helder en er zijn goed lopende afspraken hoe de commissie de or op de hoogte houdt van haar werkzaamheden en bevindingen.

– De commissie heeft een juist aantal vergaderingen per jaar.

Er zijn geen vaste aantallen voor. Afhankelijk van de problematiek en de snelheid van de arbo-ontwikkelingen in het bedrijf is een frequentie van tussen de 6 en 12 maal per jaar gebruikelijk.

– De opkomst bij vergaderingen is goed.

Als de opkomst in een vergadering regelmatig tegenvalt, stort het hele commissiewerk in elkaar. Het is dan zaak om na te gaan waar die lage opkomst door wordt veroorzaakt en vervolgens adequate maatregelen te treffen.

– Er zijn faciliteiten voor de commissie vastgelegd en die worden ook benut.

Denk aan uren die de leden aan het commissiewerk mogen besteden, scholingsdagen, vergaderfaciliteiten, abonnementen etc. Met de bestuurder zijn hierover goede afspraken gemaakt en die worden in de praktijk ook waargemaakt. Bedenk bijvoorbeeld dat de Arbowet de leden van een VGW(M)-commissie het recht geeft om elk jaar drie dagen scholing te volgen, naast de vijf dagen die een or jaarlijks aan scholing mag besteden.

---

**Tip**

- Ga na hoe de VGW(M)-commissie op bovenstaande punten scoort en kom met verbetervoorstellen.

---

## 28.13 De juiste tactiek kiezen

Arboverbeteringen realiseren is niet een kwestie van inhoudelijke voorbereiding alleen. Het gaat ook om de vraag hoe de VGW(M)-commissie of ondernemingsraad zijn gesprekspartner aan zijn kant kan krijgen. Dat is vaak een politiek spel. De commissie zal zich dan ook moeten verdiepen in de juiste tactiek: hoe kan ze het onderwerp met de meest kans op succes bij bestuurder of arbocoördinator presenteren? Per gesprekspartner en per onderwerp is een andere aanpak kansrijk. Een onderwerp kan mondeling of schriftelijk worden aangekaart, formeel in een vergadering of juist informeel in een heel andere setting. Soms is het handig om ineens alle zorgen en voorstellen van de commissie of or op tafel te leggen, soms is het juist beter om in de eerste vergadering alleen de zorgen te uiten en later pas met voorstellen te komen. Bijna altijd is het wijs om eerst nog steun te verwerven bij personen rondom de beslisser. Ook is het bijzonder aan te bevelen om steeds na te gaan hoeveel steun de commissie of ondernemingsraad heeft bij de achterban.

In enkele gevallen kan het goed zijn om een eigen plan helemaal uit te werken en voor te leggen. Vaak is een wensenlijst veel beter, of is het een verstandig voorstel om met de directie een gezamenlijk plan uit te werken, bijvoorbeeld tijdens een cursus. In een enkel geval kan het slim zijn om een functionaris van de arbodienst of een externe deskundige uit te nodigen in een overlegvergadering. Als uiterste stap kan ook gedreigd worden met de Arbeidsinspectie en kan die daadwerkelijk worden ingeschakeld.

Het aantal tactische mogelijkheden is eindeloos. Het eindresultaat staat of valt vaak met het kiezen van de juiste tactiek.

---

**Tips**

- Zorg bij de voorbereiding op een arbo-onderwerp dat je niet alleen de inhoudelijke aspecten uitwerkt, maar dat je ook nadenkt over een kansrijke tactiek.

---

- Het kan erg leerzaam zijn om in de commissievergadering een gesprek met direc-teur of arbocoördinator te oefenen. Een commissielid 'speelt' de rol van de ge-sprekspartner en de anderen proberen de vastgestelde tactiek uit.

---

**Uit de praktijk**

Arbotraining voor de directie

Door de vakgroep Veiligheidskunde van de Technische Universiteit is enige tijd ge-leden onderzocht wat de meest effectieve manier is om organisaties tot een beter arbobeleid aan te sporen. 'Vergroting van het arbobewustzijn van de directie' kwam daar als winnaar uit de bus. Door de ogen van het hoogste management te openen voor het belang van goede arbeidsomstandigheden, en met name voor belangrijke arboknelpunten in de eigen organisatie, ontstaat er een stevig draagvlak om tot struc-turele verbeteringen te komen. Het arbobewustzijn van de directie kan bijvoorbeeld vergroot worden door een toegesneden arbotraining. Maar een gerichte rondgang met een ervaren VGWM-lid door het bedrijf of een serie foto's van kwalijke arbopraktijken op de werkvloer kunnen ook stappen in de goede richting zijn.

---

## 28.14    Verder lezen

- Zie paragraaf 30.28, paragraaf 30.29, paragraaf 30.30 en paragraaf 30.31.

# 29 Breekijzers voor VGW(M)-werk: handvatten en aanknopingspunten

## 29.1   Inleiding

Het kan zinvol zijn om voorvallen bijzondere aanleidingen te gebruiken om met arbo of milieu aan de slag te gaan: een ongeval, nieuwbouw, een grote investering of klachten van collega's. Die concrete aanleidingen kunnen een breekijzer zijn om te stimuleren dat de arbo-inspanningen in een bedrijf of instelling worden vergroot.

## 29.2   Klachten van collega's

Er komt een klacht binnen van een collega. Op haar afdeling hebben de mensen regelmatig last van tocht. Misschien hebben daar de nekklachten mee te maken die er op de afdeling zijn. Er is wel eens met de chef over gesproken maar daar komt men niet verder mee. Zij vraagt: kan de VGW(M)-commissie iets doen?
Enkele suggesties:
– In de RI&E en de PAGO nakijken of de knelpunten zijn beschreven en welke oplossingen zijn aanbevolen.
– In de arbocatalogus van de eigen sector bezien of er over het ingebrachte arboknelpunt een afspraak is gemaakt, of een oplossing is opgenomen.
– Praten op de afdeling of het bij meer mensen leeft, wat de oorzaken van het probleem zijn en de mogelijke oplossingen.
– Navragen of de collega's het al eens aangekaart hebben bij de chef of in het werkoverleg en hoe daarmee is omgegaan.
– Duidelijk maken wat ze van de VGW(M)-commissie al of niet kunnen verwachten.
– Navragen of er nog meer arboklachten of knelpunten op die afdeling zijn.
– Indien nodig, raadplegen van een deskundige, bijvoorbeeld van de arbodienst.
– Een globaal verbetervoorstel maken en dat even 'achter de hand' houden.
– De kwestie aan de orde stellen in het overleg met de directie of de arbocoördinator; laat daarbij zien dat je goed beslagen ten ijs komt.

– Tijdens het overleg inzetten op een gezamenlijke erkenning van het probleem: 'inderdaad, er is een tochtprobleem, wat mede oorzaak kan zijn van de nek-klachten, we moeten kijken of we dat kunnen oplossen'.
– Maak afspraken over de aanpak en spreek in ieder geval een tijdstermijn af.
– Rapporteer over de stappen die je zet, regelmatig aan de achterban op de betreffende afdeling.

Zie ook de checklist paragraaf 30.30 van hoofdstuk 30: 'De Arbogereedschapskist'.

## 29.3 Het ongeval

### 29.3.1 WAT TE DOEN?

Een ongeval kan worden aangegrepen om de aandacht voor veiligheid en gezondheid te vergroten. In zo'n geval is het verstandig eerst het doel van deze bemoeienis te bepalen en de rol van de kadergroep/or/VGW(M)-commissie helder te krijgen.

Doel kan zijn te stimuleren dat dit ongeval leidt tot echte bezinning op de arbo-zorg: wat ging er fout, waarom ging het fout, wat kunnen we doen om het in de toekomst te voorkomen. Bijvoorbeeld: zijn de procedures voldoende bekend, worden de medewerkers er voldoende praktisch en aanschouwelijk over voorgelicht, is er een cultuur waarin er daadwerkelijke zorg voor veiligheid en gezondheid is en waarin leidinggevenden en medewerkers zich aan de arbo-afspraken houden. Doel kan zijn ervoor te zorgen dat er niet eenzijdig schuldigen (werknemers) worden aangewezen. Doel kan ook zijn dat de kadergroep/VGW(M)-commissie zijn gezicht naar de achterban laat zien: we zijn er namens de collega's als er echt iets aan de hand is.

Een ongeval ligt altijd gevoelig. Daarom is een heldere bepaling van de rol van de or/VGW(M)-commissie belangrijk. De rol kan zijn om vanuit de medezeggen-schapspositie te zorgen dat er echt van het incident wordt geleerd, dat het ongeval niet wordt afgedaan als een vervelend incident, dat zo snel mogelijk vergeten moet worden. Maar al te vaak leidt een ongevalonderzoek tot een te gemakkelijke conclusie: het ongeval is te wijten aan een menselijke fout, een onzorgvuldigheid van de werknemer.

Wat er dan niet goed naar boven komt is de vraag wat er ten grondslag ligt aan die menselijke fout. Naast de directe oorzaak, de menselijke fout, zijn er vaak indirecte oorzaken die tot het ongeval hebben geleid. Te hoge werkdruk bijvoorbeeld, of te weinig voorlichting en toezicht, of onwerkbare procedures. Of er is een cultuur waarin aandacht voor arbo allesbehalve vanzelfsprekend is.

De productiedoelstellingen zijn soms zo heilig dat alle handelingen die het proces maar enigszins vertragen niet aan de orde zijn. Een ongevalonderzoek dat de achterliggende oorzaken blootlegt, en niet alleen de gemakkelijkste conclusie trekt, geeft een bedrijf echt de mogelijkheid om te leren en om in de toekomst ongevallen te voorkomen. Het is de taak van de or om erop toe te zien en te stimuleren dat ongevalonderzoeken inderdaad de onderste steen boven krijgen.

### 29.3.2 OFFICIËLE AFHANDELING

Een ongeval wordt natuurlijk ook officieel afgehandeld. De or/VGW(M)-commissie moet zich daarvan op de hoogte stellen en kan nagaan of dat op een juiste manier verloopt. De volgende stappen kunnen aan de orde zijn:
– eerste hulp door een bedrijfshulpverlener;
– mogelijke behandeling in ziekenhuis;
– melding aan Arbeidsinspectie (als het een ernstig ongeval betreft);
– rapportage en mogelijk proces-verbaal door de Arbeidsinspectie;
– rapportage in bedrijf of instelling:
  • omschrijving van het ongeval van alle partijen;
  • analyse van de oorzaken;
  • beschrijving van conclusies en maatregelen om zoiets in het vervolg te voorkomen.

### 29.3.3 HET SLACHTOFFER VAN HET ONGEVAL

De or besteedt in ieder geval aandacht aan degene die het ongeval overkwam. Er wordt rekening gehouden met de ernst van het ongeval. Ook bij een ernstig ongeval kan belangstelling worden getoond. Bijvoorbeeld door middel van een kaartje namens de or. Later kan daarop worden teruggekomen om persoonlijk het verhaal te horen en de toedracht nog eens door te nemen, als dat passend is.

In geval van een minder ernstig letsel, dat 'zomaar' zeer dramatische gevolgen had kunnen hebben, ligt het anders. Dan kan de or/VGW(M)-commissie aan het werk gaan zoals boven al is aangegeven en hieronder uitgewerkt.

### 29.3.4 IN CONTACT TREDEN MET ANDEREN

De or/VGW(M)-commissie treedt in contact met de anderen op de afdeling, inclusief de leidinggevende. Daarbij houdt de or rekening met het feit dat mensen de neiging hebben zich vooral te concentreren op de schuldvraag.

Aandachtspunten zijn:
– De rol vanuit de or/VGW(M)-commissie te verduidelijken:
  • de arbozorg verbeteren;
  • leren van het incident.

– Zich te realiseren dat degene die het ongeval overkomt vaak denkt dat hij of zij zelf schuldig is, er dus de neiging bestaat het voorval te verdoezelen.

– Mogelijke vragen:
  • Waren de procedures bekend en was er een sfeer dat ze ook werden nageleefd?
  • Werd over deze kwesties wel eens in het werkoverleg gesproken?
  • Werd er toezicht gehouden op het naleven van de procedures?
  • Zou dit ongeval morgen weer kunnen gebeuren?

De or/VGW(M)-commissie kaart vervolgens de kwestie aan.

### 29.3.5 DE KWESTIE AANKAARTEN

Voorbereiding:
– Het resultaat van het officiële onderzoek lezen en eigen commentaar formuleren.
– Navragen bij de mensen op de afdeling: waren er procedures, stonden ze op schrift, waren ze bekend, werd er toezicht op gehouden, werden ze besproken in het werkoverleg, heerst op die afdeling een sfeer van 'snel werken niet zeuren' of ligt dat anders.
– Het ongevallenregister en de RI&E lezen: waren de gevaren bekend, is iets dergelijks al eens eerder voorgekomen.
– De maatregelen op een rijtje zetten die al eerder waren voorgesteld.
– Op een rijtje zetten wat de belangrijkste gegevens zijn uit de contacten met de betrokkene en de mensen op de afdeling.
– Mogelijk voorstellen voor verbeteringen maken.

Tijdens het overleg:
– De motieven om het als or/VGW(M)-commissie aan te kaarten verduidelijken.
– Inspelen op gezamenlijk belang.
– Concrete afspraken maken.
– Afspraken maken hoe na te gaan of die nieuwe afspraken worden nagekomen.

### 29.3.6 TOETSEN EN CONTROLEREN

– Nagaan of men zich aan de nieuwe afspraken houdt of dat alles hetzelfde blijft.

### 29.3.7 SAMENVATTING

– Stimuleren dat er een eerlijk bedrijfsrapport komt met conclusies die verder gaan dan de simpele constatering: menselijke fout.
– Contact met collega's en het slachtoffer opnemen.

- Nagaan wat de toedracht en de oorzaken waren en op welke manier het gebrek aan bedrijfsprocedures en het toezicht daarop aan het ongeval hebben bijgedragen.
- Het rapport van de Arbeidsinspectie lezen, als dat wordt gemaakt, en het zo nodig becommentariëren.
- Voorstellen maken om structureel een en ander te verbeteren.
- Die voorstellen met kracht aankaarten.
- Controleren of de afspraken worden nageleefd.

---

**Uit de praktijk**

Een veiligheidskundige vertelt:

"Ongemotiveerde werknemers krijgen zelden een ongeval, Dat overkomt vooral betrokken medewerkers die graag willen dat de productie doorgaat. Daarvoor verzinnen ze creatieve maar vaak ook gevaarlijke oplossingen. Het is dus zaak om als bedrijf te zorgen dat deze betrokken medewerkers de problemen die zij signaleren op een eenvoudige manier kunnen melden. Vervolgens is het verstandig om snel en in overleg met hen tot veilige oplossingen te komen."

---

*Afbeelding 1. Vaak wordt na een ongeval de schuld bij de werknemer gelegd, terwijl de oorzaak in werkelijkheid dieper ligt.*

## 29.4 De nieuwbouw of grote verbouwing

Plannen voor nieuwbouw of een grote verbouwing zijn belangrijke aangrijpingspunten voor de or of VGW(M)-commissie. Zo'n bouwproces biedt namelijk een
kans om oude arboknelpunten voorgoed uit te sluiten en met betere arbeidsomstandigheden verder te gaan. Aan de andere kant is het zo dat een gebrek aan
aandacht voor arbo bij nieuwbouw en investering kan leiden tot jaren van hinder
of gevaar of tot hoge herstelkosten.

Iedere situatie is weer anders, maar de stappen kunnen de volgende zijn.

### 29.4.1 DE BEGINSITUATIE VASTSTELLEN

De volgende vragen kunnen worden gesteld:
– Zijn de voornemens tot nieuwbouw of de grote verbouwing nog vage plannen
  'voorgenomen besluiten' of plannen waar men al redelijk ver mee gevorderd is?
– Zijn er al besluiten genomen over de nieuwbouw en de manier waarop een en
  ander ingericht zal worden?
– Is er al een programma van eisen door de opdrachtgever opgesteld?
– Zijn er al offertes of (voorlopige) contracten met een architect of aannemer?
– Zijn er al bouw- en milieuvergunningen aangevraagd?
– Is er een adviestraject voor de or afgesproken met diverse momenten om in-
  vloed uit te oefenen?

### 29.4.2 WAAROM BETROKKENHEID BIJ DE NIEUWBOUW OF GROTE VERBOUWING?

Het belang van de nieuwbouw of grote verbouwing voor werknemers moet worden vastgesteld: spelen er arbokwesties? De centrale vraag is: zijn er uit het recente
verleden aanleidingen om zich actief met het arbo- en milieudeel van de nieuw-
bouw/verbouw te gaan bezig houden? Anders gesteld: zijn er redenen te vermoeden dat de arbo- en milieu-invalshoek, inclusief de betrokkenheid van de toekomstige gebruikers, bij deze ver- of nieuwbouw in het gedrang kan komen?

De VGW(M)-aandachtspunten kunnen zijn:
– Ergonomische kwesties:
  • onprettige en vermoeiende werkhoudingen;
  • bedieningsgemak of -ongemak aan machines en apparaten.
– Veiligheidskwesties:
  • aankoop veiliger machines en apparaten;
  • nooduitgangen;
  • voldoende ruimte voor transport en looproutes;
  • veilige deuren en doorgangen;

- EHBO-plekken en voorzieningen, enzovoort.
- Ruimte om te werken: voldoende loopruimte, voldoende zitruimte en bewegingsruimte.
- Milieuvriendelijke bouwmaterialen en een energiezuinig gebouw.
- Klimaat: warmte, tocht, ventilatie, ongezonde of frisse lucht.
- Voorzieningen: koffiecorners, toiletruimte.
- Daarnaast kunnen er andere kwesties spelen als mogelijk nieuwe functies en opleidingen die daarvoor nodig zijn.

Conclusie: loop zoveel mogelijk arbopunten na die in de vergelijkbare 'oude' werkruimten spelen, gebruik bovenstaande aandachtspunten en concludeer of er voldoende mogelijke arbokwesties aan de orde zijn om zich met deze verbouwing of nieuwbouw bezig te gaan houden. Waarschijnlijk is dat het geval. Zie dan onderstaand stappenplan en de volgende suggesties:

### 29.4.3 VERDERE SUGGESTIES VOOR EEN AANPAK

- Het is belangrijk de achterban te vragen welke de huidige problemen zijn en de mogelijke verbeterpunten.
- Bestudeer in ieder geval de huidige risico-inventarisatie en -evaluatie en het PAGO-rapport, in verband met werkgebonden risico's en gezondheidsklachten.
- Spreek af dat een externe deskundige naar de VGW(M) aspecten kijkt in de offertefase. Laat hem of haar een oordeel vellen en advies geven vanuit de 'laatste stand van de wetenschappen en -techniek'.
- Raadpleeg deskundigen, bijvoorbeeld een ergonoom of veiligheidkundige van de arbodienst of van technische bureaus.
- Overweeg een eigen gesprek met architect, aannemer of leverancier.
- Ga eens op bezoek bij de or/VGW(M)-commissie van een vergelijkbaar bedrijf waar ze recent nieuwbouw of verbouw hebben gepleegd.

---

**Arbosucces**

*OR verbetert nieuwbouwplannen*

Een ondernemingsraad van een middelgrote gemeente krijgt te maken met ingrijpende verbouwingen. In eerste instantie worden de or-leden aan het lijntje gehouden door de bestuurder.

"We hadden bij de eerste signalen van renovatie moeten doorvragen bij de bestuurder, maar steeds werd aangegeven dat er eerst nog plannen moesten worden gemaakt".

Uiteindelijk kwam de or en zijn VGW(M)-commissie pas in beeld toen het proces al gaande was; tekeningen en afspraken met de architect en aannemer waren toen al

---

gemaakt. Ook was een extern bureau aangetrokken om een nieuwe manier van werken in te voeren. Ondanks deze slechte start heeft de or toch zijn invloed laten gelden. Zo heeft de VGW(M)-commissie de vele klachten over het binnenklimaat in het oude gebouw verzameld. Gecombineerd met een gesprek met de bedrijfsarts gaf dat zo'n duidelijk beeld, dat de plannen rondom binnenklimaat in het nieuwe gebouw zijn verbeterd. Ook heeft de or afspraken gemaakt over de indeling van het nieuwe gebouw, zodat kamers zonder uitzicht het minst worden gebruikt. En or-leden hebben enkele bezoeken gebracht aan organisaties die werken volgens moderne werkplekconcepten. Op grond daarvan zijn concrete afspraken gemaakt met de bestuurder om de bestaande ideeën op enkele punten aan te passen. Door een actieve opstelling heeft de or — ondanks een veel te late inschakeling — toch goede resultaten geboekt.

## 29.4.4 EEN STAPPENPLAN

1. De or/VGW(M)-commissie maakt bij een belangrijk ver- of nieuwbouwproject zo spoedig mogelijk kenbaar dat men bij het traject betrokken wil zijn en dat voorafgaand aan definitieve beslissingen overleg moet worden gevoerd.
2. De or/VGW(M)-commissie spreekt met de werkgever een traject af: wanneer zullen adviesaanvragen en mogelijke instemmingsaanvragen ter bespreking worden voorgelegd? Bijvoorbeeld een adviesaanvraag over de investeringsbeslissing om tot ver- of nieuwbouw over te gaan. Instemmingsaanvragen zijn aan de orde als er samen met de nieuwbouw ook nieuwe personeelregelingen worden geïntroduceerd, zoals andere werktijden of personeelsvolgsystemen.
3. De or/VGW(M)-commissie zorgt ervoor dat hij zich goed voorbereidt op dit traject. Zie hiervoor bovengenoemde punten. Ga bijvoorbeeld één of twee dagen op cursus.
4. De or/VGW(M)-commissie polst zelf bij de achterban wat de problemen zijn in huidige vergelijkbare werksituaties en welke ideeën er zijn voor verbeteringen.
5. De or/VGW(M)-commissie stimuleert gebruikersinvloed bij de ver- of nieuwbouw. Het is zaak dat dit geen vrijblijvende aangelegenheid wordt. De or doet er goed aan om heldere afspraken te maken hoe de betrokken werknemers tijdig hun wensen met betrekking tot hun nieuwe werkplek kunnen indienen. Daarbij zijn de volgende aspecten van belang:
   a. alle betrokken werknemers kunnen hun wensen indienen, ook bijvoorbeeld indirect betrokken afdelingen als de technische dienst;
   b. de wensen van al die werknemers worden op schrift gesteld en verzameld;
   c. de projectgroep die de nieuwbouw begeleidt geeft binnen korte tijd per ingediende wens aan of hij wordt ingewilligd of niet;
   d. de ondernemingsraad krijgt ook inzicht in de afgewezen wensen en kan zo nodig nog in actie komen als er naar zijn idee belangrijke wensen ten onrechte zijn afgewezen.

6. De or/VGW(M)-commissie stimuleert dat er een goed informatie- en communicatieplan komt voor de nieuwbouw of verbouw. In dat informatieplan moet ook gevraagd worden om ideeën van medewerkers. De procedure hoe met die ideeën wordt omgegaan moet ook worden aangegeven: Bijvoorbeeld: 'alle ideeën worden besproken in de bouwcommissie; daaruit wordt een selectie gemaakt; die wordt besproken met de or en vervolgens worden ze aan het personeel bekend gemaakt'.

7. De or/VGW(M)-commissie stimuleert dat de RI&E van de bestaande situatie door de werkgever wordt benut om tot een verbetering van de arbeidsomstandigheden te komen.

8. De or/VGW(M)-commissie maakt zo nodig afspraken over het veilig en gezond doorwerken tijdens de verbouwing.

9. De or/VGW(M)-commissie maakt afspraken dat een externe arbodeskundige wordt betrokken bij het opstellen van het programma van eisen en bij het beoordelen van het conceptontwerp. Bijvoorbeeld een deskundige van de arbodienst. Als het gaat om de effecten op het binnenmilieu is het aan te raden een bouwfysicus in te schakelen.

## 29.5 De grote investering

Een grote investering heeft meestal een aantal arbo- en milieu-aspecten. Het ligt natuurlijk aan het soort investering; apparatuur, transportmiddelen, meubilair, isolatie van wanden en platte daken, zonwering, allerlei andere voorzieningen om de gebouwen en werkruimten een prettiger aanzien te geven. Veel van de aandachtspunten voor de or/VGW(M)-commissie zijn te vinden in paragraaf 29.4.

Grote investeringen staan bijna altijd in de jaarbegroting van de organisatie. Bespreek ieder jaar die begroting, ga na of belangrijke investeringen VGW(M)-aspecten hebben.

### 29.5.1 AFSPRAKEN BETROKKENHEID

Maak in een vroeg stadium een afspraak over de or-betrokkenheid bij die investering en maak eerste afspraken over een adviesaanvraag op grond van de artikel 25 Wet op de ondernemingsraden. Voor een belangrijke investering geldt immers het adviesrecht. In artikel 24 WOR staat geformuleerd, dat de bestuurder/directie en de ondernemingsraad afspraken moeten maken over vroegtijdige betrokkenheid.

### 29.5.2 EEN ADVIESAANVRAAG

In de adviesaanvraag wordt door de werkgever volgens de WOR het volgende geformuleerd:

- het voorgenomen besluit zelf;
- de motieven voor de investering;
- de gevolgen voor de werknemers;
- de maatregelen om die gevolgen op te vangen.

### 29.5.3 ANDERE BEDRIJVEN EN ARBOCATALOGUS

Ga eens op bezoek bij andere bedrijven uit de sector waar ze dergelijke investeringen hebben gedaan. De ondernemingsraad van zo'n bedrijf kan vaak nuttige
tips geven. Zie ook afspraken en goede praktijken in de arbocatalogus van uw
sector.

### 29.5.4 BETROKKENHEID GEBRUIKERS

Vereis een serieuze betrokkenheid van de gebruikers bij de keuze van de middelen, materialen of apparatuur: zij moeten ermee werken. Het is de kunst ervoor te
zorgen dat deze gebruikersinvloed niet vrijblijvend is. Spreek af dat alle betrokken
werknemers hun wensen kunnen indienen, dat die op schrift worden gesteld en
gebundeld; dat de werknemers en or vroegtijdig te horen krijgen welke wensen
wel of niet worden gehonoreerd.

Spreek verder met de directie af dat een arbodeskundige een kwaliteitscontrole
doen in de offertefase: apparatuur die het veiligst is en het meest geluidsarm,
machines en meubilair die voldoen aan de laatste stand van de techniek en ergonomie. Zie daarvoor ook de arbocatalogus van uw sector. De afdeling Inkoop heeft
nogal eens de neiging het goedkoopste alternatief te kiezen. Dat is doorgaans
minder veilig en minder ergonomisch.

Vraag, als dat enigszins mogelijk is, of nieuwe apparatuur, meubilair of hulpmiddelen enige tijd kunnen worden uitgeprobeerd. En zorg dat de daadwerkelijke
gebruikers op een degelijke manier worden betrokken bij de keuze van het meest
geschikte arbeidsmiddel.

Als er regelmatig nieuwe investeringen worden gedaan, is het wijs om bij de
directie een vaste procedure af te spreken, met stappen die voortaan worden gezet
om arbo-aspecten te betrekken bij investeringen. In die procedure kan de hierboven beschreven gebruikersinvloed worden opgenomen.

## 29.6   Een nieuw budgetjaar: budget voor arbo?!

De begroting voor een nieuw jaar kan worden aangegrepen om arbo-investeringen
te laten opnemen in het nieuwe budget. Maak tijdig, voordat het budget voor het
nieuwe jaar wordt vastgesteld, zelf een lijstje met wenselijke of noodzakelijke arbo-
investeringen. Maak zo mogelijk afspraken over een 'arbojaarplan'. Daarin staan

alle arbomaatregelen voor het komend jaar op een rij. Waar nodig is ook het investeringsbedrag genoemd. Een arbojaarplan is niet verplicht, maar het is een bijzonder handig instrument voor bedrijfsleiding en ondernemingsraad om een goede arboplanning te maken en bovendien grip te houden op de voortgang van de uitvoering. Ziehoofdstuk 11voor meer informatie hierover.

Om inbreng van de ondernemingsraad mogelijk te maken, kan met de 'bestuurder' worden afgesproken dat voordat het budget voor het nieuwe jaar is vastgesteld, de or in de overlegvergadering hierover wil overleggen. Op dat moment kunnen de wensen van ondernemingsraad die zijn voorbereid door de VGW(M)-commissie, worden ingediend.

Als het budget is vastgesteld, is het verstandig na te gaan welke de 'belangrijke investeringen' daaruit zijn. Daar moet door de werkgever nog een adviesaanvraag over worden ingediend bij de ondernemingsraad. In ieder geval om de concrete invulling van de voorziene uitgave te toetsen, te bespreken en mogelijk bij te sturen. In onderling overleg kan bezien worden hoe dat het beste vorm kan krijgen. Daarbij kan gebruik worden gemaakt van de suggesties die gedaan zijn in paragraaf 29.5.

## DEEL 6

DE ARBOGEREEDSCHAPSKIST

# 30 De arbogereedschapskist voor de ondernemingsraad of VGW(M)-commissie

## 30.1 Overzicht

- Basischecklist veilig en gezond werk
- Checklist arbobeleid
- Checklist arbotaken
- Checklist preventiemedewerker
- Checklist risico-inventarisatie en -evaluatie
- Checklist plan van aanpak
- Vragenlijst over mogelijke oorzaken ziekteverzuim
- Checklist ziekteverzuimbeleid
- Checklist re-integratie/Wet verbetering poortwachter (WVP)
- Checklist omgaan met of keuze van re-integratiebedrijf
- Vragen bij de keuze van een arbodienst (of zelfstandig opererende gecertificeerde bedrijfsarts)
- Vragen in gesprek met 'de arbodienst' of bedrijfsarts
- Vragenlijst oordeel werk 'arbodienst' of bedrijfsarts
- Checklist voorlichting, onderricht en toezicht
- Checklist beleid agressie en geweld
- Checklist ongewenste omgangsvormen: discriminatie, pesten en seksuele intimidatie
- Checklist gevaarlijke stoffen
- Checklist bedrijfshulpverlening
- Vragenlijst werkdruk/werkstress
- Checklist milieuvervuiling door bedrijf of instelling
- Checklist milieubeleid
- Checklist machineveiligheid
- Checklist veiligheid heftrucks
- Checklist veilig magazijn
- Checklist persoonlijke beschermingsmiddelen (PBM's)
- Checklist arbozorg voor uitzendkrachten
- Checklist functioneren VGW(M)-commissie
- De VGW(M)-commissie en de achterban

- De aanpak van een concrete arbokwestie
- Een arbobeleidskwestie aanpakken

## 30.2 Basischecklist veilig en gezond werk

*Tips voor gebruik*

Bijgaande checklist kan worden gebruikt om als or/VGW(M)-commissie of kader-groep na te gaan wat u zelf de belangrijkste arboproblemen vindt. Op die manier kan u zelf een eerste aanzet voor een eigen RI&E maken en met de uitslag de officiële RI&E beoordelen.

De vragenlijst kan ook worden gebruikt om een lijst met vragen samen te stellen om een eigen arborondgang door de verschillende afdelingen te houden.

*Tabel 1.*

| Vraag | In orde? | | Actie or nodig ? | |
|---|---|---|---|---|
| | Ja | Nee | Ja | Nee |
| **Gevaarlijke stoffen** | | | | |
| 1  Zijn er risico's voor werknemers in verband met blootstelling aan gevaarlijke stoffen? | ☐ | ☐ | ☐ | ☐ |
| 2  Zijn er risico's van brand- en explo-siegevaar? Zijn die risico's voldoende afgedekt door beheersmaatregelen? | ☐ | ☐ | ☐ | ☐ |
| | | ☐ | | |
| 3  Zijn er problemen of is er onkunde met betrekking tot opslag, gebruik, vervoer van gevaarlijke stoffen? | ☐ | ☐ | ☐ | ☐ |
| 4  Zijn kankerverwekkende stoffen uit-gebannen of zeer goed beheerst. (denk ook aan dieselrook) | ☐ | ☐ | ☐ | ☐ |
| 5  Zijn werknemers voldoende voorge-licht en geïnstrueerd over het omgaan met gevaarlijke stoffen? | ☐ | ☐ | ☐ | ☐ |
| **Machines, apparaten** | | | | |
| 6  Zijn er risico's van knellen, snijden, pletten door aanraking met bewe-gende delen van machines en appa-raten? | ☐ | ☐ | ☐ | ☐ |

| Vraag | In orde? | | Actie or nodig ? | |
|---|---|---|---|---|
| | Ja | Nee | Ja | Nee |
| 7    Zijn er risico's van stoten of snijden door uitstekende delen van machines en apparaten? | ☐ | ☐ | ☐ | ☐ |
| 8    Zijn er voldoende zichtbare en bereikbare noodstoppen aan machines? | ☐ | ☐ | ☐ | ☐ |
| 9    Worden machines en apparaten stilgezet en ontkoppeld van elektriciteit bij het verhelpen van storingen en uitvoeren van onderhoud? | ☐ | ☐ | ☐ | ☐ |
| 10    Worden de machines en apparaten alleen gebruikt door voldoende deskundige werknemers? | ☐ | ☐ | ☐ | ☐ |

**Vloeren**

| | | | | |
|---|---|---|---|---|
| 11    Zijn er risico's door gladde of ongelijke vloeren of door gebrek aan ordelijkheid en netheid? | ☐ | ☐ | ☐ | ☐ |

**Transport**

| | | | | |
|---|---|---|---|---|
| 12    Zijn er risico's door transport in gebouwen en op terreinen, zijn de looproutes voor voetgangers voldoende breed en gescheiden van de transportroutes? | ☐ | ☐ | ☐ | ☐ |

**Vallen, omvallen**

| | | | | |
|---|---|---|---|---|
| 13    Zijn er risico's van omvallen en wegglijden van gestapelde goederen? | ☐ | ☐ | ☐ | ☐ |
| 14    Bestaan er risico's voor het vallen van voorwerpen of het omvallen of instorten van constructies (bijvoorbeeld steigers of magazijnstellingen)? | ☐ | ☐ | ☐ | ☐ |
| 15    Zijn er risico's van vallen van hoogte door ontbrekende en ondeugdelijke trappen, steigers, leuningen, ladders? | ☐ | ☐ | ☐ | ☐ |

| Vraag | In orde? | | Actie or nodig ? | |
|---|---|---|---|---|
| | Ja | Nee | Ja | Nee |

**Elektra**

| | | | | | |
|---|---|---|---|---|---|
| 16 | Zijn er — in het oog springende — risico's in verband met elektrische installaties: veilige constructie, regelmatig en veilig onderhoud, veilig en deskundig gebruik? | ☐ | ☐ | ☐ | ☐ |

**Agressie, seksuele intimidatie, pesten of discriminatie**

| | | | | | |
|---|---|---|---|---|---|
| 17 | Zijn er problemen in verband met agressie, seksuele intimidatie, pesten of discriminatie? | ☐ | ☐ | ☐ | ☐ |

**Lawaai**

| | | | | | |
|---|---|---|---|---|---|
| 18 | Zijn er risico's op gehoorschade als gevolg van lawaai? | ☐ | ☐ | ☐ | ☐ |

**Lichamelijke belasting**

| | | | | | |
|---|---|---|---|---|---|
| 19 | Zijn er werkzaamheden waar zwaar, veelvuldig en/of in een ongunstige houdingen wordt getild? | ☐ | ☐ | ☐ | ☐ |
| 20 | Zijn er werkzaamheden waarin regelmatig een forse lichamelijke belasting is door duwen/trekken of repeterende bewegingen? | ☐ | ☐ | ☐ | ☐ |
| 21 | Wordt er langdurig in dezelfde lichaamshouding gewerkt, staand of zittend? | ☐ | ☐ | ☐ | ☐ |

**Klimaat**

| | | | | | |
|---|---|---|---|---|---|
| 22 | Is het klimaat in de werkruimten comfortabel? | ☐ | ☐ | ☐ | ☐ |
| 23 | Is er sprake van voldoende verse lucht en ventilatie? | ☐ | ☐ | ☐ | ☐ |

| Vraag | In orde? | | Actie or nodig ? | |
|---|---|---|---|---|
| | Ja | Nee | Ja | Nee |
| 24 Zijn er voldoende maatregelen en voorzieningen bij het werken in koude, hete of natte omstandigheden? | ☐ | ☐ | ☐ | ☐ |

**Trillen, schokken**

| | | | | |
|---|---|---|---|---|
| 25 Is er sprake van belasting door trillen en schokken van machines, apparaten en/of transportmiddelen? | ☐ | ☐ | ☐ | ☐ |

**Verlichting**

| | | | | |
|---|---|---|---|---|
| 26 Is er in de werkruimten voldoende daglicht aanwezig? | ☐ | ☐ | ☐ | ☐ |
| 27 Is sprake van hinderlijke spiegeling op het beeldscherm? | ☐ | ☐ | ☐ | ☐ |

**Stof**

| | | | | |
|---|---|---|---|---|
| 28 Zijn er risico's van stofexplosies? En zijn deze voldoende beheerst? | ☐ | ☐ | ☐ | ☐ |
| 29 Worden werknemers blootgesteld aan stof dat allergieën kan veroorzaken (zoals hout- of meelstof)? | ☐ | ☐ | ☐ | ☐ |

**Ergonomie**

| | | | | |
|---|---|---|---|---|
| 30 Zijn de werkplekken en de apparatuur of machines aangepast aan de taken en lichaamsmaten van medewerkers? | ☐ | ☐ | ☐ | ☐ |
| 31 Zijn de beeldschermwerkplekken ergonomisch goed in orde? | ☐ | ☐ | ☐ | ☐ |

**Werkdruk**

| | | | | |
|---|---|---|---|---|
| 32 Zijn er problemen met de werkdruk en de werktempo? | ☐ | ☐ | ☐ | ☐ |

| Vraag | | In orde? | | Actie or nodig ? | |
|---|---|---|---|---|---|
| | | Ja | Nee | Ja | Nee |
| 33 | Is het werk voldoende afwisselend? | ☐ | ☐ | ☐ | ☐ |
| 34 | Wordt in het werk voldoende een beroep gedaan op de verantwoorde-lijkheid en zelfstandigheid van de werknemer? | ☐ | ☐ | ☐ | ☐ |
| 35 | Zijn er problemen in de samenwer-king met collega's en de manier van leiding geven? | ☐ | ☐ | ☐ | ☐ |
| 36 | Hebben werknemers in voldoende mogelijkheden om problemen in het werk zelf op te lossen? | ☐ | ☐ | ☐ | ☐ |
| 37 | Zijn de werktijden, de mogelijkheid om pauzes en verlofdagen te nemen naar tevredenheid geregeld? | ☐ | ☐ | ☐ | ☐ |
| **Algemene voorzieningen** | | | | | |
| 38 | Is er voldoende brandblus- en brand-detectieapparatuur aanwezig, die regelmatig wordt getest? | ☐ | ☐ | ☐ | ☐ |
| 39 | Zijn er voldoende nooduitgangen en vluchtwegen, zijn die altijd vrij van obstakels, van binnen te openen en voorzien van noodverlichting? | ☐ | ☐ | ☐ | ☐ |
| 40 | Zijn er voldoende EHBO-voorzienin-gen: kisten, materiaal? Worden die voldoende bijgehouden? | ☐ | ☐ | ☐ | ☐ |
| 41 | Zijn er, gezien de aanwezige risico's, voldoende en geschikte persoonlijke beschermingsmiddelen. Worden ze in voldoende mate gedragen, schoongehouden, opgeborgen en vervangen? | ☐ | ☐ | ☐ | ☐ |
| 42 | Zijn er voldoende kantinevoorzienin-gen? | ☐ | ☐ | ☐ | ☐ |

| Vraag | In orde? | | Actie or nodig ? | |
|---|---|---|---|---|
| | Ja | Nee | Ja | Nee |
| 43 Als er bedrijfskleding wordt gedragen, zijn er voor mannen en vrouwen gescheiden voorzieningen om zich om te kleden, kan vuile en schone kleding gescheiden van elkaar worden opgeborgen? | ☐ | ☐ | ☐ | ☐ |
| 44 Zijn er voldoende en goed functionerende toilet- en wasvoorzieningen, zijn ze voor mannen en vrouwen gescheiden, worden ze voldoende schoongehouden? | ☐ | ☐ | ☐ | ☐ |
| 45 Is het bedrijfspand voldoende beveiligd tegen indringers en agressieve klanten/bezoekers? | ☐ | ☐ | ☐ | ☐ |
| 46 Zijn er in het bedrijf nog ander belangrijke arborisico's die onvoldoende beheerst zijn? Zo ja: noteer ze hieronder: a. b. c. d. | ☐ | ☐ | ☐ | ☐ |

## 30.3    Checklist arbobeleid

*Tabel 2.*

| Vraag | In orde? | | Actie or nodig? | |
|---|---|---|---|---|
| | Ja | Nee | Ja | Nee |
| 1 De zorg voor goede arbeidsomstandigheden wordt serieus genomen en daadwerkelijk aangepakt. | ☐ | ☐ | ☐ | ☐ |
| 2 Er worden voldoende financiële middelen beschikbaar gesteld voor arbobeleid. | ☐ | ☐ | ☐ | ☐ |
| 3 Er is voldoende arbokennis en tijd voor arbo in de organisatie, bijvoorbeeld bij een arbocoördinator/preventiemedewerker die naar tevredenheid werkt. | ☐ | ☐ | ☐ | ☐ |
| 4 De 'lijn' (leiding van de afdelingen, regio's, vestigingen) en de staf hebben een duidelijk omschreven taak in de arbozorg en voeren die naar tevredenheid uit. | ☐ | ☐ | ☐ | ☐ |

| Vraag | In orde? | | Actie or nodig? | |
|---|---|---|---|---|
| | Ja | Nee | Ja | Nee |
| 5 Arboproblemen worden bij de bron aangepakt. Als dat op enig moment nog niet mogelijk is zijn plannen gemaakt om dat op termijn wel te doen. | ☐ | ☐ | ☐ | ☐ |
| 6 Er zijn voldoende en goede procedures over veilig en gezond werken, die bekend zijn bij de medewerkers. | ☐ | ☐ | ☐ | ☐ |
| 7 Alle werknemers hebben voorlichting en onderricht gehad over risico's in het werk en verantwoordelijkheden inzake arbo. Voorlichting en onderricht worden van tijd tot tijd herhaald. | ☐ | ☐ | ☐ | ☐ |
| 8 In werkoverleggen wordt op een goede manier regelmatig overlegd over arboknelpunten en -oplossingen, over bedrijfs-gebonden oorzaken van ziekteverzuim. | ☐ | ☐ | ☐ | ☐ |
| 9 De bedrijfshulpverlening is goed georganiseerd en functio-neert naar tevredenheid. | ☐ | ☐ | ☐ | ☐ |
| 10 Op regelmatige basis worden inspecties of audits gehouden om te controleren of voorzieningen worden gebruikt, proce-dures worden nageleefd en verbeterplannen worden uitge-voerd. | ☐ | ☐ | ☐ | ☐ |
| 11 De ondernemingsraad of VGW(M)-commissie wordt serieus genomen en zorgt er zelf voor dat ze serieus wordt genomen. | ☐ | ☐ | ☐ | ☐ |
| 12 Er wordt gewerkt met een risico-inventarisatie en -evaluatie, die volledig, eerlijk en actueel is. | ☐ | ☐ | ☐ | ☐ |
| 13 Er wordt gewerkt met een concreet plan van aanpak dat bekend is in de organisatie en daadwerkelijk wordt uitgevoerd. | ☐ | ☐ | ☐ | ☐ |
| 14 De arbodienst/bedrijfsarts functioneert naar tevredenheid van werknemers en leidinggevenden. | ☐ | ☐ | ☐ | ☐ |
| 15 Er is beleid inzake ziekteverzuimpreventie en ziekteverzuim-begeleiding dat sociaal is en bij iedereen bekend. | ☐ | ☐ | ☐ | ☐ |
| 16 Er wordt extra aandacht besteed aan de positie van bijzondere groepen werknemers, zoals: uitzendkrachten en tijdelijke krachten, minder-validen, werknemers die de Nederlandse taal niet goed beheersen. | ☐ | ☐ | ☐ | ☐ |
| 17 Van tijd tot tijd wordt het arbobeleid geëvalueerd. | ☐ | ☐ | ☐ | ☐ |

## 30.4 Checklist arbotaken

*Tabel 3.*

| | Taken bekend aan functionaris en op schrift gesteld? | | Naar tevreden-heid uitgevoerd? | | Actie or nodig? | |
|---|---|---|---|---|---|---|
| | Ja | Nee | Ja | Nee | Ja | Nee |
| 1 Taken en bevoegdheden van functionarissen of functies inzake arbo | | | | | | |
| - Directeur ('bestuurder') | ☐ | ☐ | ☐ | ☐ | ☐ | ☐ |
| - Afdeling P&O | ☐ | ☐ | ☐ | ☐ | ☐ | ☐ |
| - Arbocoördinator/-preventiemedewerker | ☐ | ☐ | ☐ | ☐ | ☐ | ☐ |
| - Leidinggevenden van afdelingen | ☐ | ☐ | ☐ | ☐ | ☐ | ☐ |
| - Arbodienst/bedrijfsarts | ☐ | ☐ | ☐ | ☐ | ☐ | ☐ |
| - Hoofd technische dienst of gebouwenbeheer | ☐ | ☐ | ☐ | ☐ | ☐ | ☐ |
| - Medewerkers | ☐ | ☐ | ☐ | ☐ | ☐ | ☐ |
| - De or/VGW(M)-commissie | ☐ | ☐ | ☐ | ☐ | ☐ | ☐ |
| - ... | | | | | | |
| 2 Taken van overlegsituaties inzake arbo | | | | | | |
| - Managementteam | ☐ | ☐ | ☐ | ☐ | ☐ | ☐ |
| - Leidinggevendenoverleg | ☐ | ☐ | ☐ | ☐ | ☐ | ☐ |
| - Werkoverleg | ☐ | ☐ | ☐ | ☐ | ☐ | ☐ |
| - Arbocommissie, die door het bedrijf of de instelling is ingesteld | ☐ | ☐ | ☐ | ☐ | ☐ | ☐ |
| - Overlegvergadering tussen or en bestuurder | ☐ | ☐ | ☐ | ☐ | ☐ | ☐ |
| - ... | ☐ | ☐ | ☐ | ☐ | ☐ | ☐ |
| 3 Taken van externe instanties inzake arbo | | | | | | |
| - Arbodienst/bedrijfsarts | ☐ | ☐ | ☐ | ☐ | ☐ | ☐ |
| - Adviesbureau | ☐ | ☐ | ☐ | ☐ | ☐ | ☐ |
| - Arbeidsinspectie | ☐ | ☐ | ☐ | ☐ | ☐ | ☐ |
| - ... | ☐ | ☐ | ☐ | ☐ | ☐ | ☐ |

## 30.5 Checklist preventiemedewerker

De preventiemedewerker is vanaf 2005 verplicht in iedere organisatie. De onder-staande lijst met vragen is een hulpmiddel om zijn/haar functioneren te evalue-ren.

381

*Tabel 4.*

| Vraag | In orde? | | Actie or nodig? | |
|---|---|---|---|---|
| | Ja | Nee | Ja | Nee |
| 1. Heeft de aanstelling en het functioneren van de preventiemedewerker merkbare meerwaarde?<br><br>- (zo ja: welke meerwaarde? zo nee: waarom niet?) | ☐ | ☐ | ☐ | ☐ |
| 2. Bevat de RI&E een beschrijving van de manier hoe uw organisatie de interne preventie het beste kan organiseren? | ☐ | ☐ | ☐ | ☐ |
| 3. Wordt het functioneren van de preventiemedewerker (s) n de praktijk ook zo toegepast zoals het in de RI&E is beschreven? | ☐ | ☐ | ☐ | ☐ |
| 4. Zijn er voldoende preventiemedewerkers in uw organisatie, gezien het aantal locaties en de aard van de arborisico's? | ☐ | ☐ | ☐ | ☐ |
| 5. Is de preventiemedewerker bekend en geaccepteerd binnen de organisatie en benaderbaar voor de medewerkers? | ☐ | ☐ | ☐ | ☐ |
| 6. Zijn de taken en bevoegdheden voldoende duidelijk omschreven? | ☐ | ☐ | ☐ | ☐ |
| 7. Heeft de preventiemedewerker voldoende kennis en vaardigheden en is hij/zij daarin voldoende opgeleid? | ☐ | ☐ | ☐ | ☐ |
| 8. Heeft de preventiemedewerker voldoende tijd om zijn taken uit te voeren en kan hij zijn taak in voldoende mate onafhankelijk verrichten? | ☐ | ☐ | ☐ | ☐ |
| 9. Wordt het werk in voldoende mate gerapporteerd en geëvalueerd, door hemzelf, zijn leidinggevende, de directie en de or/VGW(M)-commissie. | ☐ | ☐ | ☐ | ☐ |
| 10. Wordt er voldoende overlegd en afgestemd met de or of VGW(M)-commissie, leidinggevenden, P&O, en andere belangrijke betrokkenen? | ☐ | ☐ | ☐ | ☐ |
| 11. Is de preventiemedewerker zelf tevreden over zijn/haar werk, de inbedding in de organisatie, de voorwaarden waaronder hij/zij moet werken en de resultaten? | ☐ | ☐ | ☐ | ☐ |

| Vraag | In orde? | | Actie or nodig? | |
|---|---|---|---|---|
| | Ja | Nee | Ja | Nee |
| 12. Wordt zijn werk in voldoende mate gerapporteerd en geëvalueerd, door hemzelf, zijn leidinggevende, de directie en de or/VGW(M)-commissie. | ☐ | ☐ | ☐ | ☐ |
| 13. Heeft de aanstelling en taakinvulling van de preventie-medewerker de instemming gehad van de or? | ☐ | ☐ | ☐ | ☐ |
| 14. Zijn er redenen om de taakinvulling, werkwijze, activi-teiten en voorwaarden, waaronder wordt gewerkt, te veranderen? Zo ja, omschrijf die gewenste veranderingen. | ☐ | ☐ | ☐ | ☐ |

## 30.6    Checklist risico-inventarisatie en -evaluatie

*Tabel 5.*

| Vraag | In orde? | | Actie or nodig? | |
|---|---|---|---|---|
| | Ja | Nee | Ja | Nee |
| 1 Is de or/VGW(M)-commissie voldoende vooraf betrokken geweest bij het maken van de RI&E? | ☐ | ☐ | ☐ | ☐ |
| 2 Heeft de or/VGW(M)-commissie instemmings-recht gehad over de methode van de RI&E en het plan van aanpak in de RI&E? | ☐ | ☐ | ☐ | ☐ |
| 3 Heeft de or/VGW(M)-commissie zich voldoende ingespannen om het bedrijf aan te zetten om tot een goede RI&E te komen? | ☐ | ☐ | ☐ | ☐ |
| 4 Bevatte de methode om de RI&E te maken de volgende onderdelen: | ☐ | ☐ | ☐ | ☐ |
| - een goede vragenlijst voor alle medewerkers; | ☐ | ☐ | ☐ | ☐ |
| - deskundige inspecties van werkplekken, inclu-sief de noodzakelijke metingen; | ☐ | ☐ | ☐ | ☐ |
| - interviews met een representatieve doorsnee van de medewerkers, inclusief leidinggevenden en staf. | ☐ | ☐ | ☐ | ☐ |
| 5 Zijn er afspraken gemaakt over het regelmatig vernieuwen of actualiseren van de RI&E, wanneer en hoe vaak? | ☐ | ☐ | ☐ | ☐ |
| 6 Wat vindt u van het RI&E-rapport: | | | | |

383

| Vraag | In orde? | | Actie or nodig? | |
|---|---|---|---|---|
| | Ja | Nee | Ja | Nee |
| - is het volledig? | ☐ | ☐ | ☐ | ☐ |
| - zijn alle afdelingen/filialen er in verwerkt? | ☐ | ☐ | ☐ | ☐ |
| - zijn de risico's juist en eerlijk beschreven? | ☐ | ☐ | ☐ | ☐ |
| - is de evaluatie (= de weging van de aangetroffen knelpunten) juist? | ☐ | ☐ | ☐ | ☐ |
| - is het leesbaar? | ☐ | ☐ | ☐ | ☐ |
| - is het ingedeeld naar relevante afdelingen of functiegroepen? | ☐ | ☐ | ☐ | ☐ |
| 7   Staat in de RI&E voldoende over risico's door werkdruk en ongewenst gedrag? | ☐ | ☐ | ☐ | ☐ |
| 8   Is er reden om de RI&E te vernieuwen of te actualiseren, omdat hij te oud is of omdat het werk of de werkomstandigheden zijn veranderd? | ☐ | ☐ | ☐ | ☐ |
| 9   Zijn er bij al de aangetroffen arboknelpunten ook concrete maatregelen weergegeven? | ☐ | ☐ | ☐ | ☐ |
| 10   Staat in de RI&E een PAGO-advies? (dat is een beschrijving welke medische onderzoeken bij welke functies nodig zijn) | ☐ | ☐ | ☐ | ☐ |
| 11   Is in de RI&E duidelijk aangegeven welke diepgaande onderzoeken ('nadere inventarisaties') nog nodig zijn? Gaat het bedrijf hier ook mee aan de slag? | ☐ | ☐ | ☐ | ☐ |
| 12   Wordt er in voldoende mate met het plan van aanpak gewerkt? | ☐ | ☐ | ☐ | ☐ |
| 13   Staat in de RI&E beschreven hoeveel preventiemedewerkers er in uw organisatie horen te zijn, over welke deskundigheid en over hoeveel tijd zij dienen te beschikken en wat een geschikte organisatievorm is? | ☐ | ☐ | ☐ | ☐ |
| 14   Zijn de werknemers voldoende betrokken geweest bij het opsporen van de arboknelpunten, het nadenken over mogelijke oplossingen en het opstellen van een plan van aanpak? | ☐ | ☐ | ☐ | ☐ |

## 30.7   Checklist plan van aanpak

*Tabel 6.*

| Vraag | In orde? | | Actie or nodig? | |
|---|---|---|---|---|
| | Ja | Nee | Ja | Nee |
| 1 Is er een plan van aanpak dat een echt werkdocument is? | ☐ | ☐ | ☐ | ☐ |
| 2 Is het plan van aanpak in voldoende mate gebaseerd op de inventarisatie en evaluatie (de RI&E)? | ☐ | ☐ | ☐ | ☐ |
| 3 Kiest het plan van aanpak voldoende voor aanpak bij de bron? | ☐ | ☐ | ☐ | ☐ |
| 4 Is het plan van aanpak ter instemming voorgelegd aan de or of VGW(M)-commissie? | ☐ | ☐ | ☐ | ☐ |
| 5 Heeft de or voorwerk gedaan voor de totstandkoming van het plan van aanpak: eigen prioriteiten gesteld op grond van de inventarisatie en evaluatie en op grond van geluiden uit de achterban? | ☐ | ☐ | ☐ | ☐ |
| 6 Is de inbreng van de or voldoende in het plan van aanpak terug te vinden? | ☐ | ☐ | ☐ | ☐ |
| 7 Is de aanpak van de *belangrijkste* knelpunten zo veel mogelijk in het eerste jaar gepland? | ☐ | ☐ | ☐ | ☐ |
| 8 Is het plan goed uitgesplitst naar de verschillende afdelingen? | ☐ | ☐ | ☐ | ☐ |
| 9 Zijn de plannen concreet genoeg? | ☐ | ☐ | ☐ | ☐ |
| - met duidelijke maatregelen; | ☐ | ☐ | ☐ | ☐ |
| - met een verantwoordelijke bij elke maatregel; | ☐ | ☐ | ☐ | ☐ |
| - met een tijdlijn: start en einde van elke verbeteractie; | ☐ | ☐ | ☐ | ☐ |
| - is het plan van aanpak een meerjarenplan, als basis voor een jaarlijks concreet uitgewerkt arbojaarplan? | ☐ | ☐ | ☐ | ☐ |
| 10 Is het plan leesbaar en herkenbaar voor de werkne- mers? | ☐ | ☐ | ☐ | ☐ |
| 11 Is het plan enerzijds realistisch en anderzijds ook ambitieus? | ☐ | ☐ | ☐ | ☐ |

| Vraag | | In orde? | | Actie or nodig? | |
|---|---|---|---|---|---|
| | | Ja | Nee | Ja | Nee |
| 12 | Wordt het plan van aanpak of een deel ervan besproken met de medewerkers (werkoverleg)? | ☐ | ☐ | ☐ | ☐ |
| 13 | Zijn er afspraken gemaakt over een voortgangsrapportage over de uitvoering van de maatregelen uit het plan van aanpak? Werkt dat systeem naar tevredenheid? | ☐ | ☐ | ☐ | ☐ |
| 14 | Worden de voorgenomen maatregelen uit het plan van aanpak daadwerkelijk uitgevoerd? | ☐ | ☐ | ☐ | ☐ |
| 15 | Welke veranderingen of toevoegingen vindt de or/ VGW(M)-commissie wenselijk? | | | | |

## 30.8    Vragenlijst over mogelijke oorzaken ziekteverzuim

In de onderstaande lijst staat een reeks factoren die vaak genoemd worden als oorzaken van bovenmatig ziekteverzuim of die het terugdringen van het ziekteverzuim belemmeren.

Mogelijke vraag: Wat is uw top vijf van deze lijst?

1. Zwaar lichamelijk werk.
2. Psychische belasting door ongewenste omgangsvormen.
3. Te hoge werkdruk.
4. Andere bezwarende arbeidsomstandigheden, zoals gevaarlijke stoffen, onveiligheid, klimaat, trillingen e.d.
5. Problemen in de privésituatie (bijvoorbeeld relaties, kinderopvang).
6. Gebrekkige stijl van leidinggeven.
7. Gering toekomstperspectief.
8. Slechte collegiale verhoudingen.
9. Geringe psychische weerbaarheid van werknemers.
10. Ineffectieve werkwijze door de bedrijfsarts.
11. Riskante leefstijl (bijvoorbeeld sport, alcoholgebruik).
12. De regeling betreffende verlof en snipperdagen.
13. Geringe persoonlijke aandacht voor medewerkers, c.q. verzuimers.
14. Mentaliteit met betrekking tot werk.
15. Ziekteverzuim is een taboeonderwerp.
16. Het steeds moeten veranderen in het werk.
17. Algemeen gevoel van onzekerheid.
18. Onvoldoende controle bij ziekteverzuim.
19. Onvoldoende begeleiding van zieke medewerkers

20. Onduidelijkheid over taken en bevoegdheden.
21. Gebrekkige interne communicatie.
22. ...

## 30.9    Checklist ziekteverzuimbeleid

*Tabel 7.*

| Vraag | In orde? | | Actie or nodig? | |
|---|---|---|---|---|
| | Ja | Nee | Ja | Nee |
| 1   Ziekteverzuimcijfers worden, inclusief toelichting, regelmatig verspreid. De afdelingen en de or/VGW (M)-commissie kunnen daar goed mee uit de voeten. | ☐ | ☐ | ☐ | ☐ |
| 2   Er bestaat onderbouwd inzicht in de oorzaken van het ziekteverzuim. | ☐ | ☐ | ☐ | ☐ |
| 3   Die oorzaken van ziekteverzuim worden aangepakt. | ☐ | ☐ | ☐ | ☐ |
| 4   De procedure van ziekmelding — voor welk uur, bij wie — is helder, bekend en geaccepteerd. | ☐ | ☐ | ☐ | ☐ |
| 5   Leidinggevenden hebben – op een goede manier — contact met de zieke. Aandachtspunten hierbij zijn, afhankelijk van het afgesproken beleid: - zo spoedig mogelijk na ziekmelding; - belangstellend en zakelijk bij telefonisch contact; - bezoek van chef wordt van tevoren aangekondigd; - de collega's worden gestimuleerd een bezoekje te brengen; - alle leidinggevenden hebben hetzelfde beleid; - de privacy wordt beschermd. | ☐ | ☐ | ☐ | ☐ |
| 6   Leidinggevenden hebben instructie en training gehad in hun taken ten opzichte van zieke werknemers. | ☐ | ☐ | ☐ | ☐ |
| 7   De zieken worden door de bedrijfsarts goed begeleid. | ☐ | ☐ | ☐ | ☐ |
| 8   Er is sprake van re-integratiebeleid, dat daadwerkelijk wordt uitgevoerd: aangepaste werkplekken, aangepast werk, begeleiding van mensen met aangepast werk. | ☐ | ☐ | ☐ | ☐ |

| Vraag | | In orde? | | Actie or nodig? | |
|---|---|---|---|---|---|
| | | Ja | Nee | Ja | Nee |
| 9 | Er zijn heldere en werkzame afspraken bij een sterk vermoeden van onterecht verzuim. Er is beleid ten aanzien van spoedcontroles. | ☐ | ☐ | ☐ | ☐ |
| 10 | Er functioneert een sociaal-medisch team (SMT) of een sociaal-medisch overleg (SMO). | ☐ | ☐ | ☐ | ☐ |
| 11 | Er is preventief contact met een arbeidskundige, c.q. bedrijfsarts mogelijk. Dat is bekend bij de medewerkers en functioneert naar tevredenheid. | ☐ | ☐ | ☐ | ☐ |
| 12 | Er worden van tijd tot tijd PAGO's gehouden, die goed zijn opgezet, inclusief geanonimiseerde rapportage, conclusies en aanbevelingen. | ☐ | ☐ | ☐ | ☐ |
| 13 | De arbodienst (bedrijfsarts) voert zijn werk professioneel uit. Aandachtpunten: hun activiteiten zijn bekend, er wordt een arbospreekuur gehouden, de arbodienst is ook actief in de arbozorg en niet alleen in de medische zorg, de arbodienst opereert kundig, onafhankelijk en mensgericht; er is contact met de or/VGW(M)-commissie. | ☐ | ☐ | ☐ | ☐ |
| 14 | Er bestaat een 'protocol' — alle afspraken over 'wat te doen als u ziek bent?' — dat bij iedereen bekend is. | ☐ | ☐ | ☐ | ☐ |
| 15 | Van tijd tot tijd wordt het verzuimbeleid geëvalueerd met betrokkenen: werkgever, arbodienst, or/VGW(M)-commissie. | ☐ | ☐ | ☐ | ☐ |

## 30.10 Checklist re-integratie/Wet verbetering poortwachter (WVP)

*Tabel 8.*

| Vraag | | In orde? | | Actie or nodig? | |
|---|---|---|---|---|---|
| | | Ja | Nee | Ja | Nee |
| 1 | De werkgever heeft schriftelijk vastgelegd (bijvoorbeeld in een reglement) op welke manier aan re-integratie en de toepassing van de WVP vorm wordt gegeven, bijvoorbeeld wie het plan van aanpak voor re-integratie maakt (na 8 weken), wie het re-integratieverslag schrijft (na 92 weken), wie de casemanager is, hoe aan de verplichting passend werk aan te bieden vorm wordt gegeven, wat rechten en plichten van werknemers zijn, enzovoort. | ☐ | ☐ | ☐ | ☐ |
| 2 | De regels rondom ziekteverzuimbegeleiding worden op alle afdelingen in het bedrijf goed uitgevoerd. | ☐ | ☐ | ☐ | ☐ |

| Vraag | In orde? | | Actie or nodig? | |
|---|---|---|---|---|
| | Ja | Nee | Ja | Nee |
| 3 De werkgever heeft een goede keuze gemaakt betreffende de vraag wie als casemanager zal functioneren. | ☐ | ☐ | ☐ | ☐ |
| Taken en bevoegdheden zijn duidelijk vastgelegd. | ☐ | ☐ | ☐ | ☐ |
| De casemanager functioneert naar tevredenheid. | ☐ | ☐ | ☐ | ☐ |
| 4 Er is vastgelegd dat de werknemer zich in re-integratiege-sprekken kan laten bijstaan door een adviseur. | ☐ | ☐ | ☐ | ☐ |
| 5 Er zijn in het bedrijf (of in de cao) afspraken gemaakt over hoe het bedrijf omgaat met salaris en pensioenopbouw na een blijvende herplaatsing in een lagere functie. | ☐ | ☐ | ☐ | ☐ |
| 6 Er is doeltreffende — schriftelijke — voorlichting gegeven aan het personeel over het ziekteverzuimbeleid, over dat-gene wat langdurig zieken te wachten staat, wat plichten en rechten van werkgever en werknemer zijn, welke de moge-lijkheden zijn om in beroep te gaan, telefoonnummers en nuttige adressen, enzovoort. | ☐ | ☐ | ☐ | ☐ |
| Aan mensen die langer ziek zijn wordt deze voorlichting nogmaals overhandigd. | ☐ | ☐ | ☐ | ☐ |
| 7 Leidinggevenden, casemanager en andere betrokken func-tionarissen zijn doeltreffend geïnstrueerd over hun taken en verplichtingen betreffende re-integratie. | ☐ | ☐ | ☐ | ☐ |
| 8 Er is een weloverwogen keuze gemaakt voor samenwerking met één of meerdere re-integratiebedrijven, al dan niet via de arbodienst. Er zijn met hen duidelijke afspraken gemaakt over hun activiteiten en werkwijze. | ☐ | ☐ | ☐ | ☐ |
| 9 Er is afgesproken dat ieder jaar de activiteiten en bevindin-gen rondom het re-integratiebeleid worden gerapporteerd en geëvalueerd. | ☐ | ☐ | ☐ | ☐ |
| 10 De or/VGW(M)-commissie is betrokken bij overleg over resultaten en mogelijke bijstelling van het re-integratiebe-leid. | ☐ | ☐ | ☐ | ☐ |

## 30.11 Checklist omgaan met of keuze van re-integratiebedrijf

*Tabel 9.*

| Vraag | In orde? | | Actie or nodig? | |
|---|---|---|---|---|
| | Ja | Nee | Ja | Nee |
| 1 Het bedrijf of de instelling heeft goed onderbouwde motieven om met een re-integratiebedrijf in zee te gaan (welke zijn die motieven?). | ☐ | ☐ | ☐ | ☐ |
| 2 Het re-integratiebedrijf heeft een ruime praktijkervaring in de sector en het soort problemen dat zich in ons bedrijf voordoet. | ☐ | ☐ | ☐ | ☐ |
| 3 Het re-integratiebedrijf werkt voldoende werknemersgericht. Dat blijkt uit voorlichtingsmateriaal en concrete aanpak bij te re-integreren werknemers. | ☐ | ☐ | ☐ | ☐ |
| 4 Het re-integratiebedrijf geeft referenties van bedrijven en ondernemingsraden in die bedrijven. Bij hen kan informatie worden gevraagd over de werkwijze en de prestaties van het re-integratiebedrijf. | ☐ | ☐ | ☐ | ☐ |
| 5 Het re-integratiebedrijf geeft er blijk van in goede coördinatie met de arbodienst en de leidinggevenden van ons bedrijf het werk te verrichten. | ☐ | ☐ | ☐ | ☐ |
| 6 Het re-integratiebedrijf maakt in publicaties en vanaf het eerste contact duidelijk dat overleg met en instemming van de or/VGW(m)-commissie van belang is. | ☐ | ☐ | ☐ | ☐ |
| 7 De werkgever geeft voldoende armslag aan het re-integratiebedrijf om zijn werk naar behoren te kunnen doen. | ☐ | ☐ | ☐ | ☐ |
| 8 Het re-integratiebedrijf heeft een contactpersoon en is bereikbaar voor de or/VGW(M)-commissie. | ☐ | ☐ | ☐ | ☐ |
| 9 Het re-integratiebedrijf heeft een klachtenregeling, die bekend is aan werknemers en or/VGW(M)-commissie. | ☐ | ☐ | ☐ | ☐ |
| 10 Het re-integratiebedrijf heeft een sluitend systeem om de privacy te garanderen van de mensen waarmee men werkt. | ☐ | ☐ | ☐ | ☐ |
| 11 Het re-integratiebedrijf maakt jaarlijks een verslag van werkzaamheden en bevindingen in het bedrijf waarin men werkzaam is. | ☐ | ☐ | ☐ | ☐ |

| Vraag | In orde? | | Actie or nodig? | |
|---|---|---|---|---|
| | Ja | Nee | Ja | Nee |
| 12 Het re-integratiebedrijf geeft gevraagd en ongevraagd adviezen over preventie om langdurige arbeidsongeschiktheid te voorkomen. | ☐ | ☐ | ☐ | ☐ |
| 13 De werkgever heeft instemming aan de or/VGW(M) gevraagd toen het re-integratiebedrijf in de arm is genomen, de or/VGW(M)-commissie heeft ervoor gezorgd dat dat gebeurde. | ☐ | ☐ | ☐ | ☐ |
| 14 Tussen werkgever en or/VGW(M) is de afspraak gemaakt dat bij veranderingen van het contract met het re-integratiebedrijf instemming zal worden gevraagd. | ☐ | ☐ | ☐ | ☐ |
| 15 De or/VGW(M)-commissie heeft op regelmatige basis overleg met het re-integratiebedrijf. Het contact tussen bedrijf en re-integratiebedrijf maakt dat mogelijk. | ☐ | ☐ | ☐ | ☐ |

## 30.12 Vragen bij de keuze van een arbodienst (of zelfstandig opererende gecertificeerde bedrijfsarts)

*Toelichting*

Als in uw bedrijf of instelling een (nieuwe) arbodienst wordt gekozen, is het van belang dat de or/VGW(M)-commissie een goed gesprek voert met de kandidaten. De hieronder geformuleerde vragen kunnen daarbij behulpzaam zijn. Naast een goed gesprek zijn ook de volgende aandachtspunten van belang:

– Vraag of de arbodienst ter inzage enkele anoniem gemaakt rapporten meebrengt die voor uw organisatie van belang zijn (een RI&E-rapport, een werkplekonderzoek e.d.).

– Vraag voordat de keuze wordt gemaakt, om een gesprek te voeren met de arbodienstfunctionarissen die feitelijk in uw bedrijf of instelling zullen gaan werken; daar kunt u eigenlijk alleen uw oordeel op baseren; de 'verkoper' heeft altijd wel een mooi verhaal.

Sommige vragen die hier volgen kunnen wat merkwaardig overkomen. Ze zijn bedoeld om op een soms prikkelende manier de arbodienst het achterste van de tong te laten zien. Voorkom dat u door uw eigen vraagstelling al te sociaal wenselijke antwoorden krijgt. En: Bereid dit gesprek goed voor!

*Mogelijke vragen bij de keuze van een nieuwe arbodienst of bedrijfsarts*

1. Wat vindt u kenmerkende problemen in onze sector, kunt u een aantal voorbeelden geven van problemen die u aantrof, hoe heeft u ze aangepakt en wat was het resultaat van de aanpak?

2. Welke activiteiten vindt u, naast wat volgens de wet minimumverplichtingen zijn, essentieel voor het goed functioneren van een arbodienst in een bedrijf?

3. Wat is volgens de arbodienst het nut van persoonlijke ziekteverzuimcontrole op de eerste ziekteverzuimdag?

4. Hoe wil de arbodienst op de hoogte blijven van het reilen en zeilen in onze organisatie; wat betreft de schadelijke invloeden voor werknemers door de werkomstandigheden, de verhoudingen in het bedrijf, het soort werk, de werksfeer en het werktempo?

5. Kan de arbodienst een voorbeeld geven van een project of een activiteit waarbij ze betrokken was, waarin de structurele oorzaken van ziekteverzuim konden worden aangepakt en verbeterd?

6. Maakt de arbodienst een jaarverslag over de activiteiten bij ons bedrijf en is het de gewoonte dat de or daar ook een afschrift van krijgt?

7. Op welke manier is de arbodienst bereikbaar voor de werknemers of de ondernemingsraad?

8. Wat is het nut voor de arbodienst van het contact met een ondernemingsraad?

9. Ziet de arbodienst het als zijn taak te bemiddelen bij meningsverschillen tussen or/VGW(M)-commissie en de werkgever?

10. Wat doet de arbodienst als hij betrokken wordt bij aangelegenheden die advies- of instemmingsplichtig zijn en waar de werkgever nalaat deze rechten na te komen?

11. Waar ziet de arbodienst een or nog wel eens in de fout gaan?

12. Is het de gewoonte van de arbodienst dat van rapporten en adviezen een afschrift aan de ondernemingsraad wordt gezonden?

13. Hoe kun je volgens de arbodienst onterecht verzuim aanpakken?

14. Waar ziet arbodienst de privacy nog wel eens in het gedrang komen en wat is dan het advies?

15. Wat doet de arbodienst als werknemers klachten uiten over de manier waarop met hen in het bedrijf wordt omgegaan?

16. Hoe voorkomt de arbodienst dat hij/zij voor het karretje van de directie wordt gespannen?

17. Heeft de arbodienst een klachtenregeling voor het geval mensen klachten hebben over de behandeling door de arbodienst?

18. Schets als or/VGW(M)-commissie een praktijkgeval uit uw bedrijf of instelling en vraag aan de arbodienst: hoe zou u dit aanpakken?

19. ...

20. ...

## 30.13 Vragen in gesprek met 'de arbodienst' of bedrijfsarts

Hier volgen vragen die kunnen worden gesteld aan functionarissen van de arbodienst als die al enige tijd in uw organisatie werkzaam zijn. Aangenomen wordt dat de or of VGW(M)-commissie die mensen al enigszins kent.

1. Wat zijn volgens u de belangrijkste bedrijfsgebonden oorzaken van ziekteverzuim?
2. Wat zijn de sterke en zwakke punten van de arbozorg en het ziekteverzuimbeleid in onze organisatie?
3. Wat zou, naar uw mening, het bedrijf de komende periode in het arbobeleid moeten verbeteren?
4. Wat waren de plannen van de arbodienst voor de afgelopen periode, wat is daarvan wel en niet gerealiseerd?
5. Wat is daarvan de oorzaak?
6. Heeft u de afgelopen periode het bedrijf ongevraagd advies gegeven, waarover ging dat en hoe luidde het advies?
7. Heeft u een voldoende (vaak) contact met de leidinggevenden van langdurig zieken?
8. Wat vindt u van de bijdrage van de or/VGW(M)-commissie aan de arbozorg?
9. Waarop zou de or/VGW(M)-commissie zich volgens u de volgende periode vooral moeten richten?
10. Wat verwacht u de komende periode van het contact met de or/VGW(M)-commissie?
11. Waaraan zou u, als het aan u ligt, als arbodienst de komende periode vooral aandacht aan willen besteden?
12. Vragen over allerlei concrete aangelegenheden en ervaringen.
13. ...
14. ...

## 30.14 Vragenlijst oordeel werk 'arbodienst' of bedrijfsarts

Een vragenlijst die behulpzaam kan zijn om binnen de ondernemingsraad of VGW(M)-commissie het functioneren van de arbodienst te bespreken.

1. Kent u als or of VGW(M)-commissie het contract tussen arbodienst en bedrijf? Wat vindt u daarvan?
2. Zijn er belemmeringen vanuit de werkgever voor het goed functioneren van de arbodienst. Welke zijn dat?
3. Wat zijn de belangrijkste activiteiten van de arbodienst geweest het afgelopen jaar?

4. Wat is uw oordeel over het resultaat en de kwaliteit van die activiteiten?
5. Vindt u dat ze voldoende doen? Wat zou de arbodienst zinvol meer kunnen doen?
6. Is de arbodienst voldoende 'werknemersvriendelijk', waar blijkt dat uit, weet u voldoende om daarover te kunnen oordelen?
7. Wat vindt u van de begeleiding van (langdurig) zieken door de arbodienst?
8. Wat vinden de langdurig zieken van de begeleiding door de arbodienst/bedrijfsarts?
9. Houdt de arbodienst zich bezig met de structurele werkgebonden oorzaken van ziekte? Waaraan merkt u dat?
10. Heeft de arbodienst taken in de arbozorg (niet alleen in de medische zorg) en voert men die naar tevredenheid uit?
11. Heeft u voldoende contact met de arbodienst?
12. Waarmee zou de arbodienst u kunnen bijstaan?
13. Waaraan zou, naar uw mening, de arbodienst de komende tijd aandacht moeten besteden?
14. Wat zou u in het volgende contact met de arbodienst willen bespreken?
15. ...

## 30.15 Checklist voorlichting, onderricht en toezicht

*Tabel 10.*

| Vraag | | In orde? | | Actie or nodig? | |
|---|---|---|---|---|---|
| | | Ja | Nee | Ja | Nee |
| 1 | Er wordt voor alle functiegroepen regelmatig arbovoorlichting en -onderricht verzorgd. | ☐ | ☐ | ☐ | ☐ |
| 2 | Er wordt niet alleen informatie aangeboden, maar ook praktische training, gericht op de concrete taken van werknemers en op hun arbeidsomstandigheden. | ☐ | ☐ | ☐ | ☐ |
| 3 | Er is in het bedrijf een arbovoorlichtingsplan opgesteld. Daarin is per functie aangegeven welke arborisico's er zijn en welke voorlichting en welk onderricht daarbij past. | ☐ | ☐ | ☐ | ☐ |
| 4 | In het arbovoorlichtingsplan is ook per onderwerp aangegeven na hoeveel tijd de voorlichting of het onderricht wordt herhaald. | ☐ | ☐ | ☐ | ☐ |
| 5 | Het bedrijf biedt bij herhaling van eerder aangeboden onderwerpen steeds nieuwe werkvormen aan. | ☐ | ☐ | ☐ | ☐ |

| Vraag | | In orde? | | Actie or nodig? | |
|---|---|---|---|---|---|
| | | Ja | Nee | Ja | Nee |
| 6 | De ondernemingsraad is betrokken geweest bij het opstellen van zo'n arbovoorlichtingsplan en heeft hij daarvoor instemming verleend. | ☐ | ☐ | ☐ | ☐ |
| 7 | Er wordt concrete en aan de taken aangepaste arbovoorlichting en -onderricht gegeven aan medewerkers die pas in dienst getreden zijn (ga dat eens na bij de nieuwe collega's). | ☐ | ☐ | ☐ | ☐ |
| 8 | Er wordt concrete en aan de taken aangepaste arbovoorlichting en -onderricht aan uitzendkrachten en stagiaires gegeven. (Ga dat eens bij hen na.) | ☐ | ☐ | ☐ | ☐ |
| 9 | De arbovoorlichting en het arbo-onderricht blijken doeltreffend te zijn. | ☐ | ☐ | ☐ | ☐ |
| 10 | Er wordt voorlichting en onderricht gegeven voordat er nieuwe machines, apparaten en gereedschappen in gebruik worden genomen. (Check dat eens op de betreffende afdelingen.) | ☐ | ☐ | ☐ | ☐ |
| 11 | Er wordt voorlichting en onderricht gegeven over de noodzaak en het gebruik van persoonlijke beschermingsmiddelen en machinebeveiligingen (Check dat eens op de betreffende afdelingen.) | ☐ | ☐ | ☐ | ☐ |
| 12 | Bij risicovolle werkplekken zijn steeds begrijpelijke instructiekaarten aanwezig, waarop de voornaamste risico's en de juiste aanpak kort zijn weergegeven. | ☐ | ☐ | ☐ | ☐ |
| 13 | De arbo-onderricht en voorlichting is voldoende aangepast aan werknemers die de Nederlandse taal niet goed beheersen en/of niet leesvaardig zijn | ☐ | ☐ | ☐ | ☐ |
| 14 | De arbovoorlichting wordt regelmatig geëvalueerd. Daarbij wordt ook aan betrokken medewerkers gevraagd hoe nuttig zij de aangeboden arbovoorlichting vonden en welke verbeteringen nodig zijn. | ☐ | ☐ | ☐ | ☐ |
| 15 | Op alle afdelingen wordt er voldoende toezicht gehouden op de naleving van de arbovoorschriften. | ☐ | ☐ | ☐ | ☐ |
| 16 | Degenen die toezicht moeten houden — vaak de directleidinggevenden — hebben voor die taak voldoende opleiding en instructie gehad en worden daarin voldoende aangestuurd. | ☐ | ☐ | ☐ | ☐ |

| Vraag | In orde? | | Actie or nodig? | |
|---|---|---|---|---|
| | Ja | Nee | Ja | Nee |
| 17 Het beleid betreffende voorlichting, onderricht en toezicht wordt regelmatig geëvalueerd: worden de afspraken nage-leefd, is het beleid nog voldoende? | ☐ | ☐ | ☐ | ☐ |

## 30.16 Checklist beleid agressie en geweld (gebaseerd op de zelfinspectiemethode van de Arbeidsinspectie)

*Tabel 11.*

| Vraag | In orde? | | Actie or nodig? | |
|---|---|---|---|---|
| | Ja | Nee | Ja | Nee |
| 1 Het bedrijf heeft scherp in beeld waar en wanneer werknemers in hun werk mogelijk in aanraking te komen met agressie en geweld? | ☐ | ☐ | ☐ | ☐ |
| 2 Het bedrijf houdt het aantal incidenten met betrekking tot agressie en geweld bij en noteert de aard van het incident en waar en wanneer het incident precies heeft plaatsgevonden. | ☐ | ☐ | ☐ | ☐ |
| 3 In de RI&E wordt voldoende aandacht besteed aan de risico's van agressie en geweld in het bedrijf. | ☐ | ☐ | ☐ | ☐ |
| 4 In een plan van aanpak staat beschreven: welke maat-regelen nodig zijn om de risico's op agressie en geweld weg te nemen of te beperken. Deze maatregelen wor-den volgens plan uitgevoerd. | ☐ | ☐ | ☐ | ☐ |
| 5 Er is een goed werkende procedure voor het melden, registreren en analyseren van incidenten op het gebied van agressie en geweld. | ☐ | ☐ | ☐ | ☐ |
| 6 Werknemers krijgen herhaaldelijk voorlichting, instruc-tie en training over agressie en geweld. | ☐ | ☐ | ☐ | ☐ |
| 7 Er is een helder protocol voor agressie en geweld. Daarin staat beschreven hoe medewerkers agressief gedrag van publiek, bezoekers of cliënten zo veel mogelijk kunnen voorkomen en hoe zij er het best mee om kunnen gaan. | ☐ | ☐ | ☐ | ☐ |

| Vraag | | In orde? | | Actie or nodig? | |
|---|---|---|---|---|---|
| | | Ja | Nee | Ja | Nee |
| 8 | Het agressieprotocol is bekend en toegankelijk voor de medewerkers. | ☐ | ☐ | ☐ | ☐ |
| 9 | Er zijn heldere huisregels voor bezoekers en cliënten. Die worden voldoende bekendgemaakt. | ☐ | ☐ | ☐ | ☐ |
| 10 | Werknemers zijn voldoende opgeleid, getraind en beschikken over de benodigde ervaring om goed op mogelijke risicosituaties te kunnen inspelen. | ☐ | ☐ | ☐ | ☐ |
| 11 | Er zijn voldoende technische en bouwkundige voorzieningen getroffen tegen agressie en geweld gericht op medewerkers. | ☐ | ☐ | ☐ | ☐ |
| 12 | Er is een goed werkend alarmsysteem en betrouwbare alarmprocedure. | ☐ | ☐ | ☐ | ☐ |
| 13 | Er is een opvangregeling voor medewerkers die het slachtoffer zijn geworden van agressie of geweld. | ☐ | ☐ | ☐ | ☐ |
| 14 | Er is in een regeling beschreven hoe het bedrijf daders van agressie of geweld aanpakt. | ☐ | ☐ | ☐ | ☐ |
| 15 | De betrokken werknemers en de ondernemingsraad worden voldoende betrokken bij het beleid inzake agressie en geweld. | ☐ | ☐ | ☐ | ☐ |
| 16 | Het bedrijf evalueert regelmatig het beleid en maatregelen tegen agressie en geweld. | ☐ | ☐ | ☐ | ☐ |

Bron: zelfinspectiemethode Arbeidsinspectie

## 30.17 Checklist ongewenste omgangsvormen: discriminatie, pesten en seksuele intimidatie

De onderstaande lijst kent een aantal blokken. Ook per blok kan de lijst worden gebruikt en besproken.

Bron: FNV Bondgenoten

*Tabel 12.*

| Vraag | In orde? | | Actie or nodig? | |
|---|---|---|---|---|
| | Ja | Nee | Ja | Nee |
| **Beleid en voorzieningen** | | | | |
| 1   In ons bedrijf zijn er afspraken/regelingen voor het omgaan met alle vormen van 'ongewenste gedragingen'. | ☐ | ☐ | ☐ | ☐ |
| 2   Werknemers in ons bedrijf worden getraind in het omgaan met 'ongewenst gedrag'. | ☐ | ☐ | ☐ | ☐ |
| 3   Er zijn voldoende elektronische hulpmiddelen om assistentie in te roepen in ongewenste situaties, bijvoorbeeld gewelddadigheid of overvallen. | ☐ | ☐ | ☐ | ☐ |
| 4   De nazorg na een incident is goed geregeld. | ☐ | ☐ | ☐ | ☐ |
| 5   Er zijn vertrouwenspersonen seksuele intimidatie in ons bedrijf. | ☐ | ☐ | ☐ | ☐ |
| **Cultuur** | | | | |
| 6   Leidinggevenden geven het goede voorbeeld als het gaat om goede omgangsvormen en optreden tegen ongewenst gedrag. | ☐ | ☐ | ☐ | ☐ |
| 7   Ervaringen met ongewenst gedrag kan je goed met collega's bespreken. | ☐ | ☐ | ☐ | ☐ |
| **Discriminatie** | | | | |
| 8   Allochtone werknemers ondervinden extra weerstand in hun werk vanwege hun huidskleur. | ☐ | ☐ | ☐ | ☐ |
| 9   Een aantal gezaghebbende figuren heeft moeite met alles wat in hun ogen niet-Nederlands is. | ☐ | ☐ | ☐ | ☐ |
| 10   Er zijn mensen in het bedrijf die andere groepen werknemers (vrouwen, homo's, allochtonen) minderwaardig behandelen. | ☐ | ☐ | ☐ | ☐ |
| 11   Niemand durft echt in te gaan tegen degenen die discrimineren. | ☐ | ☐ | ☐ | ☐ |

| Vraag | In orde? | | Actie or nodig? | |
|---|---|---|---|---|
| | Ja | Nee | Ja | Nee |
| **Pesten, negeren** | | | | |
| 12 In ons bedrijf zijn er zogenaamde 'pispaaltjes'. | ☐ | ☐ | ☐ | ☐ |
| 13 Bepaalde mensen doen bij ons altijd de rotklussen. | ☐ | ☐ | ☐ | ☐ |
| 14 Vaak zijn de grapjes die gemaakt worden over en met anderen al lang geen grapjes meer. | ☐ | ☐ | ☐ | ☐ |
| 15 Als iemand 'ongewenst gedrag' vertoont, houdt de rest, ook de leidinggevende, zich afzijdig. | ☐ | ☐ | ☐ | ☐ |
| 16 Sommige mensen worden gewoonweg genegeerd en sociaal geïsoleerd. | ☐ | ☐ | ☐ | ☐ |
| 17 Over sommige collega's wordt erg vaak op een negatieve manier geroddeld. | ☐ | ☐ | ☐ | ☐ |
| **Seksuele intimidatie** | | | | |
| 18 Er zijn incidenten bekend van seksuele intimidatie, waartegen onvoldoende is opgetreden. | ☐ | ☐ | ☐ | ☐ |
| 19 Er worden grappen gemaakt over seks, ook in het bijzijn van collega's die daar geen prijs op stellen. | ☐ | ☐ | ☐ | ☐ |
| 20 Als vrouw zou ik me op bepaalde afdelingen snel ongemakkelijk voelen. | ☐ | ☐ | ☐ | ☐ |

## 30.18 Checklist gevaarlijke stoffen

*Tabel 13.*

| | In orde? | | Actie or nodig? | |
|---|---|---|---|---|
| | Ja | Nee | Ja | Nee |
| 1. Er is een cultuur en bewustzijn in het bedrijf waarin het omgaan met gevaarlijke stoffen zeer serieus wordt genomen. | ☐ | ☐ | ☐ | ☐ |

|  | | In orde? | | Actie or nodig? | |
|---|---|---|---|---|---|
|  | | Ja | Nee | Ja | Nee |
| 2. | In het bedrijf is voldoende kennis en deskundigheid over de gevaarlijke stoffen die in het werkproces worden gebruikt. | ☐ | ☐ | ☐ | ☐ |
| 3. | Er is een in het bedrijf actueel en volledig register van gevaarlijke stoffen die in het bedrijf gebruikt worden of in het proces vrijkomen. | ☐ | ☐ | ☐ | ☐ |
| 4. | De risico-inventarisatie en -evaluatie beschrijft de risico's van gevaarlijke stoffen op duidelijke wijze. | ☐ | ☐ | ☐ | ☐ |
| 5. | In de RI&E worden niet alleen de risico's van de gevaarlijke stoffen beschreven, maar ook is de blootstelling aan gevaarlijke stoffen beoordeeld of gemeten en vergeleken met grenswaarden. | ☐ | ☐ | ☐ | ☐ |
| 6. | In het plan van aanpak staan concrete maatregelen om knelpunten op het gebied van gevaarlijke stoffen aan te pakken. Deze maatregelen worden in de praktijk ook goed uitgevoerd. | ☐ | ☐ | ☐ | ☐ |
| 7. | Er wordt voldoende gekozen voor 'aanpak bij de bron'. | ☐ | ☐ | ☐ | ☐ |
| 8. | De opslag van gevaarlijke stoffen is veilig, zowel de opslag van de grote voorraden als de kleinere werkvoorraden. | ☐ | ☐ | ☐ | ☐ |
| 9. | Alle gevaarlijke stoffen zijn goed geëtiketteerd, ook de eventuele werkvoorraden. | ☐ | ☐ | ☐ | ☐ |
| 10. | Er is een veiligheidsblad in het bedrijf aanwezig van elke gevaarlijke stof waarmee gewerkt wordt. Deze bladen zijn beschikbaar voor de betrokken werknemers. | ☐ | ☐ | ☐ | ☐ |
| 11. | Er wordt voldoende voorlichting en onderricht gegeven over risico's, procedures, beschermende maatregelen en werkwijzen bij incidenten aan alle betrokken medewerkers. Die voorlichting wordt regelmatig herhaald. | ☐ | ☐ | ☐ | ☐ |
| 12. | Er wordt voldoende toezicht gehouden op de naleving van alle regels, procedures, afspraken en het gebruik van aangebrachte voorzieningen. | ☐ | ☐ | ☐ | ☐ |
| 13. | De voorzieningen en procedures worden regelmatig gecontroleerd op toepassing en effectiviteit. Er is bijvoorbeeld een systeem van interne of externe audits. | ☐ | ☐ | ☐ | ☐ |

| | | In orde? | | Actie or nodig? | |
|---|---|---|---|---|---|
| | | Ja | Nee | Ja | Nee |
| 14. | Voor alle werknemers is een rookvrije werkplek gewaarborgd. | ☐ | ☐ | ☐ | ☐ |
| 15. | Er is een schriftelijke regeling waarin is vastgelegd welke voorzieningen worden getroffen voor zwangere medewerksters om risico's van gevaarlijke stoffen voor de vrouw en haar (ongeboren) kind te voorkomen. | ☐ | ☐ | ☐ | ☐ |
| 16. | Er wordt niet gewerkt met kankerverwekkende stoffen en stoffen die van invloed zijn op de vruchtbaarheid en DNA-structuren, tenzij de werkgever aantoont dat dit noodzakelijk is omdat deze stoffen technisch niet vervangbaar zijn. In dat geval wordt de meest optimale bescherming aan werknemers aangeboden. | ☐ | ☐ | ☐ | ☐ |
| 17. | Over de gezondheidsklachten die de bedrijfsarts of arbodienst krijgen en die kunnen wijzen op blootstelling aan gevaarlijke stoffen, wordt (anoniem) gerapporteerd. Ze leiden direct tot afdoende maatregelen. | ☐ | ☐ | ☐ | ☐ |
| 18. | Over incidenten wordt helder gerapporteerd, ze worden voldoende geanalyseerd op oorzaak en gevolgen, ze worden voldoende besproken met verantwoordelijken en betrokken medewerkers. | ☐ | ☐ | ☐ | ☐ |
| 19. | Van tijd tot tijd wordt het beleid op het gebied van gevaarlijke stoffen op passende en concrete wijze geëvalueerd en waar nodig bijgesteld. | ☐ | ☐ | ☐ | ☐ |
| 20. | Als regelingen, procedures of beleid betreffende gevaarlijke stoffen worden ingevoerd of gewijzigd, wordt aan de or of VGW(M)-commissie instemming gevraagd. | ☐ | ☐ | ☐ | ☐ |
| 21. | De or of VGW(M)-commissie heeft voldoende kennis en inzicht om goed om te gaan met de problematiek van de gevaarlijke stoffen. | ☐ | ☐ | ☐ | ☐ |

## 30.19    Checklist bedrijfshulpverlening

*Tabel 14.*

| | | In orde? | | Actie or nodig? | |
|---|---|---|---|---|---|
| | | **Ja** | **Nee** | **Ja** | **Nee** |
| 1 | Is er een stevig bedrijfsnoodplan en een duidelijk bedrijfs-hulpverleningsplan? | ☐ | ☐ | ☐ | ☐ |
| 2 | Speelt het bedrijfsnoodplan en de bedrijfshulpverlening goed in op alle reële calamiteiten die mogelijk zijn? (ongeval, brand, bommelding, explosie, vrijkomen gevaarlijke stoffen, calamiteiten op de weg of het spoor of in nabijge-legen bedrijven, indringers enz.) | ☐ | ☐ | ☐ | ☐ |
| 3 | Is er een slagvaardige BHV-organisatie met een duidelijke taakverdeling? | ☐ | ☐ | ☐ | ☐ |
| 4 | Staat er in de risico-inventarisatie en -evaluatie een juist oordeel en concrete aanbevelingen over de bedrijfshulp-verlening? | ☐ | ☐ | ☐ | ☐ |
| 5 | Is binnen de organisatie voldoende bekend wie de bedrijfshulpverleners zijn en zijn ze snel oproepbaar? | ☐ | ☐ | ☐ | ☐ |
| 6 | Zijn er voldoende bedrijfshulpverleners op alle werktijden en in alle afdelingen? | ☐ | ☐ | ☐ | ☐ |
| 7 | Is er voldoende rekening gehouden met derden en hun zelfredzaamheid (cliënten, klanten, leveranciers, leerlin-gen, bezoekers)? | ☐ | ☐ | ☐ | ☐ |
| 8 | Zijn de nooddeuren, vluchtwegen en verzamelplaatsen voldoende beschikbaar, goed aangegeven, voldoende bekend en goed vrijgehouden? | ☐ | ☐ | ☐ | ☐ |
| 9 | Zijn er materiële voorzieningen aanwezig, zoals bijvoor-beeld alarmsysteem, branddetectiesysteem, blusmidde-len, kleding en handschoenen, EHBO-trommels met inhoud? Is er een systeem om die voorzieningen te con-troleren? | ☐ | ☐ | ☐ | ☐ |
| 10 | Hebben de bedrijfshulpverleners voldoende opleiding gehad en worden die opleidingen in voldoende mate her-haald? | ☐ | ☐ | ☐ | ☐ |
| 11 | Wordt er voldoende regelmatig geoefend in BHV-taken (zoals ontruimingsoefeningen)? | ☐ | ☐ | ☐ | ☐ |

| | | In orde? | | Actie or nodig? | |
|---|---|---|---|---|---|
| | | Ja | Nee | Ja | Nee |
| 12 | Vinden de bedrijfshulpverleners het beleid inzake de bedrijfshulpverlening en toepassing daarvan voldoende? | ☐ | ☐ | ☐ | ☐ |
| 13 | Zijn de BHV'ers voldoende getraind in de bedrijfsspecifieke risico's zoals chemische stoffen, explosiegevaar en dergelijke? | ☐ | ☐ | ☐ | ☐ |
| 14 | Is er nazorg oproepbaar voor BHV'ers en betrokken werknemers na een ingrijpende gebeurtenis? | ☐ | ☐ | ☐ | ☐ |
| 15 | Zijn de ondernemingsraad en VGW(M)-commissie voldoende betrokken bij en op de hoogte van de BHV en het bedrijfsnoodplan? Ook bij veranderingen daarin? | ☐ | ☐ | ☐ | ☐ |
| 16 | Heeft de ondernemingsraad of VGW(M)-commissie een instemmingsaanvraag gehad bij de (veranderingen in de) opzet van het bedrijfsnoodplan en bedrijfshulpverlening? | ☐ | ☐ | ☐ | ☐ |

## 30.20 Vragenlijst werkdruk/werkstress

*Een vragenlijstje om de mate van geestelijke belasting te peilen*
*Doel*: de or verkrijgt gegevens over de oorzaken van werkdruk en werkstress. *Werkwijze*: de or kan onderstaand lijstje aan de achterban voorleggen en de hoogst scorende knelpunten bespreken.

*Tabel 15.*

| | Vraag (omcirkel het antwoord) | Ja | Nee |
|---|---|---|---|
| 1 | Hebt u veel te maken met tijdsdruk? | 1 | o |
| 2 | Hebt u zelf invloed op het werktempo? | o | 1 |
| 3 | Wordt u te vaak gestoord in uw werk? | 1 | o |
| 4 | Is de organisatie en planning van het werk doorgaans goed? | o | 1 |
| 5 | Is de werksfeer goed? | o | 1 |
| 6 | Hebt u vaak met lastige 'klanten' te maken? | 1 | o |

| Vraag (omcirkel het antwoord) | Ja | Nee |
|---|---|---|
| 7 | Ervaart u uw werk als geestelijk erg inspannend? | 1 | o |
| 8 | Wordt er in voldoende mate over werkproblemen overlegd, met bevredigend resultaat? | o | 1 |
| 9 | Hebt u voldoende en goede gereedschappen en apparatuur om te werken? | o | 1 |
| 10 | Ligt u 's nachts wel eens wakker van uw werk? | 1 | o |
| 11 | Moet u vaak overwerken? | 1 | o |
| 12 | (open vraag): Waardoor wordt u geïrriteerd en gedemotiveerd in uw werk? | | |

Bij de uitslag:

– hoe meer punten, des te meer knelpunten;

– elk punt is een knelpunt waarnaar gekeken moet worden.

## 30.21  Checklist milieuvervuiling door bedrijf of instelling

Doel van de checklist is om globaal in kaart te brengen welke de mogelijke milieubelasting is die de organisatie veroorzaakt. Op grond van de beantwoording van deze lijst en de checklist milieubeleid op de volgende pagina, kan de or/VGW(M)-commissie een plan van actie maken.

*Tabel 16.*

| | | Mogelijke of feitelijke milieubelasting? | | Bedrijf pleegt maximale inspanning? | | Actie or nodig? | |
|---|---|---|---|---|---|---|---|
| | | Ja | Nee | Ja | Nee | Ja | Nee |
| 1 | Luchtvervuiling | ☐ | ☐ | ☐ | ☐ | ☐ | ☐ |
| 2 | Watervervuiling | ☐ | ☐ | ☐ | ☐ | ☐ | ☐ |
| 3 | Bodemvervuiling | ☐ | ☐ | ☐ | ☐ | ☐ | ☐ |
| 4 | Milieubelasting door gebruik grond- en hulpstoffen en hulpmaterialen | ☐ | ☐ | ☐ | ☐ | ☐ | ☐ |

|  |  | Mogelijke of feitelijke milieubelasting? | | Bedrijf pleegt maximale inspanning? | | Actie or nodig? | |
|---|---|---|---|---|---|---|---|
|  |  | Ja | Nee | Ja | Nee | Ja | Nee |
| 5 | Energieverbruik | ☐ | ☐ | ☐ | ☐ | ☐ | ☐ |
| 6 | Waterverbruik | ☐ | ☐ | ☐ | ☐ | ☐ | ☐ |
| 7 | Radioactieve straling | ☐ | ☐ | ☐ | ☐ | ☐ | ☐ |
| 8 | Calamiteitengevaar, bijvoorbeeld explosies | ☐ | ☐ | ☐ | ☐ | ☐ | ☐ |
| 9 | Lawaai-overlast | ☐ | ☐ | ☐ | ☐ | ☐ | ☐ |
| 10 | Stankoverlast | ☐ | ☐ | ☐ | ☐ | ☐ | ☐ |
| 11 | Overlast door fijn stof | ☐ | ☐ | ☐ | ☐ | ☐ | ☐ |
| 12 | Bedrijfsafval | ☐ | ☐ | ☐ | ☐ | ☐ | ☐ |
| 13 | Gevaarlijk (= chemisch) afval | ☐ | ☐ | ☐ | ☐ | ☐ | ☐ |
| 14 | Milieubelastend gemaakt product | ☐ | ☐ | ☐ | ☐ | ☐ | ☐ |
| 15 | Verpakkingsmateriaal | ☐ | ☐ | ☐ | ☐ | ☐ | ☐ |
| 16 | Transport: intern, leveranciers, afnemers, vrachtauto's | ☐ | ☐ | ☐ | ☐ | ☐ | ☐ |
| 17 | Zakelijk verkeer, vertegenwoordigers et cetera | ☐ | ☐ | ☐ | ☐ | ☐ | ☐ |
| 18 | Woon-werkverkeer | ☐ | ☐ | ☐ | ☐ | ☐ | ☐ |
| 19 | ... | ☐ | ☐ | ☐ | ☐ | ☐ | ☐ |

## 30.22    Checklist milieubeleid

*Tabel 17.*

|  |  | In orde? | | Actie or nodig? | |
|---|---|---|---|---|---|
|  |  | Ja | Nee | Ja | Nee |
| 1 | Er is een opschriftgesteld milieubeleid. Inclusief een milieubeleidsverklaring, milieudoelen en -middelen. | ☐ | ☐ | ☐ | ☐ |
| 2 | De overheidsnormen zijn bekend bij or/VGW(M)-commissie: onder welk bevoegd gezag het bedrijf of instelling valt, welke vergunningen er zijn of nodig zijn, aan welke voorschriften de organisatie moet voldoen. | ☐ | ☐ | ☐ | ☐ |
| 3 | Er bestaat een overzicht van milieutaken van diverse functionarissen en medewerkers. | ☐ | ☐ | ☐ | ☐ |
| 4 | Iedere medewerker is bekend met zijn milieutaken. | ☐ | ☐ | ☐ | ☐ |
| 5 | Ieder is passend opgeleid voor zijn milieutaken. | ☐ | ☐ | ☐ | ☐ |
| 6 | De milieutaken worden naar tevredenheid uitgevoerd. | ☐ | ☐ | ☐ | ☐ |
| 7 | De milieutaken botsen niet met andere taken van medewerkers en leidinggevenden. (Als dat wel het geval is: op welke manier, met welke gevolgen?) | ☐ | ☐ | ☐ | ☐ |
| 8 | Er is een plan van maatregelen betreffende milieu met concrete maatregelen en een duidelijke taakverdeling en tijdsplanning. | ☐ | ☐ | ☐ | ☐ |
| 9 | Het milieuplan wordt redelijk volgens de planning uitgevoerd. | ☐ | ☐ | ☐ | ☐ |
| 10 | Er wordt bewaakt of de gewenste resultaten worden behaald. | ☐ | ☐ | ☐ | ☐ |
| 11 | Deze 'bewaking' of evaluatie leidt tot bijstelling van milieumaatregelen, milieudoelen voor de organisatie en milieutaken van medewerkers. | ☐ | ☐ | ☐ | ☐ |
| 12 | De hoogste leiding gaat regelmatig na wat van de milieudoelen terechtkomt. | ☐ | ☐ | ☐ | ☐ |
| 13 | Incidenten, problemen en oplossingen worden doorgespeeld aan de verantwoordelijken. | ☐ | ☐ | ☐ | ☐ |

| | | In orde? | | Actie or nodig? | |
|---|---|---|---|---|---|
| | | Ja | Nee | Ja | Nee |
| 14 | Werkoverleg speelt een rol in de milieuzorg. | ☐ | ☐ | ☐ | ☐ |
| 15 | Er is sprake van een systeem van interne en externe audits. | ☐ | ☐ | ☐ | ☐ |
| 16 | Er wordt regelmatig verslag gedaan van resultaten, successen en stagnatie in de milieuzorg. | ☐ | ☐ | ☐ | ☐ |
| 17 | Er wordt regelmatig gerapporteerd aan de or/VGW(M)-commissie. | ☐ | ☐ | ☐ | ☐ |
| 18 | Er wordt aan de or/VGW(M)-commissie advies gevraagd als het bedrijf belangrijke milieumaatregelen neemt. | ☐ | ☐ | ☐ | ☐ |

## 30.23 Checklist machineveiligheid

*Tabel 18.*

| Vraag | | In orde? | | Actie or nodig? | |
|---|---|---|---|---|---|
| | | Ja | Nee | Ja | Nee |
| 1 | Hebben alle machines van na 1995 een CE-markering? Ook de machines die door het eigen bedrijf zijn aangepast? | ☐ | ☐ | ☐ | ☐ |
| 2 | Hebben alle machines een duidelijke Nederlandstalige gebruikershandleiding waar ook de risico's in staan en hoe daarmee om te gaan? | ☐ | ☐ | ☐ | ☐ |
| 3 | Geeft de RI&E van het bedrijf een goede beschrijving van de risico's van de machines en van de andere arbeidsmiddelen? | ☐ | ☐ | ☐ | ☐ |
| 4 | Staat er een goede aanpak van de risico's rondom machines beschreven in een plan van aanpak? | ☐ | ☐ | ☐ | ☐ |
| 5 | Wordt het gedeelte van het plan van aanpak dat over risico's van machines gaat in de praktijk goed uitgevoerd? | ☐ | ☐ | ☐ | ☐ |
| 6 | Is er een goed lopend systeem voor onderhoud van machines? | ☐ | ☐ | ☐ | ☐ |
| 7 | Is er planmatig preventief onderhoud en vindt dat steeds op een veilige manier plaats? | ☐ | ☐ | ☐ | ☐ |

| Vraag | | In orde? | | Actie or nodig? | |
|---|---|---|---|---|---|
| | | Ja | Nee | Ja | Nee |
| 8 | Is er in het bedrijf een goed lopende regeling waarin alles over regelmatige keuring inspecties van de machines is vastgelegd? (per machine: hoe vaak, hoe en door wie?) | ☐ | ☐ | ☐ | ☐ |
| 9 | Leiden deze inspecties — waar nodig — ook tot aanpassingen en verbeteringen? | ☐ | ☐ | ☐ | ☐ |
| 10 | Is er een goed lopend systeem van melding van ongevallen en gevaarlijke situaties? | ☐ | ☐ | ☐ | ☐ |
| 11 | Leidt een melding van een ongeval of gevaarlijke situatie doorgaans tot een verbetering van de werkplek? | ☐ | ☐ | ☐ | ☐ |
| 12 | Geeft het bedrijf goede en ook herhaalde voorlichting aan het personeel over de risico's van machines en over de manier om daar veilig mee om te gaan? | ☐ | ☐ | ☐ | ☐ |
| 13 | Worden de bewegende delen van machines voldoende afgeschermd? | ☐ | ☐ | ☐ | ☐ |
| 14 | Is er in het bedrijf voldoende toezicht op het veilig gebruik van de machines en de afschermingen? | ☐ | ☐ | ☐ | ☐ |
| 15 | Klinkt er enkele seconden voor het opstarten van machines of machinelijnen een geluidssignaal om werknemers te waarschuwen? | ☐ | ☐ | ☐ | ☐ |
| 16 | Beschikken de machines in het bedrijf over een opvallende en goed bereikbare noodknop? | ☐ | ☐ | ☐ | ☐ |
| 17 | Kiezen de werknemers steeds een veilige werkwijze om storingen in machines te verhelpen? | ☐ | ☐ | ☐ | ☐ |
| 18 | Vindt de reiniging van de machines op een veilige manier plaats? | ☐ | ☐ | ☐ | ☐ |
| 19 | Worden alle machines periodiek gekeurd door daartoe bevoegde personen? En gebeurt dat volgens een zorgvuldig vastgesteld schema? | | | | |

## 30.24 Checklist veiligheid heftrucks

(Gebaseerd op de checklist van Gezond Transport en de Heftruckbrochure van de Arbeidsinspectie)

*Tabel 19.*

| Vraag | In orde? | | Actie or nodig? | |
|---|---|---|---|---|
| | Ja | Nee | Ja | Nee |
| **A. De heftruck zelf** | | | | |
| 1 Is er een CE-markering aanwezig? | ☐ | ☐ | ☐ | ☐ |
| 2 Is de heftruck voorzien van een deugdelijke veiligheidskooi? | ☐ | ☐ | ☐ | ☐ |
| 3 Is er een veiligheidsgordel of -beugel aanwezig? | ☐ | ☐ | ☐ | ☐ |
| 4 Zijn de lepels goed vergrendeld tegen ongewild verschuiven/loslaten? | ☐ | ☐ | ☐ | ☐ |
| 5 Is er een goed leesbaar typeplaatje aanwezig? (met ondermeer maximale last, gewicht van batterijen enz.)? | ☐ | ☐ | ☐ | ☐ |
| 6 Is er een goed zichtbaar lastdiagram aanwezig, waarop de maximale last voor minstens drie verschillende afstanden is vermeld? | ☐ | ☐ | ☐ | ☐ |
| 7 Is de heftruck voorzien van een goede stoel? | ☐ | ☐ | ☐ | ☐ |
| 8 Wordt de heftruck regelmatig gecontroleerd op kwaliteit van de banden, werking van de remmen etc.? | ☐ | ☐ | ☐ | ☐ |
| 9 Is de heftruck voorzien van een goed werkende handrem? | ☐ | ☐ | ☐ | ☐ |
| 10 Is er vanuit de heftruck voldoende zicht op de last en de omgeving? | ☐ | ☐ | ☐ | ☐ |
| 11 Is er een goed werkende claxon aanwezig? | ☐ | ☐ | ☐ | ☐ |
| 12 Zijn — indien nodig — spiegels aanwezig? (met name zinvol bij veel achteruit rijden) | ☐ | ☐ | ☐ | ☐ |

| Vraag | In orde? | | Actie or nodig? | |
|---|---|---|---|---|
| | Ja | Nee | Ja | Nee |
| 13 Is — indien nodig — verlichting op de heftruck aanwezig? | ☐ | ☐ | ☐ | ☐ |
| 14 Vindt er minimaal eens per jaar een keuring door een deskundig persoon plaats? (deskundige derde of voldoende opgeleide interne medewerker) | ☐ | ☐ | ☐ | ☐ |
| 15 Wordt de heftruck dagelijks vóór gebruik kort op veiligheid geïnspecteerd door de chauffeur? | ☐ | ☐ | ☐ | ☐ |
| 16 Wordt het onderhoud aan de heftruck in een onderhoudsboek vastgelegd? | ☐ | ☐ | ☐ | ☐ |
| **B. Verkeersveiligheid** | | | | |
| 1 Is er een scheiding tussen loop- en rijpaden? | ☐ | ☐ | ☐ | ☐ |
| 2 Zijn er waarschuwingsborden geplaatst? | ☐ | ☐ | ☐ | ☐ |
| 3 Zijn er in het verkeersreglement afspraken gemaakt over maximale rijsnelheid? (Bij massieve banden is de maximumsnelheid 6 km per/uur, bij luchtbanden is deze 16 km per uur, bij achteruitrijden is de maximumsnelheid stapsgewijs;) | ☐ | ☐ | ☐ | ☐ |
| 4 Is er een schriftelijk verbod op het heffen en meerijden van personen? | ☐ | ☐ | ☐ | ☐ |
| 5 Wordt kantelgevaar voldoende ingedamd? (met name bij hellende vloeren, ongelijkmatige bestrating en hoogteverschillen) | ☐ | ☐ | ☐ | ☐ |
| 6 Worden (bijna)ongevallen met heftrucks vastgelegd in een register? | ☐ | ☐ | ☐ | ☐ |
| 7 Wordt alleen heftruck gereden door voldoende opgeleide werknemers die in het bezit zijn van een heftruckcertificaat (voor incidentele heftruckgebruikers volstaat een eendaagse basisopleiding, voor vaste heftruckchauffeurs is een driedaagse gevorderdentraining nodig) | ☐ | ☐ | ☐ | ☐ |

| Vraag | | In orde? | | Actie or nodig? | |
|---|---|---|---|---|---|
| | | Ja | Nee | Ja | Nee |
| 8 | Wordt er in het werkoverleg voldoende aandacht besteed aan heftruckveiligheid? | ☐ | ☐ | ☐ | ☐ |
| 9 | Is er voldoende toezicht op veilig rijden? | ☐ | ☐ | ☐ | ☐ |
| 10 | Dragen de heftruckchauffeurs veiligheidsschoenen? | ☐ | ☐ | ☐ | ☐ |

**C. Verbrandingsmotoren**

| | | | | | |
|---|---|---|---|---|---|
| 1 | Zijn hete delen voldoende afgeschermd en eventueel voorzien van een waarschuwingspictogram? | ☐ | ☐ | ☐ | ☐ |
| 2 | Is de brandstoftank in goede staat en wordt deze periodiek gekeurd? | ☐ | ☐ | ☐ | ☐ |
| 3 | Is er een veilige procedure voor het wisselen van volle/lege LPG-drukhouders? | ☐ | ☐ | ☐ | ☐ |
| 4 | Zijn op de heftrucks snelheidsbegrenzers geplaatst? (is niet verplicht, zie voor meer informatie: www.gezondehandel.nl) | ☐ | ☐ | ☐ | ☐ |
| 5 | Zijn in binnenruimtes heftrucks met dieselmotoren vervangen door elektro/lpg-trucks? (Dieselmotoren zijn niet meer toegestaan bij maximale lasten 4 ton of minder) | ☐ | ☐ | ☐ | ☐ |
| 6 | Zijn de resterende heftrucks met een verbrandingsmotor voorzien van een roetfilter? | ☐ | ☐ | ☐ | ☐ |

**D. Elektrotrucks**

| | | | | | |
|---|---|---|---|---|---|
| 1 | Is de elektrotruck voorzien van een stroomonderbreker die automatisch de aandrijving blokkeert als de chauffeur de heftruck verlaat? | ☐ | ☐ | ☐ | ☐ |
| 2 | Worden de accu's en de acculaders jaarlijks gekeurd door een daartoe bevoegde persoon? | ☐ | ☐ | ☐ | ☐ |
| 3 | Is de acculader goed beschermd tegen aanrijdingen en geplaatst in een goed geventileerde ruimte? | ☐ | ☐ | ☐ | ☐ |

| Vraag | | In orde? | | Actie or nodig? | |
|---|---|---|---|---|---|
| | | Ja | Nee | Ja | Nee |
| 4 | Wordt het laden, wegen en bijvullen van de accu's gedaan door speciaal daarvoor aangewezen en geïnstrueerde eigen werknemers (of wordt het uitbesteed aan een gespecialiseerd bedrijf)? | ☐ | ☐ | ☐ | ☐ |
| 5 | Zijn er in de acculaadruimte voldoende persoonlijke beschermingsmiddelen en oogdouches of oogspoelflessen aanwezig in verband met accuzuurspatten? | ☐ | ☐ | ☐ | ☐ |

## 30.25   Checklist veilig magazijn

*Tabel 20.*

| Vraag | | In orde? | | Actie or nodig? | |
|---|---|---|---|---|---|
| | | Ja | Nee | Ja | Nee |
| **A. De magazijnstellingen** | | | | | |
| 1 | Zijn de stellingen deugdelijk en gebouwd door een erkende stellingbouwer? | ☐ | ☐ | ☐ | ☐ |
| 2 | Is op alle stellingen de maximale belading duidelijk aangegeven? | ☐ | ☐ | ☐ | ☐ |
| 3 | Is het in de praktijk zo geregeld dat de maximale belading nooit overschreden wordt? | ☐ | ☐ | ☐ | ☐ |
| 4 | Hebben de stellingen op plekken waar intern transport langs rijdt een aanrijdbeveiliging van minimaal 40 centimeter? | ☐ | ☐ | ☐ | ☐ |
| 5 | Worden de materialen in de stelling zodanig opgeslagen dat ze niet kunnen vallen, omvallen, inzakken, wegglijden, of verschuiven? | ☐ | ☐ | ☐ | ☐ |
| 6 | Als het gevaar bestaat dat voorwerpen aan de achterzijde uit een stelling kunnen vallen en personen kunnen verwonden, is er dan een doorstootbeveiliging in de stelling aangebracht? | ☐ | ☐ | ☐ | ☐ |
| 7 | Is de draagkracht van de vloeren bekend is deze steeds voldoende? | ☐ | ☐ | ☐ | ☐ |
| 8 | Worden stellingen regelmatig beoordeeld en minsterns eenmaal per jaar gekeurd? | ☐ | ☐ | ☐ | ☐ |

| Vraag | In orde? | | Actie or nodig? | |
|---|---|---|---|---|
| | Ja | Nee | Ja | Nee |
| 9    Worden schades aan stellingen meteen gemeld en spoedig gerepareerd? | ☐ | ☐ | ☐ | ☐ |

**B Verkeersveiligheid**

| | | | | |
|---|---|---|---|---|
| 1    Zijn – waar mogelijk – werkplekken en voertgangers-paden fysiek gescheiden van transportroutes? | ☐ | ☐ | ☐ | ☐ |
| 2    Zijn – waar geen fysieke scheiding mogelijk is – mar-keringen, verkeersborden, spiegels en eventueel waarschuwingsknipperlichten aangebracht op plaat-sen waar voetpaden en wegen voor intern transport samenkomen? | ☐ | ☐ | ☐ | ☐ |
| 3    Is er een actueel verkeersplan aanwezig waarin zaken zijn uitgewerkt als rijsnelheid, rijrichting, voorrang,? | ☐ | ☐ | ☐ | ☐ |
| 4    Zijn transportroutes voldoende breed? (bij ééninrich-tingsverkeer minimaal 60 cm breder dan het breedst beladen transportvoertuig en bij tweerichtingverkeer minimaal 90 cm breder dan twee van deze voertui-gen) | ☐ | ☐ | ☐ | ☐ |

**C. Accu Laden (bv van de heftruck)**

| | | | | |
|---|---|---|---|---|
| 1    Worden accu's alleen door aangewezen en geïnstru-eerde werknemers geladen, gewogen en bijgevuld? | ☐ | ☐ | ☐ | ☐ |
| 2    Is de acculader zodanig opgesteld dat aanrijden van de accu of de laadinstallatie wordt voorkomen? | ☐ | ☐ | ☐ | ☐ |
| 3    Zijn alle kabels en stekkers zijn onbeschadigd? | ☐ | ☐ | ☐ | ☐ |
| 4    Worden de juiste beschermingsmiddelen gebruikt als de dop van de accu wordt afgehaald en er kans is op contact met zuur? (altijd handschoenen en gelaatbe-scherming en er moet ook een oogspoelmogelijkheid zijn. Als zuur gewogen of zuur toegevoegd wordt, dient ook een zuurvast schort gedragen te worden.) | ☐ | ☐ | ☐ | ☐ |
| 5    Is de ruimte waar accu s worden geladen voldoende geventileerd zodat er geen gevaarlijke hoeveelheid explosief gas kan ontstaan? (Aan de leverancier dient altijd gevraagd te worden om aan te geven of de beoogde locatie voldoet wat betreft explosierisico's.) | ☐ | ☐ | ☐ | ☐ |

| Vraag | In orde? | | Actie or nodig? | |
|---|---|---|---|---|
| | Ja | Nee | Ja | Nee |
| 6 Als er een apart acculaadstation bestaat, is deze duidelijk afgebakend en er zijn waarschuwingsborden geplaatst die aangeven dat er explosiegevaar kan optreden? (symbolen: vlam/explosie-gevaar en verbod op open vuur en roken). | ☐ | ☐ | ☐ | ☐ |
| 7 Worden accu's en de laadinstallatie jaarlijks gekeurd door een deskundig persoon of instantie? | ☐ | ☐ | ☐ | ☐ |

**D. Overige aspecten**

| Vraag | Ja | Nee | Ja | Nee |
|---|---|---|---|---|
| 1 Worden heftrucks met verbrandingsmotoren uit het magazijn geweerd? (dat is verplicht bij een laadvermogen van 4 ton of minder) | ☐ | ☐ | ☐ | ☐ |
| 2 Worden vrachtwagens zo veel mogelijk uit het magazijn geweerd? Of wordt anders de dieselrook goed afgezogen of opgevangen met een roetfilter? | ☐ | ☐ | ☐ | ☐ |
| 3 Zijn dockboards en op- en afritten en voldoende stevig, en goed beschermd tegen glij- en knelgevaar? | ☐ | ☐ | ☐ | ☐ |
| 4 Zijn de routes voor het intern transport ontdaan van oneffenheden zoals drempels, kuilen, plaatranden e.d.? | ☐ | ☐ | ☐ | ☐ |
| 5 Zijn er voldoende, goed gemarkeerde en goed bereikbare nooduitgangen en vluchtroutes? | ☐ | ☐ | ☐ | ☐ |
| 6 Zijn er afdoende maatregelen getroffen tegen warmte, kou, vocht en tocht? | ☐ | ☐ | ☐ | ☐ |
| 7 Is de fysieke belasting goed onderzocht en zijn voldoende maatregelen genomen om deze belasting terug te dringen? | ☐ | ☐ | ☐ | ☐ |
| 8 Is er voldoende orde en netheid in het magazijn en wordt stofvorming voldoende tegen gegaan? | ☐ | ☐ | ☐ | ☐ |
| 9 Is er voldoende verlichting? | ☐ | ☐ | ☐ | ☐ |

| Vraag | | In orde? | | Actie or nodig? | |
|---|---|---|---|---|---|
| | | Ja | Nee | Ja | Nee |
| 10 | Zijn de arborisico's in het magazijn op een goede manier beschreven in een RI&E en worden de problemen voortvarend aangepakt volgens een concreet uitgewerkt plan van aanpak? | ☐ | ☐ | ☐ | ☐ |

## 30.26 Checklist persoonlijke beschermingsmiddelen (PBM's)

*Tabel 21.*

| Vraag | | In orde? | | Actie or nodig? | |
|---|---|---|---|---|---|
| | | Ja | Nee | Ja | Nee |
| 1 | Worden de PBM's in het bedrijf puur gebruikt als sluitstuk van het arbobeleid? (alleen daar waar een grondigere aanpak voorlopig niet mogelijk is) | ☐ | ☐ | ☐ | ☐ |
| 2 | Is het bedrijf actief om PBM's zo veel mogelijk overbodig te maken? | ☐ | ☐ | ☐ | ☐ |
| 3 | Wordt in de RI&E het beleid en de praktijk rondom PBM's goed beschreven en op een juiste manier beoordeeld? | ☐ | ☐ | ☐ | ☐ |
| 4 | Is er een duidelijk PBM-beleid vastgelegd over verstrekking, gebruik, onderhoud, keuzemogelijkheid, voorlichting, toezicht e.d.? | ☐ | ☐ | ☐ | ☐ |
| 5 | Worden werknemers voldoende betrokken bij de keuze van PBM's? | ☐ | ☐ | ☐ | ☐ |
| 6 | Is de verstrekking van PBM's in de praktijk goed geregeld? | ☐ | ☐ | ☐ | ☐ |
| 7 | Krijgen uitzendkrachten en andere tijdelijke krachten PBM's die gelijkwaardig zijn aan die van de vaste werknemers? | ☐ | ☐ | ☐ | ☐ |
| 8 | Worden de PBM's gratis verstrekt? | ☐ | ☐ | ☐ | ☐ |
| 9 | Zijn er voldoende PBM's beschikbaar? | ☐ | ☐ | ☐ | ☐ |

| Vraag | | In orde? | | Actie or nodig? | |
|---|---|---|---|---|---|
| | | Ja | Nee | Ja | Nee |
| 10 | Worden de PBM's in de praktijk goed gebruikt? | ☐ | ☐ | ☐ | ☐ |
| 11 | Loopt in de praktijk de reiniging en/of het onderhoud van de PBM's goed? | ☐ | ☐ | ☐ | ☐ |
| 12 | Worden werknemers regelmatig en goed voorgelicht en geïnstrueerd over het gebruik van PBM's? | ☐ | ☐ | ☐ | ☐ |
| 13 | Wordt op een duidelijke manier bekend gemaakt waar welke persoonlijke beschermingsmiddelen moeten worden gebruikt? | ☐ | ☐ | ☐ | ☐ |
| 14 | Wordt voldoende toezicht gehouden op het dragen van PBM's? | ☐ | ☐ | ☐ | ☐ |
| 15 | Is er een rechtvaardig en afgewogen sanctiebeleid, dat ook goed wordt toegepast als een werknemer herhaaldelijk de voorgeschreven PBM's niet gebruikt? | ☐ | ☐ | ☐ | ☐ |
| 16 | Wordt het gebruik van PBM's en de mogelijke problemen daarmee regelmatig besproken in werkoverleggen? | ☐ | ☐ | ☐ | ☐ |
| 17 | Worden klachten van werknemers over PBM's goed behandeld? | ☐ | ☐ | ☐ | ☐ |
| 18 | Wordt het PBM-beleid regelmatig geëvalueerd (samen met werknemers en or)? | ☐ | ☐ | ☐ | ☐ |

## 30.27   Checklist arbozorg voor uitzendkrachten

*Tabel 22.*

| Vraag | | In orde? | | Actie or nodig? | |
|---|---|---|---|---|---|
| | | Ja | Nee | Ja | Nee |
| 1 | Verstrekt de werkgever vóórdat een uitzendkracht aan het werk gaat aan de uitzendonderneming een goed leesbaar arbodocument waarin de belangrijkste risico's op de werkplek en de bijbehorende maatregelen worden beschreven? | ☐ | ☐ | ☐ | ☐ |
| 2 | Wordt de uitzendkracht zorgvuldig ingewerkt, met voldoende aandacht voor arbo? (Daarbij gaat het om voorlichting en onderricht over risico's en veiligheidsmaatregelen op de eigen werkplek, maar ook algemene informatie over de veiligheid binnen het bedrijf, zoals vluchtroutes en BHV.) | ☐ | ☐ | ☐ | ☐ |
| 3 | Wanneer gewerkt wordt met anderstalige uitzendkrachten, wordt daarmee in het inwerktraject voldoende rekening gehouden, zodat het inlenende bedrijf er zeker van is dat de uitzendkracht alle informatie begrepen heeft? | ☐ | ☐ | ☐ | ☐ |
| 4 | Zijn de persoonlijke beschermingsmiddelen voor een uitzendkracht gelijk aan die van een vaste medewerker binnen het inlenende bedrijf? Of, indien dit bij uitzondering praktisch niet mogelijk blijkt, bieden PBM's voor een uitzendkracht dan een volwaardige en gelijkwaardige bescherming? | ☐ | ☐ | ☐ | ☐ |
| 5 | Informeert het inlenende bedrijf de uitzendonderneming over een bedrijfsongeval waarbij een uitzendkracht betrokken is en overlegt een kopie van het ongevalsrapport aan de uitzendonderneming en de uitzendkracht? | ☐ | ☐ | ☐ | ☐ |

## 30.28   Checklist functioneren VGW(M)-commissie

Het betreft de organisatie, werkwijze en communicatie van de commissie.
Kies uit onderstaande de punten die het belangrijkst zijn om te verbeteren.

*Tabel 23.*

| | In orde? | | Actie VGW(M)-commissie nodig? | |
|---|---|---|---|---|
| | Ja | Nee | Ja | Nee |
| De VGW(M)-commissie: | | | | |

417

| | In orde? | | Actie VGW(M)-commissie nodig? | |
|---|---|---|---|---|
| | Ja | Nee | Ja | Nee |
| 1 is breed samengesteld: bestaat uit mensen van verschillende afdelingen en functies (meerderheid or-leden). | ☐ | ☐ | ☐ | ☐ |
| 2 heeft voldoende armslag om te werken: tijd, publicatiemogelijkheden, mogelijkheden voor scholing, voor externe contacten, enzovoort. | ☐ | ☐ | ☐ | ☐ |
| 3 is benoemd vanuit de or en heeft een duidelijke taakstelling meegekregen — zie het instellingsbesluit van de commissie. | ☐ | ☐ | ☐ | ☐ |
| 4 communiceert voldoende inhoudelijk over VGW(M)-kwesties met de or. | ☐ | ☐ | ☐ | ☐ |
| 5 werkt volgens een jaarlijkse vergaderplanning, een agenda en notulen; werkt met een realistisch werkplan. | ☐ | ☐ | ☐ | ☐ |
| 6 werkt als team: nieuwe kwesties worden gezamenlijk besproken en beoordeeld, de taken worden goed verdeeld, men weet van elkaar wat men doet, et cetera. | ☐ | ☐ | ☐ | ☐ |
| 7 is gemotiveerd en vasthoudend, is zich ervan bewust dat VGW(M)-werk van lange adem is, bemoedigt elkaar in barre tijden. | ☐ | ☐ | ☐ | ☐ |
| 8 reageert en controleert niet alleen, maar neemt ook zelf initiatieven rond arbokwesties. | ☐ | ☐ | ☐ | ☐ |
| 9 is ook buiten de vergaderingen actief: verzamelt informatie, voert binnen en buiten het bedrijf of de instelling gesprekken. (Trouwens: hoeveel uur per maand bent u buiten de vergaderingen om actief?) | ☐ | ☐ | ☐ | ☐ |
| 10 boekt voldoende zichtbaar resultaat. | ☐ | ☐ | ☐ | ☐ |
| 11 is voldoende zichtbaar in het bedrijf en voor de achterban. | ☐ | ☐ | ☐ | ☐ |
| 12 heeft regelmatig mondeling en schriftelijk contact met 'de achterban', houdt bijvoorbeeld af en toe een 'arboronde'. | ☐ | ☐ | ☐ | ☐ |
| 13 gebruikt beschikbare gegevens; bijvoorbeeld verzuimgegevens, de risico-inventarisatie en -evaluatie, het plan van aanpak, rapporten van de arbodienst. | ☐ | ☐ | ☐ | ☐ |

| | | In orde? | | Actie VGW(M)-com-missie nodig? | |
|---|---|---|---|---|---|
| | | Ja | Nee | Ja | Nee |
| 14 | voert op een effectieve en overtuigende manier overleg met vertegenwoordigers van het bedrijf: bereidt zichzelf goed voor, is soepel en vasthoudend, legt afspraken direct vast. | ☐ | ☐ | ☐ | ☐ |
| 15 | heeft een intern netwerk (opgebouwd): sleutelfiguren die men kan raadplegen. | ☐ | ☐ | ☐ | ☐ |
| 16 | heeft externe contacten: andere VGW(M)-commissies voor goede ideeën; weet externe instanties (zoals arbodienst, Arbeidsinspectie en vakbond) te vinden en heeft voldoende contact met hen. | ☐ | ☐ | ☐ | ☐ |
| 17 | gaat regelmatig op scholing ter vergroting van de deskundigheid. | ☐ | ☐ | ☐ | ☐ |

## 30.29 De VGW(M)-commissie en de achterban

*Tabel 24.*

| | | In orde? | | Actie VGW(M)-com-missie nodig? | |
|---|---|---|---|---|---|
| | | Ja | Nee | Ja | Nee |
| 1 | De or/VGW(M) heeft het besef dat het contact met de verschillende groepen binnen de achterban bewust moet worden onderhouden, dat dit niet 'vanzelf' gaat. | ☐ | ☐ | ☐ | ☐ |
| 2 | De or/VGW(M) heeft een beleid geformuleerd betreffende het mondeling en schriftelijk omgaan met de achterban. | ☐ | ☐ | ☐ | ☐ |
| 3 | Het bedrijf, de instelling maakt het mogelijk dat de or/VGW(M) zich actief bezig houdt met de contacten met de achterban. | ☐ | ☐ | ☐ | ☐ |
| 4 | Als er VGW(M)-knelpunten worden gemeld door de achterban (collega's) houdt de VGW(M) de achterban daarvan van begin tot eind op de hoogte. | ☐ | ☐ | ☐ | ☐ |
| 5 | Soms wordt de communicatie met de achterban bewust gekozen om een VGW(M)-kwestie kracht bij te zetten. | ☐ | ☐ | ☐ | ☐ |
| 6 | Resultaten en successen betreffende VGW(M)-kwesties worden op een aansprekende manier bekend gemaakt. | ☐ | ☐ | ☐ | ☐ |

| | | In orde? | | Actie VGW(M)-com-missie nodig? | |
|---|---|---|---|---|---|
| | | Ja | Nee | Ja | Nee |
| 7 | Actief wordt aan de achterban gevraagd om ideeën en wensen betreffende VGW(M)-verbeteringen. | ☐ | ☐ | ☐ | ☐ |
| 8 | De VGW(M)-commissie past een aantal van de volgende persoonlijke middelen toe in het contact met de achterban: | | | | |
| | - bewust gekozen regelmatige gesprekken van elk VGW(M)-lid met collega's | ☐ | ☐ | ☐ | ☐ |
| | - het af en toe aanspreken van sleutelfiguren | ☐ | ☐ | ☐ | ☐ |
| | - beleggen van een personeelsbijeenkomst | ☐ | ☐ | ☐ | ☐ |
| | - een VGW(M)-rondgang doen met (mogelijk) behulp van een checklist | ☐ | ☐ | ☐ | ☐ |
| | - werkoverleg bijwonen | ☐ | ☐ | ☐ | ☐ |
| | - een VGW(M)-actiedag in het bedrijf | ☐ | ☐ | ☐ | ☐ |
| 9 | De VGW(M)-commissie past enkele van de volgende schriftelijke/digitale middelen toe in contact met de achterban: | | | | |
| | - het bestaan van de commissie bekend maken met behulp van foto's van de leden en bekend maken van de plannen; | ☐ | ☐ | ☐ | ☐ |
| | - agenda's van de VGW(M) publiceren; | ☐ | ☐ | ☐ | ☐ |
| | - leesbare verslagen van de VGW(M) publiceren; | ☐ | ☐ | ☐ | ☐ |
| | - verslagen persoonlijk verspreiden; | ☐ | ☐ | ☐ | ☐ |
| | - soms een enquête houden; | ☐ | ☐ | ☐ | ☐ |
| | - artikelen in het personeels- of bedrijfsblad publiceren; | ☐ | ☐ | ☐ | ☐ |
| | - een werkplan maken en verspreiden; | ☐ | ☐ | ☐ | ☐ |
| | - een jaarverslag schrijven van ondernomen activiteiten; | ☐ | ☐ | ☐ | ☐ |
| | - een plek innemen op een website van het bedrijf en die met actuele en aansprekende berichten vullen; | ☐ | ☐ | ☐ | ☐ |
| | - een digitale discussiegroep starten en onderhouden. | ☐ | ☐ | ☐ | ☐ |
| 10 | Van tijd tot tijd evalueert de or/VGW(M)-commissie zijn achterbancontact en stelt dat, zo nodig, bij. | ☐ | ☐ | ☐ | ☐ |

## 30.30  De aanpak van een concrete arbokwestie

Er is sprake van een onveilige of ongezonde werksituatie

Links staan de vragen die de or kan beantwoorden als hij een concrete arbokwestie wil oppakken. Rechts staan — als voorbeeld — de antwoorden bij een denkbeeldig probleem (verlichting).

*Tabel 25.*

| Algemeen | | Voorbeeld: verlichting |
|---|---|---|
| 1 | **Het probleem:** | |
| | Verwoord de kwestie zo precies en feitelijk mogelijk. | In afdeling X is er onvoldoende verlichting op verschillende werkplekken; twaalf mensen moet het doen met algemene omgevingsverlichting. Dat is onvoldoende voor het precisie-werk dat ze moeten doen. Dit onderwerp is nog niet eerder met de directie of arbocoördinator besproken. |
| 2 | **Aan de slag met het probleem?** | |
| | - indien ja, doorgaan | |
| | - indien nee, melden aan de achterban | |
| 3 | **Wat is de oorzaak en het gevolg?** | Oorzaken zijn: werkplekverlichting die niet is aangepast aan de taken; de leidinggevende wuift het probleem weg. |
| | | Gevolgen zijn: vermoeidheid bij de medewerkers; irritatie omdat er geen aandacht is voor hun problemen; er worden meer fouten gemaakt dan nodig is. |
| 4 | **Verzamel informatie:** | |
| | - In RI&E: de beschrijving van het probleem | Het probleem is beschreven in de RI&E, maar heeft geen hoge prioriteit gekregen. |
| | - In 'plan van aanpak': de maatregel om het probleem op te lossen | In het plan van aanpak staat het niet vermeld, wel in een vroe-ger arbojaarplan. |
| | - De verplichtingen van bedrijf in wet-geving | Het Arbobesluit vermeldt dat de werkgever aan de taak aange-paste verlichting moet aanbrengen. Al-blad 7 (Kantoren) geeft nuttige adviezen. |
| | - De rechten van de or/VGW(M)-commissie | Werknemers hebben recht op overleg en initiatief; ze kunnen de arbodienst raadplegen en eventueel bij de Arbeidsinspectie een klacht indienen. |
| | - Bij achterban: ervaring van probleem en polsen oplossing | |
| 5 | **Formuleer een doel: wat wil je berei-ken?** | De verlichting op de werkplek verbeteren. |
| | | Daarvoor is wellicht een onderzoek van de arbodienst nood-zakelijk. |
| 6 | **Bedenk hoe je de werkgever kan over-tuigen** | |
| | - Benoem argumenten. | - Het aantal fouten op de afdeling kan er door verminderen. En de werksfeer kan verbeteren. Dat kan leiden tot een beter afde-lingsresultaat. |
| | | - Het probleem staat beschreven in de RI&E maar is nog niet opgepakt. |

| Algemeen | Voorbeeld: verlichting |
|---|---|
| - Ga op zoek naar wettelijke voorschriften en bedrijfsregels over dit onderwerp. | - Er zijn voorschriften over het aantal lux licht dat er bij precisiewerk nodig is. |
| - Bedenk een kansrijke tactiek. | - De ondernemingsraad zal eerst bij de arbocoördinator nagaan hoe deze er in staat. Misschien kunnen we hier samen optrekken. |
|  | - We zullen in een lunchpauze spreken met de werknemers van afdeling X om hun problemen en mogelijke oplossingen in kaart te brengen. |
|  | - We nodigen de arbeidshygiënist van de arbodienst uit om over dit onderwerp te spreken. |
|  | - Op grond van dit voorwerk maken we een or-voorstel dat we eerst informeel met de werkgever bespreken. |

## 30.31 Een arbobeleidskwestie aanpakken

Links staan de vragen die de or kan beantwoorden als hij een beleidskwestie wil oppakken. Rechts staan — als voorbeeld — de antwoorden bij een denkbeeldig probleem (toezicht).

*Tabel 26.*

| Algemeen | | Voorbeeld: gebrek aan toezicht |
|---|---|---|
| 1 | Het probleem: | |
|  | Formuleer het probleem zo precies mogelijk. | Leidinggevenden in vier van de vijf afdelingen houden geen toezicht op arbovoorschriften, zoals de naleving van de veiligheidsvoorschriften of het dragen van persoonlijke beschermingsmiddelen. Deze taken staan wel op papier. |
| 2 | Onderzoek en formuleer de oorzaken en gevolgen: | |
|  | - bij achterban | Oorzaken: de leidinggevenden zijn onvoldoende geïnstrueerd hoe hun arbotaken uit te voeren; ze worden door hun leidinggevenden niet aangestuurd om dit te doen. |
|  | - bij deskundigen | Gevolgen zijn: onveilig en slordig gedrag; bijna-ongelukken; er is soms ook veilig gedrag, afhankelijk van de persoon. |
| 3 | Informeer jezelf over de kwestie: | |
|  | - Staat het in de RI&E? | In de RI&E staan enkele opmerkingen over de taak van leidinggevenden; in het plan van aanpak staat: 'er dient beter toezicht te worden gehouden op de bestaande arboprocedures'. |
|  | - Wat zijn de wettelijke werkgeversverplichtingen? | In de Arbowet staat dat de werkgever toezicht moet organiseren en dat arbotaken aan functionarissen in het bedrijf moeten worden gedelegeerd. |

| Algemeen | | Voorbeeld: gebrek aan toezicht |
|---|---|---|
| | - Welke regelingen heeft het bedrijf hierover opgesteld? | Er is in het bedrijf een omschrijving van de arbotaken van leidinggevenden. Daarin is ook toezicht opgenomen. |
| | - Wat zijn werknemersrechten? | |
| | | |
| 4 | **Formuleer een doel of bedenk een (voorlopige) oplossing.** | Herhaaldelijke deskundige instructie aan leidinggevenden. |
| | | Bespreking van arbovoorschriften en ieders arbotaken in werkoverleg. |
| | | Systeem van bewaking of er toezicht wordt gehouden. |
| | | |
| 5 | **Bedenk hoe je de werkgever kan overtuigen** | |
| | -Benoem argumenten. | - Het aantal ongevallen en daarmee samenhangend het ziekteverzuim kan fors dalen. |
| | - Ga op zoek naar wettelijke voorschriften en bedrijfsregels over dit onderwerp. | - Plicht tot toezicht (Arbowet). |
| | | - Aansprakelijkheid werkgever bij onvoldoende toezicht (Burgerlijk wetboek). |
| | | - In de beschrijving van de Arbotaken van de leidinggevenden in ons bedrijf staat het 'toezicht' duidelijk vermeld. |
| | - Bedenk een kansrijke tactiek. | - We gaan eerst eens spreken met de leidinggevende die het wel goed doet. |
| | | - Dan bij een andere leidinggevende nagaan waarom het daar niet lukt. |
| | | - In de overlegvergadering leggen we het probleem op tafel en we proberen in een open gesprek samen met de werkgever tot oplossingen te komen bij de drie wensen die we hebben geformuleerd. |
| | | |
| 6 | **Indien onvoldoende resultaat:** | |
| | Raadpleeg de achterban en breng het nogmaals in het overleg. | |
| | Roep externe hulp in; organiseer druk. | |

423

## DEEL 7

DIVERSEN

# 31  Handige adressen en websites

## 31.1   Direct nuttig voor arbohulp en arbo-informatie

Hier volgen internetadressen van instanties die u wellicht direct kunnen helpen bij uw arbo- en milieuvragen en -problemen. De eerste dienen zelf te worden ingevuld.

*Arbodienst of bedrijfsarts:*
Naam:
Adres:
Telefoon:
Naam bedrijfsarts:
Naam contactpersoon van arbodienst met uw bedrijf:

*De Arbeidsinspectie:* (NB: de Arbeidsinspectie gaat in 2012 op in de Inspectiedienst SZW)
Centraal meldpunt Arbeidsinspectie:
Adres: Postbus 820, 3500 AV Utrecht
Email: arbeidsinspectie@minszw.nl
Telefoon: 0800-270 00 00
Naam van de mogelijk vaste inspecteur:

*Milieu-inspectie*
De milieu-inspectie waar uw bedrijf mee te maken heeft:
Naam:
Adres:
Telefoon:
Naam van de mogelijk vaste inspecteur:

Arbotelefoon van FNV Bondgenoten: 030-2738738 (maandag tot en met donderdag van 9.00 tot 13.00 uur) of arbotelefoon@bg.fnv.nl.

## 31.2    Arbodiensten

*Boaborea, brancheorganisatie voor werk, loopbaan en vitaliteit*
Postbus 90154, 5000 LG Tilburg
   tel.: 0900-2844545 lokaal tarief
   e-mail: info@boaborea.nl
   internet: www.boaborea.nl

*Achmea Vitale Service Kantoor*
Postbus 207, 3454 ZL De Meern
   tel.: 0800-1901
   internet: www.achmeavitale.nl

*Arbo Unie B.V., hoofdkantoor*
Postbus 85101, 3508 AC Utrecht
   tel.: 030-7107000
   internet: www.arbounie.nl

*365/ArboNed, hoofdkantoor*
Postbus 85091, 3508 AB Utrecht
   tel.: 030-2996444
   internet: www.arboned.nl

*Mætis Hoofdkantoor*
Postbus 405, 3990 GE Houten
   tel.: 030-2123600
   e-mail: info@maetis.nl
   internet: www.maetis.nl

## 31.3    Vakbonden

*Federatie Nederlandse Vakbeweging FNV*
Postbus 8456, 1005 AL Amsterdam
   tel.: 020-5816300
   info: 0900-3300300
   internet: www.fnv.nl

*Abvakabo FNV*
Postbus 3010, 2700 KT Zoetermeer
   info: 0900-2282522
   internet: www.abvakabofnv.nl

*Algemene Onderwijsbond (AOb)*
Postbus 2875, 3500 GW Utrecht
   info: 0900-4636262
   e-mail: info@aob.nl
   internet: www.aob.nl

*FNV Bondgenoten*
Postbus 9208, 3506 GE Utrecht
   tel.: 0900-9690
   internet: www.fnvbondgenoten.nl
   internet: www.arbobondgenoten.nl

*FNV Bouw*
Postbus 520, 3440 AM Woerden
   tel.: 088-5757000
   info: 0900-3682689
   e-mail: info@fnvbouw.nl
   internet: www.fnvbouw.nl

*CNV, Christelijk Nationaal Vakverbond*
Postbus 2475, 3500 GL Utrecht
   tel.: 030-7511001
   e-mail: cnvinfo@cnv.nl
   internet: www.cnv.nl

*CNV Vakmensen*
Postbus 2525, 3500 GM Utrecht
   info: 030-7511007
   internet: www.cnvvakmensen.nl

*CNV Dienstenbond*
Postbus 3135, 2130 KC Hoofddorp
   tel.: 023-5651052
   e-mail: cnvdienstenbond@cnvdibo.nl
   internet: www.cnvdienstenbond.nl

*CNV Onderwijs*
Tiberdreef 4, 3561 GG Utrecht
   Postbus 2510, 3500 GM Utrecht
   info: 0900-2255266
   internet: www.cnvo.nl

*CNV Publieke Zaak*
Carnegielaan 1, 2517 KH Den Haag
   Postbus 84500, 2508 AM Den Haag
   tel.: 070-4160600
   e-mail: denhaag@cnvpubliekezaak.nl
   internet: www.mijnvakbond.nl


## 31.4    Diversen

*Bèta Wetenschapswinkel Rijksuniversiteit Groningen*
De Bèta Wetenschapswinkel RuG voert (literatuur)onderzoek uit en geeft advies op vragen van maatschappelijke organisaties, zoals stichtingen, verenigingen, maar ook voor buurtgroepen. Belangrijkste onderzoeksgebieden zijn chemie, milieu, arbeidsomstandigheden.
   Kamer 5118.0139 Nijenborgh 4, 9747 AG Groningen
   tel.: 050-3634132 /4436
   e-mail: wewi-fwn@rug.nl
   internet: www.rug.nl/wewi/dewetenschapswinkels/betawinkel

*Bureau Beroepsziekten FNV*
Helpt leden van FNV Bouw, FNV Bondgenoten, FNV KIEM, ABVAKABO FNV en AOb die ziek zijn geworden door hun werk. Een team van arbeids- en gezondheidsdeskundigen, medisch adviseurs, letselschaderegelaars en juridische deskundigen ondersteunt bij het verhalen van de schade die is veroorzaakt door beroepsziekte.
   Postbus 58096, 1040 HB Amsterdam
   tel.: 020-5816692
   e-mail: info@bbz.fnv.nl
   internet: www.bbzfnv.nl

*Chemiewinkel TU Eindhoven*
De Chemiewinkel verricht voor particulieren of non-profit instellingen kosteloos onderzoek op het gebied van bodem- en waterverontreiniging, analyseert materialen op de aanwezigheid van asbest en kan advies geven op het gebied van (milieu)chemie en of veiligheid. De Chemiewinkel is zelf een non-profit organisatie die grotendeels gefundeerd wordt door de faculteit Scheikundige Technologie.
   Matrix 1.13 Den Dolech 2, 5612 AZ Eindhoven
   Postbus 513, 5600 MB Eindhoven
   tel.: 040-2472431
   e-mail: chemiewinkel@tue.nl
   internet: www.chem.tue.nl/cwe

*Fijn Werk*

Fijn Werk is het bedrijf van Koen Langenhuysen, de schrijver van dit boek. Hij verzorgt praktische trainingen, workshops, voorzitterschappen, inleidingen en advies voor ondernemingsraden, VGWM-commissies, vakbonden, brancheorganisaties e.d.

    tel: 06-20669443

    e-mail: info@fijn-werk.nl

    internet: www.fijn-werk.nl

*FNV Formaat*

Dienstverlening in de vorm van training (maatwerk en open inschrijving), studiedagen en workshops, advies en coaching op het gebied van medezeggenschap, ondermeer op het gebied van arbeidsomstandigheden.

    Postbus 565, 3440 AN Woerden

    tel.: 0348-497397

    e-mail: info@fnvformaat.nl

    internet: www.fnvformaat.nl

*IVAM Research and Consultancy on Sustainability*

IVAM is een onderzoeks- en adviesbureau op het terrein van duurzaamheid, voortgekomen uit de Interfacultaire Vakgroep Milieukunde (IVAM) van de Universiteit van Amsterdam. IVAM is gespecialiseerd in onderzoek, advies en training, gericht op de invoering van duurzame oplossingen met betrekking tot milieu- en arbeidsomstandigheden. IVAM benadert milieu- en arbeidsvraagstukken vanuit verschillende invalshoeken. Naast het milieuaspect staan ook sociaalethische aspecten, de arbeidsomstandigheden en de financiële haalbaarheid centraal in de advisering.

    IVAM UvA bv Plantage Muidergracht 14 1018 TV Amsterdam

    Postbus 18180, 1001 ZB Amsterdam

    tel.: 020-5255080

    e-mail: office@ivam.uva.nl

    internet: www.ivam.uva.nl

*Kennispunt Bètawetenschappen Universiteit Utrecht*

Het Kennispunt Bètawetenschappen beantwoordt natuurwetenschappelijke onderzoeksvragen van bedrijven, overheden en maatschappelijke organisaties. Het Kennispunt heeft vijf expertisegebieden: Natuur & milieu, Gezondheid & geneesmiddelen, Energie & materialen, Informatica & informatiekunde en Wiskunde.

    Wentgebouw, De Uithof Sorbonnelaan 16, 3584 CA Utrecht

    Postbus 80082, 3508 TB Utrecht

    tel.: 030-2537363

    e-mail: kennispunt@science.uu.nl

internet: www.science.uu.nl/kennispunt

## Nederlands Centrum voor Beroepsziekten (NCvB)

De missie van het NCvB is het bevorderen van de kwaliteit van preventie, (vroeg) diagnostiek, behandeling en begeleiding van beroepsziekten en arbeidsgebonden aandoeningen. Hiertoe ontplooit het NCvB activiteiten op drie gebieden: monitoring en signalering van beroepsziekten (Nationale melding- en registratiesysteem, peilstation intensief melden) kennisverspreiding (websites, branche- en themarapporten, lezingen) klinische arbeidsgeneeskunde (Polikliniek Mens en Arbeid).

AMC, Coronel Instituut, geb. Hogeschool van Amsterdam Tafelbergweg 51, 1105 BD Amsterdam Zuidoost

Postbus 22660, 1100 DD Amsterdam Zuidoost

tel.: 020-5665387

e-mail: ncvb@amc.nl

internet: www.beroepsziekten.nl

## NEN, Nederlands Normalisatie-instituut

NEN begeleidt het maken van afspraken over producten en werkwijzen, en publiceert deze. Ondersteunt dit proces als onafhankelijk en betrouwbaar partner. Om het gebruik van normen te stimuleren, geeft het cursussen en advies. Met het opstellen van normen draagt het bij aan de concurrentiekracht van het bedrijfsleven; nationaal, in Europa en zelfs wereldwijd. In maatschappelijke zin draagt het bij aan veiligheid, gezondheid, milieu en innovatie.

Postbus 5059, 2600 GB Delft

tel.: 015-2690390

e-mail: info@nen.nl

internet: www.nen.nl

## RSI-patiëntenvereniging

De RSI-patiëntenvereniging is een onafhankelijke vereniging die zich op allerlei fronten inzet voor mensen met RSI. De vereniging geeft voorlichting en informatie over RSI, brengt lotgenoten met elkaar in contact en bevordert onderzoek. Verder voert de vereniging overleg met personen en organisaties die veel met RSI te maken (kunnen) hebben, zoals werkgevers, scholen, universiteiten, onderzoekers en de overheid. Daarnaast wisselt ze informatie uit met onderzoekers, artsen, ergonomen en fysiotherapeuten.

Postbus 133, 3860 AC Nijkerk

tel.: 033-2471043

tel.: 0900-7745456 RSI-lijn

internet: www.rsi-vereniging.nl

### SKB, Expertisecentrum voor Arbeid en Gezondheid

SKB verzorgt onderzoeken naar vitaliteit, gezondheid en tevredenheid van werknemers. De organisatie is opgericht met Kwaliteitsbevordering van Bedrijfsgezondheidszorg als missie. In de jaren '90 zijn methoden als Periodiek Arbeidsgezondheidkundig Onderzoek en Risico Inventarisatie en Evaluatie door SKB ontwikkeld. Later startte SKB, onder de productnaam Monitor@Work, met de praktische ondersteuning van organisaties bij het uitvoeren van medewerkeronderzoek.

> Postbus 12354, 1100 AJ Amsterdam Zuidoost
> tel.: 020-4627890
> e-mail: vragenlijst@skb.nl
> internet: www.skbvs.nl

### TNO Kwaliteit van Leven, businessunit Arbeid

Businessunit Arbeid doet onderzoek, geeft advies en levert kennis op het gebied van mens en werk. De inzet is om arbeid, organisatie en technologie te innoveren, arbeidsparticipatie te bevorderen en arbeidsomstandigheden te versterken.

> Postbus 718, 2130 AS Hoofddorp
> tel.: 023-5549393
> e-mail: info-arbeid@tno.nl
> internet: www.tno.nl/arbeid

### Vereniging OPS (Organisch Psychosyndroom)

De vereniging heeft ten doel het behartigen van de belangen van oplosmiddelen- en bestrijdingsmiddelen slachtoffers en het trachten te voorkomen dat er nieuwe slachtoffers bijkomen. Tracht dit te bereiken door middel van voorlichting, begeleiding, adviezen en steun. Medewerking aan totstandkoming van preventiemaatregelen en het organiseren van landelijke- en regionale bijeenkomsten.

> Hoofdstraat 40, 9141 TS Wierum F
> tel.: 0519-589785
> e-mail: vereniging.ops@chello.nl
> internet: www.verenigingops.nl

### vhp ergonomie

Verbeteren van ergonomie en rendement in bedrijven: doorlichten, optimaliseren, implementeren. Optimaliseren van nieuwbouw en investeringen: programma van eisen (PVe), ontwerpen, arbotoets, arbokeur. Ontwikkelen van arbonormen en instrumenten. Opleidingen. Trefwoorden: kantoorinnovatie, RSI, logistiek en transport, bouw, werkplekontwerp.

> Huijgensstraat 13a, 2515 BD Den Haag
> tel.: 070-3892010

*VraagWelder*

VraagWelder is het landelijk informatie- en adviespunt voor iedereen met een gezondheidsbeperking of handicap die informatie zoekt over het krijgen en houden van werk, uitkeringen en verzekeringen. (Voorheen: Breed Platform Verzekerden en Werk.)

    Postbus 69007 1060 CA Amsterdam

    tel.: 020-4800333

    info: 0900-4800300 Advieslijn

    e-mail: info@weldergroep.nl

    internet: www.weldergroep.nl

*Wout van Veen advocaten*

Onder andere gespecialiseerd in letselschade bij arbeidsongevallen.

    Postbus 10136, 3505 AB Utrecht

    tel.: 030-2513948

    e-mail: kantoor@woutvanveenadvocaten.nl

    internet: www.woutvanveenadvocaten.nl

## 31.5    Uitgevers

*Kluwer*

Postbus 4, 2400 MA Alphen aan den Rijn

    tel.: 0172-466633

    e-mail: info@kluwer.nl

    internet: www.kluwer.nl

*Sdu Uitgevers*

Postbus 20025, 2500 EA Den Haag

    tel.: 070-3789911

    internet: www.sdu.nl

*Uitgeverij Kerckebosch bv*

Postbus 122, 3700 AC Zeist

    tel.: 030-6984222

    e-mail: uitgeverij@kerckebosch.nl

    internet: www.kerckebosch.nl

## 31.6   De beste arbowebsites voor werknemers en ondernemingsraden

*De arbocatalogus van de eigen sector*
Een onmisbare website op arbeidsomstandighedengebied voor een ondernemingsraad is vooral de digitale arbocatalogus van de eigen sector. Eind 2010 is er
in bijna 150 sectoren een arbocatalogus gemaakt. In de komende jaren zullen er
waarschijnlijk nog zo'n 50 bijkomen. Een overzicht van alle bestaande arbocatalogi
is te vinden op: www.arboportaal.nl. Klik daar op het vakje: Arbocatalogi. Daar
kunt u doorklikken naar de site van de door u gezochte arbocatalogus.

www.arbobondgenoten.nl
   De beste arbosite voor werknemers, ondernemingsraden en hun commissies.
Onlangs geheel aangepast. Geeft krachtige informatie, checklists en achtergrond-
informatie over uiteenlopende arbothema's.

www.arboportaal.nl:
   Een uitgebreide en praktische arbosite van het ministerie van SZW.

www.arbokennisnet.nl:
   Een site samengesteld door uiteenlopende arbodeskundigen met dossiers over
de meest voorkomende arbothema's.

www.fnv.nl/arbo:
   nieuwe ontwikkelingen, wetgeving, veel internationale links; de FNV-site (niet
het arbodeel) heeft links naar alle cao's van Nederland

www.fnvformaat.nl:
   De website geeft informatie over arbotraining en -advies en heeft een kenniscentrum met een arbodeel.

www.arbo-online.nl
   De arbosite van het vakblad Arbo met checklists en achtergrondinformatie.

www.arbo.nl:
   Een site, bijgehouden door TNO Arbeid, met vele links en met wetgeving,
zowel Europese als internationale

www.rie.nl:
   Geeft een overzicht van de bestaande digitale RI&E-instrumenten;

www.arbo.startpagina.nl

435

Een toegangssite met vele doorverwijzingen naar instituten, verenigingen, arbo-onderwerpen

www.reintegratie.startpagina.nl

www.werkdruk.startpagina.nl

www.ergonomie.startpagina.nl:
Websites met informatie over specifieke arbothema's als lawaai, gevaarlijke stoffen en dergelijke vindt u elders in dit praktijkboek: aan het eind van de betreffende hoofdstukken.

## 31.7 Sites van instellingen en verenigingen

www.rijksoverheid.nl
nieuwe arbowetgeving en politieke ontwikkelingen
Zie ook www.arboportaal.nl, de arbosite van het ministerie van SZW met veel arbo-informatie en handige links

www.arbeidsinspectie.nl

www.cbpweb.nl
Informatie over privacy van het College Bescherming Persoonsgegevens

www.cbs.nl
Centraal Bureau voor de Statistiek, met cijfers, statistieken en ontwikkelingen

www.rsi-vereniging.nl
Vereniging voor RSI-patiënten, met veel informatie

www.verenigingops.nl
Vereniging voor OPS-patiënten

www.beroepsziekten.nl
Nederlands Centrum voor Beroepsziekten

www.bbzfnv.nl
Van het Bureau Beroepsziekten FNV, veel informatie en uitgebreide links

www.stivoro.nl
De Stichting Volksgezondheid en Roken

www.snm.nl
Van de Stichting Natuur en Milieu

www.milieudefensie.nl
De milieuorganisatie met dezelfde naam

www.uwv.nl
Het uitvoeringsinstituut sociale verzekeringen

www.waocafe.nl/www.wia.nl
Helder overzicht van informatie over de WIA/WAO met ervaringen, tips en nieuws

# 32  Literatuur

## 32.1    Literatuur

*Arbowetgeving*
*Het compleet arboregelgevingboek,* inclusief cd-rom, Kerckebosch, Zeist.
De gehele arbowetgeving en aanverwante wetgeving in één boek bij elkaar.

*Arbeidsomstandighedenwet,* Alphen aan den Rijn: Kluwer.
De tekst van de Arbowet, in handzaam formaat, met trefwoordenregister.
Wordt jaarlijks geactualiseerd.

*Arbeidsomstandighedenwet, Arbeidsomstandighedenbesluit, Arbeidsomstandighedenregeling en Arbeidsomstandighedenbeleidsregels* (serie Tekstuitgaven Arbeidsomstandigheden), Alphen aan den Rijn: Kluwer.
Vier boeken met de teksten van de Arbowet, het Arbobesluit, de Arboregeling en de Arbeidsomstandighedenbeleidsregels, voorzien van uitgebreide toelichtingen. De boeken word en ieder jaar geactualiseerd.

*Arbopocket Wet- en regelgeving,* dr. J.R. Popma, Alphen aan den Rijn: Kluwer.

*Arbeidsomstandigheden algemeen*
*Praktijkgids arbeidsveiligheid,* Dr. A.W. Zwaard (eindredactie), Alphen aan den Rijn: Kluwer.
Een praktisch boek met vele concrete arbonormen, arboregels en praktische aanbevelingen. Laat u niet misleiden door de titel, het gaat over meer dan 'arbeidsveiligheid'. Wordt ieder jaar geactualiseerd.

*Praktijkgids Arbeidsomstandigheden,* Mr. Ing. R.O.B. Poort (eindredactie) Alphen aan den Rijn: Kluwer.
Praktisch boek voor de arbocoördinator of preventiemedewerker, waarin de praktische toepassing van de wetgeving centraal wordt gesteld.

*De InspectieMethode Arbeidsomstandigheden,* Kerckebosch, Zeist.

## HOOFDSTUK 32

Een losbladige uitgave, waarin de meeste arboproblemen per onderwerp concreet zijn beschreven. Elk onderwerp kent drie delen:
a.. inventarisatie knelpunten,
b.. oplossingen,
c.. wettelijke normen.
Wordt regelmatig geactualiseerd.

*De InspectieMethode Arbeidsomstandigheden Kantoren,* Kerckebosch, Zeist.
Zie bovenstaande, maar dan toegespitst op het werken in kantoren.

*Arbonormenboek,* Alphen aan den Rijn: Kluwer.
Anders dan de *Praktijkgids arbeidsveiligheid* — zie boven — is dit boek ingedeeld naar 'norm', dat wil zeggen wettelijke verplichting. De wettelijke normen zijn kort beschreven. Wordt ieder jaar geactualiseerd.
*Arbobalans,* TNO Kwaliteit van Leven, Hoofddorp.
Jaarlijks verschijnend, statistisch overzicht van de arborisico's, hun effecten en maatregelen in Nederland.

*Arbowegwijzer Onderwijs,* Alphen aan den Rijn: Kluwer.
Een handzaam boekje over arbo en arbomedezeggenschap in het onderwijs.
Wordt jaarlijks geactualiseerd.

*Kluwers PBM-gids,* Alphen aan den Rijn: Kluwer.

*Ziekteverzuim*
*Praktijkgids ziekte en reïntegratie,* E.J. Kronenburg-Willems, Kluwer.

*Wie schrijft die blijft,* FNV-pers, Amsterdam.
Logboek voor de eerste twee ziektejaren, met veel praktische informatie voor de zieke werknemer. Is te bestellen via 0900-9690 of te downloaden van www.arbo-bondgenoten.nl.

*Lichamelijke belasting*
*Handboek fysieke belasting: een complete methode voor het inventariseren en oplossen van knelpunten,* drs. K.J. Peereboom e.a., Sdu, Den Haag.

*Handboek RSI,* drs. K.J. Peereboom, Sdu, Den Haag.

*Handboek ergonomie,* ir. P. Voskamp, drs. P.A.M. van Scheijndel, drs. K.J. Peereboom, Alphen aan den Rijn: Kluwer.
Wordt geregeld geactualiseerd.

*Werkdruk en werkstress*
*Quick Scan Werkdruk,* Kerckebosch, Zeist.

De vernieuwde quick scan, versie 3.0, bruikbaar voor alle bedrijfssectoren. Het is een instrument waarmee de ondernemingsraad of VGW(M)-commissie, met enige begeleiding, zelf de werkdruk kan meten. Na invulling van de vragenlijst op de computer wordt automatisch een rapport met aanbevelingen opgesteld.

Zie www.werkdruk.com..

*Gevaarlijke stoffen*
*Chemiekaartenboek,* Ten Hagen & Stam, Den Haag.

*Ondernemingsraad algemeen*
*Inzicht. Een toelichting bij de Wet op de ondernemingsraden,* mr. F.W.H. Vink.

De standaardtoelichting bij de WOR. Uiteraard is de tekst van de wet ook opgenomen.

Sdu, Den Haag.

*Wet op de ondernemingsraden,* Kluwer. In deze uitgave vindt u de volledige en meest actuele tekst van de Wet op de ondernemingsraden met daarbij de artikelsgewijze toelichting.

*OR Jaarboek,* Mr. F.W.H. Vink, Alphen aan den Rijn: Kluwer.

Het *OR Jaarboek* geeft helder en bondig een praktische uitleg van bevoegdheden, werkwijze en faciliteiten van de or. Praktische informatie over ondernemingsbeleid, personeelsbeleid, en arbeidsomstandighedenwetgeving.

*Milieu*
*Milieuwegwijzer voor bedrijven en overheid,* Uitgeverij Maurits Groen, Haarlem.

# 33   Voorbeelddocumenten

## 33.1   Voorbeelddocument 1: De arbo-intentieverklaring

De onderstaande intentieverklaring is ontleend aan de intentieverklaring van een industrieel bedrijf. Geef uw oordeel wat positief of negatief is aan deze intentieverklaring en wat u toegevoegd zou willen zien, als het uw bedrijf zou betreffen. Kijk vervolgens naar de arbo-intentieverklaring van uw eigen bedrijf of instelling of overweeg voor te stellen er één te formuleren.

---

**Voorbeeld**

*Intentieverklaring arbobeleid van Condor BV te Simonsdorp*
Condor BV draagt als werkgever de verantwoordelijkheid voor de veiligheid, de gezondheid en het welzijn van haar medewerkers en zal een actief arbobeleid voeren. Dit beleid is overeenkomstig de op haar rustende wettelijke verplichtingen voortvloeiend uit de in Nederland van kracht zijnde arbowetgeving. Het arbobeleid is gericht op het voorkomen van letsel, ziekte en schade ten gevolge van de bedrijfs- en beroepsuitoefening, door:
–   het treffen van maatregelen;
–   het aanwenden van middelen;
–   het verzorgen van voorlichting en instructies;
–   het houden van toezicht.
De werknemers zullen actief betrokken worden bij de invulling en uitvoering van het arbobeleid en het zal een vast agendapunt zijn in het reguliere overleg van de staf en lijnorganisatie.
De ondernemingsraad wordt in de gelegenheid gesteld het arbobeleid te toetsen. Met name in de overlegvergadering van de or en de directie zal de uitvoering van het arbobeleid regelmatig punt van bespreking zijn.
Het arbobeleid zal worden weergegeven in een arbobeleidsplan, dat de strategie voor middellange termijn aangeeft en als basis dient voor de uitvoering op kortere termijn in het arbojaarplan.
Het arbobeleid maakt deel uit van het bedrijfsbeleid en is van gelijke importantie als het financieel, economisch, sociaal, technisch en milieubeleid.

---

## 33.2 Voorbeelddocument 2: Indeling arbobeleidsplan

**Voorbeeld**

*De indeling van het arbobeleidsplan van Logistics BV*

- Inleiding

  Hier wordt de intentieverklaring opgenomen en een beschrijving van de bedoeling en opbouw van dit beleidsstuk.

- Het doel van het arbobeleid

  De algemene arbodoelen voor de komende jaren worden geformuleerd. Daarnaast worden enkele belangrijke risicogebieden in de organisatie beschreven en de daaromtrent nagestreefde doelen voor de komende drie tot vijf jaar. Ook kan worden beschreven welke andere zaken, die te maken hebben met de arbeidsomstandigheden of arbobeleid, voor de komende jaren op de agenda staan, bijvoorbeeld internationalisering of reorganisaties of fusies.

- De organisatie van de arbozorg: taken, verantwoordelijkheden en bevoegdheden

  Voor alle personen in de organisatie worden de taken, verantwoordelijkheden en bevoegdheden beschreven: directie, leidinggevenden, medewerkers, arbocoördinator, ondernemingsraad, personeelszaken.

- Deskundigen

  Er wordt opgeschreven hoe arbokennis en deskundigheid (intern en extern) in de organisatie zal worden aangewend. Er wordt aangegeven wat de taken van de deskundigen zijn en hoe ze kunnen worden ingeschakeld.

- Overleg

  De overlegstructuren in het bedrijf worden hierin beschreven. Op welke manier en hoevaak arbo-aangelegenheden worden besproken. Bijvoorbeeld in werkoverleggen, in chefsoverleggen, in het managementteam. Er wordt beschreven of er een arbocommissie functioneert, welke de samenstelling, de taken en verantwoordelijkheden ervan zijn en hoe vaak deze commissie vergadert. Er wordt ook beschreven op welke manier over arbeidsomstandigheden wordt overlegd met de ondernemingsraad en/of de VGW(M)-commissie.

- Beleidsprocedures

  De procedures voor arbo- en verzuimbeleid worden bondig beschreven. Hoe komt de risico-inventarisatie en -evaluatie tot stand en wordt deze up-to-date gehouden. Hoe komt het arbo-activiteitenplan of plan van aanpak tot stand, wie neemt het initiatief, wie is erbij betrokken, wie stelt het vast. Datzelfde geldt voor de jaarlijkse schriftelijke rapportage (jaarverslag) en andere procedures bijvoorbeeld die met betrekking tot inkoop, ziekteverzuim, calamiteiten en noodplannen, voorlichting en onderricht, persoonlijke beschermingsmiddelen, enzovoort.

- Werkprocedures, hulpmiddelen of instrumenten

De procedures voor veilig en gezond werken worden bondig beschreven of er wordt naar verwezen. Andere instrumenten worden beschreven zoals bijvoorbeeld werkplek-onderzoek, audits, meldingen ongevallen en beroepsziekten, verzuimregistratie en publicatie verzuimcijfers, het bijhouden van een register met betrekking tot ongevallen of gevaarlijke stoffen.

- Budget

  Er wordt vastgesteld op welke manier en hoeveel budget voor arbo- en verzuimzorg beschikbaar wordt gesteld, een algemeen afgezonderd arbobudget, of budgetten per 'afdeling', een budget voor noodsituaties, enzovoort.

- Evaluatie en toetsing

  Er wordt vastgesteld hoe het beleid geëvalueerd en de concrete afspraken en maatregelen gecontroleerd en getoetst worden.

- Ondertekening

  Het stuk wordt ondertekend door directie en ondernemingsraad.

## 33.3    Voorbeelddocument 3: De milieubeleidsverklaring

**Voorbeeld**

*Milieubeleidsverklaring van Uitlaat BV te Zwollerkerspel*

De directie van Uitlaat BV te Zwollerkerspel verklaart bij te willen dragen aan de verster-king van de zorg voor het milieu (zowel intern als extern), erkent zijn eigen maatschappe-lijke verantwoordelijkheid in dit opzicht en draagt zorg voor een bedrijfsintern milieuzorg-systeem. Dat heeft als doel inzicht te krijgen in, het beheersen van en, waar mogelijk, het beperken en voorkomen van milieuverontreiniging door de bedrijfsactiviteiten. Dit bete-kent onder meer, dat het bedrijfsmilieubeleid een integraal onderdeel vormt van het totale ondernemingsbeleid en dat zoveel mogelijk geanticipeerd wordt op de voortschrijdende ontwikkelingen van de milieuwetgeving en de milieutechniek. Het milieubeleid zal een-maal per jaar worden getoetst en waar nodig worden aangepast.

Uitgangspunten zijn:

- Stipte naleving van overheidsregels op milieugebied; de mogelijkheid van anticipatie wordt steeds bekeken.
- Een zo goed mogelijke beheersing en vermindering van emissies en afvalstoffen (pre-ventie in plaats van sanering).
- Het betrekken van milieuaspecten bij proceskeuzes, bij productontwikkeling en bij alle andere bedrijfsactiviteiten. De milieuaspecten zijn van dezelfde importantie en zijn op dezelfde manier in het bedrijfsbeleid verweven als de financiële, economische, techni-sche, sociale, arbo- en kwaliteitsaspecten (productkwaliteit = milieukwaliteit).
- Het geven van voorlichting en onderricht.

- Milieu-eisen stellen aan toeleveranciers.
- Het bevorderen van een goede verstandhouding op milieugebied met overheidsinstanties en derden.

Bij de uitvoering van dit beleid worden middelen ter beschikking gesteld en worden verantwoordelijkheden en bevoegdheden van de werknemers vastgelegd.

Het meerjarenbeleid inzake milieu wordt vastgelegd in een milieuprogramma. Jaarlijks wordt hieruit een jaarplan geselecteerd. Eveneens jaarlijks zullen de resultaten van dit beleid worden gepubliceerd middels een jaarverslag.

De voorbereiding en uitvoering van het milieubeleid is onderwerp van een gesprek met zowel de ondernemingsraad als in het reguliere overleg in de lijn- en staforganisatie.

De actieve betrokkenheid van iedere werknemer is noodzakelijk om de uitvoering van dit milieubeleid, zoals in deze beleidsverklaring is verwoord, ingebed in de takenstructuur van de onderneming, mogelijk te maken.

## 33.4 Voorbeelddocument 4: Het instellingsbesluit VGW(M)-commissie

De SER heeft op haar website (www.ser.nl) een voorbeeld-instellingsbesluit voor een ondernemingsraad die een vaste commissie wil oprichten. Op een aantal plekken in dat voorbeeld kan de or eigen keuzes maken. Bijvoorbeeld over de naam van de commissie, het aantal leden en de bevoegdheden die worden overgedragen. Hieronder is een instellingsbesluit te zien dat is ingevuld door de ondernemingsraad van Weiprolac.

**Voorbeeld**

*Instellingsbesluit commissie Veiligheid, Gezondheid, Welzijn en Milieu van de ondernemingsraad van Weiprolac BV te Henninkhuis*

De ondernemingsraad stelt op grond van artikel 15.1 van de Wet op de ondernemingsraden een vaste commissie in, genaamd de Commissie voor Veiligheid, Gezondheid, Welzijn en Milieu.

"Artikel 1

- De commissie voor Veiligheid, Gezondheid, Welzijn en Milieu bestaat uit vijf leden van wie de meerderheid lid is van de ondernemingsraad. De samenstelling van de commissie wordt bekend gemaakt aan de ondernemer en de in de onderneming werkzame personen.
- De commissie behandelt voor de or de aangelegenheden betreffende veiligheid, gezondheid, welzijn en milieu en brengt daarover desgevraagd of uit eigen beweging

advies uit aan de ondernemingsraad. De commissie oefent ten aanzien van de VGW (M) de aan de or toekomende overlegbevoegdheden uit, met inachtneming van de voorwaarde, dat instemmingsaanvragen worden besproken en vastgesteld in de ondernemingsraad en de overlegvergadering tussen or en bestuurder.

- De commissie houdt actief contact met de achterban over kwesties betreffende VGW (M). Signalen van problemen en verbetervoorstellen worden opgepakt, nieuwe ontwikkelingen worden aan de achterban op een begrijpelijke wijze doorgegeven.

Artikel 2

- De leden van de vaste commissie voor de VGW(M) worden door de or benoemd voor een periode aanvangend op het tijdstip van de benoeming en eindigend op het moment dat de zittingsperiode van de or afloopt.
- De commissie VGW(M) kiest uit haar midden een voorzitter en een secretaris.

Artikel 3

- De commissie VGW(M) vergadert op verzoek van de voorzitter en op verzoek van twee leden van de commissie. Een vergadering kan slechts plaatsvinden indien de meerderheid van de leden van de commissie aanwezig is.
- De voorzitter bepaalt tijd en plaats van de vergadering. Een vergadering op verzoek van de leden wordt gehouden binnen veertien dagen, nadat het verzoek bij de voorzitter is binnengekomen.

Artikel 4

- De secretaris is belast met het bijeenroepen van de commissie, het opmaken van de agenda en het opstellen van het verslag van de vergaderingen, alsmede met het voeren van de briefwisseling en het beheren van de voor de commissie bestemde en van de commissie uitgaande stukken.
- De secretaris roept de commissie bijeen door middel van een schriftelijke kennisgeving aan de leden. Behoudens in spoedeisende gevallen geschiedt de bijeenroeping ten minste zeven dagen voor de te houden vergadering.
- De secretaris maakt voor iedere vergadering een agenda op. Ieder lid van de commissie kan onderwerpen op de agenda doen plaatsen.
- De secretaris maakt de agenda bekend aan de leden van de commissie, aan de ondernemer en aan de onderneming werkzame personen. Behoudens in spoedeisende gevallen geschiedt de bekendmaking ten minste zeven dagen voor de vergadering van de commissie VGW(M).

Artikel 5

- Tenzij dit reglement anders bepaalt, beslist de commissie VGW(M) bij gewone meerderheid van stemmen. Over zaken wordt mondeling en over personen wordt schriftelijk gestemd, tenzij de commissie in een bepaald geval anders besluit. Voor de berekening van het aantal uitgebrachte stemmen tellen blanco stemmen niet mee.

Artikel 6

- Van iedere vergadering van de commissie VGW(M) wordt een verslag gemaakt.

Artikel 7

- De leden van de vaste commissie VGW kunnen te allen tijde als zodanig ontslag nemen. Zij geven daarvan schriftelijk kennis aan de voorzitter van de or, aan de voorzitter van de commissie VGW(M) en aan de ondernemer."

# 34   Bijlagen

## 34.1   Bijlage 1: Een methode voor Risico-evaluatie

Als bij de risico-inventarisatie de arboknelpunten in een organisatie zijn beschreven, dient de risico-evaluatie om vast te stellen hoe groot de risico's van deze knelpunten zijn. Met name bij veiligheidsrisco's is het onderstaand model een handige en veelgebruikte manier om de omvang van een risico te bepalen. Dat doe je door per arboknelpunt te schatten hoe groot de kans is het is dat er een ongeval uit voort vloeit (waarschijnlijkheid), hoeveel uren per dag er door werknemers gewerkt wordt rondom het arboknelpunt (blootstelling), en hoe groot het letsel zou zijn als er een ongeval zou optreden (effect). Elke keuze levert een aantal punten op; (bij bijv. 3 punten bij waarschijnlijkheid, 10 bij blootstelling en 7 punten bij effect). Het risico is dan te berekenen door die punten met elkaar te vermenigvuldigen, ofwel: *waarschijnlijkheid x blootstelling x effect = risico*. Het resultaat van die vermenigvuldiging laat in onderstaande tabel zien in welke risicoklasse het arboknelpunt thuishoort.

*Tabel 1.*

| Waarschijnlijk: | | | Blootstelling: | |
|---|---|---|---|---|
| - | te verwachten | 10 | voortdurend | 10 |
| - | zeer wel mogelijk | 6 | regelmatig (4 uur/dag) | 6 |
| - | ongewoon maar mogelijk | 3 | af en toe (2 uur/dag) | 3 |
| - | onwaarschijnlijk: kan in grensgeval | 1 | soms (1/2 uur/dag) | 2 |
| - | denkbaar maar onwaarschijnlijk | 0,5 | zelden (1 min/dag) | 1 |
| - | praktisch onmogelijk | 0,2 | zeer zelden (< 1 min/dag) | 0,5 |
| - | absoluut onmogelijk | 0 | nooit | 0 |

*Tabel 2.*

| Effect: | | | |
|---|---|---|---|
| - | ramp | vele doden | 100 |
| - | onheil | doden | 40 |
| - | zeer ernstig | dode | 15 |

| Effect: | | | |
|---|---|---|---|
| - | ernstig | blijvend invalide | 7 |
| - | belangrijk | verzuim | 3 |
| - | gering | EHBO | 1 |

*Tabel 3.*

| Risicoklassen: | | |
|---|---|---|
| - | < 400 | zeer hoog risico; werkzaamheden stoppen |
| - | 201 – 400 | hoog risico; onmiddellijke verbetering vereist |
| - | 71 – 200 | mogelijk risico; aandacht vereist |
| - | 21 – 70 | klein risico; wellicht aanvaardbaar |
| - | 0 – 20 | vrijwel geen risico |

## 34.2 Bijlage 2: Aanbevelingen voor afspraken met de arbodienst

*Inleiding*
De werkgever heeft voor de keuze van en het contract met de arbodienst de instemming nodig van de or. Dit instemmingsrecht van de or betreft ook de inhoud van het contract, het pakket aan werkzaamheden dat de arbodienst verricht voor het bedrijf en zijn werknemers. De or kan aan zijn instemming voorwaarden verbinden. Hieronder is een aantal aanbevelingen geformuleerd om in of bij het contract te laten opnemen. Ze zijn grotendeels ontleend aan een voorbeeldprotocol dat is opgesteld door de vakcentrales FNV, CNV en MHP. Veel van onderstaande aanbevelingen kunnen ook in het arbobeleid/arbobeleidsplan van het bedrijf of instelling worden opgenomen. De onderwerpen die speciaal op de relatie or-arbodienst betrekking hebben zijn *schuin* gedrukt.

*1 Uitgangspunten*
1.1. De verantwoordelijkheid voor het arbobeleid in het bedrijf, met inbegrip van het ziekteverzuimbeleid, berust bij werkgever, in samenwerking met arbodienst en ondernemingsraad.
1.2. De arbodienst verleent zijn diensten met behoud van zijn onafhankelijkheid ten opzichte van de werkgever.
1.3. *Het contract wordt alleen gewijzigd, aangevuld, verlengd of opgezegd als de or, voorafgaand daaraan instemming heeft gegeven. Verder gaan werkgever en arbodienst geen verplichtingen aan buiten het contract om, zonder instemming van de or.*

*2 Takenpakket arbodienst*
*2.1 De arbodienst adviseert de or en werkt daarmee nauw samen inzake onderwerpen die het arbo- en verzuimbeleid betreffen. Het budget dat de werkgever en arbodienst overeenkomen, maakt deze advisering en samenwerking mogelijk.*

## 3 Overleg en informatie

3.1 De arbodienst voert ten minste tweemaal per jaar overleg met de or. In dit overleg komen ten minste de volgende onderwerpen aan de orde:

a. de effectiviteit van de dienstverlening door de arbodienst;
b. de adviezen die de arbodienst, gevraagd en ongevraagd heeft gegeven;
c. de bevindingen van de arbodienst betreffende het arbo- en verzuimbeleid;
d. het al dan niet meer actueel zijn van de RI&E;
e. de stand van zaken met betrekking tot het uitvoeren van het plan van aanpak;
f. het verzuimbeleid;
g. het PAGO;
h. de aanstellingskeuring, als daarvan sprake is;
i. het arbospreekuur;
j. het omgaan met klachten en ongenoegen van werknemers en het functioneren van de klachtenprocedure;
k. de samenwerking met de or.

Ter voorbereiding van dit overleg, zal een contactpersoon van de or met de contactpersoon van de arbodienst, de agenda, plaats en tijdstip bespreken.

3.2 De arbodienst zendt de aan de werkgever uitgebrachte adviezen en rapporten — welke niet aan personen zijn gebonden — alsmede de concepten daarvan rechtstreeks, integraal en gelijktijdig aan de or.

3.3 Als de or daarom vraagt, licht de arbodienst de adviezen en rapporten, die hij aan de werkgever heeft uitgebracht, toe aan de or.

## 4 Arbobeleid

4.1 Met de or vindt overleg plaats over de wijze waarop de RI&E zal wordt uitgevoerd en geactualiseerd. Daarbij gaat het om de methode, zoals vragenlijsten aan werknemers, werkplekinspecties en gesprekken met werknemers (uitvoerenden en leidinggevenden). Het daaruit voortkomende plan om de RI&E uit te voeren, en het advies van de arbodienst, legt de werkgever ter instemming voor aan de or.

4.2 Met de or vindt overleg plaats over het plan van aanpak, onderdeel van de RI&E, daarbij gaat het om de te nemen maatregelen, het stellen van prioriteiten en vastleggen van tijdstermijnen, het vaststellen van verantwoordelijken voor de te nemen maatregelen, de wijze waarop de arbodienst en de or bij de uitvoering worden betrokken en de wijze van rapportage aan de or over de wijze van uitvoering van het plan van aanpak. Het daaruit voortkomende plan van aanpak en het advies daarover van de arbodienst, legt de werkgever vervolgens ter instemming voor aan de or.

## 5 Ziekteverzuimbeleid

5.1 In het geval ziekteverzuimbeleid door de werkgever wordt vastgesteld of gewijzigd, geeft de arbodienst daarover advies en wordt aan de or daarover instemming gevraagd. Het verzuimbeleid betreft allerlei regelingen betreffende ziektemelding, begeleiding, controle, re-integratie van langdurig-zieke werknemers en de wijze waarop uitvoering wordt gegeven aan het PAGO, het arbeidsomstandig-hedenspreekuur, de aanstellingskeuring, enzovoort.

5.2 De behandelend bedrijfsarts verstrekt, anders dan op grond van een wette-lijke verplichting, geen persoonsgegevens aan de werkgever, aan het sociaal-me-disch team, aan een verzekeraar, aan de UWV, aan een andere arts of aan welke andere derde binnen of buiten de arbodienst dan ook, zonder schriftelijke toe-stemming van de werknemer. De werknemer wordt over het doel en de mogelijke gevolgen van de gegevensverstrekking vooraf en volledig geïnformeerd.

5.3 Aan de werknemer die daarom uitdrukkelijk verzoekt wordt een andere bedrijfsarts toegewezen.

5.4 Elke werknemer kan desgewenst en zonder nadere toestemming van de werkgever het arbeidsomstandighedenspreekuur dat de arbodienst houdt bezoe-ken. De werknemers worden over de mogelijkheden dit spreekuur te bezoeken in voldoende mate geïnformeerd.

*6 Gegevens en informatie*

6.1 Gegevens van medische aard worden uitsluitend gevraagd, geregistreerd en beheerd door de arbodienst.

6.2 De arbodienst informeert de werknemers schriftelijk over welke gegevens worden geregistreerd, hoe deze worden verzameld en geregistreerd, hoe deze worden beschermd tegen onjuist gebruik, hoe de werknemers van hun recht op inzage, correctie, aanvulling, verwijdering en verzet gebruik kunnen maken, hoe lang de diverse gegevens worden bewaard en welke registraties (hoe) worden aan-gemeld bij het college bescherming persoonsgegevens.

6.3 *De arbodienst informeert de werknemers zo volledig mogelijk over hun rechten en plichten in relatie tot het werk dat de arbodienst verricht. Die informatie wordt schriftelijk verstrekt en betreft in ieder geval de volgende onderwerpen:*

a. *Verzuimbeleid en -begeleiding*
b. *Arbospreekuur*
c. *Bescherming persoonsgegevens*
d. *PAGO*
e. *Aanstellingskeuring*
f. *Klachtenprocedure*
g. *RI&E*
h. *Onafhankelijkheid arbodienst*

*Toelichting*

Het gaat om vragen als: moet je gehoor geven aan een oproep om op spreekuur te komen, wanneer ben je verplicht je medisch te laten onderzoeken, wat gebeurt er als je het niet eens bent met een vervangende functie, wat gebeurt er als de bedrijfsarts de werknemer beter verklaart en je het er niet mee eens bent, wat kun je dan doen, wat zijn je rechten als je huisarts een ander advies geeft dan de bedrijfsarts, wat wordt van mij als werknemer verwacht in het kader van de RI&E, wat is eigenlijk het doel van een RI&E.

### 7 Klachtenregeling

7.1 De arbodienst wijst de werkgever, de or en de werknemers in het bedrijf op de mogelijkheid een klacht in te dienen over de wijze waarop de arbodienst zijn werk verricht. De klacht wordt in dit geval ingediend bij de arbodienst zelf. De arbodienst garandeert onafhankelijkheid, snelheid en vertrouwelijkheid bij de afhandeling van klachten.

7.2 De arbodienst verstrekt — geanonimiseerd — ieder jaar een overzicht aan werkgever en or van het aantal en het soort klachten en hoe ze zijn afgehandeld.

### 8 Verslag en wijziging contract

8.1 De arbodienst brengt ieder jaar verslag uit van zijn werkzaamheden ten behoeve van het bedrijf of de instelling. In overleg met werkgever en or wordt vastgesteld welke onderwerpen in dat verslag aan de orde komen en hoe die worden gepresenteerd.

8.2 Als het contract met de arbodienst wordt verlengd en/of aangepast, wordt daarover vooraf overlegd met de or. Bij wijzigingen van contract en werkzaamheden, legt de werkgever dat ter instemming voor aan de or.

8.3 Als het contract tussen werkgever en arbodienst wordt beëindigd, verzoekt de arbodienst de werknemers in het bedrijf, waarvan hij een medische dossier beheert, om schriftelijk instemming tot overdracht van dat dossier aan de nieuwe arbodienst, zodra met die arbodienst een contract is gesloten.

## 34.3    Bijlage 3: Arbo-informatiebladen

Arbo-informatiebladen hebben geen wettelijke status, maar ze geven een praktisch overzicht van de wettelijke regels over één onderwerp, met daarbij uitleg, voorbeelden en aandachtspunten.

Overigens is de kwaliteit nogal wisselend. Voor werknemers en ondernemingsraden zijn ze vaak een erg bruikbare bron. Grofweg gezegd zijn de arbo-informatiebladen die aan technische onderwerpen zijn gewijd (zoals inrichting van bedrijfsruimtes) nuttiger dan zij die een meer beleidsmatig thema hebben (zoals bijvoorbeeld over de preventiemedewerker).

*Tabel 4.*

| AI-1 | Arbo- en verzuimbeleid |
|------|------------------------|
| AI-2 | Werken met beeldschermen |

| AI-3 | Asbest |
|------|--------|
| AI-4 | Lawaai op de arbeidsplaats |
| AI-5 | Veilig werken in besloten ruimten |
| AI-6 | Werken met kankerverwerkende stoffen en processen |
| AI-7 | Kantoren |
| AI-8 | Zittend en staand werk |
| AI-9 | Biologische agentia |
| AI-10 | Bedrijfshulpverlening en noodorganisatie |
| AI-11 | Machineveiligheid: afschermingen en beveiligingen |
| AI-12 | Zwangerschap en arbeid |
| AI-13 | Kassawerkplekken |
| AI-14 | Bedrijfsruimten- inrichting, transport en opslag |
| AI-15 | Veilig werken op daken |
| AI-16 | Beveiligen van wand- en vloeropeningen |
| AI-17 | Hijs- en hefmiddelen |
| AI-18 | Laboratoria |
| AI-19 | Verfverwerking |
| AI-20 | Werken onder koude omstandigheden |
| AI-21 | Rolsteigers |
| AI-22 | Werken met verontreinigde grond en verontreinigd grondwater |
| AI-23 | Toxische stoffen in de houtverwerkende industrie |
| AI-24 | Binnenmilieu |
| AI-25 | Preventie van zware ongevallen met gevaarlijke stoffen |
| AI-26 | Veiligheidsinformatiebladen en werkpleketikettering |
| AI-27 | Ioniserende straling |
| AI-28 | Veilig werken met bestrijdingsmiddelen |
| AI-29 | Fysieke belasting bij het werk |
| AI-30 | Jongeren en arbeid |
| AI-31 | Gezondheidsrisico's van gevaarlijke stoffen |
| AI-32 | Legionella |
| AI-33 | Gedeeltelijk arbeidsongeschikt |
| AI-34 | Veilig werken in een explosieve atmosfeer |
| AI-35 | Drukapparatuur |
| AI-36 | Trillingen |
| AI-37 | Veiligheidsmanagementsystemen |
| AI-38 | Arbeids- en Rusttijden |
| AI-39 | Elektromagnetische velden |
| AI-40 | Aansprakelijkheid |
| AI-41 | Ongewenste omgangsvormen op de werkvloer |

| Al-42 | Werkdruk en Stress |
|-------|--------------------|
| Al-43 | Ongevallenanalyse |
| Al-44 | De preventiemedewerker |
| Al-45 | Risicobeheersing |
| Al-46 | Werken in meet- en regelkamers |
| Al-47 | Organisatie van de eerstehulpverlening op de werkvloer |
| Al-48 | Werken onder warme omstandigheden |
| Al-49 | Persoonlijke beschermingsmiddelen |
| Al-51 | Baliewerk |
| Al-52 | Ouderen en Arbeidsrisico's |
| Al-53 | Transport over de weg: goederenvervoer |
| Al-54 | Elektrische veiligheid |
| Al-55 | Werken met allergenen |
| Al-56 | Werken aan veiligheids- en gezondheidscultuur |

De arbo-informatiebladen kosten rond de € 40 per stuk en zijn te verkrijgen bij de Sdu te Den Haag, www.sdu.nl.

## 34.4 Gebruikte afkortingen

*Tabel 5.*

| Al-blad | arbo-informatieblad |
|---------|---------------------|
| AMVB | algemene maatregel van bestuur |
| Arbo | arbeidsomstandigheden |
| BHV | bedrijfshulpverlening |
| BRZO | besluit risico zware ongevallen |
| BW | Burgerlijk Wetboek |
| cao | collectieve arbeidsovereenkomst |
| CE | conformité européenne (keurmerk dat een product volgens de fabrikant aan de Europese veiligheidsnormen voldoet) |
| CLP | classification, labelling and packaging (nieuw systeem voor indeling, etikettering en verpakking van gevaarlijke stoffen) |
| CNV | Christelijk Nationaal Vakverbond |
| COR | centrale ondernemingsraad |
| d(B)A | decibel |
| EHBO | eerste hulp bij ongevallen |
| FNV | Federatie Nederlandse Vakbeweging |
| HNW | Het Nieuwe Werken |
| HR | human resources (personeelszaken) |

| | |
|---|---|
| ISO | internationale organisatie voor standaardisatie |
| KANS | klachten aan arm, nek en schouder |
| MAC | maximaal aanvaarde concentratie |
| MKB | midden- en kleinbedrijf |
| mr | medezeggenschapsraad |
| MVO | maatschappelijk verantwoord ondernemen |
| NPR | Nederlandse praktijkrichtlijn |
| NEN | Nederlandse norm |
| OHSAS | Occupational Health and Safety Assessment Series (arbomanagementsysteem) |
| OPS | organisch psychosyndroom |
| or | ondernemingsraad |
| P&O | personeel en organisatie |
| PAGO | periodiek arbeidsgezondheidskundig onderzoek |
| PBM | persoonlijk beschermingsmiddel |
| PMO | preventief medisch onderzoek |
| PMR | personeelsgeleding van de medezeggenschapsraad |
| PVT | personeelsvertegenwoordiging |
| PSA | psychosociale arbeidsbelasting |
| pz | personeelszaken |
| REA | Re-integratie Arbeidsgehandicapten |
| REACH | Registratie, Evaluatie en Autorisatie van Chemische stoffen |
| RI&E | risico-inventarisatie en evaluatie |
| RSI | Repetitive Strain Injury |
| SER | Sociaal-Economische Raad |
| SLA | service level agreement (afspraken over het prestatieniveau, van bijvoorbeeld een arbodienst)) |
| SMT | sociaal medisch team |
| SMO | sociaal medisch overleg |
| SZW | Ministerie van Sociale Zaken en Werkgelegenheid |
| UWV | Uitvoeringsinstituut Werknemersverzekeringen |
| VBBA | vragenlijst beleving en beoordeling van de arbeid |
| VCA | VeiligheidsChecklist Aannemers |
| V&G-plan | plan voor veiligheid en gezondheid (in de bouw) |
| VGW | veiligheid, gezondheid en welzijn |
| VGWM | veiligheid, gezondheid, welzijn en milieu |
| VROM | Ministerie van Verkeer, Ruimtelijke Ordening en Milieu (nu: Ministerie van Infrastructuur en milieu) |
| WAI | Work Ability Index (vragenlijst naar werkvermogen) |
| WAO | Wet op de Arbeidsongeschiktheidverzekering |
| WIA | Wet werk en inkomen naar arbeidsvermogen |
| WMS | Wet medezeggenschap op scholen |

| WOR | Wet op de ondernemingsraden |
| WSW | Wet op de sociale werkvoorziening |

DEEL 8

ARBEIDSOMSTANDIGHEDENWET

# 35 Arbeidsomstandighedenwet

- **Wet van 18 maart 1999, houdende bepalingen ter verbetering van de arbeidsomstandigheden, Stb. 1999, 184, zoals laatstelijk gewijzigd op 1 december 2011, Stb. 2011, 618 (i.w.tr. 01-01-2012)**

Wij Beatrix, bij de gratie Gods, Koningin der Nederlanden, Prinses van Oranje-Nassau, enz. enz. enz.

Allen, die deze zullen zien of horen lezen, saluut! doen te weten:

Alzo Wij in overweging genomen hebben, dat het wenselijk is de kwaliteit van het arbeidsomstandighedenbeleid te verbeteren, meer ruimte voor maatwerk te creëren en de bestuurlijke boete in te voeren alsmede enige andere wijzigingen aan te brengen en daartoe een nieuwe Arbeidsomstandighedenwet vast te stellen;

Zo is het, dat Wij, de Raad van State gehoord, en met gemeen overleg der Staten-Generaal, hebben goedgevonden en verstaan, gelijk Wij goedvinden en verstaan bij deze:

## Hoofdstuk 1 Definities en toepassingsgebied

### Artikel 1 Definities

1. In deze wet en de daarop berustende bepalingen wordt verstaan onder:
    a. werkgever:
        1°. degene jegens wie een ander krachtens arbeidsovereenkomst of publiekrechtelijke aanstelling gehouden is tot het verrichten van arbeid, behalve indien die ander aan een derde ter beschikking wordt gesteld voor het verrichten van arbeid, welke die derde gewoonlijk doet verrichten;
        2°. degene aan wie een ander ter beschikking wordt gesteld voor het verrichten van arbeid als bedoeld onder 1°.;
    b. werknemer: de ander, bedoeld onder a.
2. In deze wet en de daarop berustende bepalingen wordt mede verstaan onder:
    a. werkgever:
        1°. degene die zonder werkgever of werknemer in de zin van het eerste lid te zijn, een ander onder zijn gezag arbeid doet verrichten;

    2°. degene die zonder werkgever of werknemer in de zin van het eerste lid te zijn, een ander niet onder zijn gezag arbeid in een woning doet verrichten, in bij algemene maatregel van bestuur aan te wijzen gevallen;

  b. werknemer: de ander, bedoeld onder a, met uitzondering van degene die als vrijwilliger arbeid verricht.

3. In deze wet en de daarop berustende bepalingen wordt verstaan onder:

  a. Onze Minister: Onze Minister van Sociale Zaken en Werkgelegenheid;

  b. ondernemingsraad: de ondernemingsraad, bedoeld in de Wet op de ondernemingsraden;

  c. personeelsvertegenwoordiging: de personeelsvertegenwoordiging, bedoeld in de Wet op de ondernemingsraden;

  d. toezichthouder: de toezichthouder, bedoeld in de Algemene wet bestuursrecht, en als zodanig aangewezen op grond van artikel 24;

  e. psychosociale arbeidsbelasting: de factoren direct of indirect onderscheid met inbegrip van seksuele intimidatie, agressie en geweld, pesten en werkdruk, in de arbeidssituatie die stress teweeg brengen;

  f. stress: een toestand die als negatief ervaren lichamelijke, psychische of sociale gevolgen heeft;

  g. arbeidsplaats: iedere plaats die in verband met het verrichten van arbeid wordt of pleegt te worden gebruikt;

  h. arbeidsmiddelen: alle op de arbeidsplaats gebruikte machines, installaties, apparaten en gereedschappen;

  i. arbeidsongeval: een aan een werknemer in verband met het verrichten van arbeid overkomen ongewilde, plotselinge gebeurtenis, die schade aan de gezondheid tot vrijwel onmiddellijk gevolg heeft gehad en heeft geleid tot ziekteverzuim, of de dood tot vrijwel onmiddellijk gevolg heeft gehad;

  j. arbodienst: een dienst als bedoeld in artikel 14a, tweede en derde lid;

  k. zelfstandige: degene die zonder werkgever of werknemer te zijn in de zin van het eerste of tweede lid arbeid verricht;

  l. vrijwilliger: de persoon, die niet bij wijze van beroep arbeid verricht voor een privaatrechtelijk of publiekrechtelijk lichaam dat niet is onderworpen aan de vennootschapsbelasting dan wel voor een sportorganisatie en die geen werknemer is in de zin van artikel 2 van de Wet op de loonbelasting 1964, met uitzondering van de persoon die arbeid verricht:

    1°. ter voorbereiding op beroepsmatige arbeid;

    2°. in het kader van een taakstraf dan wel in het kader van het voldoen aan voorwaarden ter voorkoming van strafvervolging als bedoeld in artikel 74, tweede lid, onderdeel f, of artikel 77f, eerste lid, onderdeel b, van het Wetboek van Strafrecht dan wel in het kader van deelneming aan een project als bedoeld in artikel 77e van het Wetboek van Strafrecht;

    3°. als bedoeld in artikel 16, zesde lid, onderdeel c.

4. Waar in deze wet en de daarop berustende bepalingen de woorden 'bedrijf' en 'inrichting' worden gebruikt om een plaats aan te duiden, omvatten deze mede een andere plaats waar arbeid wordt verricht of pleegt te worden verricht.

### Artikel 2 Uitbreiding Toepassingsgebied

Deze wet en de daarop berustende bepalingen zijn mede van toepassing op:

a. arbeid verricht binnen de exclusieve economische zone;

b. verrichtingen van leerlingen en studenten in onderwijsinrichtingen of gedeelten daarvan, open ruimten daaronder begrepen, die vergelijkbaar zijn met arbeid in de beroepspraktijk;

c. arbeid die geheel of ten dele buiten Nederland wordt verricht door personen, werkzaam aan boord van zeeschepen die op grond van Nederlandse rechtsregels gerechtigd zijn de Nederlandse vlag te voeren;

d. arbeid die voor een in Nederland gevestigde werkgever geheel of ten
  dele buiten Nederland wordt verricht door personen, werkzaam aan boord van luchtvaartuigen.

## Hoofdstuk 2 Arbeidsomstandighedenbeleid

### Artikel 3 Arbobeleid

1. De werkgever zorgt voor de veiligheid en de gezondheid van de werknemers inzake alle met de arbeid verbonden aspecten en voert daartoe een beleid dat is gericht op zo goed mogelijke arbeidsomstandigheden, waarbij hij, gelet op de stand van de wetenschap en professionele dienstverlening, het volgende in acht neemt:

a. tenzij dit redelijkerwijs niet kan worden gevergd organiseert de werkgever de arbeid zodanig dat daarvan geen nadelige invloed uitgaat op de veiligheid en de gezondheid van de werknemer;

b. tenzij dit redelijkerwijs niet kan worden gevergd worden de gevaren en risico's voor de veiligheid of de gezondheid van de werknemer zoveel mogelijk in eerste aanleg bij de bron daarvan voorkomen of beperkt; naar de mate waarin dergelijke gevaren en risico's niet bij de bron kunnen worden voorkomen of beperkt, worden daartoe andere doeltreffende maatregelen getroffen waarbij maatregelen gericht op collectieve bescherming voorrang hebben boven maatregelen gericht op individuele bescherming; slechts indien redelijkerwijs niet kan worden gevergd dat maatregelen worden getroffen die zijn gericht op individuele bescherming, worden doeltreffende en passende persoonlijke beschermingsmiddelen aan de werknemer ter beschikking gesteld;

c. de inrichting van de arbeidsplaatsen, de werkmethoden en de bij de arbeid gebruikte arbeidsmiddelen alsmede de arbeidsinhoud worden zoveel als redelijkerwijs kan worden gevergd aan de persoonlijke eigenschappen van werknemers aangepast;

d. monotone en tempogebonden arbeid wordt, zoveel als redelijkerwijs kan worden gevergd, vermeden dan wel, indien dat niet mogelijk is, beperkt;

e. doeltreffende maatregelen worden getroffen op het gebied van de eerste hulp bij ongevallen, de brandbestrijding en de evacuatie van werknemers en andere aanwezige personen, en doeltreffende verbindingen worden onderhouden met de desbetreffende externe hulpverleningsorganisaties;

f. elke werknemer moet bij ernstig en onmiddellijk gevaar voor zijn eigen veiligheid of die van anderen, rekening houdend met zijn technische kennis en middelen, de nodige passende maatregelen kunnen nemen om de gevolgen van een dergelijk gevaar te voorkomen, waarbij artikel 29, eerste lid, derde zin, van overeenkomstige toepassing is.

2. De werkgever voert, binnen het algemeen arbeidsomstandighedenbeleid, een beleid gericht op voorkoming en indien dat niet mogelijk is beperking van psychosociale arbeidsbelasting.

3. Ter uitvoering van het eerste lid draagt de werkgever zorg voor een goede verdeling van bevoegdheden en verantwoordelijkheden tussen de bij de werkgever werkzame personen, waarbij hij rekening houdt met de bekwaamheden van de werknemers.

4. De werkgever toetst het arbeidsomstandighedenbeleid regelmatig aan de ervaringen die daarmee zijn opgedaan en past de maatregelen aan zo dikwijls als de daarmee opgedane ervaring daartoe aanleiding geeft.

**Artikel 3a**
(Door vernummering is dit artikel vervallen.)

**Artikel 4 Aanpassing arbeidsplaats werknemer met structurele functionele beperking**

1. In aanvulling op artikel 3, eerste lid, aanhef en onder c, past de werkgever, bedoeld in artikel 1, eerste lid, onderdeel a, onder 1° uit hoofde van de uitoefening van zijn taak, bedoeld in artikel 7:658a van het Burgerlijk Wetboek en artikel 76e van de Ziektewet,

a. de inrichting van de arbeidsplaats, de werkmethoden en de bij de arbeid gebruikte arbeidsmiddelen, alsmede de arbeidsinhoud aan zijn werknemer, die in verband met ongeschiktheid ten gevolge van ziekte verhinderd is de bedongen arbeid te verrichten aan, en

b. de inrichting van het bedrijf aan die werknemer aan, voorzover de behoefte daaraan wordt opgeroepen door de deelneming van die werknemer aan de werkzaamheden of het daarmee samenhangende verblijf in het bedrijf.

2. Het eerste lid is van overeenkomstige toepassing op de eigenrisicodrager, bedoeld in artikel 1, eerste lid, onderdeel h, van de Ziektewet en de persoon,

bedoeld in artikel 29, tweede lid, onderdelen a, b en c, van die wet, die laatstelijk tot de eigenrisicodrager in dienstbetrekking stond, gedurende de periode dat de eigenrisicodrager aan die persoon ziekengeld moet betalen.

### Artikel 5 Inventarisatie en evaluatie van risico's

1. Bij het voeren van het arbeidsomstandighedenbeleid legt de werkgever in een inventarisatie en evaluatie schriftelijk vast welke risico's de arbeid voor de werknemers met zich brengt. Deze risico-inventarisatie en -evaluatie bevat tevens een beschrijving van de gevaren en de risico-beperkende maatregelen en de risico's voor bijzondere categorieën van werknemers.
2. In de risico-inventarisatie en -evaluatie wordt aandacht besteed aan de toegang van werknemers tot een deskundige werknemer of persoon, bedoeld in de artikelen 13 en 14, of de arbodienst.
3. Een plan van aanpak, waarin is aangegeven welke maatregelen zullen worden genomen in verband met de bedoelde risico's en de samenhang daartussen, een en ander overeenkomstig artikel 3, maakt deel uit van de risico-inventarisatie en -evaluatie. In het plan van aanpak wordt tevens aangegeven binnen welke termijn deze maatregelen zullen worden genomen.
4. De risico-inventarisatie en -evaluatie wordt aangepast zo dikwijls als de daarmee opgedane ervaring, gewijzigde werkmethoden of werkomstandigheden of de stand van de wetenschap en professionele dienstverlening daartoe aanleiding geven.
5. Indien de werkgever arbeid doet verrichten door een werknemer die hem ter beschikking wordt gesteld, verstrekt hij tijdig voor de aanvang van de werkzaamheden aan degene, die de werknemer ter beschikking stelt, de beschrijving uit de risico-inventarisatie en -evaluatie van de gevaren en risicobeperkende maatregelen en van de risico's voor de werknemer op de in te nemen arbeidsplaats, opdat diegene deze beschrijving verstrekt aan de betrokken werknemer.
6. De werkgever zorgt ervoor dat iedere werknemer kennis kan nemen van de risico-inventarisatie en -evaluatie.

### Artikel 6 Voorkoming en beperking van zware ongevallen waarbij gevaarlijke stoffen zijn betrokken

1. De werkgever neemt bij het voeren van het arbeidsomstandighedenbeleid de maatregelen die nodig zijn ter voorkoming en beperking van zware ongevallen waarbij gevaarlijke stoffen zijn betrokken en de gevolgen daarvan voor de veiligheid en de gezondheid van de in het bedrijf, de inrichting, of een deel daarvan werkzame werknemers. Bij of krachtens algemene maatregel van bestuur worden regels gesteld met betrekking tot:
   a. de categorieën van bedrijven, inrichtingen of delen daarvan ten aanzien waarvan de werkgever die maatregelen neemt;

    b. de gegevens die de werkgever met betrekking tot de bedrijven, inrichtingen of delen daarvan, bedoeld onder a, op schrift stelt of verstrekt aan de toezichthouder of aan de werknemers en de andere deskundige personen, bedoeld in artikel 13, eerste tot en met derde lid, de personen, bedoeld in artikel 14, eerste lid en de arbodienst;

    c. de maatregelen die de werkgever neemt ten aanzien van de bedrijven, inrichtingen of delen daarvan, bedoeld onder a;

    d. het tijdstip waarop en de frequentie waarmee wordt voldaan aan de verplichtingen, bedoeld onder b en c;

    e. een verbod op de exploitatie van het bedrijf, de inrichting of een deel daarvan, indien niet of niet voldoende is voldaan aan een of meer verplichtingen krachtens dit artikel;

    f. het toezicht op de naleving van het bij of krachtens dit artikel bepaalde.

2. Onze Minister kan een bedrijf of een inrichting of een deel daarvan afzonderlijk aanwijzen ten aanzien waarvan op de werkgever een of meer van de verplichtingen bedoeld in of krachtens het eerste lid rusten indien zich in verband met de aanwezigheid van gevaarlijke stoffen bijzondere gevaren kunnen voordoen voor de veiligheid en de gezondheid van de daarin werkzame werknemers. Bij de aanwijzing wordt bepaald op welk tijdstip aan de betreffende verplichtingen moet zijn voldaan. De werking van de aanwijzing wordt opgeschort totdat de termijn voor het indienen van een bezwaar- of beroepschrift is verstreken of, indien bezwaar is gemaakt of beroep is ingesteld, op het bezwaar of beroep is beslist.

3. Het niet naleven van de eerste zin van het eerste lid is een overtreding in de zin van artikel 2, derde lid, van de Wet op de economische delicten. Voor zover het niet naleven van de bij of krachtens het eerste lid gestelde regels is aangewezen als een strafbaar feit, is dat feit eveneens een overtreding.

## Artikel 7 Informatie aan het publiek

1. De toezichthouder stelt krachtens artikel 6, eerste lid, onder *b*, verschafte en bij algemene maatregel van bestuur aangewezen gegevens uit eigen beweging ter beschikking van het publiek. Bij of krachtens algemene maatregel van bestuur kunnen terzake regels worden gesteld.

2. Onverminderd artikel 10, eerste lid, van de Wet openbaarheid van bestuur en in afwijking van artikel 10, tweede lid, van die wet blijft het verstrekken van gegevens als bedoeld in het eerste lid achterwege voor zover het belang daarvan niet opweegt tegen de volgende belangen:

    a. het belang, bedoeld in artikel 10, tweede lid, onder *e*, van de Wet openbaarheid van bestuur;

    b. het belang, bedoeld in artikel 10, zevende lid, onder *b*, van de Wet openbaarheid van bestuur, voorzover het betreft het voorkomen van sabotage.

3. Artikel 10, tweede lid, aanhef en onder *f*, van de Wet openbaarheid van bestuur is niet van toepassing op het op verzoek verstrekken van gegevens die door de daartoe aangewezen ambtenaar bedoeld in artikel 24 zijn verkregen in verband met de toepassing van het bepaalde bij of krachtens artikel 6 ter uitvoering van richtlijn nr. 96/82/EG van de Raad van de Europese Unie van 9 december 1996 betreffende de beheersing van de gevaren van zware ongevallen waarbij gevaarlijke stoffen zijn betrokken (*PbEG* L 10).

4. Artikel 10, tweede lid, aanhef en onder *b*, van de Wet openbaarheid van bestuur is op het op verzoek verstrekken van informatie over gegevens als bedoeld in het derde lid uitsluitend van toepassing, voorzover die gegevens een vertrouwelijk karakter hebben.

5. Artikel 10, tweede lid, aanhef en onder *g*, van de Wet openbaarheid van bestuur is op het op verzoek verstrekken van gegevens als bedoeld in het derde lid uitsluitend van toepassing voor zover het gegevens betreft die afbreuk kunnen doen aan de mogelijkheid van het voorkomen van sabotage.

6. In afwijking van het vijfde lid is, voorzover het gaat om milieu-informatie als bedoeld in artikel 19.1a van de Wet milieubeheer, artikel 10, zevende lid, aanhef en onder *b*, van de Wet openbaarheid van bestuur uitsluitend van toepassing voorzover het gegevens betreft die afbreuk kunnen doen aan de mogelijkheid van het voorkomen van sabotage.

### Artikel 8 Voorlichting en onderricht

1. De werkgever zorgt ervoor dat de werknemers doeltreffend worden ingelicht over de te verrichten werkzaamheden en de daaraan verbonden risico's, alsmede over de maatregelen die erop gericht zijn deze risico's te voorkomen of te beperken.

    Tevens zorgt de werkgever ervoor dat de werknemers doeltreffend worden ingelicht over de wijze waarop de deskundige bijstand, bedoeld in de artikelen 13, 14, 14a en 15, in zijn bedrijf of inrichting is georganiseerd.

2. De werkgever zorgt ervoor dat aan de werknemers doeltreffend en aan hun onderscheiden taken aangepast onderricht wordt verstrekt met betrekking tot de arbeidsomstandigheden.

3. Indien persoonlijke beschermingsmiddelen ter beschikking van de werknemers worden gesteld en indien op arbeidsmiddelen of anderszins beveiligingen zijn aangebracht, zorgt de werkgever ervoor dat de werknemers op de hoogte zijn van hun doel en werking en de wijze waarop zij deze dienen te gebruiken.

4. De werkgever ziet toe op de naleving van de instructies en voorschriften gericht op het voorkomen of beperken van de in het eerste lid genoemde risico's alsmede op het juiste gebruik van persoonlijke beschermingsmiddelen.

5. Indien binnen de onderneming werknemers jonger dan 18 jaar werkzaam zijn, houdt de werkgever bij de uitvoering van de in de voorgaande leden genoemde

verplichtingen in het bijzonder rekening met de aan de jeugdige leeftijd inhe-
rente beperkte werkervaring en onvoltooide lichamelijke en geestelijke ontwikkeling van deze werknemers.

### Artikel 9 Melding en registratie van arbeidsongevallen en beroepsziekten

1. De werkgever meldt arbeidsongevallen die leiden tot de dood, een blijvend
   letsel of een ziekenhuisopname direct aan de daartoe aangewezen toezichthouder en rapporteert hierover desgevraagd zo spoedig mogelijk aan deze toezichthouder.
2. De werkgever houdt een lijst bij van de gemelde arbeidsongevallen en van
   arbeidsongevallen welke hebben geleid tot een verzuim van meer dan drie
   werkdagen en registreert daarop de aard en datum van het ongeval.
3. De persoon, bedoeld in artikel 14, eerste lid, die belast is met de taak, bedoeld in
   onderdeel b van dat lid, of de arbodienst meldt beroepsziekten aan een door
   Onze Minister hiertoe aangewezen instelling.

### Artikel 10 Voorkomen van gevaar voor derden

1. Indien bij of in rechtstreeks verband met de arbeid die de werkgever door zijn
   werknemers doet verrichten in een bedrijf of een inrichting of in de onmiddel-
   lijke omgeving daarvan gevaar kan ontstaan voor de veiligheid of de gezondheid van andere personen dan die werknemers, neemt de werkgever doeltreffende maatregelen ter voorkoming van dat gevaar.
2. Het niet naleven van het eerste lid is een overtreding in de zin van artikel 2,
   derde lid, van de Wet op de economische delicten.

### Artikel 11 Algemene verplichtingen van de werknemers

De werknemer is verplicht om in zijn doen en laten op de arbeidsplaats, overeenkomstig zijn opleiding en de door de werkgever gegeven instructies, naar vermogen zorg te dragen voor zijn eigen veiligheid en gezondheid en die van de andere
betrokken personen. Met name is hij verplicht om:

a. arbeidsmiddelen en gevaarlijke stoffen op de juiste wijze te gebruiken;
b. de hem ter beschikking gestelde persoonlijke beschermingsmiddelen op de
   juiste wijze te gebruiken en na gebruik op de daartoe bestemde plaats op te
   bergen, een en ander voor zover niet krachtens deze wet is bepaald dat werknemers niet verplicht zijn beschermingsmiddelen als vorenbedoeld te gebruiken;
c. de op arbeidsmiddelen of anderszins aangebrachte beveiligingen niet te veranderen of buiten noodzaak weg te halen en deze op de juiste wijze te gebruiken;
d. mede te werken aan het voor hem georganiseerde onderricht bedoeld in artikel
   8;

e. de door hem opgemerkte gevaren voor de veiligheid of de gezondheid terstond ter kennis te brengen aan de werkgever of degene die namens deze ter plaatse met de leiding is belast;

f. de werkgever en de de werknemers en de andere deskundige personen, bedoeld in artikel 13, eerste tot en met derde lid, de personen, bedoeld in artikel 14, eerste lid, en de arbodienst, indien nodig bij te staan bij de uitvoering van hun verplichtingen en taken op grond van deze wet.

## Hoofdstuk 3 Samenwerking, overleg, bijzondere rechten van de ondernemingsraad, de personeelsvertegenwoordiging en de belanghebbende werknemers en de regeling van de deskundige bijstand

### Artikel 12 Samenwerking, overleg en bijzondere rechten van de ondernemingsraad, de personeelsvertegenwoordiging en de belanghebbende werknemers

1. Bij de uitvoering van het arbeidsomstandighedenbeleid werken de werkgever en de werknemers samen.

2. De werkgever voert overleg met de ondernemingsraad of de personeelsvertegenwoordiging over aangelegenheden die het arbeidsomstandighedenbeleid betreffen alsmede over de uitvoering van dit beleid, waarbij actief informatie wordt gewisseld.

3. De werkgever voert in ondernemingen waarin in de regel minder dan 10 personen werkzaam zijn, bij het ontbreken van een ondernemingsraad of personeelsvertegenwoordiging, overleg met de belanghebbende werknemers over de risico-inventarisatie en -evaluatie, de organisatie van de deskundige bijstand, bedoeld in artikel 13, eerste tot en met derde lid, de arbodienst en de deskundige bijstand, bedoeld in artikel 15.

4. Aan de leden van de ondernemingsraad of de personeelsvertegenwoordiging wordt in verband met hun taak in het kader van de arbeidsomstandigheden van de werknemers:

   a. de mogelijkheid geboden zich met de toezichthouder tijdens zijn bezoek aan het bedrijf of de inrichting buiten tegenwoordigheid van anderen te onderhouden;

   b. de mogelijkheid geboden de toezichthouder tijdens zijn bezoek aan het bedrijf of de inrichting te vergezellen, behoudens voor zover deze te kennen geeft dat daartegen vanwege een goede uitoefening van zijn taak bezwaren bestaan.

5. Voor het bij of krachtens deze wet bepaalde treedt voor de toepassing van de afdelingen 3.6 en 4.1.2. van de Algemene wet bestuursrecht een onderne-

mingsraad of personeelsvertegenwoordiging in de plaats van de belanghebbende werknemers.

6. Bij het ontbreken van de ondernemingsraad of personeelsvertegenwoordiging
wordt, in afwijking van artikel 3.41 van de Algemene wet bestuursrecht, van een
beschikking zo spoedig mogelijk door de werkgever mededeling gedaan aan de
belanghebbende werknemers. Die beschikking treedt, in afwijking van artikel
3.40 van de Algemene wet bestuursrecht, voor hen niet eerder in werking dan
nadat de werkgever aan de mededelingsplicht, als bedoeld in de vorige zin,
heeft voldaan.

### Artikel 13 Bijstand deskundige werknemers op het gebied van preventie en bescherming

1. De werkgever laat zich ten aanzien van de naleving van zijn verplichtingen op
grond van deze wet bijstaan door een of meer deskundige werknemers.
2. Voorzover de mogelijkheden onvoldoende zijn om de bijstand binnen het bedrijf of de inrichting te organiseren, wordt de bijstand verleend door een combinatie van deskundige werknemers en andere deskundige personen.
3. Indien er geen mogelijkheden zijn om de bijstand binnen het bedrijf of de
inrichting te organiseren, wordt de bijstand verleend door andere deskundige
personen.
4. De werknemers en de andere deskundige personen beschikken over een zodanige deskundigheid, ervaring en uitrusting, zijn zodanig in aantal, gedurende
zoveel tijd beschikbaar en zodanig georganiseerd, dat zij de bijstand naar behoren kunnen verlenen.
5. De werkgever stelt de werknemers in de gelegenheid de bijstand zelfstandig en
onafhankelijk te verlenen. De werknemers worden uit hoofde van een juiste
taakuitoefening niet benadeeld in hun positie in het bedrijf of de inrichting.
Artikel 21, vierde zin, van de Wet op de ondernemingsraden is van overeenkomstige toepassing.
6. De deskundige personen verlenen hun bijstand met behoud van hun zelfstandigheid en van hun onafhankelijkheid ten opzichte van de werkgever.
7. Het verlenen van bijstand omvat in ieder geval:
    a. het verlenen van medewerking aan het verrichten en opstellen van een
    risico-inventarisatie en -evaluatie als bedoeld in artikel 5;
    b. het adviseren aan onderscheidenlijk nauw samenwerken met de onderne-
    mingsraad of de personeelsvertegenwoordiging, of, bij het ontbreken daar-
    van, de belanghebbende werknemers, inzake de genomen en de te nemen
    maatregelen, gericht op een zo goed mogelijk arbeidsomstandighedenbe-
    leid;
    c. de uitvoering van de maatregelen, bedoeld in onderdeel b, dan wel de mede-
    werking daaraan.

8. Een afschrift van een advies als bedoeld in het zevende lid, onderdeel *b*, wordt aan de werkgever gezonden.

9. In de risico-inventarisatie en -evaluatie, bedoeld in artikel 5, worden de maatregelen beschreven die nodig zijn om te voldoen aan het vierde en tiende lid.

10. In afwijking van het eerste tot en met het derde lid, kunnen bij werkgevers met niet meer dan 25 werknemers de taken in het kader van de bijstand ook worden verricht door de werkgever zelf, indien deze natuurlijk persoon is, of door de directeur indien de werkgever rechtspersoon is, indien deze personen beschikken over voldoende deskundigheid, ervaring en uitrusting om deze taken naar behoren te vervullen.

**Artikel 14 Maatwerkregeling aanvullende deskundige bijstand bij specifieke taken op het gebied van preventie en bescherming**

1. In aanvulling op artikel 13 laat de werkgever zich bij de volgende taken bijstaan door een of meer deskundige personen ten behoeve van wie overeenkomstig artikel 20 een certificaat is afgegeven of die als bedrijfsarts is ingeschreven in een erkend specialistenregister als bedoeld in artikel 14 van de Wet op de beroepen in de individuele gezondheidszorg:

   a. het toetsen van de risico-inventarisatie en -evaluatie, bedoeld in artikel 5, en daarover adviseren;

   b. de bijstand bij de begeleiding van werknemers die door ziekte niet in staat zijn hun arbeid te verrichten, met inbegrip van de bijstand bij de uitvoering van bij of krachtens artikel 25, eerste, tweede, derde, vierde en zevende lid van de Wet werk en inkomen naar arbeidsvermogen, dan wel bij of krachtens artikel 71a, eerste, tweede, derde, vierde en zevende lid, van de Wet op de arbeidsongeschiktheidsverzekering gestelde regels;

   c. het uitvoeren van:

      1°. het arbeidsgezondheidskundig onderzoek, bedoeld in artikel 18;

      2°. de aanstellingskeuring, indien de werkgever deze laat verrichten.

2. Bij de toepassing van het eerste lid wordt het volgende in acht genomen:

   a. de bijstand bij de taken, bedoeld in het eerste lid, wordt doeltreffend uitgevoerd;

   b. de bijstand bij de taak, bedoeld in het eerste lid, onderdeel a, wordt binnen het bedrijf of de inrichting georganiseerd;

   c. voorzover de mogelijkheden onvoldoende zijn om de bijstand bij de taak, bedoeld in het eerste lid, onderdeel a, binnen het bedrijf of de inrichting te organiseren, wordt de bijstand verleend door een of meer andere deskundige personen als bedoeld in het eerste lid, aanhef;

   d. de personen die de bijstand verrichten, hebben een zodanige uitrusting en zijn zodanig in aantal, gedurende zoveel tijd beschikbaar en zodanig georganiseerd, dat zij de bijstand bij de taken, bedoeld in het eerste lid, naar behoren kunnen verlenen.

3. Een afschrift van een advies als bedoeld in het eerste lid, onderdeel a, wordt door de degene (*red.*: lees: degene) die dit advies heeft opgesteld gezonden aan de ondernemingsraad of de personeelsvertegenwoordiging. Bij het ontbreken van een ondernemingsraad of personeelsvertegenwoordiging wordt een afschrift van dit advies zo spoedig mogelijk door de werkgever gezonden aan de belanghebbende werknemers.

4. De wijze waarop de bijstandverlening plaatsvindt met betrekking tot de taak, bedoeld in het eerste lid, onderdeel b, wordt schriftelijk vastgelegd.

5. Bij de gegevensverwerking noodzakelijk voor de uitvoering van de taak, bedoeld in het eerste lid, onderdeel b, kan gebruik worden gemaakt van het burgerservicenummer of, bij het ontbreken daarvan, het sociaal-fiscaalnummer.

6. Artikel 464 van Boek 7 van het Burgerlijk Wetboek voorzover het betreft de overeenkomstige toepassing van de artikelen 457 en 464, tweede lid, onder b, van Boek 7 van het Burgerlijk Wetboek, is niet van toepassing indien in verband met de uitvoering van deze wet handelingen worden verricht op het gebied van de geneeskunst door personen die zijn belast met de taken, bedoeld in het eerste lid, onderdeel b.

7. De deskundige werknemers en andere deskundige personen, bedoeld in artikel 13, en de personen, bedoeld in het eerste lid, werken bij het verlenen van bijstand aan een werkgever samen.

8. Artikel 13, vijfde en zesde lid, is van overeenkomstige toepassing.

9. De organisatie van de bijstand bij de taken, bedoeld in het eerste lid, kan, met inachtneming van het tweede lid, plaatsvinden bij:
   a. collectieve arbeidsovereenkomst of bij regeling door of namens een daartoe bevoegd bestuursorgaan, of
   b. regeling waaromtrent de werkgever schriftelijk overeenstemming heeft bereikt met de ondernemingsraad of de personeelsvertegenwoordiging.

10. Indien zowel een collectieve arbeidsovereenkomst of een regeling als bedoeld in het negende lid, onderdeel a, als een regeling als bedoeld in het negende lid, onderdeel b, gelden, zijn de in die overeenkomst en regelingen gegeven bepalingen naast elkaar van toepassing. In geval van strijd zijn de bepalingen van de collectieve arbeidsovereenkomst of de regeling, bedoeld in het negende lid, onderdeel a, van toepassing.

11. Voor de toepassing van dit artikel en de daarop berustende bepalingen geldt een collectieve arbeidsovereenkomst als bedoeld in het negende lid, onderdeel a, en een regeling als bedoeld in het negende lid, onderdelen a en b, gedurende 5 jaren, te rekenen vanaf het tijdstip waarop die collectieve arbeidsovereenkomst of die regeling ingaat. Bij wijziging van de in de eerste zin bedoelde collectieve arbeidsovereenkomst of regeling binnen 5 jaren na inwerkingtreding, wordt het in de eerste zin bedoelde tijdvak beëindigd op het tijdstip van inwerkingtreding van de gewijzigde collectieve arbeidsovereenkomst of regeling.

12. Het eerste lid, aanhef en onderdeel a, is niet van toepassing ten aanzien van de werkgever:
    a. die werknemers arbeid laat verrichten voor een tijdsduur van in totaal ten hoogste 40 uur per week, of
    b. met in de regel ten hoogste 25 werknemers, indien voor het opstellen van een risico-inventarisatie en -evaluatie gebruik wordt gemaakt van:
       1°. een model dat is opgenomen in een collectieve arbeidsovereenkomst of in een regeling door een daartoe bevoegd bestuursorgaan en een onverplicht karakter heeft, of
       2°. een instrument dat is aangemeld bij Onze Minister dan wel bij een door Onze Minister aangewezen instelling.
13. Bij of krachtens algemene maatregel van bestuur worden regels gesteld voor:
    a. de tijdsduur van arbeid die buiten beschouwing wordt gelaten bij de toepassing van het twaalfde lid, onderdeel a;
    b. Het model en het instrument, bedoeld in het twaalfde lid, onderdeel b.
14. Bij of krachtens algemene maatregel van bestuur kan worden bepaald dat de bijstand bij een of meer taken als bedoeld in het eerste lid, onderdelen b en c, niet verplicht is met inachtneming van bij of krachtens die algemene maatregel van bestuur gegeven voorschriften.

**Artikel 14a Vangnetregeling aanvullende deskundige bijstand op het gebied van preventie en bescherming**

1. Indien de bijstand bij de taken, bedoeld in artikel 14, eerste lid, niet is georganiseerd met toepassing van artikel 14, negende lid, wordt deze bijstand georganiseerd met inachtneming van dit artikel.
2. De werkgever laat zich met betrekking tot de taken, bedoeld in artikel 14, eerste lid, bijstaan door een arbodienst, ten behoeve waarvan overeenkomstig artikel 20 een certificaat is afgegeven en die deel uitmaakt van de organisatie van het bedrijf of de inrichting.
3. Voorzover de mogelijkheden onvoldoende zijn om de bijstand binnen het bedrijf of de inrichting te organiseren, wordt de bijstand verleend door een andere arbodienst ten behoeve waarvan, overeenkomstig artikel 20, een certificaat is afgegeven.
4. De deskundige werknemers en andere deskundige personen, bedoeld in artikel 13, en de werknemers van een arbodienst, werken bij het verlenen van bijstand aan een werkgever samen.
5. Artikel 13, vijfde en zesde lid, is van overeenkomstige toepassing.
6. Artikel 14, derde tot en met zesde lid, twaalfde tot en met veertiende lid, is van toepassing.

**Artikel 15 Deskundige bijstand op het gebied van bedrijfshulpverlening**

1. De werkgever laat zich ten aanzien van de naleving van zijn verplichtingen op grond van artikel 3, eerste lid, onder *e*, van deze wet bijstaan door een of meer werknemers die door hem zijn aangewezen als bedrijfshulpverleners.
2. Het verlenen van de bijstand houdt in elk geval in:
   a. het verlenen van eerste hulp bij ongevallen;
   b. het beperken en het bestrijden van brand en het beperken van de gevolgen van ongevallen;
   c. het in noodsituaties alarmeren en evacueren van alle werknemers en andere personen in het bedrijf of de inrichting.
3. De bedrijfshulpverleners beschikken over een zodanige opleiding en uitrusting, zijn zodanig in aantal en zodanig georganiseerd dat zij de in het tweede lid genoemde taken naar behoren kunnen vervullen.

**Artikel 15a Informatierechten deskundige werknemers en personen, bedrijfshulpverleners en arbodiensten**

De werkgever zorgt ervoor dat de deskundige werknemers en de andere deskundige personen, bedoeld in artikel 13, de personen, bedoeld in artikel 14, eerste lid, de bedrijfshulpverleners, bedoeld in artikel 15, en de arbodienst kennis kunnen nemen van:
a. de ongevalsrapportages en de lijst van arbeidsongevallen, bedoeld in artikel 9;
b. een eis als bedoeld in artikel 27, eerste lid;
c. een bevel als bedoeld in artikel 28, eerste lid;
d. een verzoek om ontheffing als bedoeld in artikel 30, tweede lid;
e. een beschikking tot oplegging van een last onder bestuursdwang of tot oplegging van een last onder dwangsom als bedoeld in artikel 28a;
f. een rapport als bedoeld in artikel 36, eerste lid;
g. een beschikking als bedoeld in artikel 37, eerste lid.

## Hoofdstuk 4 Bijzondere verplichtingen

**Artikel 16 Nadere regels met betrekking tot arbeidsomstandigheden alsmede uitzonderingen op en uitbreidingen van toepassingsgebied**

1. Bij of krachtens algemene maatregel van bestuur worden regels gesteld in verband met arbeidsomstandigheden van de werknemers.
2. De in het eerste lid bedoelde regels
   a. hebben betrekking op de arbozorg en de organisatie van de arbeid, de inrichting van de arbeidsplaatsen, het werken met gevaarlijke stoffen en biologische agentia, de mate van fysieke belasting waaraan werknemers blootstaan, de fysische factoren die zich op de arbeidsplaats voordoen, de bij de arbeid gebruikte arbeidsmiddelen en persoonlijke beschermingsmiddelen

en de op de arbeidsplaats te gebruiken veiligheids- en gezondheidssignalering en

b. kunnen mede strekken ter uitvoering van de artikelen 3, 4, 5, 8, 9, 14, 14a, 15 en 18.

3. De in het eerste en tweede lid bedoelde regels kunnen inhouden:

a. een verbod om bepaalde bij die maatregel omschreven arbeid te verrichten of te doen verrichten waaraan bijzondere gevaren voor de veiligheid of de gezondheid zijn verbonden;

b. een verbod om bepaalde bij die maatregel omschreven arbeid te verrichten of te doen verrichten, indien met betrekking tot die arbeid niet aan de bij of krachtens die maatregel vastgestelde voorwaarden of voorschriften is voldaan;

c. een verbod om bepaalde bij die maatregel omschreven gevaarlijke stoffen of voorwerpen voorhanden te hebben, waaraan bijzondere gevaren voor de veiligheid of de gezondheid zijn verbonden;

d. een verbod om bepaalde bij die maatregel omschreven gevaarlijke stoffen of voorwerpen voorhanden te hebben, indien met betrekking tot die stoffen of voorwerpen niet aan de bij of krachtens die maatregel vastgestelde voorwaarden of voorschriften is voldaan;

e. een verbod om bepaalde bij die maatregel omschreven arbeid te verrichten of te doen verrichten indien de werknemers niet arbeidsgezondheidskundig zijn onderzocht.

4. Bij of krachtens algemene maatregel van bestuur kan worden bepaald dat deze wet en de daarop berustende bepalingen geheel of gedeeltelijk niet van toepassing zijn op:

a. arbeid verricht in of op een luchtvaartuig, dan wel een zeeschip of binnenvaartuig, dan wel een voertuig op een openbare weg of een spoor- of tramweg;

b. arbeid verricht in militaire dienst;

c. arbeid verricht door werknemers en verrichtingen als bedoeld in artikel 2, onderdeel b, van leerlingen en studenten in onderwijsinrichtingen;

d. arbeid verricht bij een verkenningsonderzoek, het opsporen of winnen van delfstoffen of aardwarmte dan wel het opslaan van stoffen als bedoeld in de Mijnbouwwet;

e. arbeid verricht binnen de exclusieve economische zone.

5. De in het derde lid, onder e, bedoelde maatregel stelt het verrichten van arbeid slechts afhankelijk van het resultaat van een arbeidsgezondheidskundig onderzoek voor zover die arbeid bijzondere gevaren meebrengt voor het leven of de gezondheid van de werknemer zelf of van andere personen of voor zover dit om andere bijzondere redenen geboden is. Bij of krachtens algemene maatregel van bestuur worden met betrekking tot dit arbeidsgezondheidskundig onderzoek en de wijze van registratie, verwerking en bewaring van de uitslag daarvan

nadere regels gesteld. Deze hebben in ieder geval betrekking op de gevallen waarin en de wijze waarop een verzoek tot herkeuring kan worden gedaan.

6. Bij of krachtens algemene maatregel van bestuur kunnen met betrekking tot de arbeid of de verrichtingen:
   a. bedoeld in het vierde lid;
   b. verricht in de burgerlijke openbare dienst;
   c. verricht in een gevangenis of huis van bewaring als bedoeld in de Penitentiaire beginselenwet, een justitiële inrichting voor verpleging van ter beschikking gestelden als bedoeld in de Beginselenwet verpleging ter beschikking gestelden of een inrichting als bedoeld in de Beginselenwet justitiële jeugdinrichtingen,

   regels worden gesteld die afwijken van deze wet of de daarop berustende bepalingen of strekken tot aanvulling daarvan. Met betrekking tot de arbeid of de verrichtingen, bedoeld in het vierde lid, onder c, kan bij of krachtens algemene maatregel van bestuur worden bepaald dat afdeling 4.1.2 van de Algemene wet bestuursrecht niet van toepassing is.

7. Bij algemene maatregel van bestuur kan worden bepaald dat de verplichting tot naleving van daarbij aangewezen voorschriften van deze wet of de daarop berustende bepalingen, voorzover zij betrekking hebben op arbeid waaraan bijzondere gevaren voor de veiligheid of de gezondheid zijn verbonden, zich mede richt tot:
   a. een zelfstandige;
   b. een werkgever die deze arbeid zelf verricht;
   c. degene bij wie vrijwilligers werkzaam zijn;
   d. een vrijwilliger.

8. Bij algemene maatregel van bestuur kan worden bepaald dat de verplichting tot naleving van daarbij aangegeven voorschriften in de gevallen bij die maatregel omschreven rust op een ander dan de werkgever. Aangewezen kunnen worden de eigenaar of beheerder dan wel degene die anderszins bevoegd is te beslissen over het ontwerp, de vervaardiging dan wel het onderhoud van arbeidsplaatsen en arbeidsmiddelen, zoals zonodig nader bij die maatregel is bepaald.

9. De in het eerste lid bedoelde regels kunnen betrekking hebben op andere onderwerpen dan die genoemd in het tweede lid of zich richten tot andere personen dan de werkgever of de in het zevende en achtste lid bedoelde personen, indien dat noodzakelijk is ter uitvoering van krachtens het Verdrag tot oprichting van de Europese Gemeenschap vastgestelde verplichtingen met betrekking tot de bevordering van de verbetering van het arbeidsmilieu.

10. De werkgever, dan wel een ander dan de werkgever bedoeld in het zevende, achtste of negende lid en de werknemers zijn verplicht tot naleving van de voorschriften en verboden vastgesteld bij of krachtens de op grond van dit artikel, artikel 20, eerste lid, en artikel 24, negende lid, vastgestelde algemene

maatregel van bestuur voorzover en op de wijze als bij of krachtens deze maatregel is bepaald.

11. Voor zover het niet naleven van de in het tiende lid bedoelde voorschriften en verboden is aangewezen als een strafbaar feit, is dat feit een overtreding in de zin van artikel 2, derde lid, van de Wet op de economische delicten.

### Artikel 17 Maatwerk door werkgevers en werknemers

Bij algemene maatregel van bestuur kan, met inachtneming van in die maatregel gegeven voorschriften, worden bepaald dat aan een of meer van de krachtens deze wet vastgestelde bepalingen op een andere wijze kan worden voldaan dan in die bepalingen is aangegeven, echter uitsluitend bij collectieve regeling als bedoeld in artikel 1:3, eerste lid van de Arbeidstijdenwet, dan wel een regeling waaromtrent de werkgever schriftelijk overeenstemming heeft bereikt met de ondernemingsraad of de personeelsvertegenwoordiging. Daarbij wordt te allen tijde in acht genomen dat geen afbreuk wordt gedaan aan het beschermingsniveau van de in de eerste volzin bedoelde bepalingen.

### Artikel 18 Arbeidsgezondheidskundig onderzoek

De werkgever stelt de werknemers periodiek in de gelegenheid een onderzoek te ondergaan, dat erop is gericht de risico's die de arbeid voor de gezondheid van de werknemers met zich brengt zoveel mogelijk te voorkomen of te beperken.

### Artikel 19 Verschillende werkgevers

1. Indien in een bedrijf of een inrichting verschillende werkgevers arbeid doen verrichten, werken zij onderling op doelmatige wijze samen teneinde de naleving van het bij of krachtens deze wet bepaalde te verzekeren.

2. Alvorens werkzaamheden behorende tot een bij algemene maatregel van bestuur aangewezen categorie aanvangen zorgen de werkgevers ervoor dat schriftelijk is vastgelegd op welke wijze zal worden samengewerkt, welke voorzieningen daarbij zullen worden getroffen en op welke wijze op die voorzieningen toezicht zal worden uitgeoefend.

### Artikel 20 Certificatie

1. Bij of krachtens algemene maatregel van bestuur worden regels gesteld op grond waarvan werkgevers, werknemers, andere personen of instellingen in het bezit moeten zijn van een of meer certificaten waaruit blijkt dat zij voldoen aan voorschriften, gesteld bij of krachtens deze wet.

2. Onze Minister dan wel een door Onze Minister op verzoek aangewezen instelling beslist op aanvraag over de afgifte van het certificaat en is tevens bevoegd een afgegeven certificaat in te trekken of te schorsen. De Kaderwet zelfstandige bestuursorganen is niet van toepassing op aangewezen instellingen als bedoeld in de eerste zin.

3. Een certificaat als bedoeld in het eerste lid en een aanwijzing als bedoeld in het tweede lid worden gegeven voor een beperkte tijdsduur. Aan een aanwijzing en een certificaat kunnen voorschriften worden verbonden. De bedoelde beperking en voorschriften worden in de aanwijzing en het certificaat vermeld.

4. Bij of krachtens algemene maatregel van bestuur worden regels gesteld onder meer met betrekking tot:
   a. de wijze waarop de aanvraag om een certificaat als bedoeld in het eerste lid en een aanwijzing als bedoeld in het tweede lid wordt gedaan en de gegevens die daarbij van de aanvrager worden verlangd;
   b. de gronden waarop een aanwijzing kan worden gegeven, gewijzigd, geschorst of ingetrokken;
   c. de gronden waarop en de gevallen waarin de afgifte van een certificaat kan worden geweigerd dan wel een afgegeven certificaat kan worden geschorst of ingetrokken;
   d. de vergoeding van de kosten die is verschuldigd in verband met de afgifte van een certificaat of het geven van een aanwijzing.

5. De kosten van onderzoeken of nog steeds wordt voldaan aan de voorwaarden voor de afgifte van een certificaat onderscheidenlijk het geven van een aanwijzing, kunnen eveneens ten laste worden gebracht van de houder van het certificaat onderscheidenlijk de aangewezen instelling, mits deze onderzoeken en kosten zijn vastgelegd in een voorschrift als bedoeld in het derde lid.

6. Indien bij de afgifte van een certificaat, het geven van een aanwijzing of het verrichten van een onderzoek als bedoeld in het vijfde lid, diensten van derden worden benut, kunnen ook de door die derden gemaakte kosten ten laste worden gebracht van de houder van het certificaat onderscheidenlijk de aangewezen instelling dan wel de aanvrager, bedoeld in het vierde lid, onder a.

7. De berekening van de door derden gemaakte kosten als bedoeld in het zesde lid, voor zover deze ten laste worden gebracht van de houder van een certificaat onderscheidenlijk de aangewezen instelling dan wel de aanvrager, bedoeld in het vierde lid, onder a, geschiedt door die derden op zorgvuldige, transparante en éénduidige wijze met inachtneming van de redelijkheid en proportionaliteit.

8. Bij ministeriële regeling worden nadere regels gesteld betreffende de wijze van betaling van de vergoeding van de kosten, bedoeld in het vierde, vijfde en zesde lid.

### Artikel 21 Informatievoorziening

1. De krachtens artikel 20, tweede lid, aangewezen instellingen verstrekken desgevraagd kosteloos aan Onze Minister de voor de uitoefening van zijn taak benodigde inlichtingen. Onze Minister kan inzage vorderen van zakelijke gegevens en bescheiden, voor zover dat voor de vervulling van zijn taak redelijkerwijs nodig is.

2. Bij algemene maatregel van bestuur kunnen de krachtens artikel 20, tweede lid, aangewezen instellingen worden verplicht tot het periodiek opstellen en toezenden aan Onze Minister van een verslag van de in artikel 20, tweede lid, genoemde werkzaamheden en de rechtmatigheid en doeltreffendheid van die werkzaamheden en werkwijze in de afgelopen periode.

### Artikel 22 Aanwijzingen

1. Onze Minister kan de krachtens artikel 20, tweede lid, aangewezen instellingen aanwijzingen geven met betrekking tot de uitoefening van hun taak. Hij treedt daarbij niet in individuele gevallen.
2. De krachtens artikel 20, tweede lid, aangewezen instellingen zijn gehouden overeenkomstig de aanwijzing, bedoeld in het eerste lid, te handelen.

### Artikel 23 Taakverwaarlozing

Bij algemene maatregel van bestuur kunnen, voor zoveel nodig in afwijking van deze wet, voorzieningen worden getroffen voor het geval de krachtens artikel 20, tweede lid, aangewezen instellingen hun uit deze wet voortvloeiende verplichtingen niet naar behoren nakomen.

## Hoofdstuk 5 Toezicht en ambtelijke bevelen

### Artikel 24 Ambtenaren belast met het toezicht

1. Met het toezicht op de naleving van het bepaalde bij of krachtens deze wet zijn belast de bij besluit van Onze Minister aangewezen onder hem ressorterende ambtenaren.
2. Met betrekking tot door Onze Minister aangewezen categorieën van arbeid zijn met het toezicht op de naleving van het bepaalde bij of krachtens deze wet belast of mede belast de door hem aangewezen andere ambtenaren dan de in het eerste lid bedoelde. Indien ambtenaren worden aangewezen die ressorteren onder een andere minister, wordt het besluit tot aanwijzing van die ambtenaren genomen door Onze Minister en die andere minister gezamenlijk. Van een besluit als bedoeld in het eerste lid en in dit lid wordt mededeling gedaan door plaatsing in de *Staatscourant*.
3. De toezichthouder is bevoegd, met medeneming van de benodigde apparatuur, een woning binnen te treden zonder toestemming van de bewoner.
4. De toezichthouder is voorts bevoegd te allen tijde ter zake van een arbeidsongeval een onderzoek in te stellen. Hij stelt naar aanleiding van dat onderzoek een rapport op.
5. De toezichthouder stelt ter voldoening aan artikel 5:18, zesde lid, van de Algemene wet bestuursrecht een rapport op; dit rapport en een rapport als bedoeld

in het vierde lid zendt hij aan de werkgever, aan de ondernemingsraad of aan de personeelsvertegenwoordiging.

6. De toezichthouder is bevoegd bij het verwerken van persoonsgegevens gebruik te maken van het burgerservicenummer of, bij het ontbreken daarvan, het sociaal-fiscaal nummer, voorzover dat voor de vervulling van zijn taak redelijkerwijs nodig is.

7. De toezichthouder geeft zo spoedig mogelijk gehoor aan het verzoek om een onderzoek in te stellen, gedaan door de ondernemingsraad of de personeelsvertegenwoordiging, dan wel door een vereniging van werknemers, die krachtens haar statuten ten doel heeft de belangen van haar leden als werknemers te behartigen en als zodanig in de betrokken onderneming of bedrijfstak werkzaam is en in het bezit is van volledige rechtsbevoegdheid.

8. Ten dienste van het onderzoek naar een overtreding is de toezichthouder, voor zover dat voor de vervulling van zijn taak redelijkerwijs nodig is, bevoegd ieder staande te houden en te vorderen dat hij zijn naam, voornamen, geboortedatum en geboortejaar en adres opgeeft.

9. Bij of krachtens algemene maatregel van bestuur kan worden bepaald dat in de bij of krachtens die maatregel te bepalen gevallen en wijze degene die arbeid verricht of doet verrichten in de territoriale zee of de exclusieve economische zone, verplicht is de toezichthouder bij de uitoefening van zijn bevoegdheden te vervoeren naar door de toezichthouder aan te duiden plaatsen waar deze arbeid wordt of zal worden verricht.

### Artikel 25 Toezicht op instellingen
Onze Minister ziet toe op de rechtmatige en doeltreffende uitvoering van het bepaalde bij en krachtens deze wet door krachtens artikel 20, tweede lid, aangewezen instellingen.

### Artikel 26 Geheimhouding
De toezichthouders zijn, behoudens tegenover hen aan wier gezag zij uit kracht van hun ambt zijn onderworpen, verplicht tot geheimhouding van de namen van de personen door wie een klacht is ingediend of aangifte is gedaan van een overtreding van deze wet en de daarop berustende bepalingen, behoudens wanneer deze personen hun schriftelijk hebben verklaard tegen de mededeling van hun namen geen bedenkingen te hebben.

### Artikel 27 Eis tot naleving
1. Een daartoe aangewezen toezichthouder kan aan een werkgever een eis stellen betreffende de wijze waarop een of meer bepalingen gesteld bij of krachtens deze wet moeten worden nageleefd.

2. Een eis vermeldt van welke regelen hij de wijze van naleving bepaalt en bevat de termijn waarbinnen eraan moet zijn voldaan.

3. De werkgever is verplicht om aan de eis te voldoen. De werknemers zijn verplicht aan de eis te voldoen voor zover zulks bij de eis is bepaald. De werkgever draagt zorg dat de werknemers van de op hen rustende verplichting zo spoedig mogelijk in kennis worden gesteld.

4. Voor de toepassing van de vorige leden worden met een werkgever gelijkgesteld:

    de in artikel 16, zevende, achtste en negende lid, bedoelde personen voor zover het betreft de krachtens dat artikel omschreven verplichtingen.

5. Een eis kan worden gesteld tot naleving van de artikelen 3, 4, 5, 6, 8, 11, 13, eerste tot en met vierde lid, negende en tiende lid, 14, eerste, tweede en zevende lid, 14a, tweede, derde en vierde lid, 15, eerste en derde lid, 16, voorzover dat bij de krachtens dat artikel gestelde regels is bepaald, 18 en 19.

## Artikel 28 Stillegging van het werk

1. Een daartoe aangewezen toezichthouder is bevoegd mondeling of bij gedagtekend schrijven te bevelen, dat personen niet mogen blijven in door hem aangewezen plaatsen, of dat door hem aangewezen werkzaamheden worden gestaakt dan wel niet mogen worden aangevangen, indien naar zijn redelijk oordeel dat verblijf of die werkzaamheden ernstig gevaar opleveren voor personen.

2. Een mondeling bevel wordt zo spoedig mogelijk schriftelijk bevestigd aan de werkgever of aan de andere personen, bedoeld in artikel 16, zevende, achtste en negende lid.

3. De bevoegdheid, bedoeld in het eerste lid, geldt mede in die gevallen, waarin op grond van het bepaalde in artikel 27 aan een gestelde eis nog geen uitvoering behoeft te worden gegeven.

4. Zodra naar het oordeel van de toezichthouder die een bevel als bedoeld in het eerste lid gaf, geen ernstig gevaar meer aanwezig is, trekt hij het bevel in.

5. De toezichthouder, die een bevel als bedoeld in het eerste lid gegeven heeft, is bevoegd met betrekking tot dit bevel de nodige maatregelen te treffen, de nodige aanwijzingen te geven en de hulp van de sterke arm in te roepen. De maatregelen en aanwijzingen kunnen onder meer betrekking hebben op het verzegelen van arbeidsmiddelen en arbeidsplaatsen.

6. Ieder wie zulks aangaat is verplicht zich te gedragen overeenkomstig een bevel, als bedoeld in het eerste lid en een aanwijzing als bedoeld in het vijfde lid.

7. Het opzettelijk niet naleven van het zesde lid is een misdrijf in de zin van artikel 2, derde lid, van de Wet op de economische delicten.

## Artikel 28a Last onder bestuursdwang

Een daartoe aangewezen toezichthouder is bevoegd tot oplegging van een last onder bestuursdwang ter zake van de naleving van artikel 5:20 van de Algemene wet bestuursrecht, voor zover het de verplichting betreft tot het verlenen van medewerking aan de toezichthouder, de artikelen 24, negende lid, en 28, eerste lid, en de daartoe bij algemene maatregel van bestuur aangewezen bepalingen krachtens deze wet.

### Artikel 29 Werkonderbreking

1. Een werknemer is bevoegd het werk te onderbreken en de onderbreking voort te zetten, indien en zolang naar zijn redelijk oordeel ernstig gevaar voor personen als bedoeld in artikel 28 aanwezig is en naar zijn redelijk oordeel het gevaar zo onmiddellijk dreigt dat een toezichthouder niet tijdig kan optreden. Voor de duur van de onderbreking behoudt de werknemer zijn aanspraak op het naar tijdruimte vastgesteld loon. De werknemer mag als gevolg van de werkonderbreking niet worden benadeeld in zijn positie in het bedrijf of in de inrichting.
2. Degene die stelt dat de werknemer de aanwezigheid van onmiddellijk dreigend gevaar als bedoeld in het eerste lid op grond van de feiten waarop hij zich beroept, niet naar zijn redelijk oordeel mocht aannemen, moet dit bewijzen.
3. Indien de onderbreking van het werk geschiedt buiten weten van de werkgever onderscheidenlijk de bij de arbeid betrokken leidinggevende persoon, moet de werknemer de onderbreking terstond bij deze melden.
4. De onderbreking van het werk wordt zo spoedig mogelijk ter kennis gebracht van de daartoe aangewezen toezichthouder, die een bevel geeft krachtens artikel 28, eerste lid, of verklaart, zo nodig onder het stellen van een eis als bedoeld in artikel 27, dat de arbeid kan worden verricht. Door de beschikking van de daartoe aangewezen toezichthouder eindigt de bevoegdheid van de werknemer de werkonderbreking voort te zetten.

### Artikel 29a Gegevensuitwisseling

1. Bestuursorganen en een instelling als bedoeld in artikel 20, tweede lid, zijn bevoegd uit eigen beweging en verplicht desgevraagd aan Onze Minister en de toezichthouder kosteloos alle gegevens en inlichtingen te verstrekken die noodzakelijk zijn voor de uitvoering en het toezicht op de naleving van het bepaalde bij of krachtens deze wet en dit noodzakelijk is ten behoeve van een samenwerkingsverband tussen twee of meer van de voornoemde instanties.
2. Onze Minister en de toezichthouder verstrekken andere bestuursorganen en een instelling als bedoeld in artikel 20, tweede lid, kosteloos alle gegevens en inlichtingen, die zijn verkregen door de uitvoering of het toezicht op de naleving van het bepaalde bij of krachtens deze wet, welke noodzakelijk zijn voor de uitvoering van hun wettelijke taak en dit noodzakelijk is ten behoeve van een samenwerkingsverband tussen twee of meer van de voornoemde instanties.
3. Onze Minister, bestuursorganen, de toezichthouder en een instelling als bedoeld in artikel 20, tweede lid, kunnen bij het verwerken van persoonsgegevens

gebruik maken van het burgerservicenummer of, bij het ontbreken daarvan, het sociaal-fiscaalnummer.

4. De gegevensverstrekking, bedoeld in het eerste en tweede lid, vindt niet plaats indien de persoonlijke levenssfeer van de betrokkene daardoor onevenredig wordt geschaad.

5. Bij of krachtens algemene maatregel van bestuur kunnen regels worden gesteld omtrent de gevallen waarin en de wijze waarop in ieder geval gegevens worden verstrekt.

## Hoofdstuk 6 Vrijstellingen, ontheffingen en beroep

### Artikel 30 Vrijstelling en ontheffing

1. Onze Minister kan met betrekking tot categorieën van bedrijven, inrichtingen, of arbeidsverhoudingen vrijstelling verlenen van de voorschriften zoals die bij of krachtens artikel 5, en de artikelen 12 tot en met 18 zijn vastgesteld.

2. Een daartoe aangewezen toezichthouder kan met betrekking tot een individueel bedrijf of inrichting ontheffing verlenen van de in het eerste lid bedoelde voorschriften, tenzij met betrekking tot een dergelijk voorschrift een eis is gesteld.

3. Bij algemene maatregel van bestuur kunnen regelen worden gesteld inzake het verlenen van vrijstellingen of ontheffingen als bedoeld in het eerste onderscheidenlijk tweede lid.

4. Een vrijstelling of een ontheffing kan onder beperkingen worden verleend.

5. Aan een vrijstelling of een ontheffing kunnen voorschriften worden verbonden.

6. Een vrijstelling onderscheidenlijk ontheffing kan worden ingetrokken wanneer:
   a. een of meer der redenen waarom zij is verleend is of zijn vervallen;
   b. een of meer van de daaraan verbonden voorschriften niet wordt of worden nageleefd;
   c. zich na de verlening zodanige feiten of omstandigheden voordoen dat, indien deze ten tijde van de verlening bekend waren geweest, de vrijstelling of ontheffing niet of niet in die vorm zou zijn verleend.

7. De werking van een beschikking inzake een ontheffing wordt opgeschort totdat de termijn voor het indienen van een bezwaar- of beroepschrift is verstreken of, indien bezwaar is gemaakt of beroep is ingesteld, op het bezwaar of beroep is beslist.

### Artikel 31 Beroep

1. Tegen een beschikking op grond van deze wet van een ambtenaar als bedoeld in artikel 24, tweede lid, kan door een belanghebbende administratief beroep worden ingesteld bij Onze Minister.
2. Een beschikking op grond van deze wet van een ambtenaar als bedoeld in de artikelen 24, eerste lid en 34, eerste lid, wordt gegeven namens Onze Minister.

## Hoofdstuk 7 Sancties

### Artikel 32 Strafbepaling

1. Het is de werkgever verboden handelingen te verrichten of na te laten in strijd met deze wet of de daarop berustende bepalingen indien daardoor, naar hij weet of redelijkerwijs moet weten, levensgevaar of ernstige schade aan de gezondheid van een of meer werknemers ontstaat of te verwachten is.
2. Het niet naleven van het eerste lid is een misdrijf in de zin van artikel 2, derde lid, van de Wet op de economische delicten.

### Artikel 33 Overtredingen

1. Als overtreding wordt aangemerkt het niet naleven van de artikelen 3, 4, eerste lid, 5, 8, 9, eerste en tweede lid, 11, 13, eerste tot en met vierde lid, negende en tiende lid, 14, eerste, tweede en zevende lid, 14a, tweede, derde en vierde lid, 15, eerste en derde lid, 18en 19. Ter zake van de overtredingen, bedoeld in de vorige zin, kan een bestuurlijke boete worden opgelegd van de eerste categorie.
2. Als overtreding wordt tevens aangemerkt het niet naleven van artikel 16, tiende lid, voor zover het niet naleven van de in dat artikellid bedoelde voorschriften en verboden bij of krachtens algemene maatregel van bestuur is aangemerkt als overtreding. Ter zake van de overtredingen, bedoeld in de vorige zin, wordt bij of krachtens algemene maatregel van bestuur bepaald of een bestuurlijke boete kan worden opgelegd van de eerste of tweede categorie.
3. Een overtreding als bedoeld in het eerste of tweede lid wordt aangemerkt als een strafbaar feit, indien tweemaal binnen een aan de dag van het constateren van die overtreding voorafgaande periode van 48 maanden, met respectievelijke tussenliggende perioden van ten hoogste 24 maanden, voor een overtreding bestaande uit het niet naleven van eenzelfde wettelijke bepaling een bestuurlijke boete is opgelegd die onherroepelijk is geworden.
4. Geen bestuurlijke boete kan worden opgelegd ter zake van bij of krachtens deze wet strafbaar gestelde feiten.
5. Het strafbaar feit, bedoeld in het derde lid, is een overtreding in de zin van artikel 2, derde lid, van de Wet op de economische delicten.

## Artikel 33a
(Vervallen.)

### Artikel 34 Hoogte bestuurlijke boete en recidive

1. Een daartoe door Onze Minister aangewezen, onder hem ressorterende ambtenaar legt de bestuurlijke boete op aan de overtreder op wie de verplichtingen rusten die voortvloeien uit deze wet en de daarop berustende bepalingen, voor zover het niet naleven daarvan is aangeduid als overtreding.
2. De ambtenaar, bedoeld in het eerste lid, is niet reeds aangewezen als toezichthouder.
3. De hoogte van de bestuurlijke boete die ten hoogste voor een overtreding kan worden opgelegd is gelijk aan de geldsom van de categorie die voor de overtreding is bepaald. Artikel 5:53 van de Algemene wet bestuursrecht is van toepassing indien een artikel gesteld bij of krachtens deze wet op grond waarvan een bestuurlijke boete kan worden opgelegd, niet is nageleefd.
4. Er zijn 2 categorieën:
   1°. de eerste categorie: € 9.000;
   2°. de tweede categorie: € 22.500.
5. Onze Minister stelt beleidsregels vast waarin is aangegeven hoe de hoogte van de op te leggen bestuurlijke boete wordt bepaald.
6. Onverminderd het vierde lid verhoogt de aangewezen ambtenaar, bedoeld in het eerste lid, de op te leggen bestuurlijke boete met 50%, indien op de dag van het constateren van de overtreding nog geen 24 maanden zijn verstreken nadat een eerdere overtreding bestaande uit het niet naleven van eenzelfde wettelijke verplichting is geconstateerd en de bestuurlijke boete wegens de eerdere overtreding onherroepelijk is geworden.

## Artikel 35
(Vervallen.)

### Artikel 36 Boeterapport

1. Onverminderd artikel 5:48, tweede lid, van de Algemene wet bestuursrecht vermeldt het rapport naast de overtreder in ieder geval de andere bij de overtreding betrokken persoon of personen.
2. Het rapport wordt toegezonden aan de daartoe op grond van artikel 34, eerste lid, aangewezen ambtenaar.
3. Een afschrift van het rapport wordt toegezonden of uitgereikt aan de andere bij de overtreding betrokken persoon of personen, bedoeld in het eerste lid.

### Artikel 37 Boetebeschikking
Een afschrift van de boetebeschikking wordt toegezonden of uitgereikt aan de andere bij de overtreding betrokken persoon of personen, bedoeld in artikel 36,

eerste lid, en in voorkomend geval, desgevraagd aan zijn of hun nabestaande of nabestaanden.

### Artikel 38 Inlichtingenplicht jegens de boeteoplegger

Degene aan wie een bestuurlijke boete is opgelegd is verplicht desgevraagd aan de daartoe op grond van artikel 34, eerste lid, aangewezen ambtenaar de inlichtingen te verstrekken die voor de tenuitvoerlegging van de boete van belang zijn.

### Artikel 39-41

(Vervallen.)

### Artikel 42 Wijziging boetebedrag

In afwijking van artikel 8:69 van de Algemene wet bestuursrecht kan de rechter in beroep of hoger beroep het bedrag waarop de bestuurlijke boete is vastgesteld ook ten nadele van de belanghebbende wijzigen.

### Artikel 43 Terugbetaling

Indien een bestuurlijke boete ten onrechte is opgelegd, wordt deze binnen zes weken nadat is vastgesteld dat de bestuurlijke boete ten onrechte is opgelegd, aan de rechthebbende terugbetaald.

## Hoofdstuk 8 Overgangs- en slotbepalingen

### Artikel 44 Kosten

De kosten die zijn verbonden aan de naleving van de regels die bij of krachtens deze wet zijn gesteld, worden niet ten laste van de werknemers gebracht.

### Artikel 45 Evaluatie

Onze Minister zendt binnen 5 jaar na de inwerkingtreding van de Wet van 30 november 2006 tot wijziging van de Arbeidsomstandighedenwet 1998 en enige andere wetten in verband met het vergroten van de verantwoordelijkheid van werkgevers en werknemers voor het arbeidsomstandighedenbeleid (*Stb.* 2006, 673) aan de Staten-Generaal een verslag over de doeltreffendheid en de effecten van deze wet in de praktijk.

### Artikel 46 Citeertitel

Deze wet wordt aangehaald als: Arbeidsomstandighedenwet.

### Artikel 47-66

(Vervallen.)

Lasten en bevelen dat deze in het *Staatsblad* zal worden geplaatst en dat alle ministeries, autoriteiten, colleges en ambtenaren wie zulks aangaat, aan de nauwkeurige uitvoering de hand zullen houden.

Gegeven te 's-Gravenhage, 18 maart 1999
Beatrix

De Staatssecretaris van Sociale Zaken en Werkgelegenheid,
J. F. Hoogervorst

Uitgegeven de negenentwintigste april 1999
De Minister van Justitie,
A. H. Korthals

# Trefwoordenregister

**A**

aansprakelijkheid 73
aansprakelijkheidsverzekering 80
aanstellingskeuringen, privacy 158
achterban
- checklist 419
- VGW(M)-commissie 348
achterbancontact 348
Activiteitenbesluit 186
adressen 427
adviesrecht
- medezeggenschapsraad 61
- milieubeleid 193
- ondernemingsraad 54
afkortingen 455
afmetingen werkruimte 204
afwisselend werk 279
agressie en geweld 322
- checklist 396
analyse huidige situatie 87
arbeidsgezondheidskundig
  onderzoek 477
- gevaarlijke stoffen 231
arbeidshygiënische strategie 227,
  300
- schadelijk geluid 245
Arbeidsinspectie 43, 44, 65, 116
- bevoegdheden/verplichtingen 44,
  67
- rechten or 44, 55
- rechten PVT 58
arbeidsmiddelen, veiligheid 287

arbeidsomstandigheden 21
- en milieu 192
arbeidsongeschiktheid
- psychische aandoeningen 309, 311
- WIA 144
arbeidsongeschiktheidsuitkering,
  aanvraag 143
arbeidsongevallen, zie ongevallen
arbeidsplaats
- aanpassing 464
- inrichting 201
- zie ook werkplek
arbobeleid 85
- Arbowet 463
- certificering 97
- checklist 379
- ongewenste omgangsvormen 329
- persoonlijke
  beschermingsmiddelen 300
- voeren 40
arbobeleidskwestie, checklist aanpak
  422
arbobeleidsplan 87
- voorbeelddocument 444
arbobeleidsregels 30, 38
Arbobesluit 28, 38
- arbeidsmiddelen 288
arbocatalogus 31
- fysieke belasting 258
- werkdruk 313
arbocoördinator 112
arbodeskundige, plan van aanpak 130

arbodienst 173
- adressen 428
- beoordeling 393
- bijstand werkzaamheden 41
- gespreksvragen 393
- keuze 391
- RI&E 122
- taken arbobeleid 116
- verzuim 139
- wettelijke verplichtingen 175
- wisselen van 178
- zie ook deskundige bijstand
arbogereedschapskist 373
Arbo-informatiebladen 28, 453
arbojaarplan 132
arbokennis 90, 349
arbokwestie, checklist aanpak 420
arbo-overleg, VGW(M)-commissie
  343, 350
arboprocedures 89
Arboregeling 28
arborisico's
- speciale verplichtingen 169
- zie ook risico's
arbotaken
- checklist 381
- werkgever 108
- werknemers 110
arbovoorlichting, nieuwe vormen 167
arbowebsites 435
arbowerk 22
arbo-werkgroep 344, 351
Arbowet 28, 39
- Arbeidsinspectie 65
- tekst 461
- toepassingsgebied 27, 39
arbowetgeving, veranderingen 38
arbozorg 107
- kantoorwerk 276
ARIE 228
asbestslachtoffers 79

**B**
bediening machines 290
bedieningsvoorschriften 294
bedrijfsarts 139, 147
- beoordeling 393
- gespreksvragen 393
- keuze 391
- medische geheimhouding 160
- positie 175
- taken arbobeleid 116
- zie ook arbodienst
bedrijfscommissie, bemiddeling 53
bedrijfshulpverleners 42
- aantal 212
- opleiding 214
- taken 210
bedrijfshulpverlening 209
- Arbowet 474
- checklist 402
- opzetten (stappenplan) 215
bedrijfsnoodplan 211
beeldscherm 280
beeldschermwerk 277, 283
beeldschermwerkplek 282
belanghebbende werknemers 63
beroepsziekten
- aansprakelijkheid 79
- melding 139, 468
beschermende kleding, klimaat 255
Besluit Risico Zware Ongevallen
  (BRZO) 228
bestuurlijke boete 69, 74, 484
bestuursdwang 481
bevoegd gezag, milieuvergunning
  187
bewegingsruimte 204
bewijslast werkgever 77
bezoek aan huis, verzuim 149
bijzondere verplichtingen Arbowet
  474
biologische agentia 236
boetebeschikking 485

boeterapport 485
boetes voor werknemers 69
bouwplaats 45
- vereisten 206
bouwproces, wetgeving 45
branche RI&E 123, 125
branchebrochures AI 65
brandvoorzieningen 202
bronaanpak
- biologische agentia 237
- gevaarlijke stoffen 227
- tillen 259
budget voor arbo 368
Bureau Beroepsziekten 79
burn-out 310, 311

C
cao 30
casemanager 142, 150
CE-markering, machineveiligheid 288
certificering 97
- arbodienst 176
- Arbowet 477
checklisten 373
Chemiekaartenboek 227
chemische stoffen
- grenswaarden 223
- regelgeving 223
civiel recht, aansprakelijkheidsstelling 73, 75
CLP-eisen, gevaarlijke stoffen 223
communicatie, arbokwesties 88
compartimentering, opslag gevaarlijke stoffen 221
contract arbodienst 173, 177, 178
- aanbevelingen 450

D
decibel 241
demedicalisering 155
deskundige bijstand 41

- Arbowet 470
- zie ook arbodienst
deskundige hulp, or 52
deskundigen 173
- vs. arbodienst 176
deuren 203
dienstreizen, aansprakelijkheid 79
direct-leidinggevende, taken arbobeleid 109
discriminatie 328
- checklist 397
doorgangen 203
dossiervorming, verzuim 142
doucheruimten 205
duurzaam ondernemen 183
duurzame inzetbaarheid 93
duwen en trekken 268

E
eerstedagscontrole 159
eerstehulpposten 205
eigenrisicodrager 144
eis tot naleving 480
elektra 206
elektrische veiligheid machines 291
energie 184
energiebesparingsplan 187
ergocoach 261
ernstige overtredingen, boetes 69
etikettering, gevaarlijke stoffen 221
evaluatie
- risico's 121
- verzuim 143

F
faciliteiten
- ondernemingsraad 51
- personeelsvertegenwoordiging 57

G
gebruikershandleiding 292
gedrag 23

gedragsregels werknemers, bij ziekte
160
gegaste zeecontainers 235
geheimhouding, toezichthouder 480
gehoorbescherming 245
gehooronderzoek 244
geluid
- beeldschermwerkplek 282
- zie ook lawaai
geluidhinder, arbowetgeving 35
geluidmeting 242
geluidsbelasting 243
gereedschappen, veiligheid 287
gevaar voor derden 468
gevaarlijke stoffen 219
- checklist 399
- machines 291
- opslag 221
gevarenkaart 231
geweld, zie agressie
gezondheidsbeleid 154
gezondheidsmanagement 154
gezondheidsschade
- klimaat 249
- krachtsuitoefening 257
giftige stoffen 221
grenswaarden
- informatiebronnen 227
- gevaarlijke stoffen 223
- zie ook MAC-waarden
groothandel in aardappel, groenten
en fruit, arbocatalogus 33

**H**
hand-armtrillingen 271
heftrucks 296
- checklist veiligheid 409
het nieuwe werken 283
hinderlijk geluid 243
hitte, werken in 252
hogere leidinggevende, taken
arbobeleid 109

**I**
individuele werknemer, rechten 64
informatierecht
- medezeggenschapsraad 60
- ondernemingsraad 52
- personeelsvertegenwoordiging 57
- verzuimbeleid 162
initiatief nemen, VGW(M)-
commissie 341, 351
inrichting werkplek 201
- kantoorwerk 275
instellingsbesluit VGW(M) 339
- voorbeelddocument 446
instemmingsrecht 43
- medezeggenschapsraad 60
- ondernemingsraad 52
- personeelsvertegenwoordiging 58
- RI&E 122
- verzuimbeleid 141, 144, 163
- voorlichting 165
Instituut Asbestslachtoffers 79
intentieverklaring
- arbobeleid 86
- voorbeelddocument 443
- verzuimbeleid 146
interne deskundigheid 123
interne regels 35
intimidatie 323
inventarisatie risico's 119
investering, grote 367
ISO-methode 97

**K**
kankerverwekkende stoffen 38, 219,
220, 224
kantoorstoel 281
kantoorwerk 275
kernverplichtingen 41
keuringsplan 294
klachten
- bij Arbeidsinspectie 44, 55
- bij VGW(M)-commissie 359

klachtenregeling 149
klachtenreglement 331
kleedruimten 205
kleine bedrijven, RI&E-toets 123
klimaat 249
- beeldschermwerkplek 283
- milieuvervuiling 183
kwaliteit, arbodienst 176

L
langdurig zieken, begeleiding 150
laptop 280
lawaai 241
- arbowetgeving 35
- zie ook geluid
- zie ook schadelijk geluid
lawaaidoofheid 241
lawaaizones 245
legionella 237
leidinggevende
- taken arbobeleid 109
- verzuimbegeleiding 145, 148
- verzuimbeleid 146, 138
Leidraad chemische stoffen 224
lichaamstrillingen 271
lichamelijke belasting 257
lifestyle-activiteiten 154
literatuur 439
luchtverversing 253
luchtvervuiling 184

M
maatregelen
- geluidsbelasting 245
- gevaarlijke stoffen 227
- RSI 267
- werkdruk 315
maatschappelijk verantwoord
    ondernemen (MVO) 190
maatwerkregeling 173, 177
- Arbowet 471
- verzuimbeleid 52

machineveiligheid 287
- checklist 407
MAC-waarden 223
magazijn, checklist veiligheid 412
markering vluchtwegen 202
maximaal tilgewicht 259
mechanische veiligheid 290
medezeggenschap
- arbo en verzuim 51
- Arbowet 469
medezeggenschapsraad (MR) 59
medezeggenschapsrechten,
    thematisch overzicht 58
medische gegevens, privacy 158, 160
meerdere werkgevers,
    aansprakelijkheid 78
meldpunt Arbeidsinspectie 66
metaalbewerking en metalelektro,
    arbocatalogus 32
meten werkdruk 315, 318
middelen Arbobeleid 88
milieubelasting, productieproces 184
milieubeleid, checklist 406
milieubeleidsverklaring,
    voorbeelddocument 445
milieucertificering 191
milieuprofielen 194
milieuvergunning 186
milieuverslag 191
milieuvervuiling 183
- checklist 404
milieuvoorschriften inrichting 186
milieuwinst, productieproces 184
milieuzorg 183, 189
milieuzorgsysteem 189
muis 281

N
nanodeeltjes 233
NEN-normen 30
netwerk, VGW(M)-commissie 354
nieuwbouw 364

NIOSH-methode 259
nooduitgangen 201
notebook 280
NPR 5001 97, 101

O
oefening, bedrijfshulpverlening 214
officiële afhandeling ongevallen 361
OHSAS 18001 97, 102
omgangsvormen, ongewenst gedrag
  321
ondergrondse werkzaamheden 207
onderhoud machines 292
onderhoudsplanning 294
ondernemingsraad (or)
- Arbeidsinspectie 70
- arbeidsmiddelen 297
- arbobeleid 115
- arbodienst en deskundigen 179
- bedrijfshulpverlening 215
- bezoek Arbeidsinspectie 44, 55
- bouwproces 48
- certificatiesysteem 104
- checklist VGW 374
- faciliteiten 51
- geluidsbelasting 246
- gevaarlijke stoffen 232
- kantoorwerk 284
- klimaat 256
- lichamelijke belasting 273
- maatschappelijk verantwoord
  ondernemen 191, 193
- maatwerkregeling 177
- milieubeleid 193
- ongewenst gedrag 322, 332
- persoonlijke
  beschermingsmiddelen 305
- plan van aanpak 134
- rechten 51, 55
- RI&E 119, 124, 125
- verzuimbeleid 144, 156, 162
- voorlichting 171

- werkdruk 314
- zie ook VGW(M)-commissie
onderricht 165
- Arbowet 467
- checklist 394
- gevaarlijke stoffen 230
- schadelijk geluid 244
onderwijs
- arbocatalogus 62
- medezeggenschap m.b.t. arbo 59
onderzoek, Arbeidsinspectie 44, 67
ongevallen 42
- aansprakelijkheid 73, 78
- melding 468
- officiële afhandeling 361
- rol or/VGW(M)-commissie 360
ongevallenregister 148
ongevallenverzekering 80
ongewenst gedrag 321
- checklist 397
ontheffing, Arbowet 483
ontruimingsplan 211
ontslag, bij ziekte 140, 143
ontvlambare stoffen 221
ontwerpfase bouwproces 45
oogonderzoek 278
oplosmiddelen, ziek door 225
opslag, gevaarlijke stoffen 221
organisatie
- bedrijfshulpverlening 210
- verzuim 151
- VGW(M)-commissie 345, 356
organisch psychosyndroom (OPS)
  225
overeenstemming or, verzuimbeleid
  52
overleg
- arbodienst en deskundigen 180
- Arbowet 469
- personeelsvertegenwoordiging 57
overspannenheid 310
overtredingen

- aansprakelijkheid 73
- Arbowet 484
- ernstige 69

**P**

PAGO 41, 42, 139, 147
passend werk 140
- verzuimbegeleiding 142
pauzeruimten 204
personeelsbeleid, duurzame
    inzetbaarheid 93
personeelsgeleding MR, rechten 62
personeelsvergadering 63
personeelsvertegenwoordiging
    (PVT), rechten 57
persoonlijke beschermingsmiddelen
    (PBM) 298
- beleid 303
- checklist 415
- gevaarlijke stoffen 228
pesten 325
- checklist 397
plafonds 203
plan van aanpak 91, 122, 129
- checklist 385
- re-integratie 142
- vereisten 126, 129
planmatig werken, VGW(M)-werk
    353
ploegendienst, werkdruk 319
PMO 42, 54
poortwachter, Wet verbetering - 138,
    141
portefeuillehouders milieu 196
preventie
- Arbowet 470
- verzuim 139, 145, 147
preventiemedewerker 41, 112
- checklist 381
privacybescherming, verzuim 157,
    159
procedures, machinewerk 292

proces-verbaal 68
productieproces, milieubelasting 184
psychische aandoeningen,
    arbeidsongeschiktheid 309, 311
psychosociale arbeidsbelasting 41,
    312, 322
publieksvoorlichting 466

**Q**

Quick Scan
- fysieke belasting 258
- werkdruk 315, 318

**R**

raamwet 39
REACH 223
rechtszaken, voorbeelden 75
redelijkerwijsprincipe 40
regelingen, instemmingsrecht or 53
registratie, gevaarlijke stoffen 220
re-integratie 161
- checklist 388
- Wet verbetering poortwachter 141
re-integratiebedrijven 161
- checklist 390
re-integratieverslag 143
repeterend werk 265
RI&E 90, 119
- Arbowet 465
- biologische agentia 237
- checklist 383
- gevaarlijke stoffen 228
- inhoudelijke eisen 120
- kantoorwerk 278
- methode 449
- toetsen 123
- werkgeversverplichting 41
RI&E-procedure, aanbevelingen 134
RI&E-rapport, opbouw 126
risico's
- arbeidsmiddelen, checklist 295
- gevaarlijke stoffen 219

- zie ook arborisico's
RSI 266
- test 267

**S**
samengeperste gassen 221
samenstelling VGW(M)-commissie
   339, 347
sancties 74
- aanvraag
   arbeidsongeschiktheidsuitkering
   134
- Arbeidsinspectie 44, 68
- Arbowet 484
- RI&E 123
sanitaire voorzieningen 205
schadelijk geluid 242
- zie ook lawaai
schadevergoeding 75
schriftelijk verzuimbeleid 151
schuld 73
second opinion 140, 141
seksuele intimidatie 327
- checklist 397
ServiceLevel Agreements 174
slachtoffers ongeval 361
sociaal-medisch team (SMT) 151
sollicitatie, en privacy 158
stillegging van het werk 481
Stoffenmanager, risico's gevaarlijke
   stoffen 228
strafbare feiten, proces-verbaal 68
strafoplegging overtreding 74
stress 309

**T**
teamwerk, VGW(M)-commissie 355
technisch-constructiedossier 292
temperatuur 251
tijd- en plaatsonafhankelijk werken
   283
tilhulpmiddelen 260

tillen 258
tilprotocol 261
tilsituatie bepalen 259
tocht 251
toetsenbord 280
toetsende rol VGW(M)-commissie
   341
toezicht 165, 168, 169
- Arbowet 479
- checklist 394
- schadelijk geluid 244
- veilig gedrag 292
toiletten 205
trekken 268
trillingen 271

**U**
uitgevers, adressen 434
uitvoering, arbobeleid 92
uitvoeringsfase bouwproces 46
uitzendkrachten 112
- aansprakelijkheid 77
- checklist arbo 417

**V**
vakbonden
- adressen 428
- taken arbobeleid 116
valgevaar 204
vallende voorwerpen 204
vangnetregeling, Arbowet 473
VCA-certificatie 97, 98
veiligheid, arbeidsmiddelen 287
veiligheidsbladen 231
V&G-coördinator, bouwproces 45
V&G-plan bouwproces 46
ventilatie 253
verbindingswegen 203
verbouwing 364
vergaderen, VGW(M)-commissie 356
verlichting, beeldschermwerkplek
   282

vertrouwenspersoon 330
verzuim
- mogelijke oorzaken 386
- medezeggenschap 51
verzuimbegeleiding 140, 145, 148
- privacy 159
verzuimbeleid 137, 144
- checklist 387
- trends 153
- werkgeversverplichtingen 41
verzuimcijfers 147
verzuimcontrole 146, 139
- privacy 159
verzuimdossier 142, 150
verzuimgesprekken 151
verzuimkosten 152
verzuimpreventie 139, 145, 147
verzuimprotocol 156
verzuimregistratie 157
VGW(M)-commissie
- Arbeidsinspectie 70
- arbobeleid 115
- basischecklist 374
- bevoegdheden 339
- certificatiesysteem 104
- checklist functioneren 417
- instellen 55, 337
- koers bepalen 340
- met mandaat 350
- RI&E 124
- tactiek kiezen 357
- verbeteren 347
- zie ook ondernemingsraad
vijf W's 85
vloeren 203
vluchtwegen 201
voetensteun 282
voorbeelddocumenten 443
voorbereidingscommissie, VGW(M)-
   commissie als 343
voorlichting 165, 167
- Arbowet 467

- checklist 394
- gevaarlijke stoffen 230
- schadelijk geluid 244
- werkgeversverplichtingen 42
voorlichtingfilmpjes,
   Arbeidsinspectie 65
voortgangsbewaking, plan van
   aanpak 122, 133
vrijstelling, Arbowet 483

W
waakfunctie 92
wachtdagen 139, 146
wanden 203
Warenwet Besluit machines 288
warme omstandigheden, werken in
   252
wasruimten 205
Waterwet 188
websites 427
weigerachtigheid, bij re-integratie 143
werkdruk 309
- aanpakken 313, 315
- beeldschermwerk 279
- bespreekbaar maken 317
- vragenlijst 403
werkgebonden gezondheidsrisico's
   147
werkgever, arbobeleid 107
werkgeversverplichtingen 40
- arbobeleid 108
- bouwproces 47
- werkdruk 312
- zorgplicht 77
werkhouding 262, 264
werknemers
- machinewerk 293
- persoonlijke
   beschermingsmiddelen 283
werknemerslijst, blootstelling aan
   gevaarlijke stoffen 232
werknemersrechten 43

- Arbeidsinspectie 70
- arbodienst 179
- geen medezeggenschapsorgaan 62
- geluidsbelasting 246
- zie ook ondernemingsraad
werknemersverplichtingen 43, 74
- arbobeleid 111
- Arbowet 468
werkonderbreking 43, 64, 482
werkplan, VGW(M)-commissie 345
werkplek
- inrichting 201
- machines 290
- kantoorwerk 275, 280
- zie ook arbeidsplaats
werkplekinstructiekaart 231
werkstoel 262
werkstress 309
- vragenlijst 403
werktafel 281
werktijden, beeldschermwerk 278
werkvlak 263
Wet Algemene Bepalingen
    Omgevingsrecht 188
Wet bescherming persoonsgegevens,
    verzuimregistratie 158
Wet bodembescherming 188
Wet milieubeheer 186
Wet REA 139, 141
Wet verbetering poortwachter 138,
    141
- checklist 388
wetgeving
- arbeidsmiddelen 288
- bouwproces 45
- trillingen 272
- verzuim 138
wettelijke vereisten

- klimaat 250
- milieuzorg 186
- persoonlijke
    beschermingsmiddelen 301
wettelijke verplichtingen
- arbodienst 175
- arbozorg 107
- bedrijfshulpverlening 209
- gevaarlijke stoffen 220
- lawaai 241
- ongewenste omgangsvormen 329
- kantoorwerk 275
WIA 138, 144
witte-vingerssyndroom 272
WorkAbility Index 94

Z

zeecontainers, gassen in 235
zelfinspectie, gevaarlijke stoffen 226
zelfstandige VGW(M)-commissie 343
ziekmelding
- drempel tegen 146
- privacy en controle 159
- regels 138, 139, 141
ziekteperiode 140
ziekteverzuim, zie verzuim
ziekteverzuimbeleid, zie
    verzuimbeleid
ziekteverzuimreglement 138
Ziektewet (ZW) 138
zoetwaren, arbocatalogus 33
zorgplicht werkgever 77
zwangere werkneemster 38
zwangerschap, tillen 261
zware ongevallen met gevaarlijke
    stoffen 228
- Arbowet 465
- voorkomen 42